Ciclo A

2017 Manual para proclamadores de la palabra®

Raúl Duarte Castillo

ÍNDICE

Las lecturas bíblicas han sido aprobadas por el Departamento de Comunicaciones de USCCB.

Liturgy Training Publications
3949 South Racine Avenue
Chicago, IL 60609
1-800-933-1800
fax: 1-800-933-7094
e-mail: orders@ltp.org

Visítanos en internet: www.LTP.org.

Edición: Ricardo López
Corrección: Christian Rocha
Cuidado de la edición: Víctor R. Pérez
Tipografía: Luis Leal
Diseño: Anna Manhart
Portada: Barbara Simcoe

Impreso en los Estados Unidos de América.

ISBN 978-1-61671-274-7

MP17

Tiempo Ordinario

El compromiso editorial de LTP se extiende también al cuidado responsable del medio ambiente.

Manual para proclamadores de la palabra® 2017 fue impreso con tinta a base de soya y en papel certificado por la SFI® (Iniciativa por una silvicultura sustentable). Certified Fiber Sourcing Standard y Chain-of-Custody Standard confirman que el productor del papel ha seguido un proceso responsable en la obtención de la fibra.

La pulpa de madera empleada en este papel proviene de materiales reciclados y de fuentes 100% responsables. Para minimizar el uso de combustible fósil, en la producción de este papel se emplearon biocombustibles renovables.

Nihil Obstat
Reverendo Daniel A. Smilanic, JDC
Vicario de Servicios Canónicos
Arquidiócesis de Chicago
18 de marzo de 2016

Imprimatur
Reverendo Ronald A. Hicks
Vicario General
Arquidiócesis de Chicago
18 de marzo de 2016

El *Nihil Obstat* e *Imprimatur* son declaraciones oficiales de que un libro es libre de errores doctrinales y morales. No existe ninguna implicación en estas declaraciones de que quienes han concedido el *Nihil Obstat* e *Imprimatur* estén de acuerdo con el contenido, opiniones o declaraciones expresas. Tampoco ellos asumen alguna responsabilidad legal asociada con la publicación.

INTRODUCCIÓN

Proclamar la Palabra de Dios es derecho y deber de todo su Pueblo, gracias a haber experimentado y experimentar la salvación de Dios. Esa experiencia lo ha convertido en un pueblo que comparte valores e ideales entre sus miembros, y que expresa como fe, esperanza y caridad. Esta comunidad delega a algunos de sus miembros para que proclamen la Palabra en las asambleas litúrgicas, especialmente en las dominicales. Felicitamos a todos los lectores y proclamadores por dar el sí a esta gracia de Dios, y les animamos a que se preparen espiritual, bíblica y técnicamente para cumplir eficazmente su encargo; a ellos, principalmente, va destinado este *Manual para proclamadores de la palabra® 2017*.

El *Manual para proclamadores de la palabra®* ofrece las tres lecturas dominicales, además del salmo responsorial, que se proclaman en la asamblea. Además de la oración que siempre debe acompañar cualquier acción ministerial, los lectores y proclamadores deben estudiar las lecturas y penetrar su sentido. A esto ayudan los comentarios a cada lectura que aparecen en la parte baja de las páginas. Pero habrá que acudir a otras informaciones más específicas cuando queden dudas o se quiera profundizar algún aspecto de las Escrituras.

Para proclamar con propiedad, auxilian las notas marginales del manual. Será conveniente ensayar la pronunciación de cada palabra, vocalizar y mantener el ritmo que los signos de puntuación señalan. Con el equipo de lectores, cerciórense de que la acústica del lugar es adecuada. Por último, tengamos presente que el centro de la asamblea es la palabra proclamada, no el proclamador.

Acudamos con gusto a la mesa del pan y de la palabra, en este banquete que el Señor nos ha preparado con esmero. Dejemos que la Palabra nos transforme para transformar nuestra realidad a la medida de la Palabra.

La Palabra sustento de la Iglesia

"La Iglesia se funda sobre la Palabra de Dios, nace y vive de ella", suscribió el papa Benedicto XVI en la exhortación postsinodal *Verbum Domini* (no. 3). Con esas palabras, él nos lleva a meditar sobre la vitalidad, productividad y fundamentación de nuestra relación de Iglesia con Cristo Jesús, Palabra de Dios definitiva. Esa Palabra es la que nos alcanza principalmente en las Escrituras, pero también en los sacramentos, y en la vida entera de la comunidad de fe eclesial. Como se mira, el Papa habla de la Iglesia como una institución pero también como un organismo vivo, porque esto es a fin de cuentas, por sus formas y estructuras que la hacen visible en nuestro mundo, pero principalmente por el espíritu que anima a todos y cada uno de sus miembros a trabajar porque la salvación del Evangelio impregne toda la vida y expresiones humanas.

La Iglesia fundada en la Palabra

La Palabra de Dios es el fundamento de la Iglesia. Comencemos por recordar que la palabra griega "iglesia" significa congregación o reunión de personas invitadas o llamadas. En las ciudades griegas, se convocaba los ciudadanos libres en la plaza para discutir y decidir sobre los asuntos públicos que a todos concernían. Había todo un protocolo para proceder, pero se entendía que en esa reunión participaba y se organizaba la vida de la ciudad. No se configura en Iglesia un número indeterminado de personas, por el simple hecho de reunirse. No. En la reunión de iglesia o congregación, hay que buscar, al menos, dos distintivos o marcas de eclesialidad que tienen nuestras asambleas, y que vale la pena considerar.

La primera marca distintiva de la reunión de los convocados como Iglesia, le viene de quien la convoca; en este caso nuestro, de Dios Padre, Hijo y Espíritu Santo. La asamblea de la Iglesia goza, por tanto, del carácter trinitario que se ha expresado desde la propia vocación o llamada bautismal. Esta vocación nos ha hecho renacer "en el nombre del Padre, y del Hijo, y del Espíritu Santo". Tales fueron las palabras que nos convocaron a la vida nueva, y son ellas las que marcan nuestra identidad y nuestro destino más profundos: la comunión con Dios, Trino y Uno.

La palabra de la Santísima Trinidad, Palabra de Dios, es la que nos llama, congrega y fundamenta. Esa es la razón profunda por la que iniciamos y terminamos nuestras asambleas eclesiales en su nombre; son esas mismas palabras las que ponemos sobre nosotros como una bendición en forma de cruz. Con tales palabras nos constituimos Iglesia de Dios, y por ellas nos hemos convertido, como dice la Primera carta de san Pedro en "*raza elegida, sacerdocio real, nación santa y pueblo adquirido para proclamar las maravillas* del que los llamó de las tinieblas a su maravillosa luz" (1 Pe 2:9). Somos pueblo fundado en la Palabra de Dios porque ella lo crea, lo libera y lo santifica en medio del mundo. Se trata de una palabra fuerte y poderosa que muestra el camino y lo va haciendo hasta alcanzar la comunión plena con Dios y con todos los miembros del pueblo, a los que llamamos hermanos y hermanas, sus integrantes. La palabra trinitaria nos da identidad común y nos traza la ruta hacia la participación plena.

El segundo rasgo que distingue a una reunión o que la identifica como "iglesia", es que los reunidos califiquen como llamados o invitados. Anotábamos que no se trata de una concurrencia casual, espontánea, o de meras coincidencias fortuitas. No se invita a cualquiera ni a "todo el que quiera asistir". No; la reunión tiene sus condiciones. Las personas que asisten son sólo aquellas cabalmente capacitadas para la reunión, pues han sido "elegidas", dice Pablo (1 Tes 1:4). Esa elección ha sido hecha en vistas a la salvación, para experimentar la comunión con Dios en Cristo Jesús. Sólo los elegidos o invitados han sido capacitados para acudir. Se acude en calidad de haber sido elegidos. A estos les han sido abiertos los oídos, durante su preparación para abrazar la fe cristiana y en unos ritos que les preparan para recibir la Palabra de la vida.

La reunión eclesial, hay que resaltarlo, responde a una intención. Se convoca para algo. La convocación es determinada y puntual, porque tiene su punto de recepción en las aguas del bautismo. La convocación o voz de la Palabra de Dios se escucha y acepta al ser bautizado. Todos y sólo los bautizados son capaces de congregarse en Iglesia, como la entendemos en nuestra tradición de fe: con su carácter de ser "una, santa, católica y apostólica", notas que derivan del cauce de las aguas bautismales. Estas notas conforman a los llamados y reunidos en asamblea puntual del Pueblo de Dios. La cuádruple vocación de este pueblo de Dios es a la unidad en medio de la diversidad, a la santidad en la mundanidad, a la universalidad en la particularidad y a la apostolicidad en la receptividad. Esa intención la funda y realiza a cabalidad la Palabra de Dios.

Palabra que da vida

Al meditar en el origen bautismal de todos y cada uno de los convocados, entendemos mejor cómo la Iglesia nace de la Palabra de Dios. Gracias a las aguas bautismales, el pueblo de Dios nace de su Palabra vital. Es una vida con una dimensión sobrenatural, que arraiga en la Pascua del Señor, es decir, en el misterio de su pasión, muerte y resurrección, porque allí alcanza su punto culminante la entera revelación de Dios Padre, Hijo y Espíritu Santo. De esa vitalidad sobrenatural se nutre todo el pueblo de Dios, pueblo de la última pascua, pueblo de la vida nueva, pueblo resucitado. Por esto podemos decir que la Palabra de Dios engendra al pueblo de Dios y lo nutre para darle vida continuamente.

La Palabra de Dios engendra y da vida a la Iglesia; el Papa anota que la "Iglesia... nace y vive" de la Palabra. Tenemos la imagen de un organismo vivo. Si el nacimiento eclesial es puntual, el vivir es continuo e ininterrumpido. Vivir de la palabra es una realidad profunda que aflora en la productividad o fertilidad de la propia Iglesia, la comunidad de fe. La de Dios no es una palabra vana o estéril, sino poderosa y fecunda, como el libro del profeta Isaías expresa, cuando la compara a la lluvia y la nieve que "empapan la tierra, la fecundan y la hacen germinar, para que dé semilla al sembrador y pan para comer" (Is 55:10). Lo mismo expresa el Deuteronomio cuando considera los preceptos pronunciados por Dios para dar vida al pueblo, "que el hombre no vive sólo de pan, sino de todo lo que sale de la boca de Dios" (Dt 8:3). La finalidad última de la Palabra es sostener la vida humana, hacerla vigorosa, floreciente y productiva. El quehacer de la Iglesia debe manifestar cuál es su alimento, la fuente de su vitalidad.

Éste es mí mandamiento: que se amen los unos a los otros como yo les he amado.

Proclamemos la grandeza del Señor y alabemos todos juntos su poder.

Aunque podemos explorar muchas vías donde la vitalidad de la Palabra queda manifiesta, sin duda que las más específicas son las que la tradición de la Iglesia ha consagrado como las Obras de misericordia. Entre ellas, el *Catecismo de la Iglesia* propone como obras de misericordia espirituales: "instruir, aconsejar, consolar, confortar, perdonar, sufrir con paciencia"; en tanto que entre las obras corporales de misericordia encontramos: "dar de comer al hambriento, dar techo a quien no lo tiene, vestir al desnudo, visitar a los enfermos y a los presos, enterrar a los muertos". (*CatIgC*, 2447). En esas acciones puntuales se verifica la vitalidad de la Iglesia.

Crecer en la Palabra

El papa Benedicto XVI señala que la Iglesia crece "en la escucha, en la celebración y en el estudio de la Palabra de Dios" (*VD*, 3). Se trata de tres aspectos de crecimiento eclesial. Crecer en la escucha, no sólo implica oír más, como si una multiplicación de lecturas bíblicas trajera por sí misma el crecimiento, más bien, se trata de una disposición exterior e interior favorable hacia el que comunica, en este caso, hacia Dios.

Por experiencia cotidiana sabemos que podemos percibir las palabras de alguien que habla, sin llegar a captar su significado ni su sentido. Cuando esto ocurre, no se establece comunicación alguna; la voz es simple ruido, porque el receptor está ausente, en realidad. No sería raro que esto nos sucediera al recibir la Palabra de Dios: oír sin atender. Por el contrario, crecemos en la escucha cuando disponemos toda nuestra persona para atender no sólo lo verbal de la comunicación, sino también lo no verbal: gestos, silencios, emociones, pausas, inflexiones, etc. Todo se vuelve relevante. Se escucha a profundidad cuando no interrumpimos, cuando con silencio reverente acogemos a quien habla y nos vinculamos con solidaridad o empatía. A Dios se le escucha privilegiadamente en la oración, en el trato continuo y constante. Allí recibimos sus propias palabras, y con ellas aprendemos a hablar y a vivir. Es una escucha de calidad, más que de cantidad. De esta manera crecemos en el mismo Espíritu que inspiró las Escrituras y que hace crecer la Iglesia. En la oración, en el recogimiento, en la contemplación se va haciendo verdad aquello de "habla Señor, que tu siervo escucha" (1 Sam 3:10).

El Papa agrega que la Iglesia crece en la celebración de la Palabra de Dios. Celebrar es el sentido más hondo de reunirnos en Iglesia: celebramos la salvación de Dios en Cristo Jesús. El triunfo mayor y que más nos beneficia es su misterio pascual; lo abrazamos como vida nueva, vida en el Espíritu, vida de rescatados y redimidos del pecado y de la muerte. Esa vida nueva en Cristo es nuestra salvación y la recibimos como palabra, sin duda ninguna, pero también como gesto y como rito.

Sin duda ninguna que la liturgia entera de la Iglesia no es otra cosa que la celebración de la salvación de Dios; somos pueblo suyo que proclama sus hazañas en favor nuestro y de la humanidad entera. Por eso, en nuestra asamblea tiene un lugar prominente la memoria. Gracias a ella miramos al pasado para mirar la presencia redentora de nuestro Dios, para descubrir su brazo poderoso que rescató a sus fieles cuando estaban perdidos y sin esperanza. Allí Dios obró en favor de su pueblo, y el pueblo, al experimentar la salud, se descubre suyo. Esta identidad ganada es la que transmite de una generación a otra. No podemos olvidar que al celebrar la memoria de la salvación, el tiempo y el espacio son transformados por darle cabida a la Palabra, a su fuerza de liberación, a su marca de identidad y a su verdad de futuro. Celebramos lo que Cristo nos ha adquirido, sí, pero también lo que nos aguarda: la plenitud de la vida. Al celebrar la Palabra, la Iglesia como que activa el misterio de la Encarnación en la asamblea local para preñar la existencia efímera y frágil de la redención eterna, la vida con Dios. Celebramos la Palabra que nos lanza al futuro.

La tercera dimensión que el Papa subraya en el crecimiento de la Iglesia es la del estudio de la Palabra de Dios. El magisterio eclesial se ha ocupado con creciente atención de las Sagradas Escrituras, sobre todo a partir del Vaticano II, con la Constitución Dogmática *Dei Verbum*. A la par, ha habido un vigoroso impulso en el pueblo de Dios de todas las latitudes, promoviendo el estudio de la Biblia desde grupos, círculos y escuelas parroquiales hasta especializados centros de estudio, como institutos bíblicos y universidades. Este es un esfuerzo de todo el pueblo de Dios para aniquilar el fideísmo que ciega la inteligencia y la razón, y para buscar una comprensión honda de la revelación escrita con la ayuda de las ciencias humanas (ver *VD, 26*).

El estudio de las Escrituras va aparejado con la escucha y la celebración de la Palabra de Dios, pero representa también un exigente compromiso de la fe. En efecto, explorar la divina revelación en las circunstancias que la vida contemporánea presenta, es una obligación y un reto constante para el creyente, porque se trata de encontrar la relevancia de la Palabra de Dios que habla al hombre contemporáneo. De allí que, si de una parte es indispensable investigar el pasado, la historia y sus complejas condiciones, para poder asir mejor lo que llegó a expresarse en los libros sagrados, sus modos y motivaciones, y aprender la verdad de la revelación, de otra parte, es necesario pulsar el continuo flujo de la vida humana actual, en sus más variadas expresiones y circunstancias, para poder percibir la fuerza transformadora de la oportuna Palabra de Dios en la historia, que convoca a la comunión plena y gozosa de la humanidad entera (ver 1 Jn 1:1–4).

El Papa deja ver que esta tarea no compete sólo a los eruditos o estudiosos del libro sacro, sino a todo el Pueblo de Dios, pues "la Biblia ha sido escrita por el Pueblo de Dios y para el Pueblo de Dios, bajo la inspiración del Espíritu Santo" (*VD*, 30). Bien podemos decir que es esta impronta o sello eclesial del estudio bíblico lo que consigue evitar fundamentalismos en la interpretación bíblica (ver *VD*, 44). En otras palabras, el estudio es búsqueda o esclarecimiento sincero de la verdad, que se hace en el diálogo y la comunión de la fe de todos los fieles. De la confluencia dialogal van surgiendo luces y esperanzas que alientan el camino del pueblo fiel a la Palabra del Dios vivo. El que explora la Palabra con el deseo de encontrar a Dios, no lo hace para amparar o justificar su propia doctrina o modos de proceder, sino para descubrir los indicios que le lleven a una vida de mayor comunión entre los hermanos y con Dios.

Esta breve exploración de las palabras del papa Benedicto XVI que anotamos al comienzo de esta introducción, debe nacer en nosotros el deseo de crecer en la escucha de la Palabra de Dios, de celebrarla con espíritu renovado y de estudiarla con ahínco y constancia. Muchas gracias derramará el Espíritu Santo sobre nosotros, nuestra familia y comunidad eclesial si nos esforzamos en hacer carne la Palabra viva de Dios.

La Palabra de Dios en la liturgia

La liturgia es el lugar privilegiado de la palabra de Dios, como afirma *Verbum Domini* 52. En la liturgia de la Iglesia tiene lugar ese diálogo entre Dios y su pueblo en el que la Palabra tiene su lugar más propio. De ese dinamismo deriva todo el ser y quehacer del Pueblo de Dios, pueblo profético, real y sacerdotal. Podemos pensar, por ejemplo, en la Liturgia de las Horas, que es la oración permanente de la Iglesia. Toda ella está confeccionada con las palabras mismas de las Escrituras Sagradas; desde las antífonas e invitatorios hasta salmos, cánticos e intercesiones, la Palabra rezuma en todas sus líneas. Otro tanto sucede en la celebración eucarística y en los sacramentos.

En cada uno de los sacramentos de la Iglesia, la Palabra de Dios tiene una incidencia fundamental y decisiva. A los gestos y ritos acompaña siempre una palabra que esclarece, determina y realiza aquella gracia de Dios que se significa. Esto es coherente con los modos como Dios se nos da a conocer en la historia humana. Él se nos revela mediante obras y palabras intrínsecamente ligadas (*DV*, 2). Su actuar es sacramental, por así decir, y de esa sacramentalidad participa la misma Iglesia, que en su ser y quehacer manifiesta la salvación de Dios para cada creyente y para el mundo; de manera privilegiada, percibimos esto a través de mediante los sacramentos de iniciación, pero también en los de sanación y de servicio (ver *VD*, 61).

El evangelio del año A

A partir del Concilio Vaticano II, se multiplicó la abundancia de las lecturas bíblicas en la liturgia de la Iglesia, principalmente en la celebración eucarística dominical. Las lecturas dominicales han sido

Dichosos los pobres de espíritu, porque de ellos es el Reino de los cielos.

Síncera es la palabra del Señor y todas sus acciones son leales.

organizadas en un ciclo litúrgico de tres años, y se dispuso que cada año litúrgico fuera conducido por la lectura continua de un evangelio, siguiendo el orden en el que fue acogido por las iglesias primeras, reflejado en el Nuevo Testamento; san Mateo durante el año A, san Marcos en el B y san Lucas en el C. El evangelio de san Juan, en cambio, se escucha durante los tiempos de Navidad y Pascua, y complementa a san Marcos en el año B, cuando la lectura llega a la sección de la multiplicación de los panes. Este año litúrgico nos corresponde escuchar al primero de los evangelios sinópticos, el de san Mateo.

Del autor del Evangelio según san Mateo tenemos pocos datos, pero la tradición eclesiástica lo ha identificado con Leví, el cobrador de impuestos que Mc 2:14 menciona y al que Mt 9:9 transforma en Mateo. Quizá a él aluda aquella figura del escriba del Reino que leemos en Mt 13:52s. Su nombre lo encontramos junto a los de Andrés, Pedro, Felipe, Tomás, Santiago y Juan que "predicaban la verdad con voz viva y duradera", y Papías, Obispo de Hierápolis en el siglo II, escribió que "Mateo ordenó las palabras en lengua hebrea, y cada quien las interpretó (tradujo) como mejor pudo". El evangelio que ha llegado hasta nosotros está escrito en griego, no en hebreo, lo que nos acerca a una comunidad judía que vive fuera de Palestina, quizá en Antioquía de Siria, en torno al año 80.

La comunidad en la que se encuentra san Mateo está formada por un núcleo fuerte de judíos de carácter fariseo, es decir, de estricta observancia por la ley de Moisés y las estipulaciones derivadas de ella. Esto causaba ciertas tensiones internas, pues se le habían ido integrando cada vez más, discípulos de extracción pagana, de costumbres y modos de pensar griegos, más que judíos. El riesgo de un cisma interno estaba latente, y se podría consumar tanto si se imponía a rajatabla la rica tradición judía, en la que el Evangelio tiene sus raíces, como si se relegaba la imperiosa necesidad de adaptarlo a las circunstancias novedosas que confrontaban los nuevos creyentes.

El liderazgo de san Mateo va a consistir en orientar la vida de la comunidad cristiana sacando del tesoro de la experiencia de la fe, "cosas nuevas y cosas viejas" (ver Mt 13:52s). Por eso pone mucho énfasis en perfilar a Jesús tanto como el Mesías del amor compasivo de Dios por su pueblo (ver Mt 1:22; 9:13; 18:12–14), como el Maestro sabio que enseñanza el camino del Reino (Mt 4:23–25). Sobre este andamiaje distribuye san Mateo su evangelio en cinco grandes discursos las enseñanzas de Jesús que hace alternar con secciones de curaciones milagrosas, principalmente. Mateo emplea un formulismo para marcar el término de las enseñanzas de Jesús, en 7:28; 11:1; 13:53; 19:1; 26:1. Es un evangelio bien estructurado y que contiene más que discursos.

Luego de los relatos en torno al origen y nacimiento del Mesías (cap. 1–2), Mateo introduce a Jesús como aquel que trae la justicia de Dios a su pueblo, como luz y salud para todos los oprimidos por la oscuridad y la enfermedad (Mt 4). En los capítulos 5–7, se pronuncian los criterios fundamentales de lo que significa ser discípulo de Jesús. La siguiente agrupación de milagros, principalmente, hacen ver que la justicia del Reino significa la compasión de Dios para los más pobres y pecadores (Mt 8–9). El discurso del capítulo 10 versa sobre la actividad apostólica de los creyentes hacia afuera. En la parte narrativa, capítulos 11–12, san Mateo agrupa episodios que marcan diferencia entre los que reciben a Jesús y los que lo rechazan, de corte fariseo, principalmente. Las parábolas del capítulo 13, ahondan en lo que representa acoger la palabra del Reino. Los relatos de los capítulos 14–17 hilan con el tipo de Mesías o rey que es Jesús, el hijo de David, frente a los estereotipos de rey que esperaban las gentes. En Mt 18, el evangelista muestra los criterios que han de primar en la resolución de conflictos dentro de la propia comunidad de fe. Los episodios siguientes van ilustrando el camino del discípulo frente al destino último que tomará la forma de lo que le aguarda a Jesús en Jerusalén; allí Jesús interpela a las autoridades del pueblo para que abracen el evangelio del Reino, pero obtiene sólo rechazo (caps. 19–23). En Mt 24 encontramos el discurso sobre los eventos del fin, el discurso escatológico, que exhorta a mantenerse preparado en todo momento. De los capítulos 25 a 28 tratan sobre la pasión, muerte y resurrección del Mesías de Dios.

Sigamos al Señor, guiados por la Palabra que Dios nos regala en todas las Escrituras, y, especialmente en este año, en el evangelio de san Mateo.

I DOMINGO DE ADVIENTO

I LECTURA Isaías 2:1–5

Lectura del libro del profeta Isaías

Sintoniza con esta bella visión profética. Ponle entusiasmo a la proclamación. Páusate después de la primera línea; es como el encabezado.

Visión de **Isaías**, hijo de **Amós**, acerca de **Judá** y **Jerusalén**:
En **días futuros**, el **monte** de la casa del **Señor**
será **elevado** en la cima de los **montes**,
encumbrado sobre las montañas
y **hacia** él confluirán **todas las naciones**.

Acudirán pueblos **numerosos**, que dirán:
"**Vengan**, **subamos** al monte del Señor,
a **la casa** del Dios de Jacob,
para que **él** nos instruya en sus caminos
y podamos **marchar** por sus sendas.
Porque de Sión **saldrá** la ley,
de Jerusalén, la **palabra** del **Señor**".

Esta parte final presenta al Señor como juez de paz. De allí resulta el tono festivo de las dos líneas finales; invita con ellas a la asamblea.

Él será el **árbitro** de las naciones
y el **juez** de pueblos numerosos.
De las **espadas** forjarán **arados**
y de las **lanzas**, **podaderas**;
ya no **alzará** la espada pueblo contra pueblo,
ya no se adiestrarán para la guerra.

¡Casa de Jacob, **en marcha**!
Caminemos a la luz del **Señor**.

I LECTURA Este canto es uno de los cantos más bellos del profeta Isaías. Es un llamado a la paz. Jerusalén es vista como una realidad histórica y como símbolo. Es Jerusalén la ciudad amada por Dios y en continua búsqueda de paz. Tal vez porque muy pocas veces gozó de este beneficio, es que lo anheló tanto. Fue objeto casi siempre de las miras expansionistas y depredadoras de los grandes imperios. Cuando alguien no goza de un bien, más lo desea.

Se habla del futuro. El presente se antoja demasiado negro para como esperar una pronta paz. Se trata del final de los tiempos. Entonces se alzará lo bajo, que es el monte Sión, sobre todos los montes. Sión se hará entonces visible. ¿Qué verán los otros montes o, lo significado por éstos: los pueblos de la tierra? Verán una manera de ser y de vivir que se hará antojadiza. Zacarías dirá lo mismo con otra imagen (8:23). La gente querrá vivir en paz y verán en Jerusalén una manera de llevarlo a cabo.

El profeta se imagina una lenta y progresiva peregrinación. Se dirigirán todos los pueblos hacia la única meta: la Jerusalén de los planes de Dios y no la Jerusalén actual, sucia, fea y peleada todos los días por varios pueblos y distintas religiones. Los pueblos van tras de la Jerusalén imaginada por Dios: la ciudad de la paz. Además, también se invitará al pueblo elegido, de aquí la llamada a "la Casa de Jacob a caminar a la luz del Señor". Se tendrá el encuentro del pueblo de Dios y de los pueblos en un punto en que todos estarán de acuerdo: en oír y escuchar la palabra del Señor, ya que ésta será la que fundará la paz.

II LECTURA Después de haber despejado en la primera parte del capítulo el problema que tenían los cristianos

Para meditar.

SALMO RESPONSORIAL Salmo 121:1–2, 4–5, 6–7, 8–9

R. Qué alegría cuando me dijeron: "Vamos a la casa del Señor".

Qué alegría cuando me dijeron: "Vamos a la casa del Señor". Ya están pisando nuestros pies tus umbrales, Jerusalén. R.

Allá suben las tribus, las tribus del Señor. Según la costumbre de Israel, a celebrar el nombre del Señor. En ella están los tribunales de justicia en el palacio de David. R.

Deseen la paz a Jerusalén: "Vivan seguros los que te aman, haya paz dentro de tus muros, seguridad en tus palacios". R.

Por mis hermanos y compañeros voy a decir: "La paz contigo". Por la casa del Señor nuestro Dios, te deseo todo bien. R.

II LECTURA Romanos 13:11–14

Lectura de la carta del apóstol san Pablo a los romanos

La lectura busca despertar la esperanza en la salvación próxima. Acendra tu voz en la exhortación, no en la amenaza.

Hermanos:
Tomen en cuenta el **momento** en que vivimos.
Ya es hora de que se **despierten** del sueño,
porque **ahora** nuestra salvación está **más cerca** que cuando empezamos a creer.
La noche está avanzada y se **acerca** el día.
Desechemos, pues, la obras de las tinieblas
y **revistámonos** con las armas de la luz.

Enumera los vicios con naturalidad, sin darles tono recriminatorio. Luego eleva un poco tu tono de voz para exhortar a lo positivo.

Comportémonos **honestamente**, como se hace **en pleno día**.
Nada de comilonas ni borracheras,
nada de lujurias ni desenfrenos, **nada** de pleitos **ni** envidias.
Revístanse más bien, de nuestro Señor **Jesucristo**
y que el **cuidado** de su cuerpo **no dé ocasión**
a los **malos deseos**.

sobre obedecer o no a la autoridad civil, pasa el Apóstol en los versos de la segunda lectura de hoy, a retomar el fundamento escatológico de todo comportamiento cristiano. Hay que andar despierto, porque ahora la salvación está mucho más cerca de cuando empezamos a creer.

Pablo tiene muy fijo en la mente el hecho de la manifestación próxima del reino de Dios que viene. No pretende Pablo hablar del día y de la hora de esta venida. Quiere sólo subrayar la urgencia, la premura que debemos tener ante el tiempo que nos tocó vivir. Todo cuenta en vistas a la venida del Señor. La noche, signo de la maldad, poco a poco va cediendo ante luz que ya viene. Hay que trabajar en nuestra vocación, en aquello que como cristianos sabemos que debemos llevar a cabo. De aquí la invitación a que nos vistamos de la armadura de la luz. Los cristianos estamos invitados a considerar que nuestra persona ha sido crucificada con Cristo, que hemos muerto al pecado, que el Señor nos ha dado una nueva vida y que en ésta es en la que urge que caminemos. La imagen del vestido nos lleva a nuestro bautismo, donde fuimos sepultados y resucitamos con Cristo.

Dejando el lenguaje simbólico, Pablo invita a un comportamiento de vida honesta, cual corresponde a los verdaderos hijos de Dios, hijos de la luz. El v. 13 fue para san Agustín decisivo en su conversión total: "basta de banquetes y borracheras, basta de lujuria y libertinaje, no más envidias y peleas. Revístanse del Señor Jesucristo".

EVANGELIO La historia bíblica de Noé es bastante conocida. Los días andaban con toda normalidad, ninguna amenaza en el horizonte, cuando un buen día él se puso a construir un barco inmenso

EVANGELIO Mateo 24:37–44

Lectura del santo Evangelio según san Mateo

Marca con el ritmo de tu voz lo inesperado de la venida del Mesías. Toda la primera parte se basa en ese contraste, entre lo cotidiano y lo sorpresivo.

En **aquel** tiempo, Jesús dijo a sus **discípulos**:
"**Así** como sucedió en tiempos de **Noé**,
así **también** sucederá cuando venga el **Hijo del hombre**.
Antes del diluvio, la gente **comía**, **bebía** y **se casaba**,
hasta **el día** en que Noé entró en el **arca**.
Y cuando **menos** lo esperaban, sobrevino el **diluvio**
y se llevó a **todos**.
Lo mismo sucederá cuando venga el **Hijo del hombre**.
Entonces, de **dos hombres** que estén en el campo,
uno será llevado y **el otro** será dejado;
de **dos mujeres** que estén **juntas** moliendo trigo,
una será **tomada** y la otra **dejada**.

El exhorto es directo y encuadra este párrafo. En la parte final alarga las líneas un tanto para bajar la velocidad de la lectura.

Velen, pues, y **estén** preparados,
porque no saben **qué día** va a venir su **Señor**.
Tengan por cierto que si un padre de familia
supiera **a qué hora** va a venir el **ladrón**,
estaría **vigilando** y **no dejaría** que se le metiera
por un boquete **en su casa**.
También ustedes **estén preparados**,
porque a la hora que **menos lo piensen**,
vendrá el **Hijo del hombre**".

en el cerro, lejos del mar y de cualquier río; aquello era ridículo. Pasó a convertirse en la burla de vecinos y desconocidos. Noé se preparaba para algo que nadie adivinaba en el porvenir, hasta que, de repente, sobrevino el diluvio para destrucción de la humanidad violenta y pecadora, pero exceptuó a Noé y su familia gracias a que siguieron las directrices de Dios. El evangelio compara la catástrofe del diluvio con la imprevista venida del Hijo del Hombre o parusía que señala el juicio de Dios sobre la humanidad, con el que inicia una era nueva.

La primera descripción sobre la parusía pareciera hablar de la arbitrariedad para elegir a un hombre o a una mujer sobre sus pares. Jesús no enseña que la salvación se deba al azar o a una oscura determinación previa. El punto es que los elegidos o dejados ignoran o desconocen el día del juicio. Esa ignorancia debe golpear al que escucha la enseñanza, porque se repite en la ilustración del padre de familia, pero bajo otra forma.

Velar y vivir preparados son las actitudes correctas del seguidor de Jesús que no puede amoldarse a la normalidad de violencia y pecado. El discípulo debe vivir tensionado por la venida de su Señor. Debe saber distinguir las señales que anuncian la justicia que viene. Prepararse es ajustarse a las normas dadas por Dios, aunque parezcan anormales a los ojos de las mayorías.

El Adviento nos revive esa tensión de ser anormales, viviendo a la espera de la venida del Señor, la de Navidad y la última o escatológica. Para esto nos preparamos, porque no sabemos ni el día ni la hora.

II DOMINGO DE ADVIENTO

I LECTURA Isaías 11:1–10

Lectura del libro del profeta Isaías

Este es un texto de firme esperanza en el futuro. Procura sintonizar con él.

En aquel día **brotará** un renuevo del tronco de Jesé,
un vástago **florecerá** de su raíz.
Sobre él **se posará** el espíritu **del Señor**,
espíritu de sabiduría e inteligencia,
espíritu de consejo y fortaleza,
espíritu de piedad y temor de Dios.

No juzgará por apariencias,
ni sentenciará de oídas;
defenderá con justicia al **desamparado**
y con equidad **dará** sentencia al pobre;
herirá al violento con el **látigo** de su boca,
con el soplo de sus labios **matará** al impío.
Será la justicia su **ceñidor**,
la fidelidad **apretará** su cintura.

Este cuadro es idílico. No por ello lo hagas con ternura fingida; se trata de una promesa divina.

Habitará el **lobo** con el **cordero**,
la **pantera** se echará con el **cabrito**,
el **novillo** y el **león** pacerán **juntos**
y un **muchachito** los apacentará.
La **vaca** pastará con la **osa**
y sus **crías** vivirán **juntas**.
El león comerá paja con el **buey**.

I LECTURA Uno de los poemas más hermosos del profeta Isaías nos viene a hablar de un bien que, entonces y ahora, ha sido algo muy deseado por la humanidad: la paz.

En el capítulo anterior se habló del ataque del potente ejército asirio, que está para adentrarse en Judá y atacar Jerusalén, para saquearla. Es una descripción vivaz y rápida de cómo avanza el ejército asirio (Is 10:24). Pero a esto se opone Dios. El Señor restaurará a su pueblo por medio de un descendiente de David. Ante una situación difícil, como estaba en esos momentos el reino de Judá, se alza la voz del profeta que promete la ayuda divina a través de un miembro de la dinastía davídica.

El profeta habla en general del "Germen". No dice de cual raíz venga. Los profetas no dan una visión cinematográfica por adelantado, a veces sólo inician lo que pasará, recurriendo a fuertes imágenes donde cabe lo poco y lo mucho. El objetivo de Isaías es mantener al pueblo con una esperanza viva, poniendo de relieve al objeto o destinatario de la misma esperanza.

El personaje que enviara el Señor es como una flor que nace de una raíz que se tenía por muerta. Cuando las esperanzas humanas parecen evanecerse, el Señor retoma la iniciativa para relanzar su plan de salvación y redención. El Señor envía a su Ungido, al Mesías, para que Israel complete su misión. El pueblo de Dios y los otros pueblos se darán cuenta de que detrás de este personaje está actuando Dios.

En la segunda parte se nos describe una misión esplendorosa de lo que será la paz, el orden armado por Dios. La creación no sólo ofrecerá el orden primitivo creado por Dios, sino que éste será transformado de tal manera que manifestará la creación en

El **niño** jugará sobre el agujero de la **víbora**;
la **creatura** meterá la mano en el **escondrijo** de la **serpiente**.
No harán **daño** ni estrago por **todo** mi monte santo,
porque **así** como las aguas **colman** el mar,
así está **lleno** el país de la **ciencia** del Señor.

Páusate tras decir "Aquel día", y pega lo que sigue de la frase con la línea siguiente.

Aquel día la raíz de Jesé **se alzará**
como bandera de los pueblos,
la buscarán **todas** las naciones
y **será gloriosa** su morada.

Para meditar.

SALMO RESPONSORIAL Salmo 71:1–2, 7–8, 12–13, 17

R. Que en sus días florezca la justicia, y la paz abunde eternamente.

Dios mío, confía tu juicio al rey, tu justicia al hijo de reyes: para que rija a tu pueblo con justicia, a tus humildes con rectitud. R.

Que en sus días florezca la justicia y la paz hasta que falte la luna; que domine de mar a mar, del Gran Río al confín de la tierra. R.

Porque él librará al pobre que clamaba, al afligido que no tenía protector; él se apiadará del pobre y del indigente, y salvará la vida de los pobres. R.

Que su nombre sea eterno y su fama dure como el sol; que él sea la bendición de todos los pueblos y lo proclamen dichoso todas las razas de la tierra. R.

II LECTURA Romanos 15:4–9

Lectura de la carta del apóstol san Pablo a los romanos

Proclama esta lectura a una asamblea deseosa de cosas buenas. Es un texto de consuelo.

Hermanos:
Todo lo que en el pasado ha **sido escrito** en los libros santos,
se escribió para instrucción **nuestra**, a fin de que,
por la paciencia y el consuelo **que dan las Escrituras**,
mantengamos la esperanza.

su orden y hermosura lo que Dios intentaba para bien de su pueblo y de los pueblos.

La creación desde el principio, como decía Pablo, sufre dolores de parto, queriendo manifestar el esplendor de la gloria de Dios. Esto es lo que sucederá cuando el Señor venga a visitar a su pueblo con esa redención a través de ese renuevo prometido.

II LECTURA La segunda lectura empieza con una cita del Antiguo Testamento. La Palabra de Dios está situada en el tiempo, pero rebasa a éste, abriéndose a todos los tiempos. Pablo quiere fundar su exhortación en un terreno sólido, en la Escritura. Ésta da instrucción para todo, produciendo en el oyente consuelo y perseverancia. Tenemos también delante de nosotros el Primero o Antiguo Testamento que nos puede dar dirección y toda clase de ánimo en nuestra vida.

En la primera parte Pablo habló de Cristo, que es salvación para judíos y paganos. Ahora, en la exhortación, Pablo invita a vivir de acuerdo a esta misma fe. Pablo, auténtico judío versado en las Escritura, ve la Palabra de Dios como la fuente desde la cual se construye la esperanza y la manera de vivir de los cristianos. De aquí que a menudo recuerde a sus cristianos su método de evangelización: la cruz de Cristo, muerto y resucitado.

Recuerda a los romanos la mutua recepción en la fe. Alude el Apóstol al ejemplo de Cristo que, por amor, se hizo servidor de todos. Al final de esta unidad, ofrece Pablo una interpretación teológica de la historia de la salvación, donde se va viendo la paulatina y progresiva apertura del pueblo de Dios a los pueblos, de Palestina al mundo entero.

Que Dios, fuente de **toda** paciencia y consuelo,
les **conceda** a ustedes **vivir** en **perfecta** armonía unos con otros,
conforme al espíritu de Cristo Jesús,
para que, con un **solo** corazón y una **sola** voz
alaben a Dios, **Padre** de nuestro Señor **Jesucristo**.

La hospitalidad es obligada para quien ha recibido las Escrituras. La última frase tiene tono festivo, de alabanza.

Por lo tanto,
acójanse los unos a los otros como **Cristo** los acogió a ustedes,
para **gloria** de Dios.
Quiero decir con esto,
que Cristo se **puso al servicio** del pueblo judío,
para **demostrar** la fidelidad de Dios,
cumpliendo las promesas hechas a los patriarcas
y que por su **misericordia** los paganos **alaban** a Dios,
según aquello que dice la Escritura:
*Por eso te **alabaré y cantaré** himnos a tu **nombre**.*

EVANGELIO Mateo 3:1–12

Lectura del santo Evangelio según san Mateo

En este momento de proclamación, siéntete interpelado también por esta palabra.

En aquel tiempo,
comenzó **Juan el Bautista** a predicar
en el **desierto** de Judea, diciendo:
"**Arrepiéntanse**, porque el Reino de los cielos está cerca.
Juan es aquel de quien el profeta Isaías hablaba, **cuando dijo**:
*Una voz **clama** en el desierto:*
***Preparen** el camino del Señor, **enderecen** sus senderos.*

Juan tiene una imagen rara. Ponle a tu voz cierta extrañeza al describirlo.

Juan usaba una túnica de pelo de camello,
ceñida con un cinturón de cuero,
y se alimentaba de saltamontes y de miel silvestre.

La guía de esta historia y su final es Cristo y el inicio de esta historia está en Abraham.

La violencia que se ha apoderado de grandes partes del mundo, no invita a la recepción recíproca que deberíamos hacer los cristianos de cualquier ser humano. El miedo y la sospecha se han metido en nuestro corazón. Sin embargo, la medida de este acogimiento es Cristo. Él acogió a pecadores y malvados. Tuvo preferencia por los pobres y necesitados. Y, algo importante, los tomó como eran, no les exigió ser diferentes para ponerse a platicar con ellos. La trasformación se dará partiendo de lo que eran. Nosotros también tenemos esta tarea de aceptar a los demás como son y por medio del testimonio y de una especie de ósmosis cristiana, llevar a todos los pecadores al que quita el pecado del mundo.

EVANGELIO Juan Bautista es el precursor del Mesías, Jesús. Ya la primera generación de cristianos identificó al Bautista con la figura de Elías, que fue el campeón del monoteísmo porque guerreó contra todos los ídolos y sus cultos, para convertirse en el padre del profetismo en Israel. No murió, sino que fue arrebatado al cielo en carro de fuego, de donde habría de volver para establecer la era de la reconciliación entre los israelitas, antes del gran día, el día del juicio de Dios.

Por su parte, el texto de Isaías de este día, anuncia la salvación, identificada con el regreso del pueblo a su tierra de donde había sido expulsado. Con el pueblo redimido viene Dios y todo lo que él significa: paz, justicia, seguridad, bonanza, etc., porque el pueblo no puede existir sin su Dios.

Este párrafo es un tanto rudo. Dale dureza pero no agresividad a tu tono: no lo eleves.

Acudían a oírlo los habitantes de Jerusalén,
de **toda** Judea y **de toda** la región cercana al Jordán;
confesaban sus pecados y **él** los bautizaba en el río.

Acentúa cuidadosamente las frases que se refieren al Cristo que viene. Con ellas nos ponemos en el espíritu del Adviento.

Al ver que muchos **fariseos y saduceos**
iban a que **los bautizara**, les dijo:
"**Raza de víboras**, **¿quién** les ha dicho que **podrán escapar**
al castigo que les aguarda?
Hagan ver con obras su **arrepentimiento**
y no se hagan **ilusiones** pensando que tienen
por **padre** a Abraham,
porque **yo les aseguro** que **hasta** de estas piedras **puede** Dios
sacar **hijos** de Abraham.
Ya el hacha **está puesta** a la raíz de los árboles,
y todo árbol que no dé fruto, será **cortado y arrojado** al fuego.

Yo los bautizo **con agua**,
en señal de que ustedes se **han arrepentido**;
pero el que viene **después** de mí, es **más fuerte** que yo,
y **yo ni siquiera** soy digno de quitarle las sandalias.
Él los bautizará en el **Espíritu Santo** y su fuego.
Él tiene el bieldo en su mano para **separar** el trigo de la paja.
Guardará el trigo en su granero
y **quemará** la paja en un fuego que **no se extingue**".

Otra figura relevante hoy es la de Abraham. Conocemos bien su historia. Su fe en la promesa de Dios le generó esperanza y vida donde sólo había tristeza por la aniquilación, hasta llegar a ser el padre de Israel.

La vestimenta de Juan revive la memoria de los antiguos profetas, reconocibles en su modo de vivir. Él anuncia la llegada del Reino de Dios, que exige conversión, es decir, reorientar la vida entera hacia Dios y sus mandatos, dejando los vicios y pecados que menosprecian su voluntad. La expresión de la conversión es el bautismo. Pero Juan advierte a fariseos y saduceos, es decir a los líderes del pueblo, que no les basta el bautismo para ser salvados, sino que deberán someterse al bautismo del Espíritu que el Mesías dispensará.

El bautismo con el Espíritu Santo es de discernimiento para las buenas obras. No basta escuchar el mensaje de Dios para alcanzar la salvación. Una fe sin obras nada garantiza. El bautizado necesita producir los frutos del Espíritu Santo, es decir, obrar motivado por Cristo, el enviado de Dios. El fuego del Espíritu es purificatorio porque quema todo tipo de idolatría y sus servilismos hipócritas.

La liturgia nos trae con este evangelio la memoria de la salvación de Dios para todas las generaciones de la historia, desde Abraham hasta Elías y de Isaías hasta Cristo. La salvación es concreta y nos pide alabanza y gratitud con Dios, conversión continua y los frutos del Espíritu Santo. La salvación ya alborea en el horizonte, y caminamos hacia ella en este Adviento.

INMACULADA CONCEPCIÓN DE LA VIRGEN MARÍA

I LECTURA Génesis 3:9–15, 20

En la oscuridad del pecado humano surge un rayito de luz. Acomoda el ritmo a los distintos momentos del drama.

Lectura del libro del Génesis

Después de que el hombre y la mujer
comieron del fruto del árbol **prohibido**,
el Señor Dios **llamó** al hombre y le preguntó:
"¿Dónde estás?"
Éste le respondió:
"**Oí** tus pasos en el jardín; y **tuve miedo**,
porque estoy **desnudo**, y me **escondí**".
Entonces le dijo Dios:
"¿Y **quién** te ha dicho que estabas **desnudo**?
¿**Has comido** acaso del árbol del que te **prohibí** comer?"
Respondió **Adán**:
"**La mujer** que **me diste** por compañera
me **ofreció** del fruto del árbol **y comí**".
El Señor Dios dijo a **la mujer**: "¿**Por qué** has hecho esto?"
Repuso la mujer: "La serpiente **me engañó** y comí".

Entonces dijo el Señor Dios a la serpiente:
"Porque has hecho **esto**,
serás **maldita** entre **todos** los animales
y entre **todas** las bestias salvajes.
Te **arrastrarás** sobre tu vientre y **comerás polvo** todos los días
de tu vida.

I LECTURA El autor del Génesis trabaja con narraciones que dan una explicación de un aspecto humano: la grandeza o debilidad del hombre; la presencia del mal, etc. En nuestro texto se habla de la presencia del mal en todo ser humano. Empieza la lectura con una pregunta de Dios: "¿Dónde estás?", a la que siguen otras: "¿Quién te ha dicho que estabas desnudo?". Adán y su mujer quisieron ser más de lo que eran. Quisieron ser como Dios. Es decir, no aceptaron su limitación. Diríamos hoy en día que tuvieron una crisis de identidad. El ser más, será la eterna tentación de la humanidad. Aceptarse como se es, no es signo de debilidad, sino de toma de conciencia, de poner los pies sobre la tierra para poder elevarse con firmeza hasta donde lo permita lo humano.

Desde luego que en esta página, el autor recurre a los antropomorfismos para hacerse entender de sus contemporáneos. Los dos efectos del pecado de Adán son el miedo y la desnudez. El miedo es causado al darse cuenta de que no hay la pretendida autonomía; lo segundo, porque se ve el hombre en su imperfección, mejor, en lo que es y se siente falto de algo, de esa perfección que sólo Dios tiene. Con todo, no acepta su culpa y trata de adjudicarla al mismo Dios. Si Dios le había dado una compañera, una ayuda, entonces Dios tiene la culpa en el fondo por haberle dado tal mujer. Ella tampoco acepta la culpa, se trató de un engaño. Entonces la culpa queda en el aire. El mal entró en la humanidad, pero viene la promesa divina: el mal será vencido por un descendiente de la mujer. Es una lectura mesiánica, cristológica, con una extensión escatológica. Aquí entra la lectura mariana del texto, la alusión a la Inmaculada Concepción: la lucha entre María y el mal

El parágrafo está dirigido a la serpiente. Al hablar de la descendencia de la mujer, haz contacto visual con la asamblea.

Pondré **enemistad** entre ti y la mujer,
entre tu descendencia y **la suya**;
y su descendencia **te aplastará** la cabeza,
mientras tú **tratarás** de morder su talón".

El hombre le puso a su mujer el nombre de "**Eva**",
porque ella fue la madre de **todos** los vivientes.

Para meditar.

SALMO RESPONSORIAL Salmo 97:1, 2–3ab, 3cd–4

R. Canten al Señor un cántico nuevo, porque ha hecho maravillas.

Canten al Señor un cántico nuevo, porque ha hecho maravillas. Su diestra le ha dado la victoria, su santo brazo. R.
El Señor da a conocer su victoria; revela a las naciones su justicia: se acordó de su misericordia y su fidelidad en favor de la casa de Israel. R.

Los confines de la tierra han contemplado la victoria de nuestro Dios. Aclamen al Señor, tierra entera, griten, vitoreen, toquen. R.

II LECTURA Efesios 1:3–6, 11–12

Lectura de la carta del apóstol san Pablo a los efesios

Este himno es de alabanza y gozo. Reflexiona sobre los beneficios recibidos de Dios en Cristo y alegra tu corazón conforme vayas recitando estos párrafos.

Bendito sea Dios,
Padre de nuestro Señor **Jesucristo**,
que nos ha bendecido **en él**
con **toda** clase de bienes espirituales y celestiales.
Él nos **eligió** en Cristo, **antes** de crear el mundo,
para que fuéramos **santos**
e irreprochables a sus ojos, por **el amor**,
y **determinó**, porque **así** lo quiso,
que, por medio de Jesucristo, **fuéramos** sus hijos,
para que **alabemos y glorifiquemos** la gracia
con que nos **ha favorecido** por medio de su Hijo amado.

será total. María desde su nacimiento está excluida de este mal, del pecado, porque de lo contrario, habría quedado, aunque fuera por un instante, bajo el poder del mal. Dios la agració, y con ella, Dios ha abierto una puerta para toda la humanidad: el mal fue vencido por el Hijo, la descendencia de la mujer, en la que nosotros vemos a María de Nazaret.

II LECTURA El inicio de esta carta es un himno de alabanza a Dios. El Apóstol tomó este himno y da la impresión de que su emoción lo llevó a pronunciarlo casi de corrido, sin pararse a tomar aliento. Pablo tomaría una bendición prebautismal, adaptándola.

Quiere Pablo que contemplemos, como lo hace él, el proyecto por el cual Dios quiere salvar a la humanidad de ese terrible flagelo que representa el pecado. Dado que estamos ante una fiesta de la Virgen María, es natural pensar que implícitamente en este proyecto entrara la Virgen María. Ella era desde el principio parte fundamental del proyecto. Nos ha predestinado, según Pablo, a ser sus hijos adoptivos y como la Virgen María, hemos sido elegidos para que "fuéramos consagrados e irreprochables en su presencia".

La bendición nos habla de la predestinación. Algunos cristianos dejaron toda la acción en las manos del Señor, quitando toda libertad al hombre, como si la salvación o redención dependiera sólo del Señor Jesús, sin ninguna participación de nuestra parte. De aquí que el Apóstol hable correctamente de la justificación de Cristo. Como resultado, de acuerdo a la bendición, nosotros somos la alabanza de Dios. Es decir, nuestra manera de ser y de obrar manifestará la gloria de Dios. Así como de una obra

La solidaridad con Cristo nos hace herederos. Adentra la herencia en tu corazón cada día.

Con Cristo somos **herederos** también nosotros.
Para **esto** estábamos destinados,
por **decisión** del que lo hace todo **según** su voluntad:
para que **fuéramos** una alabanza **continua** de su gloria,
nosotros, los que ya antes **esperábamos** en Cristo.

EVANGELIO Lucas 1:26–38

Lectura del santo Evangelio según san Lucas

El relato es muy conocido, por lo que hay que mantener su frescura y viveza. El tono debe ser de alegría.

En aquel tiempo,
el **ángel** Gabriel fue enviado por Dios
a una ciudad de Galilea, llamada **Nazaret,**
a una **virgen** desposada con un varón de la estirpe de David,
llamado **José.** La virgen se llamaba **María.**

El saludo del ángel hazlo cálido, alarga la frase segunda.

Entró el ángel a donde ella estaba y le dijo:
"**Alégrate**, **llena** de gracia, el Señor **está** contigo".
Al oír **estas** palabras,
ella se preocupó **mucho**
y se preguntaba **qué querría decir** semejante saludo.

El ángel le dijo:
"**No temas**, María, porque **has hallado** gracia ante Dios.
Vas **a concebir** y a dar a luz **un hijo**
y le pondrás por nombre **Jesús.**
Él será **grande** y será llamado **Hijo** del Altísimo;
el Señor Dios le dará el trono de David, **su padre**,
y él **reinará** sobre la casa de Jacob **por los siglos**
y su reinado **no tendrá fin".**

de arte al autor es el que se lleva el reconocimiento y la gloria, así sucede con el Señor Dios. Él es el objeto de la alabanza y gloria de la obra que somos nosotros. En esto se muestra la confianza que él ha tenido con nosotros, su obra. Pero espera frutos.

Los cristianos tenemos una devoción grande a María. Nos da nuestra Señora una perspectiva de esperanza. Dios quiere quitar el pecado en nuestra vida como ha preservado a María de esto. Además, María ha sido plenamente consciente del don que se le dio, se reconoció como sierva del Señor. Reconoce que todo lo debe a la benevolencia, a la gracia divina. Al hombre que el día de hoy busca la misericordia y la gracia en un mundo en que todo se compra, María le ofrece un camino que ella ha recorrido con su apertura a Dios en plena libertad.

EVANGELIO El relato de la anunciación a la Virgen María está muy arraigado en la piedad cristiana, pues se ha venido como a condensar en el rezo del Ángelus, que el pueblo simple pronuncia en momentos de dificultades y de calamidades que lo superan. Al invocar a la Virgen María pedimos que aquello que parece imposible a los alcances nuestros, Dios lo realice en nuestro favor y para nuestra salud. La llaneza de María es lo que abre el espacio a la acción maravillosa del Altísimo que la convierte en la madre del Mesías y nuestra.

La maternidad era la gracia más deseada por las mujeres del pueblo judío; significaba su realización personal y social. Aunque entre los rabinos era discutido si a ellas también obligaba el mandato de la fecundidad estipulado en el Génesis: "Sean fecundos y multiplíquense" (Génesis 1:28), se esperaba que ellas estuviesen dispuestas a colaborar con él. Ese mandato garantizaba

El párrafo debe transmitir seguridad y confianza absolutas. Es el discurso más amplio. Recítalo pausadamente. Alarga la respuesta de María para salir de la lectura sin brusquedad.

María le dijo entonces al ángel:
"¿**Cómo** podrá ser esto, puesto que yo **permanezco virgen**?"
El ángel le contestó:
"El Espíritu Santo **descenderá** sobre ti
y el **poder** del Altísimo te cubrirá con su sombra.
Por eso, **el Santo**, que va a nacer **de ti**,
será llamado **Hijo de Dios.**
Ahí tienes a tu parienta **Isabel**,
que a pesar **de su vejez**, **ha concebido** un hijo
y ya va en el **sexto** mes la que llamaban **estéril**,
porque no hay **nada imposible** para Dios".
María contestó:
"**Yo soy** la esclava del Señor;
cúmplase en mí lo que me has dicho".
Y el ángel **se retiró** de su presencia.

la sobrevivencia del pueblo, en circunstancias tan adversas como las que le planteó el Exilio, cuando quedaron diezmados y en minoría. No cumplimentarlo era atentar contra la existencia misma del pueblo elegido. Dos grandes enemigos amenazaban la sobrevivencia del pueblo: la esterilidad y la virginidad. La virginidad era altamente apreciada para casarse, y la dote de las vírgenes se estipulaba en doscientos denarios. Por otra parte, el honor más alto de una mujer era alumbrar un varón israelita.

Lo que el ángel Gabriel anuncia a María, es algo impensado para una casadera: la maternidad del Mesías. Suena a cuento de hadas. La descripción del hijo futuro es deslumbrante. Sus atributos recuerdan los que Isaías anunciaba del futuro Emmanuel (Is 9:5-6), pues se trata del Mesías de Dios, el Rey de Israel. La desproporción de la pequeñez de la esclava frente a la grandeza inconmensurable del Hijo, sólo puede ser salvada con la especial intervención divina; por eso, Gabriel le asegura a la doncella la protección del Espíritu. Es él quien guiará todos los eventos. Y ante esta revelación, María entrega su sí virginal.

El pueblo cristiano ha reconocido en María la necesidad de que fuera preservada de toda mancha de pecado, pues concebiría en su vientre al Santo de Dios, al mismo Hijo del Altísimo. A expresar esta especial protección es que debemos la designación de la Inmaculada Concepción. Dios preservó a María de todo pecado, incluido el original, en vistas a la Encarnación de su Hijo. Esta singular gracia hizo posible lo que parecía imposible: Dios viviendo con su pueblo.

III DOMINGO DE ADVIENTO

Es Domingo de Gozo. Derrama la algarabía sobre la asamblea en cada línea que recites.

I LECTURA Isaías 35:1–6a, 10

Lectura del libro del profeta Isaías

Esto dice el Señor:
"**Regocíjate**, yermo sediento.
Que se **alegre** el desierto y se **cubra** de flores,
que **florezca** como un campo de lirios,
que se alegre y **dé gritos** de júbilo,
porque le será dada la **gloria** del Líbano,
el **esplendor** del Carmelo y del Sarón.

Estas líneas anuncian la restauración del pueblo. Haz contacto visual con distintos puntos de la asamblea conforme a los distintos grupos del pueblo.

Ellos **verán** la gloria del Señor,
el **esplendor** de nuestro Dios.
Fortalezcan las manos cansadas,
afiancen las rodillas vacilantes.
Digan a los de corazón apocado:
'¡Ánimo! No teman.

He aquí que su Dios,
vengador y justiciero,
viene **ya** para salvarlos'.

Las frases finales engloban todo el movimiento de la vuelta a casa. Enfatiza el futuro de los verbos, con certeza.

Se **iluminarán** entonces los ojos de los ciegos,
y los oídos de los sordos se **abrirán**.
Saltará como un ciervo el cojo,
y la lengua del mudo **cantará**.
Volverán a casa los **rescatados** por el Señor,
vendrán a Sión con **cánticos** de **júbilo**,
coronados de **perpetua** alegría;
serán su escolta el **gozo** y la **dicha**,
porque la pena y la aflicción **habrán terminado**".

I LECTURA Junto con el capítulo anterior, este capítulo 35 forma un díptico. Hay una correspondencia de castigo-alegría. En el capítulo 34 el profeta describe el terrible destino que caerá sobre los pueblos paganos, especialmente sobre Edom. La causa: han rechazado la verdad y se han entregado a los ídolos. En cambio, en el capítulo 35 se ofrece una descripción muy vibrante de la alegría que causará entre el pueblo la felicidad y la bendición de Dios que se derramará sobre Sión y sus habitantes. Se emplean imágenes tomados de la vida agrícola y otras provenientes del medio humano. El profeta quiere hacer visible la alegría que tendrá el pueblo cuando llegue la hora en que aparezca el enviado de Dios, el Mesías.

El desierto que forma parte pero que es amenaza continua para la tierra cultivable de Israel, se convertirá en lo contrario: será jardín, prado y floresta. El autor hace comparaciones tradicionales. Recoge la imagen de hermosura y fecundidad del Líbano, del Carmelo y de la llanura del Sarón. Pero el júbilo mayor está en la afirmación de que Israel es el pueblo de Dios.

Como esa transformación anunciada tarda, aparecen los signos de impaciencia en algunos fieles. Habla el autor de las manos débiles y las rodillas vacilantes. Aparece la duda sobre lo prometido. Se pide a los que sí confían, que se encarguen de animar a la gente débil, que tengan en cuenta que Dios está detrás. Esto se anunciará a los pobres. Jesús dirá que con él esto se vuelve realidad: "a los pobres se les anuncia el Evangelio". El Señor traerá la salud a ciegos, sordos, paralíticos. El restablecimiento del pueblo en su tierra es total.

Para meditar.

SALMO RESPONSORIAL Salmo 145:6c–7, 8–9a, 9bc–10

R. Ven, Señor, a salvarnos.

El Señor mantiene su fidelidad perpetuamente, hace justicia a los oprimidos, da pan a los hambrientos. El Señor liberta a los cautivos. R.

El Señor abre los ojos al ciego, el Señor endereza a los que ya se doblan, el Señor ama a los justos, el Señor guarda a los peregrinos. R.

Sustenta al huérfano y a la viuda y trastorna el camino de los malvados. El Señor reina eternamente; tu Dios, Sión, de edad en edad. R.

II LECTURA Santiago 5:7–10

Lectura de la carta del apóstol Santiago

La paciencia y seguridad sobresalen. Localiza las palabras que subrayen esos aspectos y alárgalas.

Hermanos:
Sean pacientes hasta la venida del Señor.
Vean cómo el labrador, con la **esperanza** de los frutos **preciosos** de la **tierra**,
aguarda **pacientemente** las lluvias tempraneras y las tardías.
Aguarden **también** ustedes **con paciencia**
y mantengan **firme** el ánimo,
porque la venida del Señor **está cerca**.

Aísla esta línea del juez del resto de la lectura. Es el apoyo para infundir paciencia.

No murmuren, hermanos, los unos de los otros,
para que el día del juicio no sean **condenados.**
Miren que el juez ya está a la puerta.
Tomen como **ejemplo** de paciencia
en el sufrimiento **a los profetas**,
los cuales hablaron **en nombre** del Señor.

II LECTURA La tierra después de la cosecha yace inerte y seca. Invita a la desesperanza. Más en esos andurriales de Galilea, donde los vientos y el calor invitan a todo menos al ánimo de que la tierra reverdezca.

Pero dice el proverbio: "Bajo la nieve pan". La nieve y el frío se encargan de guardar y fecundar el grano y prepararlo para que brote y se desarrolle. Así la cosecha es segura. Así se imagina Santiago la paciencia del cristiano: como el agricultor que siembra con confianza, cuenta los días que van de la siembra a la cosecha y le da toda su confianza a la tierra. Así se entiende la exhortación de Santiago: "Sean pacientes también ustedes y anímense, que la llegada del Señor está próxima" (v. 8). El Adviento debe vivirse con gran compromiso personal pues hay que saber esperar. La espera se traduce en fortaleza y seguridad para poder resistir al mal. El Adviento es un tiempo fuerte de penitencia.

Es llamativo que el apóstol ponga como ejemplo de la espera, a los profetas. Parece que hay que pensar sobre todo en el profeta Jeremías, aunque no sólo en él. Según la tradición cristiana primitiva los profetas fueron también mártires. Con su muerte confirmaron que lo que habían anunciado era realmente verdad y provenía de Dios. Por esto Jesús pronuncia al final de las Bienaventuranzas: "Felices ustedes cuando los injurien, los persigan y los calumnien de todo por mi causa. Alégrense y estén contentos pues la paga que les espera en el cielo es abundante. De este mismo modo persiguieron a los profetas anteriores a ustedes" (Mt 5:12).

EVANGELIO La esperanza de la salvación no es un optimismo ingenuo ni una forma de evadir la responsabilidad

EVANGELIO Mateo 11:2–11

Lectura del santo Evangelio según san Mateo

Acerca el evangelio a cada oyente, como recogiendo de cada uno la pregunta por el Mesías.

En aquel tiempo, Juan se encontraba **en la cárcel**,
y habiendo oído hablar de **las obras** de Cristo,
le mandó **preguntar** por medio de dos discípulos:
"¿Eres tú el que **ha de venir** o tenemos que esperar a otro?"

La respuesta de Jesús es con detalle; la última línea condensa todas las otras.

Jesús les respondió:
"**Vayan** a contar a Juan lo que están **viendo y oyendo**:
los ciegos **ven**, los cojos **andan**,
los leprosos **quedan limpios** de la lepra,
los sordos **oyen**, los muertos **resucitan**
y **a los pobres** se les anuncia el Evangelio.
Dichoso aquél que no se sienta **defraudado** por mí".

Al llegar al vestido de Juan, haz contacto visual con la asamblea. No te dejes llevar por el espíritu dramático de la descripción.

Cuando se fueron los discípulos,
Jesús se puso a hablar a la gente acerca **de Juan**:
"¿Qué fueron ustedes a ver **en el desierto**?
¿Una caña **sacudida** por el viento? No.
Pues entonces, ¿**qué** fueron a ver?
¿A un hombre **lujosamente** vestido?
No, ya que los que visten con lujo **habitan** en los palacios.
¿**A qué** fueron, pues? ¿A ver **a un profeta**?
Sí, yo se **lo aseguro**; y a uno que es todavía **más** que profeta.
Porque de él **está escrito:**
He aquí *que yo envío a mi* ***mensajero***
para que vaya ***delante*** *de ti y te prepare el* ***camino****.*
Yo les aseguro que **no ha surgido** entre los hijos de una mujer
ninguno más grande quc Juan el **Bautista**.
Sin embargo, el **más pequeño** en el **Reino de los cielos**,
es todavía **más grande** que él".

personal ante los retos sociales para remitirla a Dios. Todo lo contrario; esa esperanza es un compromiso activo por la justicia y la paz contra todo enemigo del Reino de Dios. En efecto, Juan, el precursor del Mesías, alimenta la esperanza del reino incluso en la cárcel. De hecho, él denunció públicamente la abusiva conducta adúltera de un rey que se exhibía como fiel a la alianza, y éste lo apresó para callarlo, y luego mandaría ejecutarlo. Pero incluso en la cárcel, Juan mantiene viva la esperanza del reino porque se da cuenta de que la justicia de Dios está ya activa, y que se manifiesta de muchas maneras. Algo parecido ocurrirá con Jesús.

Las obras de Jesús, el Mesías reviven y dan vigor a las personas enfermas, humilladas, excluidas social y religiosamente. Aquellos signos que Isaías formulaba para hablar de la restauración del pueblo de Dios, Jesús los realiza y multiplica. Más todavía, él declara dichosos a los que no se sientan defraudados (el griego dice *escándalo*) por él. Este sentimiento surgiría de la última de las señales: que a los pobres se les dan buenas nuevas. En una sociedad que premia a los saludables y bien situados social y económicamente, el Mesías representa una revolución, porque "primerea", como dice el papa Francisco, a los relegados. Entonces surge el escándalo, por saberse no incluido en esa salvación destinada a "los pobres". Hay que empobrecer para ser incluido y no dejar lugar a ese escándalo.

Más allá del mercadeo que acompaña a esta temporada, la esperanza del reino nos empuja a manifestarlo con buenas noticias para los excluidos de los bienes sociales. Hay muchos. Es hora de abrir los ojos, levantarnos y salir a su encuentro, como también nos encarece el papa Francisco. Confirmemos que el reino está cerca.

NUESTRA SEÑORA DE GUADALUPE

I LECTURA Zacarías 2:14–17

Lectura del libro del profeta Zacarías

El anuncio es jubiloso y esperanzador. Envuelve a la asamblea en esta atmósfera.

"Canta de gozo y regocíjate, Jerusalén,
pues vengo a vivir **en medio de ti**, dice el Señor.
Muchas naciones se unirán al Señor en aquel día;
ellas también serán **mi pueblo**
y yo habitaré **en medio** de ti
y sabrás que el Señor de los ejércitos
me ha enviado **a ti**.
El Señor tomará nuevamente a Judá
como su **propiedad personal** en la tierra santa
y Jerusalén volverá a ser la ciudad elegida".

Prolonga la pausa antes de entrar en las dos líneas finales. Levanta la voz como para provocar expectación.

¡Que todos guarden silencio ante el Señor,
pues **él se levanta** ya de su santa morada!

O bien:

I LECTURA Apocalipsis 11:19a; 12:1–6a, 10ab

Lectura del libro del Apocalipsis del apóstol san Juan

La visión es grandiosa. Tu misma voz y tu expresión facial deben reflejar admiración.

Se abrió el templo de Dios en el cielo
y dentro de él se vio el **arca de la alianza**.

I LECTURA La actividad del profeta Zacarías estuvo determinada por la vuelta de muchos judíos desterrados y por las preguntas que se hacían sobre lo que era fundamental para ser miembro del pueblo de Dios. En primer plano se encontraba la reconstrucción del templo. Tanto él como su contemporáneo, el profeta Ageo, tuvieron parte decisiva en la reconstrucción.

En la tercera visión se había hablado del juicio de Dios sobre los pueblos. Ahora Dios tomará de nuevo a su pueblo escogido como su herencia, de modo que tendrá una función especial. Sin embargo, aparece una novedad: las naciones o los pueblos se adherirán al pueblo escogido y así serán también ellos pueblo de Dios. Con esto se rompe el espíritu nacionalista que se encuentra en varias partes del escrito de este profeta. No confía Zacarías en una renovación material nacional, sino que la piensa previa a la época final. El pueblo necesita una renovación.

Este texto de Zacarías se escogió para la fiesta de la Virgen de Guadalupe, precisamente por esta apertura de la revelación a la humanidad. María de Guadalupe va a propiciar que un nuevo pueblo, que no tenía ninguna relación con el antiguo pueblo de Dios, se una a este pueblo. Será una gracia de Dios. Al mismo tiempo el aspecto de la representación pictórica de María, tomando los rasgos de una mestiza, va indicando lo que fue una realidad en la difusión del Evangelio: la buena noticia se encarnó en distintos pueblos y dio como resultado el que apareciera con toda claridad la revelación del misterio de Dios: que los paganos son candidatos al reino.

Apareció entonces en el cielo una figura prodigiosa:
una mujer envuelta por el sol,
con la luna bajo sus pies
y con una corona de doce estrellas en la cabeza.
Estaba encinta y a punto de dar a luz
y gemía con los dolores del parto.

Pero apareció también en el cielo otra figura:
un enorme dragón, color de fuego,
con siete cabezas y diez cuernos,
y una corona en cada una de sus siete cabezas.
Con su cola
barrió la tercera parte de las estrellas del cielo
y las arrojó sobre la tierra.
Después se detuvo delante de la mujer que iba a dar a luz,
para devorar a su hijo, en cuanto éste naciera.
La mujer dio a luz un hijo varón,
destinado a gobernar todas las naciones
con cetro de hierro;
y su hijo fue llevado hasta Dios y hasta su trono.
Y la mujer huyó al desierto, a un lugar preparado por Dios.

El dragón es poderoso destructor. Imprime velocidad a esta parte del relato.

Entonces oí en el cielo una voz poderosa, que decía:
"Ha sonado la hora de la victoria de nuestro Dios,
de su dominio y de su reinado, y del poder de su Mesías".

Inyecta júbilo a tu voz para proclamar las líneas finales.

SALMO RESPONSORIAL Judit 13:18bcde, 19

Para meditar.

R. Tú eres el orgullo de nuestra raza.

El Altísimo te ha bendecido, hija, más que a todas las mujeres de la tierra. Bendito el Señor, creador del cielo y tierra. R.

Que hoy ha glorificado tu nombre de tal modo, que tu alabanza estará siempre en la boca de todos los que se acuerden de esta obra poderosa de Dios. R.

I LECTURA Ese capítulo, que empieza con 11:19, está lleno de detalles y alusiones simbólicas, que han dado lugar a interpretaciones de las más variadas. De entrada parece que todos están de acuerdo en que se trata del nacimiento del Mesías, del pueblo de Dios, quien se encuentra ante las amenazas del mal, representado por la serpiente. Esto parece ser el centro del capítulo y algo en que casi todos los estudiosos están de acuerdo.

El dragón representa al adversario de Dios. Trata de desencadenar el desorden, echando a una parte de los ángeles del cielo. Luego, intenta devorar al niño de la mujer. Este niño es la imagen del Mesías. El Señor se lleva al niño, lo cual es una alusión al evento pascual. El niño es entronizado en el cielo. La inauguración de su reino ha tenido lugar en Pascua. El suceso pascual señala la victoria sobre el dragón. El himno celeste, que escucha Juan, interpreta los sucesos (cap. 12). La victoria de los ángeles sobre el dragón, es la victoria de los cristianos sobre sus perseguidores. Ellos han vencido gracias a la muerte expiatoria del Cordero, Cristo, quien les ha perdonado por ser fieles hasta la muerte.

Este texto refleja lo que está pintado en el ayate de Juan Diego. Más que los relatos referentes a Juan Diego, habría que insistir en esta mujer vestida de sol, que va a dar a luz un hijo. Claro, el hijo es el Señor. Pero también se puede aludir al hijo que va a nacer en estas tierras a la fe, al pueblo de esas tierras americanas que continúan bajo la amenaza del mal, pero que el Señor cuida hoy como ayer.

EVANGELIO Esta lectura sigue al cuadro del anuncio que el ángel Gabriel le hizo a María: que concebiría un varón que reinaría para siempre en el trono davídico. En prueba de que sus palabras eran veraces, el ángel le dijo que su pariente

EVANGELIO Lucas 1:39–47

Lectura del santo Evangelio según san Lucas

Sintoniza con la presencia cercana, cordial y protectora de Dios en María. Haz tuya la fe profunda del pueblo.

En aquellos días, María se **encaminó presurosa** a un pueblo de las montañas de Judea,
y entrando en la casa de Zacarías, saludó a Isabel.
En cuanto ésta oyó **el saludo de** María,
la creatura **saltó en su** seno.

Resalta las palabras de felicitación. Páusate un tanto antes de pronunciarlas.

Entonces Isabel **quedó llena** del Espíritu Santo,
y levantando la voz, exclamó:
"¡**Bendita tú** entre las mujeres
y **bendito el fruto** de tu vientre!
¿Quién soy yo, para que la madre de mi Señor venga a verme? Apenas llegó **tu saludo** a mis oídos, el niño saltó **de gozo** en mi seno. **Dichosa** tú, que has creído, porque **se cumplirá** cuanto te fue anunciado de parte del Señor".

La respuesta de María debe brotar desde tu propia espiritualidad.

Entonces dijo María:
"Mi alma **glorifica** al Señor
y mi espíritu se llena **de júbilo** *en Dios, mi salvador".*

O bien: *Lucas 1:26–38*

Isabel, anciana y estéril, tenía ya seis meses de embarazo. ¡Eso era un portento digno de verificar! Y María, presurosa, se fue desde los cerros de Nazaret en Galilea hasta los de Judea, a verificar la señal angélica.

La descripción es breve y se ocupa de las palabras pronunciadas por estas dos mujeres embarazadas, Isabel y María. Es el encuentro de la vida que germina, impulsada por el Espíritu Santo; encuentro que produce alegría, saltos, exclamaciones, bendiciones y alabanzas al Todopoderoso porque está llevando a cabo su obra de redención por medios insospechados.

La presencia de María y su saludo provocan que Isabel quede llena del Espíritu Santo. Es decir que se vuelva instrumento para cantar o publicitar la obra de la salvación de Dios. Y la más portentosa de todas está ante sus ojos. Isabel revela el embarazo de María. Al bendecirla, Isabel singulariza a María entre las madres de Israel, y lo mismo al fruto de sus entrañas. Esto, sin embargo, sólo ha sido posible por creer en las palabras del Señor. A su vez, María destaca en su respuesta la simplicidad de su propia persona. Ella es la esclava insignificante del Señor.

María de Guadalupe, con la cinta de las embarazadas sobre su vientre, ha venido presta también a nuestras tierras para apresurar la manifestación del Espíritu de Dios en el encuentro de los pueblos. En su mensaje del Tepeyac, ella pide una casita donde pueda mostrar su amor a todas las gentes que acudan a ella. La flor de su amor es Jesucristo, su hijo, la compasión y alegría del mismo Dios. Ella, la Madre, invita a todos los hombres a poner su confianza plena en "el Dios verdadero, Dador de la vida", el que cumple sus promesas de salvación entre el pueblo fiel.

IV DOMINGO DE ADVIENTO

I LECTURA Isaías 7:10–14

Lectura del libro del profeta Isaías

Es un texto breve pero intenso. Procura que los personajes se puedan distinguir.

En **aquellos** tiempos, **el Señor** le habló a Ajaz diciendo:
"**Pide** al Señor, tu Dios, **una señal** de abajo, en **lo profundo**
o de **arriba**, en lo alto".
Contestó Ajaz: "**No** la pediré. **No** tentaré al Señor".

Estas palabras son de reproche.

Dale firmeza a tu voz en el anuncio del Emmanuel.

Entonces dijo Isaías: "Oye, pues, **casa** de David:
¿No satisfechos con **cansar** a los hombres,
quieren cansar **también** a mi Dios?
Pues bien, **el Señor mismo** les dará por eso **una señal**:
He aquí que la virgen **concebirá** y dará a luz un hijo
y le pondrán el nombre de **Emmanuel**,
que quiere decir **Dios-con-nosotros**".

Para meditar.

SALMO RESPONSORIAL Salmo 23:1–2, 3–4a, 5–6

R. Va a entrar el Señor: Él es el Rey de la Gloria.

Del Señor es la tierra y cuanto la llena, el orbe y todos sus habitantes: él la fundó sobre los mares, él la afianzó sobre los ríos. R.

¿Quién puede subir al monte del Señor? ¿Quién puede estar en el recinto Sacro? El hombre de manos inocentes y puro de corazón. R.

Ése recibirá la bendición del Señor, le hará justicia el Dios de salvación. Éste es el grupo que busca al Señor, que viene a tu presencia, Dios de Jacob. R.

I LECTURA La lectura de hoy narra un encuentro directo que tuvo el profeta Isaías con el indeciso rey Acaz, allá por el año 733 a. C. Judá, y por lo tanto Jerusalén, estaba ante el peligro de una invasión por parte de sus enemigos del norte, Israel y Aram. Ante la amenaza, el rey de Judá, Acaz, había pedido la ayuda a los asirios, esperando encontrar en éstos la salvación de su reino.

El profeta fue a visitar a Acaz y trató de convencerlo de que cambiara su política pues era desastrosa: favorecía un entreguismo que acabaría llevando al reino a la desgracia. Al mismo tiempo, el profeta insistió al rey en que pusiera su confianza en el Señor Dios. Sólo Dios podía ser el guardián de su pueblo, como tantas veces se lo había prometido. La única alianza que valía era la que había llevado a cabo el pueblo de Dios con el Señor en el Sinaí. El profeta aconsejó al rey que pidiera a Dios un signo, para que dejara su miedo (v. 11). El rey rehúsa, aduciendo, además, hipócritamente la excusa de no cometer la impiedad de tentar a su Dios (v. 12). Ante esta desconfianza, Dios interviene enviándole un signo: le nacerá un hijo que será llamado Emmanuel (Dios con nosotros). Esto significa que Dios no dejará que se rompa la sucesión davídica en el trono. Nacerá un hijo de la virgen, de la esposa de Acaz. Así sucedió y esta profecía con el tiempo se fue afinando y tomando contornos que ya el texto griego le daba, hablando de la virginidad de aquella esposa del rey.

El Adviento habla de esta debilidad y pobreza, pero al mismo tiempo, de la esperanza y alegría que da la fe, al apoyarse en ese Emmanuel, en ese Dios que habitará con nosotros.

II LECTURA Romanos 1:1–7

Lectura de la carta del apóstol san Pablo a los romanos

Los tres párrafos están vinculados. Encuentra las palabras-gancho, para mantener el hilo del argumento.

Yo, **Pablo**, siervo de Cristo Jesús,
he sido **llamado** por Dios para ser apóstol
y **elegido** por él para **proclamar** su Evangelio.
Ese Evangelio, que, **anunciado** de antemano
por los profetas en las **Sagradas Escrituras**,
se refiere a su Hijo, **Jesucristo**, nuestro Señor,
que nació, en cuanto a su condición **de hombre**,
del linaje **de David**,
y en cuanto a su condición de espíritu **santificador**,
se manifestó con **todo** su poder como **Hijo** de Dios,
a partir de su **resurrección** de entre los muertos.

Localiza la finalidad del ministerio paulino y resáltalo; es la meta de todo servicio.

Por medio de **Jesucristo**,
Dios me **concedió** la gracia del apostolado,
a fin de **llevar** a los pueblos **paganos** a la **aceptación** de la fe,
para **gloria** de su nombre.
Entre ellos, **también** se cuentan ustedes,
llamados a pertenecer a **Cristo Jesús**.

Este párrafo hazlo con viveza, para que las palabras de Pablo alcancen a la asamblea.

A **todos** ustedes, los que viven en Roma,
a quienes Dios **ama** y ha llamado a la **santidad**,
les deseo **la gracia y la paz** de Dios, nuestro **Padre**,
y de Jesucristo, **el Señor**.

II LECTURA La carta a los romanos probablemente fue la última carta escrita por el apóstol Pablo a una comunidad. Él no conocía todavía a la comunidad cristiana de Roma. Si le escribe es porque quiere conseguir de ella su buena voluntad para que lo apoyen en su nueva empresa apostólica: la predicación del Evangelio en los extremos del mundo, como entonces se consideraba a España.

El inicio de la carta no va de acuerdo a los cánones literarios de entonces. Lo que se había prometido en la Escritura es para Pablo ahora una realidad: él se había encontrado con Jesús en Damasco, lo que significa que se había encontrado con un resucitado, no con un muerto. De él recibió el encargo de proclamar a los pueblos lo que llama "la obediencia de la fe", que no es otra cosa que la acepción del reino, que aquí en la tierra es un tipo de comunidad donde se va configurando el cristiano al modelo de Jesús.

Dentro de la Palabra de Dios encuentran lugar todas las realidades que nos resalta la Navidad: recogimiento de uno y recepción de las personas, una alegría serena, recuperación de la dimensión humana de la vida. Aunque Pablo conoció sólo al Jesús resucitado, sabe bien que el misterio pascual hunde sus raíces en el misterio de la encarnación. Sólo asumiendo nuestra carne, pudimos ser salvados. Así nos ha podido salvar, más aún, nos ha elevado a ser hijos de Dios.

En el saludo a los romanos y a todos los que consagró el Señor, estamos nosotros, llamados a escuchar la Palabra y a recibir al Salvador. Hoy en la liturgia sacramental estaremos recibiendo al Señor que viene a nacer en nuestro corazón.

EVANGELIO Mateo 1:18–24

Lectura del santo Evangelio según san Mateo

Cristo vino al mundo de la siguiente manera:
Estando **María**, su madre, **desposada** con José,
y **antes** de que vivieran juntos,
sucedió que ella, por obra del **Espíritu Santo**,
estaba **esperando** un hijo.
José, su esposo, que era hombre **justo**,
no queriendo ponerla en **evidencia**, pensó dejarla **en secreto**.

Aquí se anuncia el asunto a tratar. Sirve para captar la atención del auditorio.

Mientras pensaba **en estas cosas**,
un ángel del Señor le dijo en sueños:

Las palabras del ángel deben sonar firmes y ciertas. Transmite esa seguridad en tu tono de voz.

"José, **hijo** de David, **no dudes** en recibir en tu casa
a María, tu esposa,
porque ella **ha concebido** por obra **del Espíritu Santo**.
Dará a luz un hijo y **tú** le pondrás el nombre **de Jesús**,
porque **él salvará** a su pueblo de sus pecados".

Todo esto sucedió
para que **se cumpliera** lo que había **dicho** el Señor
por boca del profeta Isaías:

Retarda la lectura un tanto después de anunciar al profeta, como para despertar la expectativa de la audiencia.

He aquí *que la virgen* ***concebirá*** *y* ***dará a luz*** *un hijo,*
a quien pondrán el nombre de ***Emmanuel****,*
que quiere decir ***Dios-con-nosotros****.*

Cuando José **despertó** de aquel sueño,
hizo lo que le **había mandado** el ángel del Señor
y **recibió** a su esposa.

EVANGELIO Este relato de la Anunciación a José da cuenta de la irregularidad en torno al nacimiento del Cristo de Dios: su concepción virginal. Dios le descubre a José su voluntad en sueños, como antaño a los patriarcas y profetas de Israel. Recordemos que el patriarca José es el soñador más grande de la historia de Israel; sus sueños lo abajaron casi hasta morir, primero, y luego lo encumbraron hasta gobernar Egipto, y poder ser la salvación de un pueblo que parecía destinado a morir de hambre. Por medio de los sueños, Dios iba haciendo realidad su promesa de salvación.

En los modos de pensar de las gentes paganas del tiempo, los grandes héroes poseían cualidades sobrehumanas o divinas, por haber sido engendrados por alguno de los dioses; era el caso de Hércules, pero también los de Alejandro Magno y de César Augusto que gobernaron el mundo. Para un judío esos semidioses eran algo impensable. Mateo, sin embargo, atribuye la concepción de Jesús, el Mesías de Dios, al Espíritu Santo, la fuerza santificadora del único Dios verdadero, iluminado por aquella profecía de Isaías que cita textualmente. Así confiesa que Jesús es Hijo de Dios desde su concepción virginal, algo humanamente inimaginable.

La revelación en sueño y las palabras de la Escritura llevaron a José a recibir a María como su esposa, cuando todo indicaba que debía repudiarla por adulterio. José fue más allá de lo estipulado en la ley para confiarse en el sueño y en las Escrituras. Más aún, al imponerle al niño el nombre de Jesús, le inscribe su programa de vida, porque su mismo nombre significa "Dios salva".

Adoptemos a san José como guía nuestro durante esta semana última de espera mesiánica.

NATIVIDAD DEL SEÑOR, MISA DE LA VIGILIA

I LECTURA Isaías 62:1–5

Lectura del libro del profeta Isaías

El tono debe ser de insistencia y perseverancia. Es Dios quien asegura la gloria a su pueblo.

Por amor a Sión no me callaré
y por **amor** a Jerusalén no me daré **reposo**,
hasta que **surja** en ella esplendoroso el justo
y **brille** su salvación como una antorcha.

El horizonte se alarga hasta volverse universal. Dale esa dimensión a tu lectura.

Entonces las naciones verán tu justicia,
y tu gloria **todos** los reyes.
Te llamarán con un nombre **nuevo**,
pronunciado por **la boca** del Señor.
Serás corona de gloria en la **mano** del Señor
y **diadema** real en la palma de su mano.

Hay un contraste entre lo que no es y lo que es Jerusalén. Localiza la razón de esto, y alarga la frase del desposorio.

Ya no te llamarán "**Abandonada**",
ni a tu tierra, "**Desolada**";
a ti te llamarán "**Mi complacencia**"
y a tu tierra, "**Desposada**",
porque el Señor se ha complacido **en ti**
y se **ha desposado** con tu tierra.

Este párrafo recítalo con entusiasmo juvenil.

Como un joven se desposa con una doncella,
se desposará **contigo** tu hacedor;
como el esposo **se alegra** con la esposa,
así **se alegrará** tu Dios contigo.

I LECTURA La primera lectura es atribuida a un profeta anónimo, que los estudios bíblicos han llamado el tercer Isaías o Tritoisaías. El centro de este conjunto está formado por los capítulos 60–62, que serían de su mano. Ese profeta muestra expresiones literarias e ideas que dependen de los capítulos 40–55.

Este profeta tuvo su actividad en los primeros días después del exilio, en Jerusalén. Tres temas lo ocuparon: el regreso de los exiliados, la reconstrucción del templo y la próxima llegada del reino de Dios en nuestro mundo. El profeta esperaba el gran cambio final, dado que ya se habían cumplido algunas promesas anteriores. Pero, por otro lado, enfrentaba la desilusión de muchos. Las circunstancias seguían siendo difíciles para la comunidad: unos judíos se habían desanimado completamente y se dedicaban a sus asuntos, sin esperar nada de Dios; otros habían caído en la idolatría; algunos más esperaban que volviera la situación anterior al exilio. En esas circunstancias nuestro profeta se da a la tarea de proclamar, de una forma nueva, el mensaje salvífico del Segundo Isaías y así despertar la esperanza del pueblo. El profeta es consciente de que Dios le encomendó consolar a los pobres (61:1).

El mensaje del profeta no es amenazador. De principio a fin es un mensaje salvífico que presenta una salvación que está por llegar. Como antes, con el cambio de nombre a los patriarcas Abraham y Jacob, Dios había indicado que iba a empezar en ellos una nueva realidad, que no correspondería ya a los nombres anteriores, así ahora, dice el profeta, que el Señor Dios cambiará el nombre de Jerusalén por otro que expresará una nueva realidad gloriosa para la ciudad. Con imágenes espléndidas, sacadas del campo

Para meditar.

SALMO RESPONSORIAL Salmo 88:4–5, 16–17, 27, 29

R. Cantaré eternamente las misericordias del Señor.

Sellé una alianza con mi elegido, jurando a
David mi siervo: "Te fundaré un linaje
perpetuo, edificaré tu trono para todas
las edades". R.
Dichoso el pueblo que sabe aclamarte:
caminará, oh Señor, a la luz de tu rostro;
tu nombre es su gozo cada día, tu justicia es
su orgullo. R.
Él me invocará: "Tú eres mi padre, mi Dios,
mi Roca salvadora". Le mantendré
eternamente mi favor y mi alianza con
él será estable. R.

II LECTURA Hechos 13:16–17, 22–25

Lectura del libro de los Hechos de los Apóstoles

Dale voz entusiasta a Pablo para un breve recorrido de la historia davídica. Dios es el que dirige la historia.

Al llegar Pablo a Antioquía de Pisidia,
se puso **de pie** en la sinagoga
y haciendo una señal **para que se callaran**, dijo:

"Israelitas y cuantos temen a Dios, **escuchen**:
El Dios del pueblo de Israel **eligió** a nuestros padres,
engrandeció al pueblo
cuando éste vivía como **forastero** en Egipto y lo
sacó de allí con todo su poder.
Les dio por rey a David, de quien hizo **esta alabanza**:
He hallado a David, hijo de Jesé,
hombre según mi corazón,
quien realizará todos mis designios.

Del **linaje** de David, conforme a la promesa,
Dios hizo nacer para Israel **un salvador,** Jesús.
Juan **preparó** su venida,
predicando **a todo el pueblo** de Israel
un bautismo **de penitencia**,
y hacia **el final** de su vida,

del enamoramiento y del matrimonio, va describiendo la nueva situación salvífica y gloriosa que repujará en Jerusalén.

Lo escuchado sigue siendo significativo para el cristiano que se avecina a la Navidad. Él aviva su esperanza con la liturgia de estas vísperas de Navidad que cantan: "El Señor viene a salvarnos y mañana observaremos su señorío".

II LECTURA Pablo habla en Antioquía de Pisidia donde se encontraba una pequeña comunidad judía. Fiel a su costumbre, Pablo aprovechó la ocasión de la celebración sabática para predicar la Buena Noticia. Pablo hace lo que era usanza entre los predicadores judíos, tomar los hechos fundamentales de la historia pasada del pueblo y detenerse en un personaje o en un acontecimiento, según se acomodara a la ocasión y circunstancias.

Pablo se detuvo en David. Lo ve e interpreta en el sentido de ser promesa del futuro donde injertará a Jesús. Jesús es el salvador. Para esto, da un resumen de lo que Lucas escribió en los tres primeros capítulos de su evangelio. Jesús es el que obra la salvación. Esta palabra anunciada por Pablo de Jesús como salvador, no despierta entre nosotros mucho entusiasmo. Ha habido y hay tantos salvadores, que la palabra ha quedado reducida a significar dictador, prepotente. Debido a esto, el cristiano puede caer en equívocos, al proclamar a Jesús como salvador. Ya en una de las tentaciones el Diablo le había propuesto a Jesús este medio para entusiasmar a la gente.

Al estar ahora celebrando el nacimiento del Señor, la liturgia proclama a Jesús salvador, porque por la cruz—lo último que alguien pudiera desear—nos ha salvado de nuestros pecados.

Las palabras de Juan apuntan al futuro; marca sobre todo esas frases.

Juan decía:
'Yo **no soy** el que ustedes piensan.
Después de mí
viene uno a quien **no merezco** desatarle las sandalias' ".

EVANGELIO Mateo 1:1–25

Lectura del santo Evangelio según san Mateo

Esta lectura está repleta de nombres poco habituales; apresura un tanto el ritmo, pero sin correr, de modo que destaquen las frases donde afloran nombres de mujeres.

Genealogía de Jesucristo,
hijo de David, hijo de Abraham:
Abraham **engendró** a Isaac, Isaac a Jacob,
Jacob a Judá y **a sus hermanos**;
Judá **engendró** de Tamar a Fares y a Zará;
Fares a Esrom, Esrom a Aram, Aram a Aminadab,
Aminadab a Naasón, Naasón a Salmón,
Salmón engendró **de Rajab** a Booz;
Booz engendró de Rut a Obed,
Obed a Jesé, y Jesé **al rey David**.

David engendró de la mujer de Urías **a Salomón**,
Salomón a Roboam, Roboam a Abiá, Abiá a Asaf,
Asaf a Josafat, Josafat a Joram, Joram a Ozías,
Ozías a Joatam, Joatam a Acaz, Acaz a Ezequías,
Ezequías a Manasés, Manasés a Amón, Amón a Josías,
Josías engendró a Jeconías y a sus hermanos,
durante **el destierro** en Babilonia.

Llegan personajes más conocidos y familiares.

Después del destierro en Babilonia,
Jeconías **engendró** a Salatiel, Salatiel a Zorobabel,
Zorobabel a Abiud, Abiud a Eliaquim,
Eliaquim a Azor, Azor a Sadoc, Sadoc a Aquim,
Aquim a Eliud, Eliud a Eleazar, Eleazar a Matán,
Matán a Jacob, y Jacob engendró **a José**,
el esposo de María, de la cual nació **Jesús**, llamado Cristo.

El mundo no puede alcanzar su finalidad por evolución o progreso de la ciencia. Hay que contar con Dios, quien dará la finalidad decisiva al mundo. De parte de nosotros exige correspondencia. Lo hace la Iglesia alabando en su liturgia continuamente las acciones salvíficas de Dios, sobre todo su muerte y resurrección. La vida cristiana consiste en poner esta acción de Jesús en la práctica, con nuestros medios y circunstancias. Nuestro objetivo es convencer a la gente de que las actuales promesas de salvación y bienestar son falsas, que conducen a la desgracia al dejar de lado la cruz y la resurrección. Algo importante: debemos hacernos entender en nuestro tiempo y con formas adecuadas. Jesús será aceptado en la medida en que los cristianos seamos felices, siguiendo el modelo de Jesús.

EVANGELIO El evangelio de san Mateo comienza con un rápido repaso de cómo Dios fue cumpliendo la promesa hecha a Abraham, y luego la que le hizo a David, hasta traerlas a un cumplimiento extraordinario en Jesucristo. Dios se comprometió a darle una descendencia numerosa a Abraham y a Sara; ambos ancianos y ella estéril. Más aún, Abraham llegaría a ser una bendición para todas las familias de la tierra, según las palabras de Dios. Y el patriarca creyó. Pero san Mateo subraya cómo Dios vino cumpliendo aquel increíble compromiso de manera maravillosa, validando, incluso, algunas irregularidades cuando la promesa de la generación estuvo en riesgo. De un modo casi imperceptible, de a poco, sosteniendo la esperanza como el hilito de agua que se va acrecentando conforme se cuela por piedras y laderas hasta hacerse un arroyo y más adelante un río impetuoso; la descendencia de Abraham

De modo que **el total** de generaciones
desde Abraham hasta David, es de **catorce;**
desde David **hasta la deportación** a Babilonia, es **de catorce**,
y de la deportación a Babilonia **hasta Cristo**, es de **catorce.**

La atención va sobre José. Disminuye el ritmo sobre todo en las líneas finales de este parágrafo.

Cristo vino al mundo de la siguiente manera:
Estando María, su madre, **desposada** con José,
y **antes** de que vivieran juntos,
sucedió que ella, **por obra** del Espíritu Santo,
estaba **esperando** un hijo.
José, su esposo, que era hombre **justo**,
no queriendo ponerla **en evidencia**,
pensó dejarla **en secreto.**

Las palabras angélicas comunican seguridad y confianza. Dales la gravedad que requiere el asunto que está tratándose.

Mientras pensaba en estas cosas,
un ángel del Señor le dijo **en sueños:**
"José, **hijo** de David,
no dudes en recibir en tu casa a María, tu esposa,
porque ella ha concebido **por obra** del Espíritu Santo.
Dará a luz un hijo
y **tú** le pondrás el nombre de **Jesús**,
porque él **salvará** a su pueblo de sus pecados".

Nota que este párrafo es comentario del evangelista. Cambia el ritmo.

Todo esto sucedió
para que **se cumpliera** lo que había **dicho** el Señor
por boca del profeta **Isaías:**
He aquí que la virgen concebirá y dará a luz un hijo,
a quien pondrán el nombre de Emmanuel,
que quiere decir Dios-con-nosotros.

Hay otro nivel en la voz narrativa. La parte final fundamenta la obediencia y fe de José.

Cuando José **despertó** de aquel sueño,
hizo lo que **le había mandado** el ángel del Señor
y **recibió** a su esposa.
Y sin que él **hubiera tenido** relaciones con ella,
María dio a luz un hijo
y él le puso por nombre **Jesús**.

Forma breve: Mateo 1:18–25

fue creciendo hasta volverse una familia numerosa, portadora del nombre de Dios entre las naciones.

Otro tanto sucede con la promesa hecha a David, el rey ungido para Israel. Cuando éste quiso establecer una casa para Dios, vino el profeta Natán para anunciar que no David a Dios, sino Dios a David le aseguraba para siempre un descendiente para gobernar a su pueblo. Un descendiente de David, un davida, en el trono significaba estabilidad pero sobre todo la sobrevivencia, en épocas difíciles, como las de las invasiones y la del exilio. De esa promesa divina creció la esperanza del "reino eterno" del Ungido de Dios.

San Mateo hace ver que en Jesús, las promesas ancestrales de Dios, un pueblo numeroso y un rey, se han venido a cumplir cabalmente. Al organizar la historia entera del pueblo en tres períodos de catorce generaciones cada uno (7 x 2), el lector puede comprender que la séptima generación en el septenario es la culminante. Y es con Jesús que inicia esa generación nueva, la de las promesas cumplidas.

La presencia en el árbol genealógico de las cuatro mujeres, todas extranjeras y emparentadas con alguna irregularidad, prepara lo inusual de la concepción del Mesías en María Virgen: "será concebido por obra del Espíritu Santo". Si la palabra de Dios validó el nacimiento de Isaac, el Espíritu Santo lo hace en el de Jesús. Así aprendemos que el modo regular de participar ahora de la promesa abrahámica, no es ya la multiplicación por el parentesco de sangre o raza, sino por la fe en la palabra de salvación, como lo hace José. A confirmar esto viene la revelación en sueños. José impone a su hijo un nombre, Jesús, que dice su misión y destino: "Salvará a su pueblo de sus pecados". No hay más necesidad de otro descendiente davídico porque es Dios quien reina ahora en medio de su pueblo.

NATIVIDAD DEL SEÑOR, MISA DE MEDIANOCHE

I LECTURA Isaías 9:1-3, 5-6

Lectura del libro del profeta Isaías

Es noche luminosa. Destaca lo grandioso contra la oscuridad y las sombras.

El pueblo que caminaba en tinieblas
vio una **gran luz**;
sobre los que **vivían** en tierra de sombras,
una luz **resplandeció**.

Engrandeciste a tu pueblo
e hiciste **grande** su alegría.
Se gozan en tu presencia como gozan al **cosechar**,
como **se alegran** al repartirse el botín.
Porque tú **quebrantaste** su **pesado** yugo,
la barra que **oprimía** sus hombros y **el cetro** de su tirano,
como en el **día** de Madián.

Este párrafo debe ser casi exultante. Habla del nacimiento del esperado de las naciones.

Porque un niño **nos ha nacido**, **un hijo** se nos ha dado;
lleva sobre sus hombros **el signo** del imperio y su nombre será:
"Consejero **admirable**", "Dios **poderoso**",
"**Padre** sempiterno", "**Príncipe** de la paz";
para **extender** el principado con una paz **sin límites**
sobre el **trono** de David y sobre su reino;
para **establecerlo** y consolidarlo
con la **justicia** y el derecho, desde **ahora y para siempre**.
El **celo** del Señor lo **realizará**.

I LECTURA El tema central de la liturgia navideña es la espera mesiánica. No indican estas promesas una visión por adelantado del nacimiento de Cristo. Es cierto que los autores del Nuevo Testamento ven que los anuncios de salvación de los profetas han sido cumplidos en Cristo, pero no con exactitud fílmica. El anuncio de Isaías fue pronunciado en circunstancias muy difíciles. Israel, el reino del norte, acababa de ser convertido en tres provincias asirias y el rey asirio buscaba hacer lo mismo con Judá, el reino del sur. En esa oscuridad brilla el anuncio consolador y animoso del profeta. La dinastía real no desaparecerá.

Al entronizar al rey se le daban varios títulos. El título era importante. Al rey futuro se le dan tres nombres que encarnan virtudes esenciales para gobernar, que ningún rey anterior tuvo; por otra parte, ellas indican la razón de la desgracia acarreada por los reinados anteriores. Los tres títulos descansan en el cuarto: "Príncipe de la paz". Traerá la paz. En el verso final se especifican las cualidades indispensables para que exista un reino de paz. Sin la justicia y el derecho no hay sociedad que alcance la paz.

Después del término de la dinastía davídica, el pueblo de Dios siguió meditando en estos textos y les comprendió su portada mesiánica. En el futuro, Dios mismo intervendrá y traerá esa paz. La liturgia de hoy lee en esta perspectiva el texto y al reconocer en Jesús a este Príncipe de la paz, siente que el comportamiento pacífico con uno mismo y con su entorno, es lo que quiere que los cristianos promuevan.

II LECTURA En pocos versos viene a expresarse el mensaje fundamental que esta Carta a Tito transmite.

Para meditar.

SALMO RESPONSORIAL Salmo 95:1–2a, 2b–3, 11–12, 13

R. Hoy nos ha nacido un Salvador: el Mesías, el Señor.

Canten al Señor un cántico nuevo, canten al Señor, toda la tierra; canten al Señor, bendigan su nombre. R.

Proclamen día tras día su victoria. Cuenten a los pueblos su gloria, sus maravillas a todas las naciones. R.

Alégrese el cielo, goce la tierra, retumbe el mar y cuanto lo llena; vitoreen los campos y cuanto hay en ellos. Aclamen los árboles del bosque. R.

Delante del Señor, que ya llega, ya llega a regir la tierra: regirá el orbe con justicia y los pueblos con fidelidad. R.

II LECTURA Tito 2:11–14

Lectura de la carta del apóstol san Pablo a Tito

Estos consejos dalos con ánimo paternal. No te dejes llevar por el ímpetu, sino por la amabilidad.

Querido hermano:
La **gracia** de Dios se ha **manifestado**
para salvar a **todos** los hombres
y nos ha enseñado a **renunciar**
a la vida sin religión y a los deseos mundanos,
para que vivamos, ya **desde ahora**,
de una manera **sobria**, justa y fiel a Dios,
en espera de la **gloriosa** venida del **gran** Dios y salvador,
Cristo Jesús, **nuestra** esperanza.

La mención de Jesucristo da tono de cierta intimidad personal a la lectura.

Él se entregó por nosotros para redimirnos
de todo pecado y purificarnos,
a fin de convertirnos en **pueblo suyo**,
fervorosamente entregado a practicar el bien.

EVANGELIO Lucas 2:1–14

Lectura del santo Evangelio según san Lucas

Es importante poner el horizonte histórico del nacimiento de Jesús. Pronuncia distintivamente los nombres clave.

Por **aquellos** días,
se **promulgó** un edicto de César Augusto,
que **ordenaba** un censo de todo el imperio.

Viene en prosa, pero tiene un halo hímnico. Sus ideas y expresiones provienen de un ambiente judeohelenista de tinte cultual. Para esos oídos "gracia" llevaba a lo que en su lenguaje es lo más estimado: la bondad y la belleza. Para el judeocristiano, en cambio, era la bondad, la misericordia que Moisés descubrió en el perdón que Dios otorgó en el Sinaí a su pueblo.

La gracia de Dios se ha manifestado y provoca en la Iglesia una respuesta que se expresará en una conducta concreta. Esa manifestación de gracia se describe como enseñanza. Muchos creyentes provenían del paganismo. Se volvía importantísimo que aprendieran doctrinas fundamentales al movimiento de Jesús. Otro tanto vale de los judeocristianos, pues éstos no habían tenido ningún contacto físico con Jesús; ellos necesitaban aprender de los dichos y hechos del Señor, además de las formas concretas de vivir a lo cristiano. Es propio de estas cartas ofrecer listas de virtudes para distintas épocas de la vida.

Para el mundo pagano la piedad era una virtud central con que se relacionaba el hombre con Dios o con la esfera divina. Sería algo equivalente a lo que llamamos nosotros religiosidad. Habla el autor de virtudes que se tenían en mucha estima entre los griegos. Estas virtudes también son cristianas. La venida del Señor recuerda su venida en la carne: por su muerte redentora nos rescató y nos dio la posibilidad de un comportamiento en consecuencia.

EVANGELIO Con el nacimiento de Jesús, Dios teje el hilo finísimo de la salvación en el día a día. Sorprende cómo san Lucas conecta un acontecimiento íntimo, el alumbramiento, de una pareja rural, galilea, con un decreto de la más alta

Este **primer** censo se hizo cuando **Quirino**
era gobernador de Siria.
Todos iban a empadronarse, **cada uno** en su **propia** ciudad;
así es que **también** José,
perteneciente a la casa y familia **de David**,
se dirigió **desde** la ciudad de **Nazaret**, en Galilea,
a la ciudad de David, llamada **Belén**, para **empadronarse**,
juntamente con María, **su esposa**, que estaba encinta.

Es fundamental lo que hace María; servirá para identificar al recién nacido más tarde.

Mientras estaban ahí, le **llegó** a María el tiempo de **dar a luz**
y tuvo a su hijo **primogénito**;
lo **envolvió** en pañales y **lo recostó** en un pesebre,
porque **no hubo** lugar para ellos en la posada.

La aparición angélica debe ser asombrosa; procura darle un aura luminosa a la descripción.

En **aquella** región había unos pastores
que pasaban la noche en el campo,
vigilando **por turno** sus rebaños.
Un **ángel** del Señor se les apareció
y **la gloria** de Dios los **envolvió** con su luz
y **se llenaron** de temor.
El **ángel** les dijo: "**No teman.** Les traigo una **buena** noticia,
que causará **gran** alegría a **todo** el pueblo:
hoy les ha nacido, en la ciudad de David, **un salvador**,
que es el **Mesías**, **el Señor**.
Esto les servirá **de señal**:
encontrarán al niño **envuelto** en pañales
y **recostado** en un pesebre".

Hay un crescendo en cuanto a la narración. Procura que esto se note en la intensidad de tu voz.

De pronto se le unió al ángel **una multitud** del ejército celestial,
que **alababa** a Dios, diciendo: "¡**Gloria** a Dios en el cielo,
y en la tierra **paz** a los hombres de **buena** voluntad!"

autoridad mundial. César Augusto es el primer emperador romano, es decir, de ese modo de gobernar por decreto personal—y familiar—, y no por consenso o decisiones alcanzadas por los cuerpos legislativos o representantes de las diferentes categorías de ciudadanos. César Augusto gobernó su extenso imperio desde el año 27 a. C. hasta el 14 d. C.; el territorio de Palestina caía en la jurisdicción imperial de Siria, aunque Herodes el Grande y sus hijos lo regenteaban como reyes clientelares. El edicto o dogma promulgado por el César de Roma, obligó a José y a María a desplazarse de Galilea a Judea, a Belén, donde, según las Escrituras, habría de nacer el Mesías, hijo de David.

Jesús nace lejos de los centros de poder del mundo, e incluso de la misma Belén; un pesebre es su cuna. Sin embargo, su llegada repercute en la región, gracias a que el ángel del Señor anuncia a los pastores que les ha nacido un salvador (*soter*). César Augusto se hacía llamar e invocar "Salvador de la humanidad". Más encontradas no podían ser las figuras que dicen salvar. El empadronamiento imperial actualizará los registros de los impuestos y tributos de cada familia del país. El Niño envuelto en pañales, por el contrario, trae alegría a los más pobres y la alabanza del cielo y la "paz a los hombres de buena voluntad".

La salvación de Dios llega por caminos cotidianos, no siempre fáciles, pero cuaja en lo simple y lo profundo. Trae alegría, hace levantar los ojos al cielo y ensancha el corazón con la paz de la gloria de Dios. La salvación de Dios es la fuente de alegría para todo el pueblo: Cristo nuestro Señor.

NATIVIDAD DEL SEÑOR, MISA DE LA AURORA

I LECTURA Isaías 62:11–12

Lectura del libro del profeta Isaías

Este anuncio jubiloso hazlo con garbo y entusiasmo.

Escuchen lo que el Señor hace oír
hasta el **último** rincón de la tierra:

"**Digan** a la hija de Sión:
Mira que **ya llega** tu salvador.
El **premio** de su victoria lo acompaña
y **su recompensa** lo precede.
Tus hijos serán llamados '**Pueblo santo**',
'**Redimidos** del Señor', y **a ti** te llamarán
'Ciudad **deseada**, Ciudad **no abandonada**'".

En las dos líneas finales, haz contacto visual con la asamblea.

SALMO RESPONSORIAL Salmo 96:1, 6, 11–12

Para meditar.

R Hoy brillará una luz sobre nosotros, porque nos ha nacido el Señor.

El Señor reina, la tierra goza, se alegran las islas innumerables. Los cielos pregonan su justicia y todos los pueblos contemplan su gloria. R.

Amanece la luz para el justo, y la alegría para los rectos de corazón. Alégrense, justos con el Señor, celebren su santo nombre. R.

I LECTURA Esta lectura depende de la profecía del segundo Isaías (Is 56), tal vez discípulo del primer Isaías. Él procuró adaptar mucho del mensaje de su maestro y traducirlo a las nuevas circunstancias que le tocó vivir, allá por el año 500 a. C.

Habla el profeta de que habrá vigilantes que estarán recordando al Señor sus promesas. Este oficio les pertenece a todos aquellos sobre los que se pronunció la palabra de Dios, ya fueran cercanos o lejanos. Ser testigo de la palabra prometida es fundamental para el pueblo de Israel. Es estar recordando al pueblo que Dios, a pesar de las infidelidades de su pueblo, le sigue dando fuerza y enjundia y que ya no pronunciará una nueva palabra de amenaza o castigo.

Donde el creyente recibe la acción divina, es en la fe. Así lo dice Pablo: "En efecto, en él todas las promesas divinas cumplieron el sí, y así nosotros por él respondemos amén, a gloria de Dios" (2 Cor 1:20). Ser testigo de la palabra de Dios lleva también a ser su abogado. El profeta invita a la ciudad de Jerusalén a que vea, que es algo real. La ciudad no ha sido abandonada, ni se le calificará así. Dios la buscó a ella, no ella a Dios. De aquí que sus miembros serán llamados "pueblo santo, redimidos del Señor". La invitación a ver se revive especialmente en la Natividad, pues la celebración litúrgica nos lleva a ver y experimentar ese amor de Dios que nos buscó y se hizo presente en el Hijo de Dios, que llega para la humanidad entera.

II LECTURA La lectura de hoy supone el v. 3, donde está descrita la situación en que se encontraban tanto judíos como paganos antes del advenimiento de Cristo. Esboza una sociedad donde abundaban los pecados y costum-

II LECTURA Tito 3:4–7

Lectura de la carta del apóstol san Pablo a Tito

Hermano:

Proclama con agradecido corazón por la gracia de la salvación.

Al **manifestarse** la bondad de Dios, nuestro salvador,
y su amor **a los hombres**, él **nos salvó**,
no porque nosotros hubiéramos hecho algo **digno de merecerlo**,
sino por **su misericordia.**
Lo hizo mediante **el bautismo**, que nos **regenera** y nos renueva,
por **la acción** del Espíritu Santo,
a quien Dios derramó **abundantemente** sobre nosotros,
por Cristo, nuestro **Salvador.**

Baja el ritmo de la lectura, para preparar la salida.

Así, **justificados** por su gracia,
nos convertiremos en **herederos**,
cuando se realice **la esperanza** de la vida eterna.

bres perversas, lo que concuerda, de alguna manera, con descripciones de otros autores antiguos. Ante la situación de pecado, nuestro autor resalta la obra redentora de Cristo. Lo hace recurriendo a la conducta de esa comunidad griega, distinta en tiempo y cultura a las comunidades palestinas. Así, habla de la "bondad de nuestro Dios, y salvador y su amor al hombre", para hacer inteligible a su comunidad el acto de Jesús que se entregó por puro amor a la muerte para nuestra salvación.

La salvación del Señor está dada en el bautismo. Éste trajo la infusión del Espíritu, su fuerza que capacita al cristiano para conformar su vida a la Buena Noticia. Esta abundancia del Espíritu llevará a la comunidad a corresponder con una vida donde se manifieste el don de Dios. Es lo que se vendrá llamando después la vida espiritual. Ésta consiste en que nos dejemos llevar por el Espíritu, gran inspirador y motor de la vida cristiana diaria. Nosotros somos invitados a lo mismo que los cretenses, tan sólo que nuestra vida cristiana debe tener los tintes propios de nuestra época.

La Natividad del Señor nos impulsa a hacer realidad hoy, en esta vida nuestra espiritual, la salvación de Dios. Su Espíritu nos va mostrando las formas concretas y actuales de realizar ya la esperanza eterna.

EVANGELIO David había sido un pastor de Belén, luego sería el prototipo del ungido o rey de Israel. Los pastores de Belén son como la familia extendida de José y de María, los primeros que llegan a felicitarles por el recién nacido. Constatado el anuncio ellos se convierten en anunciadores de buenas nuevas: Dios va cumpliendo sus promesas (ver Lc 1:54–55). La reacción de los pastores al anuncio

EVANGELIO Lucas 2:15–20

Lectura del santo Evangelio según san Lucas

El marco histórico es importante. La salvación de Dios ocurre en la historia humana. Dale el ritmo pausado a tu lectura, para que la asamblea se adentre en esto.

Cuando los ángeles los dejaron para **volver** al cielo,
los pastores se dijeron unos a otros:
"**Vayamos** hasta Belén,
para ver **eso** que el Señor nos ha **anunciado**".

Se fueron, pues, **a toda prisa** y encontraron a María,
a José **y al niño**, recostado en el pesebre.
Después de verlo, **contaron** lo que se les había dicho
de aquel niño,
y cuantos los oían quedaban **maravillados.**

Baja el ritmo al describir el nacimiento. Permite que el drama adentre en el corazón de la asamblea.

Esto es extraordinario. La aparición angélica retrátala con entusiasmo y fascinación. Fomenta esta atmósfera a lo largo de la celebración.

María, por su parte,
guardaba todas estas cosas y las **meditaba** en su corazón.
Los pastores se **volvieron** a sus campos,
alabando y **glorificando** a Dios
por **todo** cuanto habían visto y oído,
según lo que se les había **anunciado.**

angélico debe servir de ejemplo a los lectores del evangelio. Ellos dan crédito a la buena noticia del nacimiento de ese Mesías que trae la alegría a todo el pueblo, y se movilizan con toda presteza, es decir, movidos por el Espíritu de Dios (ver Lc 1:39 y 19:1ss).

El retrato lucano de María lleva a meditar la revelación de Dios en la intimidad del corazón. Es el modo como ella se va apropiando la salvación de Dios. Si de un lado el cumplimiento de la promesa es fuente de alborozo y alabanza, de éste, invita a acogerlo, a descubrirle conexiones y a mirar cómo se hilvana con otros eventos. De su coherencia se desprende la historia de la salvación. María es ejemplo para vivir la salvación a profundidad, es decir, afianzándonos en la contemplación que transforma, en esa dinámica que cambia los dolores y penas en gozo interior y profundo del espíritu. A esto lleva el Evangelio.

NATIVIDAD DEL SEÑOR, MISA DEL DÍA

I LECTURA Isaías 52:7–10

Con prestancia y agilidad, consigue que tu voz tintinee en los oídos de la asamblea.

Lectura del libro del profeta Isaías

¡**Qué hermoso** es ver correr sobre los montes
al mensajero que **anuncia** la paz,
al mensajero que trae **la buena nueva**,
que **pregona** la salvación,
que dice a Sión: "Tu Dios **es rey**"!

Escucha: Tus centinelas **alzan** la voz
y todos a una gritan alborozados,
porque ven **con sus propios ojos** al Señor,
que retorna a Sión.

A la escucha previa sigue el estallido de júbilo. No lo dilates. Esta lectura termínala levantando la voz.

Prorrumpan en gritos **de alegría**, ruinas de Jerusalén,
porque el Señor **rescata** a su pueblo, **consuela** a Jerusalén.
Descubre el Señor su santo brazo
a la vista **de todas** las naciones.
Verá la tierra **entera**
la salvación que viene de **nuestro** Dios.

I LECTURA Estamos ante unas estrofas de un poema más largo. Éstas contienen una síntesis del llamado "libro de la Consolación" (Is 45). Es una variante espléndida del primer poema (Is 40:2) con el que este profeta abre su libro. Este profeta había recibido la encomienda de anunciar la restauración de Israel, que incluía el regreso de los desterrados y la restauración de Judá y Jerusalén.

El profeta poeta estalla de gozo y habla de los mensajeros que llevan un anuncio de paz. La paz tiene como fondo la integración de toda la persona consigo misma, con la comunidad en que vive y con la naturaleza. La Buena Noticia abarca estas tres realidades: paz, salvación y bendición. Jesús tomará esta expresión de Buena Noticia (Evangelio) para expresar lo que vino a anunciar y a dejar a su comunidad como objetivo de vida.

Este anuncio está encomendado a los mensajeros quienes después transmitirán esta noticia a todos los habitantes de la ciudad. Anunciarán que el Señor regresó a Sión. No sólo la ciudad será reconstruida, sino también el templo, con lo que afirma el regreso de la presencia divina. Esta presencia real está bellamente descrita con la frase "ver cara a cara al Señor", como se decía de la presencia de Dios ante Moisés en el Sinaí.

Poéticamente, las ruinas de Jerusalén son invitadas "a estallar en gritos de alegría". Su desgracia quedó descrita en el libro de las Lamentaciones. Ahora, ¿cómo restituirá el Señor a su pueblo? Con "su santo brazo" expresión que se emplea para describir las hazañas fundamentales de la salvación en favor de Israel: la salida de Egipto, la peregrinación por el desierto y la entrada a la Tierra Prometida (ver Ex 6:6; Dt 4:34; 26:4). Lo mismo sucederá ahora.

Para meditar.

SALMO RESPONSORIAL Salmo 97:1, 2–3ab, 3cd–4, 5–6

R. Los confines de la tierra han contemplado la victoria de nuestro Dios.

Canten al Señor un cántico nuevo, porque ha hecho maravillas. Su diestra le ha dado la victoria, su santo brazo. R.

El Señor da a conocer su victoria; revela a las naciones su justicia: se acordó de su misericordia y su fidelidad en favor de la casa de Israel. R.

Los confines de la tierra han contemplado la victoria de nuestro Dios. Aclamen al Señor, tierra entera, griten, vitoreen, toquen. R.

Toquen la cítara para el Señor, suenen los instrumentos: con clarines y al son de trompetas aclamen al rey y Señor. R.

II LECTURA Hebreos 1:1–6

Lectura de la carta a los hebreos

Este párrafo pone el telón de fondo para lo que será la revelación de Dios. Las generaciones pasadas son nuestras también.

En **distintas** ocasiones y **de muchas** maneras
habló Dios en el pasado a nuestros padres,
por **boca de los profetas**.
Ahora, **en estos** tiempos,
nos ha hablado **por medio de su Hijo**,
a quien constituyó **heredero** de todas las cosas
y por medio del cual **hizo** el universo.

Este párrafo es maravilloso. Distingue sus dos partes y dales la unidad que el autor pretende haciendo al Hijo el sujeto del todo.

El Hijo es el **resplandor** de la gloria de Dios,
la imagen **fiel** de su ser
y el sostén **de todas las cosas** con su palabra **poderosa**.
Él mismo, después de efectuar la **purificación** de los pecados,
se sentó **a la diestra** de la majestad de Dios, en **las alturas**,
tanto **más encumbrado** sobre los ángeles,
cuanto **más excelso** es el nombre que, **como herencia**,
le corresponde.

Al estar celebrando la Navidad, este texto nos recuerda que Jesús fue el que nos trajo la paz, "que el mundo no puede dar". Bien lo escucharon los pastores en Belén: "Paz en la tierra". No en balde el Señor puso entre las condiciones para formar parte del reino, a la paz: "Bienaventurados los pacíficos". La paz definitiva es un don de Dios, pero estamos llamados a recibirla y a irle dando forma aquí en la tierra.

II LECTURA No vino Jesús al mundo como un meteorito que hubiese caído al azar. Su arribo fue preparado de una manera consciente. Dios lo fue revelando poco a poco, "de muchas y variadas formas". Con lo anterior se está aludiendo a las Escrituras Sagradas de Israel, que tienen su cumplimiento en Jesús del que el Nuevo Testamento es su expresión. Con la llegada de Cristo brotó el final de los tiempos. La iglesia primitiva pensó desde el inicio que entre este tiempo de la aparición de Cristo y la parusía, podría haber mucho tiempo, pero siempre pensó y afirmó que ya había empezado este final de los tiempos. Este tiempo final todavía es un tiempo de fe no de visión, de esperanza no de posesión, de espera, de promesa, porque todavía no todo está cumplido a plenitud.

La lectura de hoy nos da una desarrollada cristología que nos recuerda a algunos himnos o estrofas paulinas. Como en un espejo se refleja toda la forma de un hombre, así la divinidad se manifiesta en Cristo. Es el hombre que es de la misma naturaleza del Dios creador; la divinidad de Cristo se mantuvo bajo la forma humana; por este hombre, Jesús, viene la palabra y los hechos divinos a nuestro mundo y a la vida de los hombres. El Mesías Jesús está a un lado de Dios y un lado del hombre.

Dale viveza a las palabras de las Escrituras: ellas despiertan la memoria adormecida de los tiempos.

Porque ¿**a cuál** de los ángeles le dijo Dios:
Tú eres mi Hijo; yo te he engendrado hoy?
¿O de qué ángel dijo Dios: *Yo seré para él un padre y él será para mí un hijo?*
Además, en **otro** pasaje,
cuando introduce en el mundo a **su primogénito**, dice:
Adórenlo todos los ángeles de Dios.

EVANGELIO Juan 1:1–18

Lectura del santo Evangelio según san Juan

Es maravillosa, la descripción de la revelación de Jesucristo, desplegada en este himno poético. Distingue los momentos de esa revelación total de Dios.

En el principio **ya existía** aquel que es la Palabra,
y aquel que es **la Palabra** estaba con Dios y **era Dios**.
Ya en el principio él estaba **con Dios**.
Todas las cosas vinieron a la existencia **por él**
y sin él **nada** empezó de cuanto existe.
Él era **la vida**, y la vida era **la luz** de los hombres.
La luz **brilla** en las tinieblas
y las tinieblas **no la recibieron**.

Este segmento se refiere al Bautista. Hazlo notar en tu entonación.

Hubo un hombre **enviado** por Dios, que se llamaba Juan.
Este vino como **testigo**, para dar **testimonio** de la luz,
para que todos creyeran **por medio de él**.
Él no era la luz, sino **testigo** de la luz.

Recupera el tono elevado del primer parágrafo.

Aquel que es la Palabra era la luz **verdadera**,
que ilumina **a todo hombre** que viene a este mundo.
En el mundo **estaba**;
el mundo había sido hecho **por él**
y, sin embargo, el mundo **no lo conoció**.

Nuestro lenguaje hace inteligible la realidad de Dios por medio de la analogía y el contraste. Así, confesamos la unidad del Creador-creatura, del Dios-hombre, del Eterno-temporal. Todo esto lo tenemos en la plenitud de Cristo, tan real, como la realidad de Jesús. Al venir Dios encarnado en Jesús trajo al mundo muchas posibilidades. Al final de los tiempos, es decir, en la era cristiana que vivimos, tenemos la posibilidad de injertar en nuestro mundo la persona de Cristo, es decir, su divinidad y humanidad. Hacer más cristiano el mundo, preñarlo de la plenitud del Cristo.

En medio de tantos acontecimientos y celebraciones que nos llevan a opacar el núcleo del misterio del nacimiento del Señor, es importante intentar recobrar el sentido de su venida. Jesús vino para quedarse con nosotros y a impulsarnos a que el motivo de su venida, "por nosotros", lo traduzcamos en "por los demás", sobre todo, en nuestras acciones concretas y visibles que lleven el sello de su plenitud.

EVANGELIO San Mateo y san Lucas introducen sus evangelios con dos capítulos de relatos en torno al nacimiento del Mesías. Los relatos expresan la confesión cristiana en la condición divina de Jesús, previa a ser concebido en el vientre de su madre. En el evangelio de san Juan, en cambio, se transmite esa misma fe mediante un himno o cántico ritmado. En éste, el *Lógos*, Palabra o Verbo de Dios, se asimila a la sabiduría divina, tal como se trata en las Escrituras de Israel, como en Proverbios (cap. 8) y Sirácide (cap. 24). A este himno del cuarto evangelio, organizado en seis breves estrofas, se le conoce como "Prólogo", porque antecede al discurso propiamente dicho, al que sirve de introducción y presupuesto.

Hay un dejo trágico en esta parte, pero cierra con el nacimiento glorioso que da la fe.

Vino a los suyos y los suyos **no lo recibieron**;
pero **a todos** los que lo recibieron
les **concedió** poder llegar a ser **hijos** de Dios,
a los que **creen** en su nombre,
los cuales **no nacieron** de la sangre,
ni del deseo de la carne, ni por voluntad **del hombre**,
sino que nacieron **de Dios**.

Este es el núcleo de la fe cristiana. Deja que los frutos de la revelación alcancen a toda la asamblea.

Y aquel que es la Palabra **se hizo hombre**
y **habitó** entre nosotros.
Hemos visto **su gloria**,
gloria que le corresponde como a **Unigénito** del Padre,
lleno de gracia y **de verdad**.

La figura del Bautista ancla en la historia la revelación del Hijo.

Juan el Bautista **dio testimonio** de él, clamando:
"**A éste** me refería cuando dije:
'El que viene **después** de mí, tiene **precedencia** sobre mí,
porque **ya existía** antes que yo' ".

La última estrofa se enfoca en la plenitud. Haz que los oyentes anhelen los bienes derramados por Cristo.

De su plenitud hemos recibido **todos** gracia sobre gracia.
Porque **la ley** fue dada por medio de Moisés,
mientras que la gracia y la verdad vinieron **por Jesucristo**.
A Dios **nadie** lo ha visto **jamás**.
El Hijo **unigénito**, que está en el seno del Padre,
es quien lo **ha revelado**.

Forma breve: Juan 1:1–5, 9–14

Ya en la primera línea del Prólogo, san Juan refiere al principio de la revelación de Dios, tal como inicia el libro del Génesis, que refiere a la creación, cuando Dios creó cielos y tierra con sus diez palabras. La primera estrofa del Prólogo de Juan habla de la identidad divina del *Lógos*, e igualmente de su función en la creación. Gracias a él, la humanidad se ha beneficiado de la luz y la vida. Cuanto ilumina y da certeza en el caminar de los hombres, viene del Verbo o Palabra de Dios. Y aunque los poderes de las tinieblas parecen dominantes, en realidad, no pueden con la luz y el orden de Dios.

La estrofa tercera expresa el beneficio que la venida de la luz trae a los hombres: la posibilidad inédita de hacerse hijos de Dios. Al creer en la luz y la verdad, los hombres reciben al Verbo, y son transformados por un nuevo nacimiento en hijos de Dios. No es la circuncisión, ni la pertenencia étnica, ni la sumisión a la ley lo que los hace hijos, sino la recepción de la luz divina.

En la cuarta estrofa se confiesa que la Palabra eterna se ha hecho carne para acampar con los fieles de Dios, para hacerlos partícipes de la gracia y la verdad. Es la Encarnación. Gracia es la bondad de Dios. Verdad es su fidelidad inquebrantable. El *Lógos* encarnado es el Hijo único del Padre. De allí su plenitud.

La figura de Juan Bautista en las estrofas segunda y quinta, surge como testigo del Cristo, sí, pero también de la preexistencia del *Lógos*. Los que conocen la historia del Bautista, saben la calidad de su testimonio. Pero en las líneas del Cuarto evangelio, Juan señalará a sus propios discípulos al Cordero que hay que seguir. Todos los bienes nos vienen por él. Y eso es lo que celebramos.

LA SAGRADA FAMILIA DE JESÚS, MARÍA Y JOSÉ

I LECTURA Eclesiástico 3:2–6, 12–14

Lectura del libro del Eclesiástico (Sirácide)

En esta lectura las ideas se expresan en dos tiempos o líneas; ensaya para distinguirlas y a leerlas en una sola respiración. Esto le dará consistencia a la lectura.

El Señor **honra** al padre en **los hijos**
y **respalda** la autoridad de la madre **sobre** ellos.
El que **honra** a su padre queda **limpio** de pecado;
y **acumula** tesoros, el que **respeta** a su madre.

Quien **honra** a su padre,
encontrará **alegría** en sus hijos
y su oración **será escuchada**;
el que **enaltece** a su padre, tendrá **larga vida**
y el que **obedece** al Señor, **es consuelo** de su madre.

Hay un foco nuevo. Procura realzar esta novedad pausando antes de iniciar el párrafo.

Hijo, **cuida** de tu padre **en la vejez**
y en su vida **no** le causes tristeza;
aunque chochee, **ten** paciencia con él
y **no** lo menosprecies por estar tú en **pleno** vigor.
El bien hecho al padre **no quedará** en el olvido
y **se tomará a cuenta** de tus pecados.

Para meditar.

SALMO RESPONSORIAL Salmo 104:1b–2, 3–4, 5–6, 8–9

R. El Señor se acuerda de su alianza eternamente.

Den a conocer las hazañas del Señor
a los pueblos; cántenle al son de
instrumentos, hablen de sus
maravillas. R.

Gloríense de su nombre santo, que se
alegren los que buscan al Señor.
Recurran al Señor y a su poder, busquen
continuamente su rostro. R.

I LECTURA El autor de este libro, el Sirácide, movido por un celo por la palabra del Señor, se pone a escribir sobre la sabiduría de su pueblo, el pueblo de Dios. Este pueblo se encuentra ante una civilización brillante y llamativa, lo que hace que sus miembros fácilmente se vayan por este sendero de la sabiduría griega. Nuestro autor, sin embargo, siente que la antigua sabiduría hebrea contiene ideales más altos y mejores para la educación y grandeza de los fieles del único Dios.

Ya habló el autor de la recta relación con Dios. Luego viene a considerar la correcta postura con los padres. Después hablará de la postura fundamental ante sí y finalmente, su relación con los pobres. Estas cuatro conductas o actitudes son fundamentales en esos cuatros puntos, pues fundan la verdadera sabiduría, que consiste en el temor de Dios y en el cumplimiento de la ley.

La recta conducta hacia su padre y madre, marca la conducta del hombre en su relación con Dios. Esta relación lleva al perdón de los pecados y a ser escuchado por Dios. Tal vez los jóvenes del tiempo del autor, como en casi todas las épocas, tenían una atracción especial por la novedad, por las nuevas ideas y modas. Esto llevaba a un choque contra la autoridad de los padres. En esta situación, recuerda Ben Sira que la relación correcta entre padres e hijos es el eje fundamental de toda comunidad humana y esto da la posibilidad de unir lo nuevo con lo antiguo. De esta unión se produce un enriquecimiento mutuo.

Toma el autor argumentos del Pentateuco, comentando el Decálogo, en concreto, el mandamiento del respeto a los padres (Ex 20:12). La vida le ha enseñado que este eje funda la estabilidad y éxito reales en la vida. Este mandamiento funda una forma

Recuerden las maravillas que hizo, sus
prodigios, las sentencias de su boca.
¡Estirpe de Abraham, su siervo; hijos de
Jacob, su elegido! R.

Se acuerda de su alianza eternamente, de
la palabra dada, por mil generaciones;
de la alianza sellada con Abraham, del
juramento hecho a Isaac. R.

II LECTURA Colosenses 3:12–21

Lectura de la carta del apóstol san Pablo a los colosenses

Distingue bien los tres periodos de la lectura. La exhortación inicia sentando el fundamento de la conducta comunitaria.

Hermanos:
Puesto que Dios los ha elegido a **ustedes**,
los ha consagrado **a él** y les ha dado **su amor**,
sean **compasivos**, magnánimos, **humildes**, afables y **pacientes.**
Sopórtense **mutuamente**
y **perdónense** cuando tengan quejas contra otro,
como el Señor **los ha perdonado** a ustedes.
Y sobre **todas** estas virtudes, tengan **amor**,
que es el vínculo de la **perfecta** unión.

El foco es la paz. Este párrafo proclámalo a una velocidad menor a la de los otros dos.

Que en sus corazones **reine** la paz de Cristo,
esa paz a la que han sido **llamados**,
como miembros de un **solo** cuerpo.
Finalmente, sean **agradecidos**.

Dale tono encarecido a esta parte.

Que la palabra de Cristo **habite** en ustedes con **toda** su riqueza.
Enséñense y aconséjense **unos a otros** lo mejor que sepan.
Con el corazón **lleno** de gratitud, **alaben** a Dios
con salmos, himnos y **cánticos espirituales**;
y **todo** lo que digan y todo lo que hagan,
háganlo en el nombre del **Señor Jesús**,
dándole gracias a **Dios Padre**, por medio **de Cristo**.

de vida que lleva a la felicidad, individual y colectiva. Su experiencia de familia le muestra la veracidad de todo esto. Y el fundamento de la familia también es el cimiento de la comunidad.

Además, el autor insiste en la dimensión religiosa. El israelita pensaba en el perdón de sus faltas, en la adquisición de la salvación y en ser escuchado en su oración. El ideal de ser escuchado por Dios y temerlo, lo alcanza el que honra a sus padres. Así se consigue lo que todo israelita desea: ser justo ante Dios. Aparecen dos imágenes para fundamentar la recta conducta de los hijos con sus padres: construir y plantar. Una vida bien llevada es como una casa bien construida o una planta que da sus frutos y embellece.

II LECTURA Esta parte de la carta está orientada hacia la parénesis. Estos versos ofrecen una imagen del nuevo hombre, y por eso aparece un catálogo de virtudes que manifiestan cuál debe ser el comportamiento de este nuevo hombre.

Después de haber hablado de lo que el cristiano debe dejar de lado, es invitado a llenarse, a revestirse de ciertas virtudes fundamentales, cinco en concreto: compasión, amabilidad, humildad, mansedumbre y paciencia. Esto los hace consagrados y amados.

El cristiano, cuya patria se encuentra en el cielo, está aquí en la tierra todavía bajo problemas terrenales. En esa situación brota desde el centro del ser cristiano la invitación a perdonar como el Señor lo ha hecho con nosotros. Este perdón es algo indispensable para conformar la vida humana al proyecto de Dios. Enseguida trae a cuento el Apóstol, el centro y motor de todo: el amor.

Nota la reciprocidad en las relaciones de la casa. Mantén la velocidad de la lectura conforme te acercas al final. Deja la impresión como si le faltara algo o estuviera inacabada.

Mujeres, respeten la autoridad de sus maridos,
como lo quiere el Señor.
Maridos, amen a sus esposas **y no sean** rudos con ellas.
Hijos, obedezcan **en todo** a sus padres,
porque eso es **agradable** al Señor.
Padres, no exijan **demasiado** a sus hijos,
para que **no se depriman**.

Forma breve: Colosenses 3:12–17

EVANGELIO Mt 2:13–15, 19–23

Lectura del santo evangelio según san Mateo

Hay tres momentos concatenados en la lectura que abarca un amplio periodo de tiempo. Dale prestancia y cierta velocidad al primero, pero disminuye el ritmo al llegar a las palabras proféticas.

Después de que los magos **partieron de** Belén,
el ángel del Señor se le apareció **en sueños** a José y le dijo:
"**Levántate**, toma al niño y a su madre, y **huye a Egipto**.
Quédate allá **hasta que yo** te avise,
porque Herodes va a **buscar al niño** para matarlo".

Este párrafo está más unido que desunido a lo previo. Procura que la separación tipográfica no se note al proclamarlo.

José se levantó
y **esa misma noche** tomó al niño y a su madre
y partió para Egipto,
donde permaneció **hasta la muerte** de Herodes.
Así **se cumplió** lo que dijo el Señor
por medio del profeta:
De Egipto llamé a mi hijo.

Después de muerto Herodes,
el ángel del Señor se le apareció **en sueños** a José y le dijo:
"Levántate, toma al niño y a su madre
y regresa a la tierra de Israel,
porque **ya murieron**
los que intentaban **quitarle la vida** al niño".

El amor no sólo es el mayor de los carismas, sino que es el "broche de la perfección". Todo proviene y lleva al amor, que conduce al hombre a su perfección. Este amor penetra en el corazón del creyente por mediación de la palabra de Cristo. Así saldrá a luz, entre los colosenses una comunidad unida, que en la acción de gracias de la oración litúrgica, expresará una vida volcada hacia el bien de los demás.

Lo anterior se concreta en la vida familiar. A menudo Pablo baja a la concreción de la vida de todos los días, que se manifiesta en los lazos, deberes y dificultades familiares. La casa familiar era el fundamento de la comunidad pagana y tal vez por esta razón Pablo les quiere mostrar a los colosenses que, pertenecer a Cristo da más cohesión a los valores familiares. En medio de estas estructuras de entonces, ya pone el Apóstol lo que hará que éstas desde dentro se cristianicen y, por lo mismo, terminen por reflejar eso que "pide el Señor" o "le agrada el Señor".

La palabra de Cristo, el Evangelio, debe inspirar y determinar la vida en toda institución humana y esto que se lleva a cabo en la vida concreta de la familia, se expresa en la alabanza litúrgica cristiana, que nos configura como familia de Dios.

EVANGELIO San Mateo, en los primeros dos capítulos de su evangelio, cuenta cómo, con el nacimiento de Jesús, Dios da cumplimiento a las promesas de salvación hechas a David y a Abraham. Pero el camino del cumplimiento no está libre de enemigos ni de dificultades. Al contrario. Para darle cauce histórico a la salvación de Dios, José, junto con María, debió acoger un hijo que nunca pidió. Y lo hizo con todo su corazón y con todas sus fuerzas, al

Se levantó José,
tomó al niño y a su madre **y regresó** a tierra de Israel.
Pero, habiendo oído decir que **Arquelao**
reinaba en Judea **en lugar de su padre**, Herodes,
tuvo miedo de ir allá,
y advertido **en sueños**, se retiró a Galilea
y se fue a vivir en una población llamada **Nazaret**.
Así se cumplió lo que habían dicho los profetas:
Se le llamará nazareno.

grado de arriesgar su vida para proteger al que habría de ser el Redentor del pueblo, cuando el propio Herodes quiere matarlo. Entonces es cuando Egipto, el país de la esclavitud, se vuelve refugio de José y su familia, y Nazaret en la tierra del retiro obligado. Todo para afirmar las promesas firmadas en las Escrituras.

En esta fecha, aunque en una lectura recortada, la liturgia nos invita a mirar a Jesús como miembro de una familia. La familia es el lugar donde comenzamos a experimentar la vida en lo que tiene de grato y de ingrato; es la experiencia que nos marca para entrar en relación con nosotros mismos y con el mundo. Y el caso de Jesús no es excepción.

El relato repite hasta en cuatro ocasiones que José "tomó al niño y a su madre". El recién nacido, Jesús, es incapaz de sobrevivir sin su madre, y ambos dependen del padre. Éste los lleva y los trae cruzando fronteras y procurándoles seguridad. Queda manifiesto que José hace totalmente suyo aquello que tanto le costó: el fruto del vientre de María. Lo hace suyo. Igualmente él se nos descubre como un hombre sabio, pues siguió la voz del ángel de sus sueños. Percibió el peligro y le preservó la vida al niño desde esa misma noche, la noche del éxodo que marca al migrante y al perseguido. Al introducir a Jesús en la tierra de Israel, lo hace también hijo del pueblo elegido.

Su familia le dio a Jesús la identidad de su tierra, del lugar de su crianza y de su carácter probablemente. Pudiera ser que "nazareno" tenga que ver con los "guardianes" de la ley del Señor, pero también con el "retoño" mesiánico, al estilo de José, su padre.

SANTA MARÍA, MADRE DE DIOS

I LECTURA Números 6:22–27

Lectura del libro de los Números

En esta bendición descendente dale reverencia y solemnidad a tu voz y a tu lenguaje corporal, pero evita la petulancia.

En **aquel** tiempo, el Señor **habló** a Moisés y le dijo:
"Di a Aarón y a sus hijos:
'De **esta manera** bendecirán a los israelitas:
El Señor te bendiga y te proteja,
haga **resplandecer** su rostro sobre ti y te conceda su favor.
Que el Señor te mire con **benevolencia**
y te conceda la paz'.

La instrucción a los sacerdotes termina con la promesa divina de la bendición.

Así invocarán mi nombre sobre los israelitas
y yo los bendeciré".

SALMO RESPONSORIAL Salmo 66:2–3, 5, 6, 8

Para meditar.

R. El Señor tenga piedad y nos bendiga.

El Señor tenga piedad y nos bendiga,
ilumine su rostro sobre nosotros:
conozca la tierra tus caminos, todos los pueblos tu salvación. R.

Que canten de alegría las naciones, porque riges la tierra con justicia, riges los pueblos con rectitud y gobiernas las naciones de la tierra. R.

¡Oh Dios, que te alaben los pueblos, que todos los pueblos te alaben! Que Dios nos bendiga; que le teman hasta los confines del orbe. R.

I LECTURA Después de haber celebrado a María en el Adviento como Inmaculada, ahora en la Navidad la celebramos bajo la bendición de su maternidad, causa de todas sus gracias.

El verbo bendecir, dominante en nuestra lectura, significa expandir, alargar, hacer fluir. Esto referido a Dios, significa que él da. En el hombre bendecir a Dios, equivale a alabarlo. La diferencia está en los sujetos.

La bendición que escuchamos está abrazada por una introducción (v. 23) y una conclusión (v. 27). La bendición misma consta de seis verbos, dos en cada versículo. Primero, se desea protección. Que Dios custodie y defienda de todo lo que pueda hacer mal. Que su rostro se muestre radiante a los fieles de su pueblo. Un rostro radiante, sonriente es signo de cariño, de amor. Su matiz es la alegría. Un rostro sonriente es como si quisiera derramar un rayo de luz sobre los que lo rodean. Que sea propicio, es decir, que se abaje para levantar al hombre que está postrado por su pecado. Que el Señor muestre su rostro. La imagen supone a un Dios enojado, lleno de cólera, que, se le pide, voltee su rostro para no ver al hombre por su ofensa. Finalmente, lo que cierra todos los seis verbos, es el dar la paz. La paz es conjunción, cercanía, unión entre los componentes de un ser, integración. La paz entre los hombres es algo dado por Dios.

María es el perfecto ejemplo de esta integración con Dios y sus semejantes. Esta unión llegó hasta lo indecible, al hacer partícipe de su carne a Jesús. Por esto la Iglesia pone al principio del año esta bendición que es dádiva y programa. Bendecida ella, se nos vuelve bendición.

II LECTURA La segunda lectura pasa del tema de la bendición a la

II LECTURA Gálatas 4:4–7

Lectura de la carta del apóstol san Pablo a los gálatas

Pronuncia estos dos párrafos tan breves como ricos, con la voz llena de la esperanza cumplida. Resalta el envío del Hijo.

Hermanos:
Al llegar la **plenitud** de los tiempos,
envió Dios a su Hijo, nacido de **una mujer**,
nacido **bajo la ley**,
para **rescatar** a los que **estábamos** bajo la ley,
a fin de hacernos **hijos suyos**.

El clamor del Espíritu tiene que resonar en los corazones de todos los miembros. Busca el modo de enfatizar esa palabra.

Puesto que **ya son ustedes hijos**,
Dios envió a sus corazones **el Espíritu** de su Hijo,
que clama "¡**Abbá**!", es decir, ¡Padre!
Así que ya no **eres siervo**, sino hijo;
y siendo hijo, eres también **heredero** por voluntad de **Dios**.

EVANGELIO Lucas 2:16–21

Lectura del santo Evangelio según san Lucas

La primera escena avanza de lo exterior a la interioridad del corazón de María. Dale un tono intimista a tu voz conforme avanza el párrafo.

En **aquel** tiempo,
los pastores fueron a **toda prisa** hacia Belén
y encontraron a **María**, a José y al **niño**,
recostado en el pesebre.
Después de verlo,
contaron lo que se les **había dicho** de aquel niño
y **cuantos** los oían, quedaban **maravillados**.
María, por su parte, guardaba **todas** estas cosas
y las meditaba **en su corazón**.

maternidad de María. Estas líneas están tomadas de una de las cartas más ríspidas de Pablo, escrita a la comunidad de Galacia.

Pablo está hablando del misterio del Dios-hecho-hombre. De aquí le viene la idea de hablar de aquella "mujer" con una discreción tan grande que sorprende. Desarrolla inmediatamente las relaciones entre el Hijo de esta mujer y nosotros, los otros hijos; entre él, el heredero y nosotros, los coherederos.

La maternidad ofrece dos dimensiones: un física con relación a Jesús, de quien es madre de forma única e irrepetible, y otra espiritual con relación a nosotros, por haber recibido el don de ser hijos de Dios. Así podemos sentir a María tan cercana a nosotros como una madre a sus hijos.

María con su respuesta afirmativa a la voluntad del Padre celestial, se dejó plasmar por la palabra de Dios: "Que se cumpla en mí según tu palabra" (Lc 1:38). De esta forma, Dios se adentra profundamente en la realidad histórica, que no es sólo la historia de un pueblo particular, sino la historia en sí. Con la aceptación de María, el tiempo llega a la plenitud de todos los tiempos. María no entendió todo el misterio de su hijo. Poco a poco fue comprendiendo. Al darnos a Jesús, nos dio también algo de ella. Llegó a entender, creo, más que los demás que rodeaban a Jesús, pues no tuvo necesidad de que Jesús se le apareciera gloriosamente, para comprender que había resucitado. María, nuestra madre, nos invita a que, como ella, vayamos entendiendo de poquito a poquito el misterio de su Hijo.

EVANGELIO La lectura nos coloca frente a la reacción de los pastores y a la de María, por los acontecimientos que rodean el maravilloso nacimiento de Jesús, y, como si fuera un apéndice, nos avisa la circuncisión de Jesús.

La alegría se multiplica. Dale cauce también en tu expresión corporal.

Los pastores se volvieron a sus campos,
alabando y **glorificando** a Dios
por todo cuanto habían **visto y oído**,
según lo que se les **había anunciado**.

El párrafo final es un colofón que cierra el episodio. Mantén el tono neutral de un relato.

Cumplidos los **ocho** días, **circuncidaron** al niño
y le pusieron el nombre **de Jesús**,
aquel mismo que había dicho el ángel,
antes de que el niño fuera concebido.

Un ángel se apareció a los pastores y les dio una señal que ellos confirman ahora. Les anunció que aquel recién nacido recostado en el pesebre y envuelto en pañales es el Mesías, el redentor del pueblo. Este hecho simple es lo que dinamiza la lectura toda. Ellos cuentan esa experiencia donde lo maravilloso irrumpe lo cotidiano y lo convierten en evangelio. Lo singular, sin embargo, es que con su relato María queda convertida en depositaria y guardiana privilegiada de la revelación que salva, porque ella medita los sucesos que rodean a su primogénito. Ella se convierte, así, en modelo de todo creyente y en modelo para la Iglesia universal.

Mediante la circuncisión, el pueblo elegido incorporaba a sus nuevos miembros; esto ocurría a los ocho días del nacimiento, y la operación convertía a los varones en partícipes de la alianza de sangre y les daba un nombre en medio del pueblo. Era todo un acontecimiento familiar y social, celebrado con fiesta, parentela y vecindario. Esto es lo que a Jesús le ocurrió en Belén, y es lo que san Lucas cuenta escuetamente en un par de líneas. Jesús es miembro cabal del pueblo de Dios y sus padres fieles cumplidores de las estipulaciones de la ley de Moisés.

Al inicio del año civil, con esta lectura, la Iglesia nos propone abrazar a María, madre de Dios como compañera y modelo a lo largo del camino que está por delante. A la vez que celebramos su colaboración en la salvación de Dios, hemos de imitar su discipulado meditativo. Como ella, démonos tiempo y espacio para escuchar y contemplar lo que sucede a nuestro alrededor y descubrir la coherencia entre los eventos. Ésa es la ruta a recorrer para descubrir la presencia del Dios que salva, que obra maravillas en lo cotidiano. La maternidad es una de ellas.

EPIFANÍA DEL SEÑOR

I LECTURA Isaías 60:1–6

Lectura del libro del profeta Isaías

Distingue los dos momentos en tu lectura. Proclámala admirando la extraordinaria transformación de Jerusalén, convertida en imán de todos los pueblos.

Levántate y resplandece, **Jerusalén,**
porque **ha llegado** tu luz
y **la gloria** del Señor alborea sobre ti.
Mira: las tinieblas **cubren** la tierra
y **espesa** niebla **envuelve** a los pueblos;
pero sobre ti **resplandece** el Señor
y **en ti** se manifiesta su gloria.
Caminarán los pueblos **a tu luz**
y los reyes, **al resplandor** de tu aurora.

Las notas de alegría desbordante deben tocar a la asamblea. La línea final procura pronunciarla con santa euforia.

Levanta los ojos y mira **alrededor**:
todos se reúnen **y vienen** a ti;
tus hijos llegan **de lejos**, a tus hijas las traen **en brazos.**
Entonces verás esto **radiante** de alegría;
tu corazón **se alegrará**, y se ensanchará,
cuando se **vuelquen** sobre ti los **tesoros** del mar
y te traigan **las riquezas** de los pueblos.
Te **inundará** una multitud de camellos y dromedarios,
procedentes de **Madián** y de **Efá**.
Vendrán **todos** los de Sabá
trayendo **incienso y oro**
y proclamando **las alabanzas** del Señor.

I LECTURA Un texto luminoso, de esos que dejan a uno atónito, dominado por una sensación de entusiasmo y alegría. A los pobres desterrados se les anuncia la buena noticia de su regreso a la tierra ancestral. Se terminaba el desamparo, la burla y la pobreza en tierra ajena, para no añadir lo más grave: la imposibilidad de adorar a su Dios en su templo, que había sido quemado en Jerusalén.

Este pasaje, sin embargo, está lleno de imágenes y expresiones alegres. Sobresale la luz y el amanecer. La luz es símbolo de salvación y alegría. El amanecer es muy sugestivo de una época que se anuncia y ya empieza.

Jerusalén, la esposa del Señor, aparecerá opacando las tinieblas. Así interpreta el profeta a esa serena y pacífica hilera de deportados que ahora retoman, al revés, el camino para dirigirse a su tierra.

Este hecho no sólo significa el regreso de los que se fueron, sino que vendrán pueblos paganos que el Señor también invitará a este nuevo éxodo. Como en tiempos de Salomón vinieron de todas las partes, atraídos por la sabiduría y riqueza del rey, ahora vendrán de Madián, de Efá y de Sabá, trayendo oro e incienso, como ofrendas destinadas a proclamar la gloria del Señor.

El exilio dio fruto. No sólo se enriquecieron los deportados, haciendo negocios de todo, sino que dieron a conocer a su Dios. Fueron auténticos misioneros que proclamaron las hazañas del Señor. Estos paganos vendrán a Jerusalén trayendo también sus riquezas para invertir y ofrecer dones a la casa del Señor.

"Acudirán los pueblos a tu luz, y los reyes al esplendor de tu aurora" (v. 3), motivados por el arrepentimiento de Israel, para construir una ciudad abierta a todos,

Para meditar.

SALMO RESPONSORIAL Salmo 71:1–2, 7–8, 10–11, 12–13

R. Se postrarán ante ti, Señor, todos los pueblos de la tierra.

Dios mío, confía tu juicio al rey, tu justicia al hijo de reyes: para que rija a tu pueblo con justicia, a tus humildes con rectitud. R.

Que en sus días florezca la justicia y la paz hasta que falte la luna; que domine de mar a mar, del Gran Río al confín de la tierra. R.

Que los reyes de Tarsis y de las islas le paguen tributo; que los reyes de Sabá y de Arabia le ofrezcan sus dones, que se postren ante él todos los reyes, y que todos los pueblos le sirvan. R.

Porque él librará al pobre que clamaba, al afligido que no tenía protector; él se apiadará del pobre y del indigente, y salvará la vida de los pobres. R.

II LECTURA Efesios 3:2–3a, 5–6

Lectura de la carta del apóstol san Pablo a los efesios

Procura mantener la unidad de las dos oraciones del párrafo. Atiende cuidadosamente la puntuación.

Hermanos:
Han oído hablar de la **distribución** de la **gracia** de Dios,
que se me ha **confiado** en favor de ustedes.
Por revelación se me **dio a conocer** este misterio,
que no **había sido** manifestado a los hombres en otros tiempos,
pero que ha sido revelado **ahora** por el Espíritu
a sus **santos** apóstoles y profetas:
es decir, que por el Evangelio,
también los paganos son **coherederos** de **la misma** herencia,
miembros del **mismo** cuerpo
y **partícipes** de **la misma** promesa en Jesucristo.

donde se encontrarán con un Dios universal, que no hace distinciones e invita a todos los pueblos a que caminen a su luz. La solemnidad de la Epifanía nos propone los temas típicos de la Navidad, releídos en un ambiente y perspectiva universalistas. La salvación que ofrece ese niño de Belén es para todos: pastores, reyes, habitantes de Jerusalén y pueblos lejanos. Jerusalén se convierte en punto de referencia para todo ser humano.

II LECTURA La carta a los Efesios tiene como tema central la unidad de los cristianos. En la primera (cap.1–3), fundamenta el autor esta afirmación que para él es central: todos hemos sido llamados a la salvación por medio del Evangelio.

Pablo tiene muy metido en su mente y corazón que, en el camino de Damasco, Jesús lo llamó a que predicara entre los gentiles. Posiblemente, Pablo no lo comprendió de momento. Fue muy importante que primero entendiera que los cristianos se identificaban con Jesús, por lo que eran también miembros del pueblo de Dios. La comunidad a la que fue injertado fue una comunidad donde había paganos que también habían recibido el bautismo. El fondo del problema estaba en que también los paganos tenían parte en la heredad de Israel, es decir, ¿quién tenía parte en la herencia de Cristo?

Ahora continúa el problema. Se le barniza con cierto tono moderno. Hay en la Iglesia una serie de grupos que se dicen pertenecer a la Iglesia, mientras que otros ponen en duda tal pertenencia. Hay que volver a estos textos fundamentales de la Escritura para extraer criterios. Este misterio ya lo había tratado el autor de esta carta a sus lectores ampliamente en el capítulo 2: los paganos tienen parte en la promesa en

EVANGELIO Mateo 2:1–12

Lectura del santo Evangelio según san Mateo

El relato es muy conocido. Dale viveza en las partes dialogales y en la referencia a la Escrituras.

Jesús nació en **Belén de Judá**, en tiempos del rey Herodes.
Unos **magos** de Oriente
llegaron entonces a Jerusalén y **preguntaron**:
"¿**Dónde** está el rey de los judíos que **acaba** de nacer?
Porque **vimos surgir** su estrella y **hemos venido** a adorarlo".

Al enterarse **de esto**,
el rey Herodes se **sobresaltó** y **toda** Jerusalén con él.
Convocó entonces a los sumos sacerdotes
y a los escribas del pueblo
y les preguntó **dónde** tenía que nacer el Mesías.
Ellos le contestaron:
"**En Belén de Judá**, porque **así** lo ha escrito el profeta:
Y tú, ***Belén,*** *tierra de Judá,*
no eres ***en manera alguna*** *la menor*
entre las ciudades ***ilustres*** *de Judá, pues* ***de ti*** *saldrá un jefe,*
que será el pastor de mi pueblo, Israel".

Destapa la argucia de Herodes, haciendo contacto visual con la asamblea antes de enviar a los Magos a Belén.

Entonces Herodes llamó **en secreto** a los magos,
para que le **precisaran** el tiempo
en que se les había aparecido la estrella
y los mandó a Belén, **diciéndoles**:
"**Vayan** a averiguar **cuidadosamente qué hay** de ese niño,
y cuando lo encuentren, **avísenme**
para que yo **también** vaya a adorarlo".

Después de oír al rey, los magos se pusieron **en camino**,
y **de pronto** la estrella que habían visto surgir,
comenzó a guiarlos,
hasta que se detuvo **encima** de donde estaba el niño.
Al ver **de nuevo** la estrella, se llenaron de **inmensa** alegría.

Cristo Jesús. La grande promesa dada por Dios a los hebreos por siglos, repetida una y mil veces, vale ahora también para los paganos. Vengan éstos de otras religiones, tendencias o prejuicios, vale la llamada de Cristo para ellos. Son coherederos con los judíos por medio del Evangelio. El reino, es decir, la comunidad fundada por Cristo está abierta para todos, es la Buena Noticia. Al ser parte de esa comunidad, participan de la salvación. No necesitan para esto los paganos, por lo tanto, aceptar los usos y costumbres humanas, nacionales o culturales que a través del tiempo el pueblo judío fue haciendo suyas. De aquí las diferentes caras que posee la Iglesia. La unidad de los llamados por Jesús, exige y requiere la pluralidad. Refleja el misterio central de la Trinidad: un solo Dios y tres personas distintas; unidad y pluralidad.

EVANGELIO Los primeros relatos del Evangelio de san Mateo giran en torno al nacimiento del Mesías. En ellos, san Mateo perfila a Jesús como Hijo de David y como Hijo de Abraham, como lo anuncia en la misma línea inicial de su evangelio. Jesús es el Mesías de Israel a carta cabal. Pero el Mesías de Dios tiene una misión que rebasa la nación para alcanzar a la humanidad entera. Este alcance universal es lo que resalta en esta historia de la Adoración de los Magos de Oriente.

Aquellos hombres buscan al recién nacido "rey de los judíos" y cimbran la ciudad, porque nadie espera un nuevo rey. Tenían a uno de los más célebres monarcas del mundo de entonces, Herodes el Grande. Él había emprendido obras magníficas en puertos y ciudades, y había puesto el nombre de su nación en boca de todos. Había financiado hasta competencias olímpicas y

Acompaña este párrafo con reverente admiración. Coloca tus dones frente al Niño también.

Entraron en la casa y **vieron** al niño con **María**, su madre,
y **postrándose**, lo adoraron.
Después, abriendo sus cofres, le ofrecieron regalos:
oro, incienso y mirra.
Advertidos durante el sueño de que **no volvieran** a Herodes,
regresaron a su tierra por **otro** camino.

edificaba una verdadera joya en su capital, el templo de Jerusalén, que pronto sería la envidia de propios y extraños. El progreso y la prosperidad era la evidencia más clara de la bendición divina. ¿A qué viene esto de un nuevo rey, cuando las cosas marchan mejor que nunca?

La llegada de Jesús, el nuevo rey, viene a hacer relevante la presencia de Dios en la historia humana. Primeramente, el Mesías del pueblo de Dios será un rey acorde a la palabra revelada en las Escrituras. A diferencia del camino del rey Herodes, el camino del Reino de Dios no sigue la ruta de la violencia y la opresión del pueblo, sino el del conocimiento y discernimiento de la voluntad divina manifiesta en las Escrituras y en la naturaleza, ámbito de Dios. En segundo término, este reinado no se modela conforme al poder o autoridad que se ejercita desde un centro palaciego, sino que retoma su ideal de la periferia y en medio de una familia irrelevante, como tuvo sus orígenes el reinado de David, un pastorcillo de Belén. Con estas imágenes simbólicas, el nacimiento del Mesías cimbra los modos herodianos (y del Imperio romano) de regir al pueblo.

Con la adoración de los Magos, san Mateo también nos habla de la sinfonía que las tradiciones del pueblo de Dios, sus Escrituras, y los acontecimientos cósmicos (la estrella) componen para atraer a todas gentes hasta el Cristo. En el obsequio de oro, incienso y mirra, está la humanidad dispuesta a caminar en pos de la estrella del Mesías.

II DOMINGO ORDINARIO

I LECTURA Isaías 49:3, 5–6

Lectura del libro del profeta Isaías

Aprópiate de estas palabras del Señor y haz contacto visual con la asamblea al pronunciarlas.

El **Señor** me dijo:
"**Tú eres** mi siervo, **Israel**;
en ti **manifestaré** mi gloria".

La reunión está allí, ante tus propios ojos.

Ahora habla el Señor,
el que **me formó** desde el seno materno,
para que fuera su servidor,
para **hacer** que Jacob **volviera** a él
y **congregar** a Israel en **torno** suyo
—tanto **así** me honró el **Señor**
y mi Dios fue mi fuerza—.
Ahora, pues, dice el Señor:
"**Es poco** que seas mi siervo sólo
para restablecer a las tribus de Jacob
y reunir a los **sobrevivientes** de Israel;
te voy a **convertir** en **luz** de las naciones,
para que mi salvación **llegue** hasta
los **últimos** rincones de la tierra".

Adopta la postura colegial de Pablo en esta introducción a la carta.

I LECTURA Estamos ante uno de los cantos del Siervo del Señor. Este extraordinario personaje, cuyo origen, nombre y muerte histórica desconocemos, da un mensaje que atraviesa gran parte del Antiguo Testamento para llegar con fuerza a cumplirse en el Señor Jesús.

El Siervo recibió una tarea del Señor y las cualidades para llevarla a cabo. Sin embargo, el Siervo se siente incapaz de realizar su misión. Afirma: "En vano me he cansado" (v. 4). Sin embargo, la liturgia nos pone ante la parte positiva del canto. Ante lo difícil de la encomienda, aparece el canto conteniendo un programa concreto: "Tú eres mi Siervo —Israel—sobre ti se manifestará mi gloria". La encomienda consiste en "traer a los desterrados del exilio". Es una tarea ingente, y que no es factible inmediatamente, pues requiere tiempo, esfuerzo y la ayuda divina. Por esto, justamente, no se debe desanimar. Más aún, enseguida le añade la empresa de anunciar la salvación a las naciones. Ese Siervo se convertirá en luz. En el AT la luz equivale a salvación. Por medio del Siervo, el Señor ejecutará su obra de salvación para la tierra entera.

El Siervo de Dios expresará el ideal del pueblo elegido. El Señor le va a dar esa función al pueblo de ser luz. Desde el principio, el Señor da al pueblo la misión de servir de salvación al mundo. Esta misión misteriosa del Siervo, será cumplida en perfección por Jesús, quien nos trajo la salvación a todos.

II LECTURA Desde el saludo de la carta se ve el tenor de lo que Pablo va a tratar. Con el saludo, Pablo afirma que es apóstol, es decir enviado. Y no por cualquiera, sino por Jesús el Mesías. Por lo mismo, está anunciando de entrada su

Para meditar.

SALMO RESPONSORIAL Salmo 39:2 y 4ab, 7–8a, 8b–9, 10

R. Aquí estoy, Señor, para hacer tu voluntad.

Yo esperaba con ansia al Señor: él se inclinó y escuchó mi grito; me puso en la boca un cántico nuevo, un himno a nuestro Dios. R.

Tú no quieres sacrificios ni ofrendas, y, en cambio, me abriste el oído; no pides sacrificio expiatorio, entonces yo digo: "Aquí estoy". R.

Como está escrito en mi libro: "para hacer tu voluntad". Dios mío, lo quiero, y llevo tu ley en las entrañas. R.

He proclamado tu salvación ante la gran asamblea; no he cerrado los labios, Señor, tú lo sabes. R.

II LECTURA 1 Corintios 1:1–3

Lectura de la primera carta del apóstol san Pablo a los corintios

Adopta la postura colegial de Pablo en esta introducción a la carta.

Yo, Pablo, **apóstol** de Jesucristo por **voluntad** de Dios,
y **Sóstenes**, mi colaborador,
saludamos a la comunidad cristiana que está en Corinto.

Habla a la asamblea, pues estas realidades son las que ya le competen.

A **todos** ustedes,
a quienes Dios **santificó** en Cristo Jesús
y que son su pueblo santo,
así como a **todos** aquellos que en **cualquier** lugar
invocan el nombre de Cristo Jesús,
Señor nuestro y Señor de ellos,
les deseo la gracia y la paz de **parte** de Dios, nuestro **Padre**,
y de Cristo Jesús, **el Señor**.

autoridad, que por varios era negada o tenida en menos.

Su vocación de apóstol es gratuita; no la debe a sus méritos. Se coloca Pablo en el mismo plano que los profetas y del Siervo de Dios. Como éste, ha vivido momentos de graves dificultades y rechazos. Su llamada, experimentada en Damasco, ha de haber sido vista por algunos como un engaño. A Pablo, además, lo acompaña Sóstenes, para trabajar en la construcción de la comunidad. La comunidad de Dios está en Corinto. Esa expresión que aparece en la carta veintidós veces, deja ver que en esto de lo comunitario hay alguna dificultad. En sustancia, es la misma comunidad del desierto (Dt 23:9). La de Corinto, como la comunidad ideal en el desierto que pinta el segundo Isaías, se debe reconstruir, pero, como comunidad cristiana, ajustándose al Evangelio. A los corintios, Pablo les desea la gracia y la paz, el saludo griego y hebreo; la comunidad tiene miembros paganos y judíos.

Como el Siervo del Señor debía ser luz para las naciones, Pablo predica la sabiduría de Dios manifestada en Jesús el Mesías. A esta comunidad que acaba de nacer a la fe y le acosan muchos peligros, Pablo inmediatamente le pone su objetivo. Está "llamada a ser santa", como Israel en el Sinaí (Ex 19:6).

¿Cómo hacer para que hoy la santidad sea aceptada y testimoniada en nuestro mundo? La santidad no es otra cosa que participación en la vida divina. Hay que atreverse a ser personas de esperanza aun cuando las circunstancias indican lo contrario, y convertir esa esperanza en amor eficaz, en medio del egoísmo que todo lo mide sólo por el "yo".

EVANGELIO Jesús es el "Cordero de Dios que quita el pecado

EVANGELIO Juan 1:29–34

Lectura del santo Evangelio según san Juan

Esta lectura está llena de simbolismo. Dale la atmósfera adecuada.

En **aquel** tiempo,
vio Juan el Bautista a **Jesús**, que venía hacia él, y **exclamó:**
"Éste es el **Cordero de Dios**, el que quita el **pecado del mundo**.
Éste es **aquél** de quien yo he dicho:
'El que viene **después** de mí,
tiene **precedencia** sobre mí, porque **ya existía** antes que yo'.
Yo no lo **conocía**,
pero he venido a **bautizar** con **agua**,
para que él sea dado a **conocer** a **Israel**".

Da el testimonio de Juan con aplomo absoluto. Recalca el "yo".

Entonces Juan dio **este testimonio**:
"Vi al Espíritu **descender** del cielo
en forma de **paloma** y posarse sobre él.
Yo no lo **conocía**,
pero el que me envió a **bautizar** con **agua** me dijo:
'**Aquél** sobre quien veas que **baja** y se posa el **Espíritu Santo**,
ése es el que ha de **bautizar** con el **Espíritu Santo**'.
Pues bien, yo lo vi y doy **testimonio**
de que éste es el **Hijo de Dios**".

del mundo". Esta confesión de fe de la comunidad cristiana tiene muchas cosas para decirnos; tomemos sólo una.

Las palabras reconocen el papel purificador de la sangre de Jesús respecto a la humanidad. Su trasfondo son los sacrificios del templo de Jerusalén, donde cada día era degollado sobre el altar, un cordero para borrar el pecado de Israel. El precio del cordero se pagaba con las aportaciones de todos los varones, los hijos de Israel. Las faltas o pecados a perdonar eran las transgresiones a los mandamientos de la Ley de Dios. Todo pecado quebranta la alianza con Dios y convierte al pecador en deudor, obligado a resarcir o pagar. Siendo de sangre la alianza con Dios, la vida era el precio. La sangre del sacrificio era la vida de Israel, que le era debida a Dios. Al recibirla sobre el altar, Dios perdonaba y daba vida a su pueblo. Por aquel rito sacrificial, el pueblo se regeneraba y suscribía la alianza con su Dios.

Pero la misión primera de Israel consistía no tanto en sobrevivir ante Dios, sino en ser testigo de la alianza. Israel jugaba un papel fundamental para que el reinado de Dios, su Ley, se pudiera hacer realidad entre los hombres. La fidelidad de Israel a la alianza, su rectitud de vida y su amor a Dios, atraerían a las gentes a acogerse bajo el patrocinio del único Dios verdadero.

Los cristianos confesamos que Cristo, el Cordero del sacrificio único y eterno, es de Dios, pues no lo aportamos los humanos. Por eso, su sangre derramada tiene validez eterna y purificatoria. Como nuevo pueblo de Dios, nuestra misión consiste en dar testimonio de la nueva alianza en Cristo, de tal suerte que las gentes se sientan atraídas por el amor de Dios, manifiesto en la alianza nueva, sellada por el Cordero de Dios.

III DOMINGO ORDINARIO

I LECTURA Isaías 8:23—9:3

Lectura del libro del profeta Isaías

Este recuento busca poner la mirada en el futuro, pero nace del pasado; señala los dos momentos.

En otro tiempo el Señor **humilló**
al país de **Zabulón** y al país de **Neftalí**;
pero en el **futuro** llenará de **gloria** el camino del mar,
más allá del **Jordán**, en la región de los **paganos**.

Alarga las dos frases complementarias, las luminosas, para que resalten.

El pueblo que caminaba en **tinieblas**
vio una **gran luz**.
Sobre los que vivían en **tierra de sombras**,
una luz **resplandeció**.

Habla con entusiasmo por el resultado: gusto por la libertad y la recompensa.

Engrandeciste a tu **pueblo**
e hiciste **grande** su **alegría**.
Se gozan en tu **presencia** como gozan al **cosechar**,
como se **alegran** al repartirse el botín.

Porque tú **quebrantaste** su pesado yugo,
la barra que **oprimía** sus hombros
y el cetro de su **tirano**,
como en el día de **Madián**.

I LECTURA El oráculo isaiano, al que le faltan tres versículos para estar completo, trae consigo la fecha de su origen: cuando las dos tribus galileas de Zabulón y Neftalí dejaron de ser independientes al ser agregadas a la nueva provincia, forjada por la potencia asiria. Era el año 732 a. C. Asiria formó con la parte sur de Siria y con estas tribus una provincia nueva.

Con este oráculo, Isaías anuncia que habrá un cambio en los tiempos que se avecinan: estas tribus volverán a gozar de la libertad y de la alegría. Serán de nuevo parte del pueblo de Dios. Se les anuncia un futuro glorioso y se pone la medida de la alegría que eso proporciona, con dos actividades humanas que son signos de alegría para cualquiera: la cosecha y los despojos tomados en la victoria. El profeta va a espigar a la historia del pueblo para poner otra comparación de alegría y la encuentra en el famoso día de Madián. Se trata del día en que Gedeón venció a los madianitas que hostigaban mucho al pueblo (Jue 7).

Dios castiga, pero sólo por un tiempo. Al final está el amor de Dios, que perdona y olvida lo pasado. El último acto divino es el de la generosidad. En esta historia amplia de las relaciones del Dios del Sinaí con su pueblo, ha aprendido éste la manera como se deben llevar a cabo estas relaciones. Israel ha aprendido que Dios tiene para él una fidelidad absoluta. Que si lo castiga es para educarlo, para enseñarle a no hacerse daño haciendo el mal. El porvenir es venturoso.

II LECTURA La bondad, la comunión fraterna y el servicio a los demás, no es algo utópico e irrealizable. Era lo que Pablo, como los primeros evangelistas, intentaban introducir en la conciencia y voluntad de los evangelizados. El centro del

Para meditar.

SALMO RESPONSORIAL Salmo 26:1, 4, 13–14

R. El Señor es mi luz y mi salvación.

El Señor es mi luz y mi salvación, ¿a quién temeré? El Señor es la defensa de mi vida, ¿quién me hará temblar? R.

Una cosa pido al Señor, eso buscaré: habitar en la casa del Señor por los días de mi vida; gozar de la dulzura del Señor contemplando su templo. R.

Espero gozar de la dicha del Señor en el país de la vida. Espera en el Señor, sé valiente, ten ánimo, espera en el Señor. R.

II LECTURA 1 Corintios 1:10–13, 17

Lectura de la primera carta del apóstol san Pablo a los corintios

Proclama esta lectura urgiendo a la asamblea con tono amable, como lo expresa san Pablo.

Hermanos:
Los **exhorto**, en nombre de nuestro Señor **Jesucristo**,
a que todos vivan en **concordia**
y no haya **divisiones** entre ustedes,
a que estén **perfectamente unidos**
en un mismo **sentir** y en un mismo **pensar**.

Me he enterado, **hermanos**, por algunos **servidores** de **Cloe**,
de que hay **discordia** entre ustedes.
Les digo **esto**, porque **cada uno** de ustedes
ha tomado partido, **diciendo**:

Este fragmento es un reproche. Las tres preguntas son verdaderos reclamos.

"Yo soy de **Pablo**", "Yo de **Apolo**",
"Yo de **Pedro**", "Yo de **Cristo**".
¿Acaso **Cristo** está dividido?
¿Es que Pablo fue **crucificado** por ustedes?
¿O han sido **bautizados** ustedes en nombre de **Pablo**?

Acuérdate de disminuir la velocidad conforme vas saliendo de la lectura.

Por lo demás, no me envió Cristo a **bautizar**,
sino a **predicar** el **Evangelio**,
y eso, no con **sabiduría** de **palabras**,
para no hacer **ineficaz** la **cruz** de **Cristo**.

mensaje de Jesús era la redención y la reconstrucción de una manera de vivir más apegada a la finalidad que tuvo el Padre al crear al ser humano. El hombre y la mujer, así como la comunidad, que proviene de las distintas parejas humanas, son llamados a ser la imagen de Dios en la tierra. "A imagen de Dios los creó".

Pero fueron muy diversas las circunstancias en las que la Buena Noticia se difundió. Corinto era una ciudad con grandezas y bajezas. Era el paso del Oriente al Occidente. Aquí se daba el intercambio de razas y culturas. De aquí que Pablo pronto se dirigiera a esa ciudad y tomara empeño en anunciarle a Cristo. Fue la comunidad que le dio más problemas. Cuando Pablo no pudo forjarla con su presencia, lo hizo a través de sus cartas.

La carta de hoy habla de una comunidad muy heterogénea. Está compuesta de ricos (pocos) y pobres (la mayoría); libres y esclavos; judíos y paganos; sabios e ignorantes. Varios de los corintios intentaron asimilar el Evangelio a una especie de academia religiosa con maestros de mayor o menor rango, como maestros de una determinada escuela. Por eso la reacción de Pablo es fuerte y clara: la comunidad es una y su solo Señor y forjador de la comunidad es Jesús. Ellos no son más que sus mensajeros. Deben centrarse en el amor, que se expresa en el servicio.

EVANGELIO La lectura de hoy nos pone ante varios comienzos. Jesús comienza a residir en Cafarnaúm, comienza a predicar, comienza a llamar discípulos, y comienza a recorrer las sinagogas de la región. Estos comienzos indican un horizonte de luz, como el mismo san Mateo indica al retomar al profeta Isaías. A que-

EVANGELIO Mateo 4:12–23

Lectura del santo Evangelio según san Mateo

Procura modular tu voz para que el auditorio distinga lo narrativo de lo discursivo. Puedes darle una velocidad menor a lo hablado.

Al enterarse **Jesús** de que **Juan** había sido **arrestado**,
se retiró a **Galilea**, y dejando el pueblo de **Nazaret**,
se fue a vivir a **Cafarnaúm**, junto al lago,
en territorio de **Zabulón** y **Neftalí**,
para que **así** se **cumpliera** lo que había
anunciado el profeta **Isaías**:

Tierra de ***Zabulón*** *y* ***Neftalí****, camino del mar,*
al otro lado del ***Jordán****,* ***Galilea*** *de los* ***paganos****.*
El pueblo que caminaba en ***tinieblas*** *vio una* ***gran luz****.*
Sobre los que vivían en ***tierra de sombras*** *una* ***luz*** *resplandeció.*

Pronuncia con entereza la línea que encapsula la prédica de Jesús.

Desde entonces comenzó Jesús a **predicar**, diciendo:
"**Conviértanse**, porque ya está **cerca** el **Reino** de los **cielos**".

Una vez que **Jesús** caminaba por la ribera del mar de **Galilea**,
vio a dos hermanos, **Simón**, llamado después **Pedro**, y **Andrés**,
los cuales estaban echando las **redes** al **mar**,
porque eran **pescadores**.

Con auténtica convicción, invita al discipulado a toda la asamblea.

Jesús les **dijo**:
"**Síganme** y los haré **pescadores de hombres**".
Ellos **inmediatamente** dejaron las redes y lo **siguieron**.
Pasando **más adelante**, vio a **otros** dos hermanos,
Santiago y **Juan**, hijos de **Zebedeo**,
que estaban con su **padre** en la **barca**,
remendando las redes, y los llamó **también**.
Ellos, dejando **enseguida** la barca y a su padre, lo **siguieron**.

Aminora la velocidad; la línea final debe quedarse en los oídos de los oyentes.

Andaba por **toda** Galilea, **enseñando** en las **sinagogas**
y proclamando la **buena nueva** del **Reino de Dios**
y **curando** a la gente de **toda enfermedad** y **dolencia**.

Forma breve: Mateo 4:12–17

rerlo o no, la imagen de la estrella guiando a los Magos de Oriente viene a la mente. La luz brilla en la oscuridad.

El arresto de Juan motiva que Jesús se retire a Galilea pero luego baja de la montaña para asentarse junto al lago. Allá, junto al Jordán, el Bautista había alimentado un movimiento de renovación de la sociedad judía, que acabó por alarmar a las autoridades. Éstas sofocarán ese movimiento decapitando a Juan, causando la dispersión de sus discípulos y una consecuente reformulación del movimiento. Por su parte, Jesús se retirará a Galilea para reavivar un proyecto del Reino de Dios entre los ribereños del lago. Cuando la llama de la renovación del pueblo había sido sofocada, surge Jesús de la oscura Nazaret para traer luz hasta el Camino del mar (la *Via maris*), un camino donde se encuentran culturas y gentes dispares; entre ellas brillará el Evangelio.

Jesús anuncia el inminente reinado de Dios que exige conversión, como Juan también predicaba. El Reino siembra esperanza en los galileos, y va tomando forma en un grupo de seguidores, llamados por el mismo Jesús. Así, desde el mismo comienzo, queda establecido que hacerse discípulo de Jesús sólo tiene coherencia en función del reinado de Dios, es decir, de hacer tangible la experiencia de Dios entre las gentes de las más diversas procedencias y tradiciones.

Cabe repetir lo anterior con otras palabras. Seguimos a Jesús para aprender a caminar como él, a ser luz en la oscuridad, a reformular el proyecto de Dios para su pueblo, los que yacen en oscuridad y sombras de muerte. A eso está llamada la Iglesia, a caminar con la luz del Evangelio.

IV DOMINGO ORDINARIO

I LECTURA Sofonías 2:3; 3:12–13

Lectura del libro del profeta Sofonías

Sofonías quiere infundir esperanza en lo poco que queda, no desolación. Tu voz debe ser animosa en este exhorto.

Busquen al Señor,
ustedes los humildes de la tierra,
los que cumplen los mandamientos de Dios.
Busquen la justicia, busquen la humildad.
Quizá puedan así quedar a cubierto
el día **de la ira** del Señor.

Recarga la esperanza. Baja el tono de una línea a la siguiente.

"Aquel día, dice el Señor,
yo dejaré **en medio de ti**, pueblo mío,
un puñado de gente pobre y humilde.

Este **resto de Israel**
confiará en el nombre del Señor.

Describe la conducta con sereno vigor. Nada de aspavientos ni autoritarismo en la voz.

No cometerá maldades ni dirá mentiras;
no se hallará en su boca una lengua embustera.
Permanecerán tranquilos
y descansarán sin que **nadie los moleste**".

I LECTURA Luego de las sentencias amenazantes del profeta al pueblo por su conducta, estas palabras de ánimo a los pobres y humildes del pueblo los refrescan, como lluvia sobre tierra soleada. Son los versos finales del pequeño oráculo del Día del Señor contra el pueblo de Judá y Jerusalén. Habla el profeta de ese día terrible en el que el Señor pedirá cuentas al mundo y, en concreto, a su pueblo. Entre este pueblo hay un grupo breve de gente sencilla y humilde, cualidades que están entre las condiciones del fiel adorador del Señor, que saca al esclavo de su esclavitud para llevarlo a una tierra buena.

Antes de la llegada del día del juicio, los pobres de la tierra son invitados a buscar al Señor con la justicia y humildad: actitudes de una nueva relación con Dios, que conlleva una nueva relación con el prójimo. No exige otra cosa el profeta sino lo que ya Miqueas pedía: "practicar la justicia, amar la piedad, caminar humildemente ante el Señor" (Miq 6:8).

Este pueblo humilde ante el Señor, dice Sofonías, pondrá su fidelidad en el Señor, no en los poderes de la tierra, que son ídolos. En los otros versos el profeta amenaza en este día con castigar al Israel que confió en sí mismo y en los poderes de la tierra, a quienes acudió buscando su ayuda cuando tuvo necesidad. En cambio, pobres y humildes, aparte de confiar sólo en su Dios, no serán vistos por las potencias como amenazas y los dejarán en paz, incluso en tiempo de guerra. Así, ya se está preparando la lectura del evangelio de la liturgia de hoy, donde se proclamarán las condiciones para entrar al reino: las Bienaventuranzas (Mt 5:2).

Para meditar.

SALMO RESPONSORIAL Salmo 146 (145):7, 8–9a, 9–bc–10

R. Dichosos los pobres de espíritu, porque de ellos es el Reino de los cielos.

El Señor mantiene su fidelidad perpetuamente,
hace justicia a los oprimidos,
da pan a los hambrientos.
El Señor liberta a los cautivos. R.

El Señor abre los ojos al ciego,
el Señor endereza a los que ya se doblan,
el Señor ama a los justos.
El Señor guarda a los peregrinos. R.

El Señor sustenta al huérfano y a la viuda
y trastorna el camino de los malvados.
El Señor reina eternamente,
tu Dios, Sión, de edad en edad. R.

II LECTURA 1 Corintios 1:26–31

Lectura de la primera carta del apóstol san Pablo a los corintios

Tras el saludo, haz contacto visual con la asamblea; alarga la última línea de este párrafo.

Hermanos:
Consideren que **entre ustedes**, los que han sido llamados por Dios,
no hay muchos sabios, ni muchos poderosos,
ni muchos nobles, según los criterios humanos.

Fíjate cómo avanza el pensamiento por frases pareadas. Las segundas son las conclusivas. Así mantén la tensión en este párrafo.

Pues Dios ha elegido a **los ignorantes de este mundo**, para humillar a los sabios;
a los débiles del mundo, para avergonzar a los fuertes;
a los insignificantes y despreciados del mundo,
es decir, **a los que no valen nada**, para reducir a la nada a los que valen;
de manera que nadie pueda presumir delante de Dios.

Llega algo sustancial: vivir injertados en Cristo. Dale calidez al "ustedes" para que cada miembro de la asamblea se sienta incluido.

En efecto, por obra de Dios, ustedes están injertados en Cristo Jesús,
a quien Dios hizo **nuestra sabiduría**, nuestra justicia,
nuestra santificación y **nuestra redención.**
Por lo tanto, como dice la Escritura: *El que se gloría, que se gloríe en el Señor.*

II LECTURA La comunidad de Corinto había sido fundada hacia el año 56 por Pablo. Cuando escribió esta carta desde Éfeso, tenía la comunidad unos cinco años. Por lo tanto, poca historia y, a pesar de su entusiasmo y logros no despreciables, arrastraba defectos groseros. Estaban los corintios ante el problema de todos los tiempos: ¿cuál era su identidad como discípulos de Cristo el Señor?

Buscaban respuesta en doctrinas, comportamientos o ritos, en una palabra, fuera de Cristo. Pablo los enfoca en Cristo: "a quien Dios hizo nuestra sabiduría, nuestra justicia, nuestra consagración y nuestra redención". Por lo tanto, no hay que andar buscando su identidad en grandezas o títulos que la mayoría de ellos ni posee, como les recuerda, aludiendo al origen de muchos de ellos. No es que el Apóstol se oponga a los valores humanos, que sin duda algunos de ellos poseían, sino a que funden en ellos su identidad. Toda comunidad o empresa humana que deja de lado al Señor, se dirige al fracaso.

Pablo funda su consejo en la Sagrada Escritura, en concreto, en palabras del profeta Jeremías. Así como aquel profeta instaba al pueblo a no alejarse de la roca en quien tenía su fuerza e identidad, ahora Pablo urge a los corintios a que se motiven en el Señor. Lo mismo ha pasado con muchas comunidades cristianas a través de la historia. Al olvidar su fundamento terminan en fracasos. No podemos prescindir de Jesús, de él nos viene nuestra identidad más profunda.

EVANGELIO A estas nueve bienaventuranzas o *makarismos* (en griego *makarios* es dichoso) se les conoce como la "Carta Magna del Reino", porque expresan los principios rectores que verifican

EVANGELIO Mateo 5:1–12a

Lectura del santo Evangelio según san Mateo

Antes de proclamar esta lectura, haz pasar sus líneas por la oración y la contemplación. Es el núcleo de la Buena Noticia.

Formula con viva serenidad cada línea. No leas con el mismo énfasis cada proclamación. Haz la primera línea como en voz baja y para la segunda súbela un tanto.

En aquel tiempo,
cuando Jesús **vio a la muchedumbre**, subió al monte y se sentó.
Entonces se le acercaron sus discípulos.
Enseguida **comenzó a enseñarles** y les dijo:
"Dichosos los pobres de espíritu,
porque de ellos es el Reino de los cielos.
Dichosos los que lloran,
porque serán consolados.
Dichosos los sufridos,
porque heredarán la tierra.
Dichosos los que tienen hambre y sed de justicia,
porque serán saciados.
Dichosos los misericordiosos,
porque obtendrán misericordia.
Dichosos los limpios de corazón,
porque verán a Dios.
Dichosos los que trabajan por la paz,
porque se les llamará hijos de Dios.
Dichosos los perseguidos por causa de la justicia,
porque de ellos es el Reino de los cielos.

Al llegar al "ustedes" de esta bienaventuranza, mira a la asamblea y dale un tono entusiasta a tu voz. El "alégrense" debe ser contagioso.

Dichosos serán **ustedes cuando** los injurien,
los persigan y digan cosas falsas de ustedes **por causa mía**.
Alégrense y salten de contento,
porque su premio será grande en los cielos".

la experiencia de Dios entre nosotros. Las bienaventuranzas son cabeza del Sermón del Monte (Mt 5–7), y de toda la enseñanza de Jesús. Ellas proclaman a la muchedumbre de seguidores de Jesús una felicidad de vida alternativa y casi contrapuesta a la felicidad que aquellas sociedades alimentaban.

Entonces, la dicha o felicidad dependía del honor que las personas cosechaban de sus conciudadanos, por sus méritos militares, su riqueza, sus buenas obras o donaciones, su piedad y su alcurnia, por ejemplo. A tales logros, la gente descrita en las bienaventuranzas no puede acceder, por lo que se mira destinada a la desdicha permanente.

Entre los piadosos, sin embargo, los valores de la Ley de Dios eran lo más apetecible y causa de felicidad. Esos valores garantizan una vida dichosa (ver Salmo 1). Pero Jesús va más allá de ese ideal de la piedad judía que encarnaba en el templo y su culto, porque abre el ideal personal al poder del Dios que viene a salvar a sus fieles caídos en desgracia, incapaces de alcanzar una vida honorable y digna.

En las proclamas de Jesús salta la paradoja: ¡las gentes desgraciadas son tenidas por felices! Los pobres, los que lloran, los hambrientos, los cabizbajos, los perseguidos…, ¡son dichosos! Esto suena a sarcasmo, de no tener como fondo lo que Jesús ha venido haciendo: enseñar, curar, aliviar todo sufrimiento y debilidad del pueblo (ver Mt 4:25). En Jesús de Nazaret, Dios ha abierto un camino impensado para la felicidad: la experiencia del Reino de Dios. En ella, es Dios quien consuela, sacia, enseña…, hace centro de sus atenciones a la gente caída en desgracia. Esta es la tarea de la Iglesia del Señor Jesús, hacer visible el Reino de Dios.

V DOMINGO ORDINARIO

I LECTURA Isaías 58:7–10

Lectura del libro del profeta Isaías

La dimensión social es predominante en esta lectura. Imprime un ritmo más pausado al primero y al último párrafo.

Esto dice el **Señor**:
"**Comparte** tu **pan** con el **hambriento**,
abre tu **casa** al **pobre sin techo**,
viste al **desnudo**
y no des la **espalda** a tu **propio hermano**.

La recompensa está a la vista: la propia salud.

Entonces **surgirá** tu luz como la **aurora**
y **cicatrizarán** de prisa tus heridas;
te **abrirá** camino la **justicia**
y la **gloria del Señor** cerrará tu **marcha**.

Con júbilo repite la ansiada respuesta del Señor.

Entonces clamarás al **Señor** y él te **responderá**;
lo llamarás, y él **te dirá**: 'Aquí **estoy**'.

Con serena firmeza pronuncia estas condiciones de amor solidario.

Cuando renuncies a **oprimir** a los demás
y **destierres** de ti el gesto **amenazador**
y la palabra **ofensiva**;
cuando **compartas** tu pan con el **hambriento**
y **sacies** la necesidad del **humillado**,
brillará tu luz en las tinieblas
y tu oscuridad **será** como el mediodía".

I LECTURA La primera lectura nos habla de lo que Dios quiere de nosotros. Este texto habla a los expatriados que en Judea se quejan al profeta, de que a su práctica religiosa (aquí el ayuno) no siguieron los bienes y la bendición esperada de parte de Dios.

En el oráculo completo (vv. 1–12) hay dos temas: las prácticas religiosas y sus consecuencias prácticas. El profeta recuerda al pueblo, que está desesperado, cuál debe ser su postura ante el ayuno y el culto. Las llevan a cabo, sí, pero no las acompañan de la bondad y misericordia. Es decir, emplean medios con los cuales buscan unirse a Dios, pero sin la mínima preocupación por el prójimo.

El profeta no reprueba las prácticas religiosas, sino el automatismo de lo que hacen y el haberles metido el espíritu comercial: yo te doy esto y tú me das aquello. Los actos de culto deben desembocar en gestos de misericordia y acogimiento a los pobres. Jesús va a estar continuamente contra el formalismo e insistirá en las relaciones humanas adecuadas, reducidas al servicio o amor al prójimo. Hablará de la luz en el evangelio, como aquí lo hace el profeta.

Se convertirá el cristiano en luz cuando haga justicia entre los que lo rodean, en cuanto abra los ojos a los pobres y a cuantos tengan necesidad de misericordia y ayuda. Es cierto que entre nosotros se encuentra la riqueza en abundancia, pero, no hay que olvidar que la pobreza está también a la vuelta de la esquina. El individualismo del sistema en que vivimos, nos ha llevado a tener enfrente sólo nuestros problemas y gozos, olvidando los de los demás.

Para meditar.

SALMO RESPONSORIAL Salmo 111:4–5, 6–7, 8a y 9

R. El justo brilla en las tinieblas como una luz.

En las tinieblas brilla como una luz el que es justo, clemente y compasivo. Dichoso el que se apiada y presta y administra rectamente sus asuntos. R.

El justo jamás vacilará, su recuerdo será perpetuo. No temerá las malas noticias, su corazón está firme en el Señor. R.

Su corazón está seguro, sin temor, reparte limosna a los pobres, su caridad es constante, sin falta, y alzará la frente con dignidad. R.

II LECTURA 1 Corintios 2:1–5

Lectura de la primera carta del apóstol san Pablo a los corintios

Esta memoria es puntual; la línea final del párrafo es capital, porque da la razón al todo.

Hermanos:
Cuando **llegué** a la ciudad de ustedes
para **anunciarles** el Evangelio,
no busqué hacerlo mediante la **elocuencia** del lenguaje
o la **sabiduría humana**,
sino que **resolví** no hablarles sino de **Jesucristo**,
más aún, de Jesucristo **crucificado**.

Anuncia la primera línea como si terminara en punto y aparte; déjala flotar en el ambiente. Haz otro tanto con las dos últimas frases.

Me presenté ante ustedes **débil** y **temblando de miedo**.
Cuando les **hablé** y les **prediqué** el Evangelio,
no quise convencerlos con palabras de hombre sabio;
al contrario, los **convencí** por medio del **Espíritu**
y del **poder de Dios**,
a fin de que la fe de ustedes **dependiera** del **poder** de **Dios**
y **no** de la sabiduría de los **hombres**.

II LECTURA Los griegos se habían distinguido por su amor a la ciencia y a la técnica. Ellos tuvieron desde el principio la tentación de confundir el Evangelio con una doctrina. De aquí la formación de partidos en su comunidad y la exigencia de entender y comprender el movimiento cristiano a la manera humana. Buscan una sabiduría humana expresada "con sublimidad de palabras", formulada en "discursos persuasivos de sabiduría". Pablo recuerda a los de Corinto tres aspectos de su trabajo evangelizador: 1) presentó a "Jesucristo y éste crucificado"; 2) su mensaje se apoyó "en la demostración del poder del Espíritu"; 3) finalmente, llegó a Corinto "débil y temblando de miedo".

En el primer punto, Pablo expresa lo que es el centro del kerigma. La fe no es una simple reflexión del hombre sobre sí mismo, su mundo y su futuro; de ser así, la fe no sería otra cosa que una sabiduría, un conocimiento o pensamiento humano. La fe es un proyecto de vida que tiene que ver con dejar todo, abajarse y sufrir por los demás. Esto deja ver que el Señor que da la fuerza de su Espíritu para que la fe se note en el diario vivir. Y esto lo mostró Pablo en Corinto, de un modo concreto al llegar a la comunidad de Corinto.

El anuncio de la Buena Noticia no consiste en transmitir algo que poseen los cristianos y ahora lo entregan a los hombres. Consiste, primero que nada, en actualizar los hechos (la muerte y resurrección de Jesús) en que Dios mismo actúa. Dios provoca en el oyente que él sea aceptado y amado. No la doctrina ni sus intérpretes (Pablo, Apolo...) son los importantes, sino el Señor.

EVANGELIO Mateo 5:13–16

Lectura del santo Evangelio según san Mateo

Adopta la figura de Jesús ante sus discípulos y transpórtala ante la asamblea.

En **aquel** tiempo, Jesús dijo a sus **discípulos**:
"Ustedes son la **sal de la tierra**.
Si la sal se vuelve **insípida**, ¿con qué se le devolverá el **sabor**?
Ya no sirve para **nada** y se **tira** a la calle para que la pise la gente.

Estos dichos de sabiduría deben animar a expresar la vida cristiana.

Ustedes son la **luz del mundo**.
No se puede **ocultar** una ciudad construida
en **lo alto** de un monte;
y cuando se **enciende** una vela,
no se esconde **debajo** de una olla,
sino que se pone sobre un **candelero**,
para que **alumbre** a **todos** los de la casa.

Enfatiza el apelativo personal "ustedes", para que la audiencia se sepa interpelada.

Que de **igual** manera **brille** la luz de ustedes ante los hombres,
para que viendo las **buenas obras** que ustedes hacen,
den **gloria** a su **Padre**, que está en los cielos".

EVANGELIO Encontramos tres metáforas en la lectura de hoy: la de la sal, la de la ciudad y la de la lámpara. Dicen lo que es el seguimiento de Jesús. Estas comparaciones conectan con la parte final de las bienaventuranzas, y son como consecuencias de ellas. Hay que decirlo: la vida del seguidor de Jesús, sellada con la felicidad anunciada en las bienaventuranzas, es una vida útil, visible y luminosa.

La metáfora de la sal es muy rica porque la sal tenía usos múltiples, además de ser escasa y costosa. Sazona la comida, preserva y da durabilidad a la carne seca, por ejemplo, la sal sustenta la vida de la gente del desierto. Todo esto habla de la necesidad de la sal en la vida diaria palestina.

En el patio de la casa había un horno para cocinar, y al lado se amontonaba el estiércol del ganado, que se usaba como combustible. Al horno se le enjarraba sal para mantenerlo seco, funcional, y al estiércol se le revolvía sal para que ardiera mejor. Algunos estudiosos piensan que esta imagen es la que originaría el símil empleado por Jesús, pues al horno se le llamaba "tierra". Pero la sal era muy costosa. La sal se inutiliza con el agua o al mezclarla con estiércol. Lo que Jesús asegura, sin embargo, es que las bienaventuranzas son la virtud del discípulado. Sin ellas la vida del discípulo se vuelve insabora, inútil y despreciable.

La metáfora de la luz se desdobla en la imagen de la ciudad y en la de la lámpara. La visibilidad de la ciudad alude a lo evidente que debe resultar a todos los ojos ser discípulo de Jesús: no se puede ocultar. Y repasando las bienaventuranzas, notamos que la justicia, la misericordia, la pureza de corazón, la paz y la alegría profética delatan la experiencia del reino. Esas características son las que, en el símil de la lámpara, iluminan a los de la casa, y arrancan de los hombres la alabanza al Padre celestial.

VI DOMINGO ORDINARIO

I LECTURA Eclesiástico 15:16–21

Lectura del libro del Eclesiástico (Sirácide)

Este párrafo usa el lenguaje directo. La asamblea debe sentirse interpelada.

Si tú lo **quieres**, puedes guardar los **mandamientos**;
permanecer **fiel** a ellos es cosa **tuya**.
El **Señor** ha puesto delante de ti **fuego** y **agua**;
extiende la **mano** a lo que **quieras**.
Delante del **hombre** están la **muerte** y la **vida**;
le será dado lo que él **escoja**.

El discurso es indirecto, impersonal. Esto se debe a la sabiduría que encierran estas líneas.

Es **infinita** la **sabiduría** del **Señor**;
es **inmenso** su **poder** y él lo ve **todo**.
Los **ojos** del **Señor** ven con **agrado**
a quienes lo **temen**;
el **Señor** conoce a **todas** las **obras** del **hombre**.
A **nadie** le ha **mandado** ser **impío**
y a **nadie** le ha dado **permiso** de **pecar**.

Para meditar.

SALMO RESPONSORIAL Salmo 118:1–2, 4–5, 17–18, 33–34

R. Dichosos los que caminan en la voluntad del Señor.

Dichoso el que con vida intachable camina en la voluntad del Señor; dichoso el que guardando sus preceptos lo busca de todo corazón. R.

Tú promulgas tus decretos para que se observen exactamente; ¡ojalá esté firme mi camino para cumplir tus consignas! R.

Haz bien a tu siervo: viviré y cumpliré tus palabras; ábreme los ojos y contemplaré las maravillas de tu voluntad. R.

Muéstrame, Señor, el camino de tus leyes y lo seguiré puntualmente; enséñame a cumplir tu voluntad y a guardarla de todo corazón. R.

I LECTURA El Sirácide fue escrito a inicios del siglo segundo antes de Cristo, para ofrecer consejos y máximas que guíen con éxito la vida. El texto de hoy reflexiona sobre la experiencia del pecado.

Empieza respondiendo a los que ya en la primera parte del mismo capítulo adscribían el pecado a Dios, excusa repetida en todos los tiempos. En el fondo está no querer aceptar la responsabilidad o, mejor, se rehúsa la libertad que insertó el Señor en cada persona.

La libertad es un gran don que embellece al ser humano y lo carga de responsabilidad. Alude el autor a lo irreconciliable con un par de imágenes dobles: fuego-agua y muerte-vida. El hombre puede escoger libremente. Nadie le obliga a escoger esto o aquello, pero no debe olvidar que está bajo la mirada divina. Es la mirada de un Dios bondadoso y amable que espera de su fiel una buena elección.

El pueblo de Dios descubrió y asimiló esta libertad humana en el duro castigo del destierro y destrucción de su nación a las manos armadas de los caldeos; pero, sobre todo, la comprendió mejor en la salvación inmerecida que experimentó en su regreso del exilio. Comprendió que su Dios era bueno y misericordioso y, además, se pudo entender mejor como pueblo libre, llamado a la libertad.

II LECTURA Pablo comienza a hablar de la auténtica sabiduría, que es contraria a la descrita antes, la sabiduría humana. Los que Pablo llama "adultos en la fe" no son todos los cristianos de Corinto, sino aquellos que han adquirido un conocimiento más profundo del cristianismo. Este conocimiento no es la sabiduría de ese

II LECTURA 1 Corintios 2:6–10

Lectura de la primera carta del apóstol san Pablo a los corintios

Deja que la distribución del párrafo guíe la velocidad de la lectura. Es un párrafo complejo, pero deja que las líneas marquen la lectura.

Hermanos:
Es **cierto** que a los **adultos** en la fe les predicamos la **sabiduría**,
pero no la sabiduría de este **mundo**
ni la de aquellos que **dominan al mundo**,
los cuales van a quedar **aniquilados**.
Por el contrario, predicamos una sabiduría **divina**, **misteriosa**,
que ha permanecido **oculta**
y que fue **prevista** por **Dios** desde antes de los **siglos**,
para conducirnos a la **gloria**.
Ninguno de los que **dominan** este mundo la **conoció**,
porque, de haberla **conocido**, nunca hubieran **crucificado** al **Señor** de la **gloria**.

Las tres líneas finales de este párrafo deben abrirse camino hasta el corazón del oyente. Haz una pausa de dos tiempos, antes de la línea final.

Pero lo que **nosotros** predicamos es, como dice la **Escritura**,
que *lo que Dios ha preparado para los que lo aman,*
ni el ojo lo ha visto, ni el oído l o ha escuchado,
ni la mente del hombre pudo siquiera haberlo imaginado.
A nosotros, **en cambio**, Dios nos lo ha **revelado**
por el **Espíritu** que conoce **perfectamente** todo,
hasta lo más **profundo** de **Dios**.

mundo ni la de los que dominan el mundo, pues están abocados a la destrucción.

Enseguida pasa Pablo a describir la sabiduría de Dios, englobada en el misterio de su gloria. Tiene un tinte de misterioso y esotérico, pues permanece escondida a todos, y hace excepción con los llamados a la salvación, a los que se les revela mediante mensajeros escogidos que son los profetas y los apóstoles.

Ningún jefe de este mundo conoció este plan de Dios, su sabiduría secreta. Los consagrados, entre los que se cuentan los cristianos iniciados de Corinto, sí lo conocen. Ellos han conocido al "Señor de la gloria", expresión judía que fue trasferida por Pablo a Jesús, y que lo identifica en su carácter de resucitado, pero que vela la dimensión dolorosa.

La cruz de Cristo constituye la sabiduría cristiana. Ésta motiva a todo cristiano para andar por la vida con toda fidelidad a su Señor glorioso. De aquí que los jefes del mundo, los que tienen una postura contraria al amor por los demás, sean enemigos de la cruz de Cristo. Evidentemente que si hubieran tenido esta apertura de amor a los demás, que fue el motivo de Jesús para aceptar la cruz, no habrían crucificado al Cristo.

"Los adultos en la fe" llegaron a la sabiduría divina por un don divino, por una revelación del Señor. La puerta de acceso a tal sabiduría, la abre el Espíritu, pero sólo a los que aman a Dios, pues ésa es la llave, el amor. El amor es insondable, y con ese tono culmina la lectura de hoy.

EVANGELIO Los cristianos primeros vivían en un medio judío y se preguntaban por la validez de la Ley y los Profetas frente a las enseñanzas novedosas

EVANGELIO Mateo 5:20–22a, 27–28, 33–37

Lectura del santo Evangelio según san Mateo

El primer párrafo es fundamental. Marca una pausa antes del siguiente párrafo.

En aquel tiempo, Jesús dijo a sus discípulos:
"Les aseguro que si su justicia **no es mayor** que la de los escribas
y fariseos, ciertamente **no entrarán** en el Reino de los cielos.

Han oído ustedes que se dijo a los antiguos:
No matarás *y el que mate será llevado ante el tribunal.*
Pero yo les digo: Todo el que **se enoje** con su hermano,
será llevado también ante el tribunal.

Pronuncia esta línea mirando a la asamblea.

También han oído que se dijo a los antiguos:
No cometerás ***adulterio****;*
pero yo les digo que quien **mire con malos deseos** a
una mujer,
ya cometió adulterio con ella en su corazón.

Han oído que se dijo a los antiguos:
No jurarás en falso *y le cumplirás al Señor lo que le hayas prometido con juramento.*
Pero yo les digo: No juren de ninguna manera,
ni por el cielo, que es el trono de Dios; ni por la tierra,
porque es donde él pone los pies;
ni por Jerusalén,
que es la ciudad del gran Rey.

Las primeras líneas de este párrafo van más con lo previo que con lo que sigue. Las dos últimas líneas redondean el pensamiento del todo.

Tampoco jures por tu cabeza,
porque no puedes hacer blanco o negro uno solo de
tus cabellos.
Digan simplemente sí, cuando es sí; y no, cuando es no.
Lo que se diga de más, viene del maligno".

Forma larga: Mateo 5:17–37

del Mesías. Era un asunto neurálgico que incidía en la identidad de los creyentes.

Escribas y fariseos eran muy respetables entre los judíos porque encarnaban el ideal de vida establecido en la Ley de Dios. Aquí, Jesús no los descalifica para participar en el Reino de los cielos, más bien, los pone como espejo de los propios cristianos para que estos descubran "un más allá de", un implante ético más profundo y transformador de sus propios criterios de acción.

Quebrantando el mandamiento de matar volvía al pecador reo de juicio. Se llegaba a pagar con la vida el precio de otra vida. Jesús, sin embargo, prohíbe hasta el lenguaje ofensivo y abusivo para sus seguidores. Esta es la radical justicia del reino.

Algo similar compete al sexto mandamiento. El adulterio transgrede el derecho adquirido por otro israelita en una mujer, su esposa. Los adúlteros podían ser reos de muerte. La justicia nueva no consiente siquiera mirar a la mujer del prójimo para complacerse en su belleza. El seguidor de Cristo debe respetar el derecho ajeno, al precio de su propia vida. Esto es lo que el texto no expresa, pero queda tácito por los ejemplos escogidos.

El precepto sobre votos, promesas y juramentos, en la justicia nueva, no acepta distingos ni reservas mentales. El creyente debe tener una sola palabra y ser coherente con ella.

Los ejemplos dejan establecido cómo el cristiano es luz, testigo y sal de la tierra, gracias a su experiencia del reino realizada en Cristo Jesús.

VII DOMINGO ORDINARIO

I LECTURA Levítico 19:1–2, 17–18

Lectura del libro del Levítico

Breve y lapidaria, esta lectura no admite atenuantes; deja que impacte con su propia fuerza a los escuchas.

En aquellos días, dijo el **Señor** a **Moisés**:
"**Habla** a la **asamblea** de los **hijos de Israel** y **diles**:
'Sean **santos**, porque **yo**, el **Señor**, soy **santo**.

No **odies** a tu **hermano** ni en lo **secreto** de tu **corazón**.
Trata de **corregirlo**, para que no cargues **tú** con su **pecado.**
No te **vengues** ni guardes **rencor** a los **hijos** de tu **pueblo**.
Ama a tu **prójimo** como a ti mismo. Yo soy el **Señor**' ".

Para meditar.

SALMO RESPONSORIAL Salmo 102:1–2, 3–4, 8 y 10, 12–13

R. El Señor es compasivo y misericordioso.

Bendice, alma mía, al Señor, y todo mi ser a su santo nombre. Bendice, alma mía, al Señor, y no olvides sus beneficios. R.

Él perdona todas tus culpas, y cura todas tus enfermedades; él rescata tu vida de la fosa y te colma de gracia y de ternura. R.

El Señor es compasivo y misericordioso, lento a la ira y rico en clemencia. No nos trata como merecen nuestros pecados ni nos paga según nuestras culpas. R.

Como dista el oriente del ocaso, así aleja de nosotros nuestros delitos; como un padre siente ternura por sus hijos, siente el Señor ternura por sus fieles. R.

I LECTURA Escuchamos una parte de la sección de la Ley de Santidad, transmitida desde Levítico 16. Esta Ley es una colección de textos legales y cultuales del tiempo del exilio y postexilio. Escuchamos el inicio del capítulo 19, que es una introducción dando la categoría de las leyes que siguen: son divinas para la comunidad de los israelitas. En cierta manera, el autor requiere poner al día el decálogo contenido en Éxodo 20 y Deuteronomio 5.

El Señor invita: "Sean santos, porque yo, el Señor, su Dios, soy santo". Notamos una ligazón con el decálogo, de diversas maneras. Comienza por hacer referencia a la primera tabla del decálogo. Aquí el autor toma los elementos en una secuencia inversa.

Los vv. 17–18 se sitúan en la esfera de la interioridad. Suponen un conflicto en el que se confronta a la víctima con su adversario. Se invita a la víctima a quitar el odio y a reprender, lo que es una función profética y lo propio del hombre sabio. Se le pide que prescinda de la venganza, llevando el motivo hasta el desagüe de amar a su prójimo como a sí mismo. Al reemplazar al hermano por prójimo, va el autor más allá del registro afectivo. Esta actitud interpreta lo anterior. No se basa en lo nacionalista o tribal, sino que refiere a uno mismo, y luego se alarga al infinito.

II LECTURA Esta parte de la carta de Pablo es muy vivaz. La comunidad de Corinto se ha aprendido el credo trasmitido por Pablo y otros acompañantes pero le da acentos diferentes, que Pablo encuentra falsos. Los corintios no se consideran como una comunidad que está esperando la llegada del Señor, sino como un grupo de hombres que se tienen por completos ya, que experimentan internamente la

II LECTURA 1 Corintios 3:16–23

Lectura de la primera carta del apóstol san Pablo a los corintios

Sin alzar el tono, sino con apremio cariñoso, proclama este párrafo.

Hermanos:
¿No saben **ustedes** que son el **templo** de **Dios**
y que el **Espíritu** de Dios **habita** en **ustedes**?
Quien **destruye** el **templo** de **Dios**, será **destruido** por **Dios**,
porque el **templo** de **Dios** es **santo** y **ustedes** son ese **templo**.

"Que nadie se engañe"; dilo con toda claridad.

Que **nadie** se **engañe**:
si **alguno** de ustedes se tiene a sí mismo por **sabio** según los **criterios** de este **mundo**,
que se haga **ignorante** para llegar a ser **verdaderamente sabio**.
Porque la **sabiduría** de este mundo es **ignorancia** de **Dios**, como dice la **Escritura**:
Dios hace que los sabios caigan en la trampa de su propia astucia.

Estas frases son acumulativas y envolventes. Fíjate en la puntuación y déjate guiar por ella.

También dice:
El Señor conoce los pensamientos de los sabios y los tiene por vanos.

Así pues, que **nadie** se **gloríe** de **pertenecer** a ningún **hombre**,
ya que **todo** les pertenece a **ustedes**:
Pablo, Apolo y **Pedro**, el **mundo**, la **vida** y la **muerte**,
lo **presente** y lo **futuro**: **todo** es de **ustedes**;
ustedes son de **Cristo**, y **Cristo** es de **Dios**.

presencia del Señor. Estamos ante una comunidad sin ninguna preocupación por nadie; desencarnada. Han dejado de lado el mensaje del Crucificado. El evangelio se ha convertido en una "palabra de sabiduría". Han deshistorizado la Buena Noticia del Reino.

Toma Pablo el ejemplo del templo, que en todas las religiones se tiene como algo intocable. El que habita en él se siente seguro, intocable. Así el cristiano es parte de este templo y, por lo mismo, un ataque a la comunidad, es un ataque a Dios mismo. Este aspecto comunitario siente el Apóstol que va desapareciendo en joven la comunidad de creyentes. En su lugar, comienza a dominar un individualismo que amenaza con destruir la unidad de la comunidad misma. Pablo recuerda que el creyente tiene su salvación dentro de la comunidad. Insiste Pablo en que la sabiduría de este mundo es locura para Dios. Los predicadores fueron escogidos para la construcción de la comunidad, comunidad que pertenece a Dios.

La comunidad cristiana no son los muros, sino "las personas, los cristianos", sobre todo, los perseguidos y los que sufren las injusticias. Son intocables, como es intocable el templo del Señor.

EVANGELIO Dentro del sermón del monte, san Mateo va perfilando la justicia nueva del reino proclamado por Jesús (ver Mt 5:20), mediante una serie de antítesis que contrastan los procederes estipulados en la enseñanza mosaica y los del Mesías. Este contraste no procede por vía de exclusión o anulación del precepto mosaico, sino al modo de un "cumplimiento excesivo", que muestra una generosidad que desborda todas las expectativas

EVANGELIO Mateo 5:38–48

Lectura del santo Evangelio según san Mateo

Enfatiza los modos nuevos que Jesús inculca; hazlo con tono sereno y sapiente.

En aquel tiempo, **Jesús** dijo a sus **discípulos**:
"**Ustedes** han oído que se dijo: *Ojo por ojo, diente por diente;*
pero **yo** les digo que no hagan **resistencia** al hombre **malo.**
Si alguno te **golpea** en la mejilla **derecha**, preséntale **también** la **izquierda**;
al que te quiera **demandar** en **juicio** para **quitarte** la **túnica**,
cédele también el **manto**.
Si alguno te **obliga** a caminar **mil** pasos en su servicio,
camina con él **dos mil**.
Al que te **pide, dale**;
y al que **quiere** que le **prestes**,
no le **vuelvas** la **espalda**.

Estas palabras tienen una alta dosis de novedad. Siéntete llamado a expresarla en tu propia conducta.

Han oído **ustedes** que se dijo: *Ama a tu prójimo y odia a tu enemigo;*
yo, **en cambio**, les digo:
Amen a sus **enemigos**, hagan el **bien** a los que los **odian**
y **rueguen** por los que los **persiguen** y **calumnian**,
para que sean **hijos** de su **Padre** celestial,
que hace **salir** su **sol** sobre los **buenos** y los **malos**,
y **manda** su **lluvia** sobre los **justos** y los **injustos**.

Las preguntas son clave en este párrafo.

Porque si **ustedes** aman a los que los aman, ¿qué **recompensa** merecen?
¿No hacen **eso** mismo los **publicanos**?
Y si saludan tan **sólo** a sus **hermanos**,
¿qué hacen de **extraordinario**?
¿No hacen **eso** mismo los **paganos**?
Ustedes, pues, sean **perfectos**,
como su **Padre** celestial es **perfecto**".

corrientes. La lectura de hoy entrega las dos antítesis últimas de la serie.

La primera que escuchamos es la antítesis sobre renunciar al derecho de compensación, tal como lo estipula la conocida ley del talión. Esta ley buscaba acotar la venganza o equilibrar el abuso con una compensación. En esto va implícita la violencia en grado mayor o menor.

En el horizonte de la justicia nueva, sin embargo, no sólo hay que desterrar la violencia al precio que sea, hay que ser excesivamente generoso con aquellos que demandan algo incluso injustamente o contra el derecho estipulado. Esta actitud no sólo no se aviene a lo legislado, sino que socava el presunto derecho del adversario a la justicia que exige. Podríamos decir que desmonta el espíritu, no sólo la letra, de la ley, a tener derecho sobre otra persona. A otro espíritu se ha de atener el seguidor de Jesús.

La experiencia del reino, por ejemplo, requiere del discípulo una actitud pacífica tal que renuncie a la propia defensa ante el ofensor, a quedarse desnudo ante una reclamación contra derecho, a ser doblemente generoso con el que obliga a algún servicio al que no tiene derecho, y a ser deliberadamente bondadoso con pordioseros y a prestar sin condiciones.

La antítesis que cierra la serie le desbarata al discípulo la distinción entre prójimos y enemigos; debe amar a sus ofensores y orar por ellos. El motivo no es otro que emular al Padre celestial que derrama sus bondades sobre todos, sin distingo alguno. Este es el punto culminante de las antítesis y el fiel de la balanza para la justicia nueva. La experiencia del reino es el andar cristiano a la felicidad, como Cristo la proclama a todos.

VIII DOMINGO ORDINARIO

I LECTURA Isaías 49:14–15

Transmite ternura y confianza. Imposta tu lectura con esas actitudes.

Lectura del libro del profeta Isaías

"**Sión** había **dicho**: 'El **Señor** me ha **abandonado**,
el **Señor** me tiene en el **olvido**'.
¿Puede acaso una **madre olvidarse** de su **creatura**
hasta dejar de **enternecerse** por el **hijo** de sus **entrañas**?
Aunque hubiera una **madre** que se **olvidara**,
yo **nunca** me **olvidaré** de **ti**",
dice el **Señor todopoderoso**.

Para meditar.

SALMO RESPONSORIAL Salmo 61:2–3, 6–7, 8–9ab

R. Descansa sólo en Dios, alma mía.

Sólo en Dios descansa mi alma, porque de él viene mi salvación; sólo él es mi roca y mi salvación, mi alcázar: no vacilaré. R.

Descansa sólo en Dios, alma mía, porque él es mi esperanza; sólo él es mi roca y mi salvación, mi alcázar: no vacilaré. R.

De Dios viene mi salvación y mi gloria; él es mi roca firme, Dios es mi refugio. Pueblo suyo, confía en él, desahoga ante él tu corazón. R.

I LECTURA Estos dos versos nos entregan algo de lo más hermoso que se ha expresado sobre el amor de Dios para su pueblo elegido. Los profetas buscaron imágenes de las más variadas para dar al pueblo una idea de lo que significa el amor divino. Dios descubre su corazón de madre. Un poco después un discípulo de este profeta precisa: "Como a un niño a quien su madre consuela, así los consolaré yo" (Is 66:13).

No es que Dios sea hombre o mujer. Él está más allá de lo sexuado. Si el profeta emplea las imágenes del esposo, madre, padre o hijo, es para hacer entender al pueblo su cariño, su amor. Desde luego que son simplemente imágenes que hay que sublimar y transformar, al aplicarlas a Dios. El Antiguo o Primer Testamento empleó con medida las imágenes anteriores por el peligro de que el pueblo se confundiera, tomándolas en sentido muy craso. El peligro de hacerse un Dios a su medida.

Toda imagen tiene el peligro de deformar lo que representa, pero tiene también a veces más que una palabra o concepto la posibilidad de comunicarlo, de hacerlo más viva, más apetecible y deseable. Por eso tanto el Antiguo como el Nuevo Testamento están llenos de imágenes entresacadas de la vida. Salen de la vida y van a la vida, añadiéndole algo más, dada la imposibilidad radical de representar adecuadamente lo divino. Este señalamiento nosotros lo podemos llenar, acogiendo las indicaciones más precisas de la revelación divina.

Dios quiso revelarnos en estas tres frases su amor enorme ante el sufrimiento que había padecido el pueblo por el destierro. Su amor está más allá del castigo, que en Dios es sólo pedagógico.

II LECTURA 1 Corintios 4:1–5

Lectura de la primera carta del apóstol san Pablo a los corintios

Hermanos:
Procuren que **todos** nos consideren como **servidores** de **Cristo**
y **administradores** de los **misterios** de **Dios.**

Aísla un poco esta línea. Luego dale énfasis al "por eso".

Ahora bien, lo que se busca en un **administrador** es que sea **fiel.**
Por eso, lo que **menos** me **preocupa** es que me **juzguen ustedes** o un **tribunal humano**;
pues **ni siquiera** yo me **juzgo** a **mí mismo.**
Es **cierto** que mi **conciencia** no me reprocha **nada,**
pero **no por eso** he sido declarado **inocente.**

Esta línea marca un punto de llegada en el desarrollo; enfatiza el "por lo tanto" que sigue.

El **Señor** es quien habrá de **juzgarme.**
Por lo tanto, no **juzguen** antes de tiempo; **esperen** a que **venga** el **Señor.**
Entonces él **sacará** a la **luz** lo que está **oculto** en las **tinieblas,**
pondrá al **descubierto** las **intenciones** del **corazón**
y dará a **cada uno** la **alabanza** que **merezca.**

EVANGELIO Mateo 6:24–34

Lectura del santo Evangelio según san Mateo

Vocaliza con toda propiedad la disyuntiva.

En aquel tiempo, **Jesús** dijo a sus **discípulos:**
"**Nada** puede servir a **dos amos**, porque **odiará** a **uno** y **amará** al **otro,**
o bien **obedecerá** al **primero** y no le **hará caso** al **segundo.**
En resumen, no pueden **ustedes** servir a **Dios** y al **dinero.**

En esta parte localiza y subraya las frases que expresan la confianza en Dios.

Por eso les digo que no se **preocupen** por su **vida,**
pensando qué **comerán** o con qué **vestirán.**
¿Acaso no vale **más** la **vida** que el **alimento,**
y el **cuerpo** más que el **vestido**?

II LECTURA La comunidad de Corinto era una comunidad muy rica en dones y posibilidades; por lo mismo, como lo muestran las dos cartas paulinas, esa joven comunidad corrió desde sus inicios, el peligro de la división. La primera ocasión fue provocada por los dones y cualidades de varios predicadores de la palabra de Dios. Empezaron algunos a adherirse a las cualidades de los evangelizadores, dando entrada al "grupismo". Detrás estaba la mala comprensión del hecho cristiano. No era una doctrina lo predicado por Pablo y compañeros.

La intervención de Pablo es dura y a la vez afectiva, como correspondía a su carácter. Sabe Pablo que se está jugando mucho en la forja de la comunidad y quiere parar a tiempo este indicio de división.

Parte de una afirmación muy clara: los distintos evangelizadores son servidores que están al servicio del Señor. Son administradores de los misterios divinos. Su función y predicación es la misma: Cristo y sus misterios.

Hay que ir a lo fundamental: Cristo. Es decir, el encuentro liberador de Dios con nosotros los hombres por medio de Jesucristo, es la médula de nuestro servicio. Habrá críticas y distintas exigencias en el trabajo apostólico, por esto el encargado de una comunidad debe seguir el camino de Pablo: ser fiel a lo encomendado y no andarse valorando, sino dejar al Señor el juicio definitivo.

La iglesia trabaja y se esfuerza en muchas direcciones. Debemos dejar de lado la envidia y trabajar conjuntamente. Esto trae consigo la creatividad y estar con la mirada fija en nuestra realidad y en profundizar el misterio de Jesús muerto y resucitado.

Con gran serenidad apela a la asamblea con las frases sobre las aves.

Miren las **aves del cielo**, que ni **siembran**, ni **cosechan,**
ni **guardan** en **graneros**
y, **sin embargo**, el **Padre** celestial las **alimenta**.
¿Acaso no valen **ustedes** más que **ellas**?
¿Quién de **ustedes**, a fuerza de **preocuparse**, puede **prolongar** su **vida**
siquiera un **momento**?

¿Y por qué se **preocupan** del **vestido**?
Miren cómo crecen los **lirios** del campo, que no **trabajan** ni **hilan**.
Pues bien, yo les **aseguro** que ni **Salomón**, en el **esplendor** de su
gloria, se **vestía** como uno de **ellos**.

Al mencionar la providencia de Dios haz contacto visual con la asamblea.

Y si **Dios** viste **así** a la **hierba** del campo, que **hoy florece** y **mañana**
es **echada** al **horno,**
¿no hará **mucho más** por **ustedes**, hombres de **poca fe?**

No se **inquieten**, pues, pensando:
¿Qué **comeremos** o qué **beberemos** o con qué nos **vestiremos**?
Los que **no conocen** a Dios se **desviven** por **todas** estas cosas;
pero el **Padre** celestial **ya sabe** que **ustedes** tienen **necesidad**
de ellas.
Por consiguiente, busquen **primero** el **Reino de Dios** y su **justicia**,
y **todas estas** cosas se les **darán** por **añadidura**.
No se **preocupen** por el **día de mañana**,
porque el **día de mañana** traerá ya sus **propias preocupaciones.**

Las cinco líneas finales resumen la sabiduría que da la confianza en Dios. Anúncialas con plena convicción y sonoridad.

A **cada día** le **bastan** sus **propios problemas**".

EVANGELIO La proclamación del Reino de Dios, tal como Jesús la va presentando, coloca frente a disyuntivas que deben ser asumidas con sus consecuencias. Es el caso de la enseñanza sobre las riquezas, que Jesús ilustra con el ejemplo del esclavo que busca agradar a dos amos. La experiencia enseña que eso es imposible: caerá en desgracia con uno de ellos; debe, pues, decidirse por uno. Otro tanto le ocurre al discípulo de Jesús que vive en el horizonte de la justicia nueva; debe optar o por Dios o por la riqueza. Estos son dos señores irreconciliables.

Las enseñanzas siguientes (Mt 6:24) van a desmontar las preocupaciones que colman al corazón humano un día tras otro. Jesús pone enfrente lo más indispensable: comida, bebida y vestido. El discípulo del Reino ha de tener la sabiduría de confiarse en Dios que alimenta incluso de los pájaros silvestres; son sus creaturas. Esta confianza en Dios creador nace de saberse creatura suya. Además, Jesús despierta la conciencia de la paternidad de Dios. Es el mismo Padre celestial quien viste a las flores con una galanura que ni el mismo rey sabio Salomón alcanzó. Hay que confiarse en Dios, Padre de la entera creación, y nunca apocarse. El discípulo es parte integral de la misma creación de Dios, su Padre. Esto es fundamental para asumir la experiencia del reino.

En la segunda parte de su tratamiento (6:34), Jesús distingue a sus seguidores del resto de las gentes. Si la mayoría de personas vive afanada por la comida, la bebida y el vestido, el discípulo del reino, en cambio, tiene como afán la justicia del reino. Esta justicia consiste en agradar con todo esmero, aquí y ahora, al Señor del reino, el Amo único al que el seguidor de Jesús decidió dedicar su entera existencia.

MIÉRCOLES DE CENIZA

I LECTURA Joel 2:12–18

Lectura del libro del profeta Joel

Proclama con entusiasmo en la voz: "¡Todavía es tiempo!".

Esto dice el **Señor**:
"**Todavía** es tiempo.
Vuélvanse a mí de todo corazón,
con ayunos, con **lágrimas** y **llanto**;
enluten su **corazón** y **no** sus **vestidos**.

Haz esta invitación con suavidad fraterna, no con tono despótico ni autoritario.

Vuélvanse al Señor Dios nuestro,
porque es **compasivo** y **misericordioso**,
lento a la **cólera**, **rico** en **clemencia**,
y **se conmueve** ante la desgracia.

Eleva mansamente tu tono de voz en este parágrafo.

Quizá se arrepienta, **se compadezca** de nosotros
y nos deje una **bendición**,
que haga posibles las **ofrendas** y **libaciones**
al Señor, nuestro Dios.

Toquen la trompeta en Sión, **promulguen** un ayuno,
convoquen la asamblea, **reúnan** al pueblo,
santifiquen la reunión, **junten** a los ancianos,
convoquen a los niños, aun a los niños de pecho.
Que el recién casado **deje su alcoba**
y su tálamo la recién casada.

I LECTURA El profeta Joel invita a la conversión, que es consecuencia de lo que describió en el capítulo primero. Una plaga tremenda de langostas se ha abatido sobre el país, de tal forma que no ha dejado nada para comer: "¿No están viendo cómo falta en el templo de nuestro Dios la comida, la fiesta y la alegría?" (Joel 1:16). Esa desolación es vista como la señal de una realidad más grande.

La hambruna era una amenaza real. Más allá de lo inmediato, el profeta ve en esta prueba la cercanía del día del Señor: "¡Ay, qué día!, porque está cerca el día del Señor, llegará como azote del Todopoderoso" (1:15). Joel ve la posibilidad de evitar este día y lograr la salvación. Por esto indica al pueblo el camino que debe recorrer para encontrar la gracia del Señor.

El texto de la liturgia de hoy es parte de una liturgia penitencial. Está dominado con un sinnúmero de invitaciones que dan el sentido de urgencia. Dice el profeta: "Conviértanse a mí de todo corazón", "No se rasguen el vestido sino el corazón". Es el corazón el lugar de donde provienen las decisiones, por lo mismo, urge a sus oyentes a convertirse ya. Todas las dimensiones de la vida deben tenerse en cuenta. Por otro lado, el peligro se encuentra en un regreso y un arrepentimiento ligero y transitorio, como describe Oseas: "Su amor es nube mañanera, rocío que se evapora al alba" (Os 6:4).

La motivación fundamental para cambiar desde el corazón, es considerar quién es Dios; el que se reveló en el éxodo, "misericordioso y clemente, tardo a la ira, rico en piedad y compasivo". Pero no se puede jugar con la inercia que provocaría una mala comprensión de la misericordia del Señor. La invitación lleva urgencia. Urge el tiempo de la conversión. No se puede dejar para un

Entre el **vestíbulo** y el **altar lloren** los sacerdotes,
ministros del Señor, diciendo:
'**Perdona**, Señor, **perdona** a tu pueblo.
No entregues tu heredad a la **burla** de las naciones.
Que no digan los paganos: ¿**Dónde está** el Dios de Israel?' "

Estas líneas entregan el resultado de volverse al Señor. Baja la velocidad en la línea final.

Y el Señor **se llenó** de celo por su tierra
y tuvo **piedad** de su **pueblo**.

Para meditar.

SALMO RESPONSORIAL Salmo 50:2–3, 5–6a, 12–13, 14, y 17

R. Misericordia, Señor, hemos pecado.

Misericordia, Dios mío, por tu bondad,
por tu inmensa compasión borra mi culpa; lava del todo mi delito, / limpia mi pecado. R.
Pues yo reconozco mi culpa, / tengo siempre presente mi pecado: / contra ti, contra ti solo pequé. / Cometí la maldad que aborreces. R.

Oh Dios, crea en mí un corazón puro,
renuévame por dentro con espíritu firme; no me arrojes lejos de tu rostro, / no me quites tu santo espíritu. R.
Devuélveme la alegría de tu salvación,
afiánzame con espíritu generoso. / Señor, me abrirás los labios, / y mi boca proclamará tu alabanza. R.

II LECTURA 2 Corintios 5:20—6:2

Lectura de la segunda carta del apóstol san Pablo a los corintios

Hermanos:

Por tu voz, Dios tiende la invitación a la reconciliación. Hazlo con toda amabilidad y delicadeza.

Somos embajadores de **Cristo**,
y por nuestro medio, es como si **Dios mismo** los exhorta
a ustedes.
En nombre de **Cristo** les pedimos que **se dejen reconciliar** con Dios.
Al que nunca cometió **pecado**,
Dios lo hizo "pecado" por **nosotros**,
para que, **unidos** a él recibamos la **salvación** de Dios
y nos volvamos **justos** y **santos**.

mañana indefinido que nunca llega. Se trata del hoy, del ahora, términos tan queridos por los profetas. Es lo que la Iglesia nos dice en la liturgia de hoy: "Conviértete y cree en el Evangelio".

II LECTURA No es fácil reconciliarse uno con un amigo. Hay muchos impedimentos, entre ellos, la vergüenza de haber fallado en la amistad. Del punto de vista de Dios, Cristo nos ha reconciliado: "A aquel que no conoció el pecado, Dios lo trató por nosotros como un pecador, para que nosotros, por su medio, fuéramos inocentes ante Dios" (v. 21). Es el centro de la teología de san Pablo, quien ve la vida cristiana bajo el grave peligro de vaciar la cruz de Cristo. Sólo Dios es capaz de realizar la reconciliación con el hombre, porque éste no tiene capacidad de evitar el desastre total que le ha infligido el mal.

Dios, por esto, tomó la iniciativa, y Pablo emplea imágenes muy atrevidas para describir este paso del Señor que por nosotros se atrevió a "ser tratado como un pecador". En otras cartas Pablo emplea palabras semejantes; dice que Cristo "se sometió a la maldición" (Gal 3:13).

La única posibilidad que tiene el hombre para acceder a la amistad divina, a la bendición de Dios, es la acción de Cristo. Por esto el Bautista entendió que Jesús era el único que "quitaba el pecado del mundo" (Jn 1:13). Detrás de esa expresión está la figura del Siervo del Señor, que sufrió y murió para dar al pueblo la salvación (Is 53:5).

Pablo dice ser "embajador", pues lo que todo aquel que es embajador trae la representatividad del que lo envía. Aquí, en concreto, Pablo afirma que Dios lo envió. Dios mismo es el que exhorta por medio de Pablo. Viene a la mente lo que en otras cir-

Estas líneas deben hallar eco en la asamblea; pronúncialas con mansedumbre.

Como **colaboradores** que somos de Dios,
los exhortamos a **no echar** su gracia en saco roto.
Porque **el Señor** dice:
En el tiempo favorable te ***escuché***
y en el día de la salvación ***te socorrí.***
Pues bien,
ahora es el tiempo favorable;
ahora es el día de la **salvación**.

EVANGELIO Mateo 6:1–6, 16–18

Lectura del santo Evangelio según san Mateo

Haz contacto visual con la asamblea luego de la primera línea.

En aquel tiempo, Jesús dijo a sus **discípulos**:
"Tengan cuidado de **no practicar** sus obras de piedad
delante de los hombres para que los **vean**.
De lo contrario, **no tendrán** recompensa con su Padre celestial.

Por lo tanto, cuando des **limosna**,
no lo anuncies con **trompeta**,
como hacen los **hipócritas** en las sinagogas y por las calles,
para que los **alaben** los hombres.
Yo les aseguro que **ya recibieron** su recompensa.
Tú, **en cambio**, cuando des limosna,
que no sepa tu mano **izquierda** lo que hace la **derecha**,
para que tu limosna quede **en secreto**;
y tu Padre, que ve lo secreto, **te recompensará**.

Lee esta orientación con tono cálido y de intimidad.

Cuando ustedes hagan **oración**,
no sean como los **hipócritas**,
a quienes **les gusta** orar de pie
en las **sinagogas** y en las esquinas de las **plazas**,
para que los vea la **gente**.
Yo les aseguro que **ya recibieron** su recompensa.

cunstancias Pablo escribió a los tesalonicenses: "Por eso nosotros siempre damos gracias a Dios, porque cuando escucharon la palabra de Dios que les predicamos, la recibieron, no como palabra humana, sino como realmente es, Palabra de Dios, que actúa en ustedes, los creyentes" (1 Tes 2:13). La escucha de la Palabra nos adentra en el misterio de Dios.

La salvación consiste en que Dios por Cristo nos hace justos, siendo nosotros pecadores. Dejarse reconciliar no es otra cosa que no poner obstáculos a la voz de Dios, que en esta Cuaresma nos ofrece esta oportunidad.

EVANGELIO La limosna, la oración y el ayuno son los pilares de la vida espiritual del israelita fiel. También lo son de la justicia del reino que Jesús proclama.

La limosna era una institución altamente valorada. Había colectores de limosna designados oficialmente, que se encargaban de la red de beneficencia social para los más necesitados: pobres, huérfanos y viudas. La administración del templo y las sinagogas estaban muy pendientes de esto. Pero había también la limosna particular. La palabra hebrea *tsedaqah* designa la honradez, la rectitud y la justicia, y de allí llegan sus derivados como liberalidad, beneficencia, e igualmente virtud y felicidad o bienestar. La limosna es un deber ético, derivado de la alianza con Dios; cumplirlo es tan importante como todos los mandamientos juntos, incluidos los sacrificios. La limosna prima sobre la oración. A los pobres les asiste el derecho a la limosna, y los sabios judíos decían que la limosna más aprovecha al que la da que al que la recibe. Dar limosna

Extiende las palabras que resaltan la intimidad de la oración.

Tú, **en cambio**, cuando vayas a orar,
entra en tu cuarto, **cierra** la puerta y **ora** ante tu Padre,
que está allí, en **lo secreto**;
y tu Padre, que ve lo secreto, **te recompensará**.

Cuando ustedes ayunen, **no pongan** cara triste,
como esos **hipócritas** que **descuidan** la apariencia de su rostro,
para que la gente **note** que están ayunando.

Debe notarse seguridad en lo que Jesús promete para el futuro; la certeza debe ser total.

Yo les aseguro que **ya recibieron** su recompensa.
Tú, **en cambio**, cuando ayunes,
perfúmate la cabeza y **lávate** la cara,
para que **no sepa** la gente que estás **ayunando**,
sino tu Padre, que está en **lo secreto**;
y tu Padre, que ve lo secreto, **te recompensará**".

nunca empobrece y ser mezquino equivale a ser idólatra, porque todos los bienes son de Dios (ver Lev 25:23).

La oración es el alma de la vida del pueblo. Israel se entendía a sí mismo como bendición para la humanidad. El templo y la sinagoga eran los principales sitios de oración, pero las regulaciones para orar envolvían, prácticamente todos los lugares y los tiempos de la vida cotidiana. Se oraba de pie y se recitaba el "Escucha, Israel" (Dt 6:4), a la mañana y a la tarde. Los sabios recomiendan disponer el corazón una hora antes de la oración, y por ningún motivo interrumpirla. Condenan la rutina en la recitación, pues ha de ser un acto de clemencia y de gracia ante Dios.

El ayuno es una de las prácticas reconocidamente judías. Se ayunaba para purificarse y recibir revelaciones divinas, pero también como signo penitencial. Los días de ayuno nacional eran pocos, pero se multiplicaron luego con la piedad personal. Los fariseos recomendaban ayunar dos días por semana, lo que era signo de extrema piedad. La mayoría de la gente se atenía a los cuatro o cinco prescritos por año.

Jesús no reprueba practicar la piedad, sino ejercitarla para ser alabado por los demás. La limosna, la oración y el ayuno han de buscar la recompensa del Padre celeste, no la alabanza social. Se encarece, por tanto, un impulso ético o personal en ese cumplimiento. Más aún, hay que ser piadoso pero con una honda conciencia filial. La piedad visible ha de ser expresión de intimidad con Dios. Desde aquí, el fiel encuentra a su Padre y va realizando la experiencia del reino cuya justicia es la del Padre común.

I DOMINGO DE CUARESMA

I LECTURA Génesis 2:7–9; 3:1–7

Lectura del libro del Génesis

Imprégnate de estas bellas y dramáticas imágenes del relato. Cuida el ritmo y la intensidad de tu voz para que la proclamación cautive al auditorio.

Después de haber creado el **cielo** y la **tierra**,
el Señor Dios **tomó** polvo del suelo y con él **formó** al hombre;
le **sopló** en las narices un **aliento de vida**,
y el hombre **comenzó** a vivir.
Después **plantó** el Señor **un jardín** al oriente del Edén
y **allí** puso al hombre que **había formado**.
El Señor Dios **hizo brotar** del suelo **toda** clase de árboles,
de **hermoso** aspecto y **sabrosos** frutos,
y **además**, en medio del jardín,
el **árbol de la vida** y el **árbol del conocimiento**
del **bien** y del **mal**.

Haz una breve pausa y con tono misterioso narras las palabras de la serpiente.

La serpiente
era el **más astuto** de los animales del campo
que había creado el Señor Dios, dijo **a la mujer**:
"¿Es cierto Dios **les ha prohibido** comer **de todos**
los árboles del jardín?"

Tu tono de voz denota una marcada seguridad en la respuesta de Eva.

La mujer respondió:
"**Podemos** comer del fruto de **todos** los árboles del huerto,
pero del árbol que está **en el centro** del jardín, dijo Dios:
'No **comerán** de él **ni lo tocarán**, porque de lo contrario,
habrán de morir'".

I LECTURA La tentación es algo muy humano. Detrás está la pregunta del bien y del mal. Todos los hombres se la han puesto enfrente. Los escritores de Israel no pudieron abstenerse de tratar este problema. La narración de la creación del hombre es muy simple para ser entendida. Dios crea al hombre de la tierra. Es decir, el hombre pertenece por su origen a lo terreno; tiene la bondad, belleza y debilidad de lo terrestre. El nombre de Adán viene de una palabra que significa tierra. A oídos hebreos sonaría como "terroso". Además, al ser creado de tierra, aflora el sentido de su humildad. No es celestial, ni divino, por su origen, como lo contaban las narraciones paganas de creación. Como los objetos de lodo o cerámica se rompen, no puede pretender ni eternidad, ni solidez.

Pero tiene algo que le da vida y que no pertenece propiamente a lo creado: el aliento vital, lo que convierte al hombre en un ser viviente. Esto proviene de Dios y es exclusivo de él. Además, Dios creó una huerta hermosísima, única, para que el hombre viviera en ella. La llamó paraíso, una palabra derivada del mundo persa. Los paraísos eran unas huertas, jardines rodeados de árboles para protegerse del calor. Dios no iba a alimentar al ser humano; lo colocó en este paraíso para que trabajándolo, se mantuviera bien. Pero hay algo más, lo más grande: su apertura a Dios. Dios le da un mandato para evitar que el hombre se desvíe en su vida.

Pero el hombre fue puesto a prueba, es tentado. El tentador, una creatura, es astuto y le hace ver a la mujer que Dios no es tan bueno como ella cree. Dios les puso límites, porque es celoso y no quiere que otros lleguen adonde él está. Es un enemigo de su libertad y felicidad. La mujer cede, junto con su marido. Pecan, aceptan esa imagen falsa

Imprime un tono de categórica seguridad a las palabras de la serpiente.

La serpiente **replicó** a la mujer:
"**De ningún modo. No morirán.**
Bien sabe Dios
que **el día** que coman de los frutos de **ese** árbol,
se les **abrirán** a ustedes los ojos
y **serán como Dios**, que conoce **el bien y el mal**".

La mujer **vio** que el árbol **era bueno** para **comer**,
agradable a la vista y **codiciable**,
además, para alcanzar la sabiduría.
Tomó, pues, de su fruto, **comió** y le dio **a su marido**,
el cual **también** comió.

Esta frase es clave. A la apertura de los ojos haz contacto visual con la asamblea.

Entonces se les **abrieron** los ojos **a los dos**
y se dieron cuenta de que **estaban desnudos**.
Entrelazaron unas hojas de higuera
y se las ciñeron para cubrise.

Para meditar.

SALMO RESPONSORIAL Salmo 50:3–4, 5–6ab, 12–13, 14 y 17

R. Misericordia, Señor, hemos pecado.

Misericordia, Dios mío, por tu bondad; por tu inmensa compasión borra mi culpa. Lava del todo mi delito, limpia mi pecado. R.

Pues yo reconozco mi culpa, tengo siempre presente mi pecado. Contra ti, contra ti solo pequé, cometí la maldad que aborreces. R.

Oh Dios, crea en mí un corazón puro, renuévame por dentro con espíritu firme; no me arrojes lejos de tu rostro, no me quites tu santo espíritu. R.

Devuélveme la alegría de tu salvación, afiánzame con espíritu generoso. Señor, me abrirás los labios, y mi boca proclamará tu alabanza. R.

de Dios y se enajenan. Están desnudos, y entra en ellos el desorden: las consecuencias del pecado. Algo entró en ellos que les deshizo su coherencia interna. Así es el pecado, nuestro pecado.

Adán y Eva con su pecado distorsionaron completamente la imagen de Dios. Ellos pensaron que el Señor Dios los andaba buscando para castigarlos, por esto se escondieron. En esto apreció la mentira. La mentira se ha enseñoreado del mundo. No en balde el Señor va a recordar a sus oyentes que el diablo fue mentiroso desde el principio. Así Adán, el hombre se dejó llevar por esta corriente y acabó mintiendo a Dios, a los demás y a sí mismo. Además, Adán y Eva se sintieron desnudos. Apareció la vergüenza, que puede tener un valor positivo, pero también es el signo de la fractura interna del hombre.

II LECTURA Pablo había tratado en la parte anterior de su carta sobre la necesidad que tienen los miembros del pueblo elegido y los paganos, de la redención de Cristo. En este capítulo 5, va a tratar de ese mal interno que corroe a todo hombre, sea judío o pagano: el pecado que llamamos original. Pablo coloca un par de opuestos: Adán y Cristo. En esa oposición, hay, con todo, un paralelismo asimétrico. Lo hecho por Adán no tiene proporción con la acción de Cristo. No son las fuerzas equivalentes. Este desequilibrio Pablo lo pone claramente en nuestro favor: "Pero el don no es como el delito: porque si por el delito de un hombre murieron todos, mucho más abundante se ofrecerán a todos el favor y el don de Dios, por el favor de un solo hombre, Jesucristo" (v. 15). Dos modos de colocarse delante de Dios consiguen muerte y vida. Es decir, habla de dos comportamientos que Adán y Cristo han tomado delante de la voluntad de Dios.

II LECTURA Romanos 5:12–19

Lectura de la carta del apóstol san Pablo a los romanos

La lectura es amplia y compleja. Ensáyala por párrafos, y apoyándote en la puntuación.

Hermanos:
Así como por **un solo hombre** entró el pecado en el mundo
y por el pecado **entró la muerte**,
así la muerte **pasó a todos** los hombres,
porque **todos pecaron.**

Antes de la ley de Moisés **ya existía** el pecado en el mundo
y, si bien es cierto que el pecado **no se castiga** cuando
no hay ley,
sin embargo, **la muerte reinó** desde Adán hasta Moisés,
aun sobre aquellos que no pecaron como pecó Adán,
cuando desobedeció un mandato directo de Dios.
Por lo demás, Adán **era figura** de Cristo, el que había de venir.

Procura acentuar las expresiones sobre los regalos de Dios y su gracia.

Ahora bien, el don de Dios **supera con mucho** al delito.
Pues si por el delito de uno solo hombre **todos fueron castigados**
con la muerte, por el don de un solo hombre, Jesucristo,
se ha desbordado **sobre todos la abundancia** de la vida
y la gracia de Dios.
Tampoco pueden compararse **los efectos** del pecado de Adán
con **los efectos** de la gracia de Dios.
Porque ciertamente, la sentencia vino a causa de un solo pecado
y fue **sentencia de condenación**,
pero **el don de la gracia** vino a causa de muchos pecados
y nos conduce a la justificación.

No te olvides disminuir la velocidad conforme te acercas al final.

En efecto, si por el pecado de un solo hombre
estableció la muerte su reinado,
con mucha mayor razón **reinarán en la vida**
por un solo hombre, Jesucristo,
aquellos que reciben la **gracia sobreabundante**
que los hace justos.

Pablo nos introduce en el misterio de la redención que pasa a través de la obediencia de Cristo a la voluntad de su Padre celestial, pero que supone la plena y absoluta libertad del Señor. Hay una relación que existe entre Adán y nosotros. Esta relación está caracterizada por el pecado que nos hace a todos débiles e incapaces de vivir plenamente la vida divina, que nos ha sido ofrecida como un regalo. Pablo nos dice que en Cristo, el nuevo Adán, la humanidad encuentra su nuevo jefe. Con el ofrecimiento de sí mismo, llegando hasta la muerte, Jesús canceló el pecado para siempre y nos reconcilió completamente con Dios (Flp 2:1). Estos dos modos de colocarse ante Dios, consiguen muerte y vida.

Jesús, en cuanto hombre y Dios, es el prototipo de la humanidad rescatada del pecado. Es el salvador único y universal. Pablo insiste también en la solidaridad. Una solidaridad que, en sentido negativo, nos une a Adán y nos hace pecadores a todos; en sentido positivo, la solidaridad nos une a Cristo, que es el nuevo Adán, salvador de la humanidad. La primera solidaridad se ha consumado por la desobediencia de Adán, mientras que la segunda se ha hecho realidad en la obediencia de Cristo, quien nos trajo la redención.

Cristo nos asegura la plena comunión con él. Esta realidad, que se nos dio por el bautismo, tenemos que ponerla delante de nosotros, para entrar en ese camino de Cristo, que lo llevó a entregarse por nosotros, venciendo todas las tentaciones. Cada época tiene su peculiaridad en las tentaciones que sufre el cristiano. En el fondo, es la misma tentación que se puso a Adán, de preferirnos sobre los demás.

EVANGELIO En su camino hacia la libertad, el pueblo de Israel fue sometido a diversas pruebas. Los cuarenta años en el desierto le llevaron a entender la

En resumen, así como por el pecado **de un solo hombre** Adán,
vino la **condenación** para todos,
así por la justicia de **un solo hombre**, Jesucristo,
ha venido para todos la **justificación que da la vida**.
Y así como por la **desobediencia de uno**,
todos fueron hechos pecadores,
así por la obediencia de uno solo, **todos serán hechos justos.**

Forma breve: Romanos 5:12, 17–19

EVANGELIO Mateo 4:1–11

Lectura del santo Evangelio según san Mateo

Captura la atención de la asamblea alargando la frase sobre el demonio.

En **aquel** tiempo,
Jesús fue conducido por el Espíritu al **desierto**,
para ser **tentado** por el demonio.
Pasó **cuarenta** días y cuarenta noches sin **comer**
y, al final, tuvo **hambre**.
Entonces se le acercó el **tentador** y le dijo:
"Si tú **eres** el Hijo de Dios,
manda que **estas piedras** se conviertan **en panes**".
Jesús le respondió:
"**Está** escrito: *No* ***sólo*** *de pan vive el hombre,*
sino también ***de toda*** *palabra que* ***sale*** *de la boca de Dios*".

En este párrafo recalca el lenguaje de santidad, como las palabras "santa" y "templo", para hacer más notable la contraposición con el tentador.

Entonces el diablo lo llevó a la **ciudad santa**,
lo puso en la parte **más alta** del templo y le dijo:
"Si **eres** el Hijo de Dios, **échate** para abajo, porque **está** escrito:
Mandará *a sus ángeles que* ***te cuiden***
y ellos te tomarán ***en sus manos***,
para que no ***tropiece*** *tu pie en piedra* ***alguna***".
Jesús le contestó: "**También** está escrito:
No tentarás al Señor, tu Dios".

alianza con Dios de un modo diferente. Aprendió que ser el pueblo elegido por Dios significa poner toda su esperanza de vida en su Libertador, serle fiel, amarlo, "con todo el corazón, con toda tu alma y con todas las fuerzas" (Dt 6:5). Esto mismo encontramos personificado en el relato de las tentaciones.

El evangelista puntualiza que Jesús fue llevado por el Espíritu al desierto. Así comunica que estamos ante experiencias espirituales más que físicas; de hecho ni fechas, ni nombres del desierto o de la montaña altísima tenemos. Nos catequiza sobre verdades profundas de Jesús y de su proyecto. Junto a esto, conviene recordar que los ayunos servían como preparación para disponerse a recibir revelaciones celestes. Aquí el ayuno ofrece la oportunidad para la primera de las tentaciones que corren bajo el mismo tema ("si eres Hijo de Dios"), y que revelan quién es Jesús.

La primera tentación tiene que ver con el poder del Mesías. ¿Será la palabra del Hijo de Dios tan poderosa como la de su Padre? Satán pone a prueba la palabra poderosa del Mesías. La tentación también tiene que ver con satisfacer la necesidad de sobrevivir. Pan es lo que sustenta la vida del hombre y lo que orienta su quehacer cotidiano. La respuesta mesiánica, sin embargo, no sólo refuta la tentación del poder mesiánico, sino que le procura al escucha la verdadera dimensión del proyecto de Dios: vivir pendientes de la boca de Dios, a tenor de la Ley (Dt 8:3).

La segunda tentación ataca la integridad del Mesías. Que Dios tome bajo su cuidado especial al Mesías, es un postulado incuestionable. El lugar de la tentación tampoco es casual, es el más sagrado sobre la tierra, el templo, morada de Dios. De modo que si en algún sitio el Mesías debía gozar de la protección divina era allí, en la casa de Dios. Esto es lo que el Tentador externa, al recitar el Salmo. Pero Jesús rechaza ese supuesto de la invulnerabilidad mesiánica con

Luego lo llevó el diablo a un monte **muy alto**
y desde ahí **le hizo ver** la grandeza de **todos** los reinos
del mundo y le dijo:
"Te daré todo esto, si te postras y **me adoras**".
Pero **Jesús** le replicó: "**Retírate**, Satanás, porque está escrito:
Adorarás *al Señor, tu Dios, y a* ***él sólo*** *servirás*".

Entonces lo dejó el **diablo**
y se acercaron los ángeles **para servirle**.

Pon aquí énfasis y energía en las palabras de Jesús, pero haz una breve pausa antes de la línea final.

palabras rotundas de la Ley (Dt 6:16). Más aún, el sufrimiento y la muerte deshonrosa del Mesías le vendrán de la institución misma que debiera haberlo protegido. La muerte de Jesús fue el obstáculo más serio para aceptarlo como el Mesías de Israel. Pero justo allí, en la muerte, donde nada cabe hacer, Dios tiene la palabra.

La tentación de reinar sobre el mundo y cosechar su gloria hace resonar el lugar de Jesús respecto a Dios. ¿Está el Mesías sujeto a Dios o no? A lo largo de su vida, Jesús fue acusado de actuar en nombre de Satán porque no se atenía a las prescripciones sabáticas ni de pureza ritual vigentes, por dar la salud a los marginados y necesitados. Fue visto como si persiguiera su propia gloria, y no la de Dios. Aquí, sin embargo, Jesús reitera su incondicional sujeción a la voluntad de Dios, tal como la confesaban los fieles dos veces al día al recitar las palabras del Deuteronomio: "Escucha, Israel" (Dt 6:13).

Al proponernos la liturgia esta lectura en esta fecha, nos invita a fijar nuestra atención en la fidelidad del Señor Jesús a la palabra de Dios. Jesús se aferra a las enseñanzas de las Escrituras para vencer toda distorsión de su tarea mesiánica. Hoy también el pan, la seguridad y la autonomía, son bienes que nos esforzamos por alcanzar y preservar. Pero si sólo nos mantenemos allí, terminaremos siendo soberbios autocomplacientes, prepotentes y egoístas sin escrúpulos. Nuestra fe en Cristo nos exige dimensionar nuestros afanes en el horizonte de la salvación que Dios nos revela en su Hijo. Esa oportunidad se nos presenta en esta Cuaresma: retomar el camino de fidelidad a la alianza con Dios, como hijos suyos y pueblo de su exclusiva propiedad.

II DOMINGO DE CUARESMA

I LECTURA Génesis 12:1–4a

Lectura del libro del Génesis

La lectura es breve y sustanciosa.
Toda la mirada se coloca en el futuro.
Cuida este acento.

En **aquellos** días, dijo el Señor a **Abram**:
"**Deja** tu país, a tu parentela y la casa de tu padre,
para **ir** a la tierra que yo **te mostraré**.
Haré nacer de ti **un gran** pueblo y te **bendeciré**.

Localiza las palabras de bendición, son la clave para toda la segunda parte del párrafo.

Engrandeceré tu nombre y **tú mismo** serás una bendición.
Bendeciré a los que te bendigan,
maldeciré a los que te maldigan.
En ti serán bendecidos **todos** los pueblos de la tierra".
Abram **partió**, como se lo había **ordenado** el **Señor**.

Para meditar.

SALMO RESPONSORIAL Salmo 32:4–5, 18–19, 20 y 22

R. Que tu misericordia, Señor, venga sobre nosotros, como lo esperamos de ti.

La palabra del Señor es sincera y todas sus acciones son leales; él ama la justicia y el derecho, y su misericordia llena la tierra. R.

Los ojos del Señor están puestos en sus fieles, en los que esperan en su misericordia, para librar sus vidas de la muerte y reanimarlos en tiempo de hambre. R.

Nosotros aguardamos al Señor: él es nuestro auxilio y escudo; que tu misericordia, Señor, venga sobre nosotros, como lo esperamos de ti. R.

I LECTURA Abraham ha sido puesto por la Iglesia al inicio del camino cuaresmal por su sentido emblemático: Abraham es el modelo y ejemplo para todo creyente, tanto por la palabra divina, como por la promesa que Dios le ha encomendado para beneficio de su descendencia y para bondad universal (Lc 1:55).

Abraham es descrito como un hombre de fe; ésta es su característica. Va de un lugar a otro, conducido por la palabra divina. Al mandato divino de salir de su tierra para ir a una tierra que el Señor le va a mostrar, corresponde la obediencia pronta del patriarca: "Partió como el Señor le había ordenado" (v. 4). La exigencia que Dios le puso a Abraham de dejar lo que para él era todo, va a repetirse, tan sólo que con más radicalismo, en Jesús, que primero dejó todo para dedicarse a predicar, y luego exigirá dejar todo a sus discípulos.

Evidentemente hay una promesa, que se coloca en el futuro para que empiece a aparecer la esperanza, que no es sino otra manera de confiar en Dios. El futuro jala, poco a mucho, de acuerdo a lo que para un hombre signifique aquello en lo que espera. El Señor Jesús también nos va a dar una esperanza: la llegada del Reino, que es él. Hoy como ayer, sigue lanzándonos el Señor esta exigencia de dejar todo y de orientar nuestra vida hacia él.

Dios promete y se compromete porque es Dios: "Que soy Dios y no hombre, el Santo en medio de ti" (Os 11:9). La Iglesia nos pone enfrente al padre Abraham como un ejemplo, para que los cristianos nos acostumbremos a vivir de acuerdo a la palabra de Dios, que deberíamos oír durante esta Cuaresma.

II LECTURA 2 Timoteo 1:8b–10

Lectura de la segunda carta del apóstol san Pablo a Timoteo

Esta lectura está como cuajada de sentimientos y cariño; aprópiatelos y disponlos ante la asamblea.

Querido **hermano**:
Comparte conmigo los **sufrimientos**
por la **predicación** del Evangelio,
sostenido por la fuerza de Dios.
Pues **Dios** es quien nos **ha salvado**
y nos **ha llamado** a que le consagremos **nuestra vida**,
no porque lo **merecieran** nuestras buenas obras,
sino porque **así** lo dispuso él **gratuitamente**.

Fíjate cuál es la oración principal, para que le puedas dar la modulación adecuada a tu voz.

Este **don**,
que Dios **ya** nos ha concedido por medio **de Cristo Jesús**
desde **toda** la eternidad,
ahora se ha manifestado con la venida **del mismo Cristo Jesús**,
nuestro salvador, que **destruyó** la muerte
y ha hecho **brillar** la luz de la vida y de la **inmortalidad**,
por **medio** del **Evangelio**.

EVANGELIO Mateo 17:1–9

Lectura del santo Evangelio según san Mateo

En **aquel** tiempo,
Jesús tomó consigo a Pedro, a Santiago y a Juan,
el hermano de éste,
y los **hizo subir** a solas con él a un monte **elevado**.
Ahí se **transfiguró** en su presencia:
su rostro se puso **resplandeciente** como el sol
y sus vestiduras se volvieron **blancas** como la nieve.

II LECTURA Esta segunda carta de Pablo a su discípulo Timoteo, es más íntima y más personal que la primera. El Apóstol se explaya en recuerdos y sentimientos de amistad con Timoteo. Empieza el autor recordando a su pupilo la necesidad del sufrimiento por la predicación del Evangelio.

Pablo se conecta con la primera invitación que le había hecho a Timoteo a predicar el kerigma. Éste consistía en anunciar que Jesús nos había salvado e invitaba a una manera de vivir en coherencia con esta gracia. Timoteo ha luchado por esto y ha tratado de que esta gracia de Dios se comunique a todos.

La Cuaresma tiene el mismo fin: educarnos a unir íntimamente nuestra vida, con todas sus vicisitudes y crisis, pues la fe le da voz al don de la salvación. Al anunciar el suceso de Jesús salvador, Pablo subraya la intervención gratuita de Dios. En este suceso hay una "vocación santa". Esta vocación pasa a través del sufrimiento: "Comparte conmigo los sufrimientos que hay que padecer por la Buena Noticia…" (v. 8). Al hablar de sufrimiento, Pablo no piensa sólo en las penas y sufrimientos cotidianos, inherentes a la vida de toda persona, sino en los que provienen de la predicación y difusión del Evangelio.

La tribulación no es buscada por sí misma, sino que viene de otros. Es la aplicación de la lógica de la redención. En una carta a los corintios, Pablo habla de la unión entre predicación evangélica y sufrimiento (ver 2 Cor 6).

Los protagonistas de la palabra de Dios de hoy, han debido escalar un monte geográfico, pero también espiritual, dejando su comodidad y bienestar y hacia allá nos invitan.

De pronto aparecieron ante ellos **Moisés y Elías**,
conversando con Jesús.

Describe la Transfiguración llenándote de asombro y reverencia. Más que un espectáculo estás descubriendo la presencia de Dios.

Entonces Pedro le dijo a Jesús:
"**Señor**, ¡**qué bueno** sería quedarnos **aquí**!
Si quieres, haremos aquí **tres chozas**,
una para ti, otra **para Moisés** y otra **para Elías**".

En este párrafo recupera la velocidad media. No atenúes el sentido misterioso de la última frase.

Cuando **aún** estaba hablando, una nube **luminosa** los cubrió
y de ella **salió** una voz que decía:
"**Éste** es mi Hijo **muy amado**,
en quien **tengo puestas** mis complacencias; **escúchenlo**".
Al oír esto, los discípulos cayeron **rostro en tierra**,
llenos de un **gran temor**.
Jesús se acercó a ellos, **los tocó** y les dijo:
"**Levántense** y no teman".
Alzando entonces los **ojos**, **ya no vieron a nadie** más que a Jesús.

Mientras bajaban del monte, Jesús **les ordenó**:
"No le **cuenten** a **nadie** lo que han **visto**,
hasta que el Hijo del hombre **haya resucitado**
de entre los **muertos**".

EVANGELIO El episodio de hoy se encuadra entre los primeros dos anuncios del destino que le aguarda en Jerusalén al Hijo del hombre. Sufrimiento y gloria le esperan. Los discípulos participan en ese destino mesiánico si entregan la vida por Jesús, pues serán compensados con la gloria, cuando él regrese en "la gloria de su Padre, con sus ángeles" (Mt 16:27). Cómo habrá de ser esta gloria celeste, nos lo deja atisbar la transfiguración de Jesús.

La mención del "monte alto", trae a la memoria la tercera de las tentaciones (Mt 4:8), cuando el diablo le ofrece al Mesías la gloria y las riquezas del mundo, a cambio de que se ponga a su servicio. A la gloria mundana se opone la gloria de Dios. Es también la gloria del Mesías, por quien los discípulos deberán entregar su vida.

La gloria del Dios invisible es supraterrenal, pero se hace visible al ojo humano como brillo solar y blancura luminosa. Esto es sólo como el aura celestial. Lo central es que aparecen Moisés y Elías conversando con Jesús. Moisés es el padre de la Ley y Elías de los Profetas, es decir, ellos figuran las Escrituras sagradas del pueblo de Dios. La gloria de Dios se hace visible al conjugar la revelación completa de Dios con Jesucristo, a quien hay que escuchar.

La visión plastifica el deleite que los discípulos de ayer y de siempre, experimentan cuando leen las Escrituras de Israel y descubren a Jesús como un sol que orienta e ilumina. Es una delectación que no puede abstraerles de lo cotidiano, de lo que aguarda en Jerusalén. Pero hay que andar ese camino de transformación con los ojos puestos no en las propias debilidades y falencias, sino en la gloria del Dios invisible.

III DOMINGO DE CUARESMA

I LECTURA Éxodo 17:3–7

Lectura del libro del Éxodo

Distingue muy bien las tres partes de este breve relato. El reclamo del pueblo resume la urgencia de la situación.

En **aquellos** días, el pueblo, **torturado** por la **sed**,
fue a **protestar** contra Moisés, diciéndole:
"¿Nos has hecho **salir** de Egipto
para **hacernos morir de sed** a nosotros,
a nuestros hijos y a nuestro ganado?"
Moisés **clamó** al Señor y le dijo:
"¿**Qué** puedo hacer con **este pueblo**?
Sólo falta que me apedreen".

La situación rebasa a Moisés, pero más que subrayar la instrucción importa la presencia de Dios. Señala eso con tu modulación.

Respondió el Señor a Moisés:
"**Preséntate** al pueblo, llevando contigo a algunos
de los ancianos de Israel,
toma en tu mano el cayado con que **golpeaste** el Nilo **y vete**.
Yo **estaré** ante ti, sobre la peña, en Horeb.
Golpea la peña y **saldrá** de ella agua para que beba el pueblo".

Las líneas tercera y cuarta del párrafo son fundamentales; alárgalas ante la asamblea.

Así lo hizo Moisés a la vista de los ancianos de Israel
y puso por nombre a aquel lugar **Masá y Meribá**,
por la **rebelión** de los hijos de Israel
y porque habían **tentado** al Señor, diciendo:
"¿**Está o no está** el Señor en **medio** de **nosotros**?"

I LECTURA El desierto tuvo para el pueblo de Israel un sentido ambivalente. A veces significó el lugar donde Israel fue sincero y puro delante de Dios. Otras veces, las más, fue el lugar de la prueba y donde a menudo sucumbió. Después de haber manifestado Dios en el desierto su amor misericordioso, el pueblo pensaba que tal vez Dios le perdía la confianza a Israel. Pero, ¿podía dejar de lado Dios sus promesas a Abraham, Isaac y Jacob, las cuales había renovado con Moisés?

El texto de hoy habla de la falta de agua, la sed, algo del todo natural en un desierto. El pueblo responde con la murmuración contra Moisés. Es una crisis. Pero esta crisis tiene el peligro de abarcar todo aspecto de la vida de Israel y amenazar la amistad entre Dios e Israel. La desconfianza no es con Moisés, que es sólo el intermediario. Dios es el visualizado por esas murmuraciones. Éstas se convierten en protestas que acaban poniendo a prueba el plan de Dios.

Detrás está el convencimiento que tiene el pueblo de que él no puede disponer de sí mismo; que debe esperar únicamente de Dios una respuesta o intervención. El agua es un elemento de primera necesidad y el pueblo cree, equivocadamente, que Dios se la tiene que dar. No es un favor. Israel convierte la gracia en una obligación. Dios tiene que proveer. De aquí la queja del Señor de que Israel lo puso a prueba, provocándolo. Anteriormente Dios había puesto a prueba a Israel (Ex 15:5). Dios sí podía poner a prueba a su pueblo con todo derecho. Pero no al revés, que el pueblo probara a Dios. El pueblo, al exigir esta intervención de Dios, estaba exigiendo de Dios pruebas y signos, lo estaba desafiando, más aún, lo estaba empujando, como si Dios lo debiera obedecer.

Para meditar.

SALMO RESPONSORIAL Salmo 94:1–2, 6–7, 8–9

R. Ojalá escuchen hoy su voz: "No endurezcan el corazón".

Vengan, aclamemos al Señor, demos vítores a la Roca que nos salva; entremos a su presencia dándole gracias, vitoreándolo al son de instrumentos. R.

Entren, postrémonos por tierra, bendiciendo al Señor, creador nuestro. Porque él es nuestro Dios y nosotros su pueblo, el rebaño que él guía. R.

Ojalá escuchen hoy su voz: "No endurezcan el corazón como en Meribá, como el día de Masá en el desierto, cuando los padres de ustedes me pusieron a prueba y me tentaron, aunque habían visto mis obras". R.

II LECTURA Romanos 5:1–2, 5–8

Lectura de la carta del apóstol san Pablo a los romanos

Hermanos:

Pon en juego tus propios sentimientos de fe en esta lectura.

Ya que hemos sido **justificados** por la **fe**,
mantengámonos en paz con Dios,
por mediación de nuestro **Señor Jesucristo**.
Por él hemos obtenido, con la **fe**,
la **entrada** al mundo de la **gracia**, en la cual **nos encontramos**;
por él, podemos gloriarnos de tener la esperanza de **participar**
en la **gloria de Dios**.

Afirma, pon en evidencia desde tu propia fe: la esperanza no defrauda a nadie.

La esperanza **no defrauda**,
porque Dios **ha infundido** su amor en **nuestros** corazones
por medio del **Espíritu Santo**, que **él mismo** nos ha dado.
En efecto, cuando **todavía** no teníamos fuerzas
para **salir** del pecado,
Cristo **murió** por los pecadores en el tiempo **señalado**.

Marca los contrastes: dar la vida por un justo, y dar la vida por pecadores.

Difícilmente habrá **alguien** que quiera morir **por un justo**,
aunque puede haber alguno que **esté dispuesto** a morir
por una persona **sumamente** buena.
Y la prueba de que Dios **nos ama**
está en que Cristo murió por **nosotros**,
cuando **aún** éramos **pecadores**.

En el v. 7 se pincha el nervio del problema: "¿Está o no está con nosotros el Señor?". La falta de agua denotaría una despreocupación del Señor. Dios había puesto exigencias y no las satisfacía. Aquí está el reproche que en todos los tiempos y culturas se alza contra Dios, puesto que parece permanecer indiferente ante las necesidades que él mismo ha puesto en el ser humano. Ante esto, enojados los israelitas prefieren la esclavitud a la libertad, pues piensan que en la esclavitud pueden tener al menos lo mínimo necesario. Tal vez este comportamiento pertenece a la dialéctica de la fe. La protesta da ocasión a una ulterior manifestación de Dios, que provocará una relación más sólida. Se avanzará poco a poco en una relación más personal con Dios. La fe consiste en recibir con firmeza un regalo, pero, al mismo tiempo, es también búsqueda, deseo y camino hacia adelante.

El episodio de la lectura de hoy se quedará en la memoria de Israel como un recuerdo de su rebeldía y será también un signo de lo que pasa en todo camino del que se encuentra con Dios. Este camino lleno de valores positivos y negativos es el que recorrió Jesús con sus discípulos y el de la humanidad entera. La luz irradia en la obscuridad.

La liturgia, al hacer revivir un momento crítico de la historia del pueblo elegido, intenta recordarnos que hay pruebas que debemos pasar para alcanzar el objetivo: la pascua eterna, de la cual la que vamos a celebrar ya es un anticipo real.

II LECTURA Con el capítulo 5 de la Carta a los Romanos, Pablo empieza un nuevo tema. Claro, está conectado con los cuatro capítulos anteriores. Había hablado Pablo de la universalidad del

EVANGELIO Juan 4:5–42

Lectura del santo Evangelio según san Juan

Es un relato muy largo. Procura variar la velocidad y los acentos. Acelera en las partes narrativas, pero no corras precipitadamente.

En **aquel** tiempo, llegó **Jesús** a un pueblo de **Samaria**,
llamado **Sicar**,
cerca del campo que dio Jacob a su hijo **José**.
Ahí estaba el pozo de Jacob.
Jesús, que venía **cansado** del camino,
se **sentó** sin más en el brocal del pozo.
Era **cerca** del mediodía.

La petición de Jesús sostenla de modo que se distinga de la información parentética siguiente.

Entonces llegó una **mujer de Samaria** a **sacar agua** y Jesús le dijo:
"**Dame** de beber".
(Sus discípulos habían ido al pueblo a **comprar** comida).
La samaritana le contestó:
"¿**Cómo** es que tú, **siendo judío**, me pides de beber **a mí**,
que soy **samaritana**?"
(Porque los judíos **no tratan** a los samaritanos).
Jesús le dijo: "Si **conocieras** el don de Dios
y **quién** es el que te pide de beber,
tú le pedirías **a él**, y él te daría **agua viva**".

La mujer le respondió:
"**Señor**, **ni siquiera** tienes **con qué** sacar agua
y el pozo es **profundo**,
¿**cómo** vas a darme **agua viva**?
¿**Acaso** eres tú **más** que nuestro padre Jacob,
que nos dio **este pozo**, del que bebieron él,
sus hijos y sus ganados?"

Aminora la velocidad en la respuesta de Jesús. Apóyate en la puntuación para que resalte el tono sapiencial del parágrafo.

Jesús le contestó:
"El que bebe de esta agua **vuelve** a tener sed.
Pero el que beba del agua que yo le daré, **nunca más** tendrá sed;
el agua **que yo le daré** se convertirá **dentro de él** en un manantial
capaz de dar la **vida eterna**".

pecado. En el capítulo anterior había propuesto que Abraham era el tipo del justo porque se había apoyado en la fe. En esta primera parte del capítulo (versos 1–11), el Apóstol va a desarrollar el estatuto de la esperanza de salvación que preocupa a los cristianos. ¿Cómo vivir la fe en tiempos difíciles y problemáticos?

Empieza Pablo afirmando que hemos sido justificados por la fe. La fe es un sinónimo de haber sido reconciliados con Dios. Estamos ahora en paz. Esta paz no consiste en algo sicológico, en algo interior que nos da serenidad, sino en una ordenación de todo nuestro ser hacia Dios. Esta paz nos ha sido conseguida por Cristo. Por el mismo Señor estamos bajo la gracia. El Señor nos muestra su favor: podemos entrar en su presencia y así cambiar nuestra mirada sobre nosotros y los demás. Se han creado nuevas relaciones entre Dios y los creyentes.

Pablo le quita al orgullo su ponzoña y cambia el sujeto: no nosotros sino Dios. Al cambiarlo, la gloria no consiste en nuestra capacidad, sino en la esperanza colocada en Dios. Se expande en una esperanza. Esta esperanza se descubre cuando nos ponemos en manos de Dios. Cuando los cristianos han vencido el sufrimiento, les llega la solidez que no tiene la raíz en nosotros sino en Dios. Esta esperanza no nos ha decepcionado, sino nos ha afianzado por el amor de Dios. Este amor otorgado por el Espíritu Santo, no permanece externo a nosotros, porque es discernible en nuestro corazón, sede del discernimiento. Hay en esta esperanza una fe y una apertura. El don del espíritu es como una nueva comprensión de nosotros mismos.

Además, está el hecho incuestionable, histórico, de la muerte de Cristo. La muerte de Cristo da una nueva dimensión a la fe,

Haz notar el deseo de la samaritana en tu misma entonación.

La mujer le dijo:
"Señor, **dame** de esa agua para que **no vuelva** a tener sed
ni tenga que venir **hasta aquí** a sacarla".
Él le dijo: "Ve a llamar a tu marido y **vuelve**".
La mujer le contestó: "No **tengo** marido".
Jesús le dijo: "**Tienes** razón en decir: '**No tengo** marido'.
Has tenido **cinco**, y el de ahora **no es** tu marido.
En eso has dicho **la verdad**".

Este párrafo alterna el "nosotros" con el "ustedes". Procura que el "ustedes" no determine a la asamblea.

La mujer le dijo: "**Señor**, ya veo que eres **profeta**.
Nuestros padres dieron culto **en este monte**
y ustedes dicen que el sitio donde **se debe dar culto**
está en **Jerusalén**".
Jesús le dijo: "**Créeme**, mujer, que se **acerca** la hora
en que **ni en este** monte **ni en Jerusalén** adorarán al Padre.
Ustedes adoran **lo que no conocen**;
nosotros adoramos **lo que conocemos**.
Porque la salvación **viene** de los judíos.
Pero se **acerca** la hora, **y ya está aquí**,
en que los que quieran dar culto **verdadero**
adorarán al Padre **en espíritu y en verdad**,
porque **así** es como el Padre **quiere** que se le dé culto.
Dios **es espíritu**, y los que lo adoran **deben hacerlo**
en **espíritu** y en **verdad**".

La respuesta de Jesús debe sonar rotunda y absoluta.

La mujer le dijo: "**Ya sé** que va a venir el Mesías
(**es decir**, Cristo).
Cuando venga, él nos dará **razón de todo**".
Jesús le dijo: "**Soy yo**, el que habla contigo".

En **esto** llegaron los discípulos
y **se sorprendieron** de que estuviera conversando
con **una mujer**;
sin embargo, **ninguno** le dijo:
'¿**Qué** le preguntas o **de qué** hablas con ella?'

pues está ligada a la justificación, la paz y el sufrimiento. La muerte de Cristo no es un absurdo, pues se convierte en una muerte provechosa en favor del hombre. El motivo está enraizado en el amor.

Aquí nos revela Pablo lo más profundo del amor de Cristo: morir por otro, cuando este otro no posee en sí nada que sea amable, sino todo lo contrario, está completamente en contra de Dios: está en pecado. La única justificación de esa muerte, es el amor de Dios. Además, este amor se manifiesta no porque lo hayamos merecido de alguna manera. Cristo al morir por amor, creó lazos con nosotros, ya que éstos se habían roto. Al recibir este amor, entonces nuestro ser adquirió un valor que no dependía de nuestras capacidades, sino del valor que tenemos ante los ojos de Dios. Nos damos cuenta de un don, de un regalo del todo inmerecido, otorgado por amor.

La violencia que ha conducido a la muerte del inocente, no ha desencadenado la cólera de Dios, sino la confirmación de su proyecto de amor por la humanidad. En lugar de que llegara la destrucción merecida, arriba la posibilidad de cambiar, de ser transformados, justificados, encontrando la paz con Dios y con los demás.

Así, la esperanza que nos lanza al futuro se basa en la base firme de haber sido reincorporados plenamente a la amistad divina.

EVANGELIO El rencor entre judíos y samaritanos, vecinos distantes, databa de muchas generaciones atrás. La época de tranquilidad—una tensa calma, en realidad—se pudo mantener durante la monarquía unida, cuando Saúl, David y Salomón consiguieron reunir a los diferentes clanes territoriales, las doce tri-

Muestra premura en tu voz en la invitación de la samaritana.

Entonces la mujer **dejó** su cántaro,
se fue al pueblo y **comenzó** a decir a la gente:
"**Vengan** a ver a un hombre que me ha dicho **todo**
lo que he hecho.
¿No será éste el **Mesías**?"
Salieron del pueblo y se **pusieron en camino**
hacia donde él estaba.

Mientras tanto, sus discípulos **le insistían**: "Maestro, come".
Él les dijo:
"Yo **tengo** por comida un alimento que ustedes **no conocen**".
Los discípulos comentaban **entre sí**:
"¿Le **habrá** traído alguien **de comer**?"
Jesús les dijo:
"Mi **alimento** es **hacer** la voluntad del que **me envió**
y llevar a **término** su obra.
¿Acaso no dicen ustedes que **todavía** faltan **cuatro** meses
para la **siega**?
Pues bien, **yo** les digo:
Levanten los ojos y **contemplen** los campos,
que **ya están** dorados para la **siega**.
Ya el segador **recibe** su jornal y **almacena** frutos
para la **vida eterna**.
De **este modo** se alegran **por igual** el sembrador y el segador.
Aquí se cumple el dicho:
'**Uno** es el que siembra y **otro** el que cosecha'.
Yo los **envié** a cosecharlo que **no habían** trabajado.
Otros trabajaron y **ustedes** recogieron su fruto".

Estas palabras denotan que todos colaboran en la tarea de evangelizar; hazlas extensivas a la asamblea.

bus de Israel, bajo un ente de gobierno. Jerusalén fue su centro político y cultural. El sucesor de Salomón, sin embargo, quiso mantener una desbalanceada unidad a base de medidas férreas que sólo aceleraron la separación de las diez tribus del norte que se configuraron como Israel. Este reino comenzó a mirar una prosperidad inusitada, hasta que alianzas políticas equivocadas le trajeron la ruina por vía de los asirios que tomaron su capital, Samaría, y deportaron a sus habitantes. La zona fue repoblada con gentes de otras naciones que desarrollaron sus propias tradiciones. Las cicatrices más visibles de la animadversión entre los pobladores del sur y los del norte fueron las medidas adoptadas para la reconstrucción de Judá al regreso del exilio, y centurias después, la destrucción de Samaría, a manos del rey de Judea, Juan Hircano, en el siglo II a. C. Para el tiempo de Jesús, siglo y medio después, la animadversión seguía tan viva como antes.

Las tradiciones propias que Samaría había conservado y desarrollado por generaciones, estaban arraigadas en los libros de Moisés, entre las que descollaban las figuras patriarcales de Jacob y de José. Atesoraban la esperanza de un mesías, al que llamaban *taheb* ("el venidero"), que revelaría el lugar donde los objetos sagrados estaban enterrados e inauguraría una época nueva de culto a Dios. Ese personaje también sería un garante de la Ley y su intérprete inspirado. No se puede olvidar que Samaría se había convertido en el refugio natural para los que se habían visto precisados a salir de Jerusalén, por disentir con las medidas religiosas o políticas adoptadas por la administración del templo de Jerusalén. Incluso en Hechos de los Apóstoles, se cuenta que cuando los cristianos que hablaban griego

Muchos samaritanos de aquel poblado
creyeron en Jesús por el testimonio de la mujer:
'Me dijo **todo** lo que he hecho'.
Cuando los samaritanos llegaron a donde él estaba,
le rogaban que se **quedara** con ellos, y se quedó allí **dos días**.
Muchos más **creyeron en él** al oír su palabra.
Y decían a la mujer:
"Ya **no** creemos por lo que **tú** nos has contado,
pues **nosotros mismos** lo hemos oído
y **sabemos** que él es, de veras, el **salvador** del **mundo**".

Estas palabras confiesan la fe de los samaritanos; coloca el acento adecuado en la frase final.

Forma breve: Juan 4:5–15, 19–26, 39, 40–42

se ven perseguidos en la capital, encuentran refugio en Samaría, donde los grupos de discípulos vieron un florecimiento sorprendente (Hechos 8).

Para los actuales discípulos de Cristo, el encuentro de Jesús con la samaritana junto al pozo de Jacob, obliga a repensar los modos de revelar a Dios al mundo, de hacerlo conocido. El primer ingrediente de toda propuesta evangelizadora deberá ser "salir" a los lugares de encuentro. El papa Francisco ha llamado a convertirnos en Iglesia "exodal", es decir, desinstalada, "en salida", dispuesta a recorrer los caminos que hacen los hermanos que padecen sed por la injusticia, la marginación y la muerte. Acudamos al pozo de Jacob.

Otro elemento evangelizador es el diálogo. Dialogar es la búsqueda común de la verdad. Nadie es poseedor absoluto de la verdad, sino que ésta se manifiesta por medios diversos. La verdad absoluta es Dios. Encontrarnos con otra persona, conscientes de que el diálogo no deja vencedores o vencidos en la búsqueda de la verdad. En este terreno mucho cabe aprender todavía, si nos dejamos conducir por el Espíritu de la verdad.

Finalmente, otro ingrediente necesario de la evangelización es la empatía cultural. Esto surge tanto como resultado de conocer y valorar las propias tradiciones, como de reconocernos diferentes. Entonces nace la hospitalidad y la acogida, para que la salvación se manifieste.

Estos elementos evangelizan ya, porque están motivados por la muerte y resurrección del Señor Jesús.

IV DOMINGO DE CUARESMA

I LECTURA 1 Samuel 16:1b, 6–7, 10–13a

Lectura del primer libro de Samuel

Esta es una lectura sabrosa y muy viva. Mantén la atención de la asamblea en todo momento.

En **aquellos** días, dijo el Señor a **Samuel**:
"Ve a la casa de Jesé, en **Belén**,
porque de entre sus **hijos** me he escogido **un rey**.
Llena, pues, tu cuerno de aceite **para ungirlo** y **vete**".

Cuando llegó Samuel a Belén y **vio** a Eliab,
el hijo mayor de Jesé, **pensó:**
"Éste es, **sin duda**, el que voy a **ungir** como rey".
Pero el Señor le dijo:

Las palabras del Señor aclaran y dirigen todo. Dales ese tono sapiencial que guardan.

"No te dejes **impresionar** por su aspecto ni por su **gran estatura**,
pues yo lo **he descartado**,
porque **yo no juzgo** como juzga el hombre.
El hombre se fija **en las apariencias**,
pero el Señor se fija **en los corazones**".

Así fueron pasando ante Samuel **siete** de los hijos de Jesé;
pero Samuel dijo: "**Ninguno** de éstos es el **elegido** del Señor".
Luego le preguntó a Jesé: "¿Son **éstos todos** tus hijos?"
Él respondió:
"Falta el **más pequeño**, que está cuidando el rebaño".
Samuel le dijo: "**Hazlo venir**,

La determinación debe notarse.

porque **no** nos sentaremos a comer **hasta** que llegue".
Y **Jesé** lo mandó llamar.

I LECTURA Empieza en este capítulo la historia formal de la saga de David. Inicia narrando su llamado o vocación de parte de Dios. El capítulo anterior, el 15, narró el rechazo definitivo de Saúl. Así se ve la necesidad de la elección de un nuevo rey. Dios lo va a buscar. Uno que sea distinto de Saúl.

No están muy claros los inicios de la carrera de David tras el trono, dada la popularidad de que gozó este rey por varias centurias y, como pasa siempre con los personajes famosos y queridos, el pueblo los guarda pronto en leyendas y oculta las particularidades de los hechos considerados como históricos, para quedarse con pocos datos sobresalientes, que son adornados con alabanzas y encomios llamativos.

En el texto litúrgico escogido para hoy, tomado del libro de Samuel, el autor habla del sucesor de Saúl, quien se había desviado del camino trazado por Dios. Ahora el Señor va a elegir un rey según su corazón: David. Este capítulo 16 es el inicio de lo que se ha venido llamando "La historia de la ascensión al trono" (1 Sam 5:12). En estos capítulos se narran los hechos fundamentales que llevaron a David a ocupar el trono real. Estos capítulos ofrecen algo de la mejor narrativa hebrea: tiene una clara secuencia, interrumpida por pequeños discursos, dejando que las explicaciones provengan de los hechos presentados y crea un álgido dramatismo sin caer en la cursilería. En una palabra, hay aquí un buen narrador.

De un pastor de pocas ovejas, David va a convertirse en el rey de Israel. El autor se reduce a lo fundamental. Pocos datos, pero suficientes para dibujar una escueta escena a la que se nos permite asistir.

Samuel inventa un motivo para ir a ungir al escogido por el Señor. Samuel ignora

El muchacho era rubio, de ojos vivos y buena presencia.
Entonces el Señor dijo a Samuel:

Debe notarse gusto y premura en las palabras del Señor. Apresura un poco esta parte.

"Levántate y **úngelo**, porque **éste es**".
Tomó Samuel el cuerno con el **aceite**
y lo **ungió** delante de sus **hermanos**.

Para meditar.

SALMO RESPONSORIAL Salmo 22:1–3a, 3b–4, 5, 6

R. El Señor es mi pastor, nada me falta.

El Señor es mi pastor, nada me falta: en verdes praderas me hace recostar; me conduce hacia fuentes tranquilas y repara mis fuerzas. R.

Me guía por el sendero justo, por el honor de su nombre. Aunque camine por cañadas oscuras, nada temo, porque tú vas conmigo: tu vara y tu cayado me sosiegan. R.

Preparas una mesa ante mí, enfrente de mis enemigos; me unges la cabeza con perfume, y mi copa rebosa. R.

Tu bondad y tu misericordia me acompañan todos los días de mi vida, y habitaré en la casa del Señor por años sin término. R.

II LECTURA Efesios 5:8–14

Lectura de la carta del apóstol san Pablo a los efesios

Hermanos:

Hay dos momentos y dos situaciones. Procura que la asamblea los pueda también distinguir.

En **otro** tiempo ustedes fueron **tinieblas**,
pero **ahora**, unidos al Señor, son **luz**.
Vivan, por lo tanto, como **hijos de la luz**.
Los **frutos** de la luz son la **bondad**, la **santidad** y la **verdad**.
Busquen lo que es **agradable** al Señor
y **no** tomen parte en las obras **estériles** de los que son **tinieblas**.

Al **contrario**, repruébenlas **abiertamente**;
porque, si bien las cosas que ellos hacen **en secreto**
da rubor **aun mencionarlas**,

Esta línea pronúnciala como si fuera un consenso que compartes con la asamblea.

al ser reprobadas **abiertamente**, todo queda **en claro**,
porque **todo** lo que es iluminado **por la luz** se convierte en luz.

quién será. El Señor le dirá a su tiempo. Va a acompañar a una familia de Belén al sacrificio mensual, al novilunio. Estarán presentes los miembros de la familia. Así el rey Saúl no se dará cuenta de que Samuel anda conspirando.

Al llegar Samuel a Belén, es requerido por las autoridades del pueblo, los ancianos, para saber de sus intenciones. Samuel, sin mentir, les comunica que va a acompañar al sacrificio que se haría en la casa de Jesé. Se entiende que los ancianos declinarían la invitación a acompañar a Samuel. El protocolo oriental exigía la invitación, sabiendo que los invitados declinarían. Así Samuel se encontró solo con la familia de Jesé. El autor, recurriendo tal vez al artificio literario de grandeza por grandeza, pensó que, como en el caso de Saúl, al ver la estatura alta del primer hijo de Jesé, se encontraba ante el elegido por Dios. La respuesta del Señor, ya indica el camino que mostrará Dios en el futuro y que, por otra parte, ya lo había señalado desde el principio: escoge al débil, para que se vea su fuerza. Al presentarse el más pequeño, oye Samuel del Señor que está ante el elegido. Siguiendo el mandato divino, unge al muchacho, de igual manera a como había ungido a Saúl. Dios se fija en lo interno, en la bondad y no en la apariencia externa. ¡Cuántos engaños se han cometido por lo externo! Aquí radica la superficialidad y ésta engaña y no deja penetrar en la consciencia, donde están las decisiones.

II LECTURA Nuestro texto se encuentra en la parte parenética de la carta, que coloca la igualdad de derechos de los judeocristianos y pagano-cristianos. Parece que se trata de una carta de un discípulo de Pablo, que estaba muy cercano al medio en el que se confeccionó la Carta a

Por eso se dice:
***Despierta**, tú que duermes;*
***levántate** de entre los muertos **y Cristo** será tu **luz**.*

EVANGELIO Juan 9:1–41

Lectura del santo Evangelio según san Juan

El relato debe andar con cierta celeridad, sobre todo en las etapas iniciales del drama. Recuerda cambiar la velocidad de lectura en las partes dialogales y discursivas.

En **aquel** tiempo, Jesús vio al pasar a un **ciego de nacimiento**,
y sus discípulos **le preguntaron**:
"Maestro, ¿**quién** pecó para que **éste** naciera ciego,
él o sus **padres**?"
Jesús respondió: "**Ni él** pecó, **ni tampoco** sus padres.
Nació así para que **en él** se manifestaran las **obras de Dios**.
Es **necesario** que yo haga las obras del que **me envió**,
mientras es de **día**,
porque luego **llega** la noche y ya **nadie** puede trabajar.
Mientras esté en el **mundo**, yo soy la **luz** del mundo".

Describe con sensibilidad este gesto creativo de Jesús.

Dicho esto, **escupió** en el suelo, hizo **lodo** con la saliva,
se lo puso en **los ojos** al ciego y le dijo:
"Ve a **lavarte** en la piscina de **Siloé**" (que significa '**Enviado**').
Él **fue**, se **lavó** y **volvió** con vista.

Con tu lenguaje corporal y tono de voz, transmite la confusión entre los vecinos; haz otro tanto en el siguiente párrafo, acelerando la lectura.

Entonces los vecinos y los que lo habían visto antes
pidiendo limosna, preguntaban:
"¿No es **éste** el que se sentaba a pedir **limosna**?"
Unos decían: "Es el **mismo**".
Otros: "No es **él**, sino que se le **parece**".
Pero él decía: "**Yo soy**".
Y le preguntaban: "**Entonces**, ¿**cómo** se te abrieron los ojos?"
Él les **respondió**: "El hombre que se llama **Jesús** hizo **lodo**,
me lo puso en los **ojos** y me dijo: 'Ve a **Siloé** y **lávate**'.

los Colosenses. Pertenece al género edificante. De aquí la abundancia de advertencias a la comunidad. El texto nuestro se encuentra en el centro de la parénesis y tiene una estructura simple. Advierte el autor no recaer en la vida pagana anterior y pide distanciarse claramente del estilo de vida que llevan los "rebeldes" (v. 6). Los destinatarios están divididos entre hijos de la luz y de las tinieblas. La cita del verso final (v. 14) probablemente es de un himno cristiano.

Los receptores de la carta ya no pertenecen a las tinieblas, sino a la luz. Antes estaban en las tinieblas. Tal vez piensa el autor con esta frase en la impureza de varios cultos mistéricos o en general en la práctica concreta libertina de vivir del mundo pagano. Pero ahora los destinatarios no sólo están en la luz, sino se han convertido en luz. Se entiende que ahora iluminan, dan luz. Lo hacen en el Señor. Se apuntan los frutos de la luz: la bondad, la justicia y la verdad. Así como la luz da a la planta vida y le permite reproducirse, gracias a la fotosíntesis, es la luz la que va a permitir al creyente producir o reproducir a su medida y con sus medios, los atributos éticos de Dios.

Esta reproducción es una imitación lejana del original, pero es lo que puede hacer el ser humano. El fruto de la luz consiste en abundantes actos de las tres virtudes señaladas. Ser hijo de la luz conlleva comportarse de una manera que agrade a Dios. El agradar a Dios será un criterio apto para las acciones del cristiano. El agradar sólo se puede dar dentro del amor. De lo contrario, sería una ofensa. Los intereses económicos o de poder darían a este acto generoso una connotación injuriosa.

En el fondo la luz es Cristo, del cual los cristianos reciben la iluminación por el

Entonces **fui**, **me lavé** y comencé a **ver**".
Le preguntaron: "¿En **dónde** está él?" Les contestó: "**No lo sé**".

Llevaron **entonces** ante los fariseos al que había sido **ciego**.
Era **sábado** el día en que Jesús **hizo lodo** y le **abrió los ojos**.
También los **fariseos** le preguntaron
cómo había adquirido la **vista**.
Él les contestó: "Me puso **lodo** en los ojos, me lavé y **veo**".
Algunos de los **fariseos** comentaban:
"Ese hombre **no** viene de Dios, porque **no guarda el sábado**".
Otros replicaban:
"¿Cómo puede un **pecador** hacer semejantes **prodigios**?"
Y había **división** entre ellos.
Entonces **volvieron** a preguntarle al **ciego**:
"Y **tú**, ¿qué piensas del que te **abrió los ojos**?"
Él les contestó: "Que es un **profeta**".

Pero los judíos **no creyeron** que aquel hombre,
que había sido **ciego**,
hubiera recobrado la **vista**.
Llamaron, pues, a sus **padres** y les **preguntaron**:
"¿Es **éste** su hijo, del que ustedes dicen que **nació ciego**?
¿Cómo es que **ahora** ve?"
Sus padres contestaron: "Sabemos que **éste** es nuestro hijo
y que **nació ciego**.
Cómo es que **ahora** ve o quién le haya dado la vista,
no lo sabemos.
Pregúntenselo **a él**; ya tiene edad **suficiente**
y responderá **por sí mismo**".
Los **padres** del que había sido ciego dijeron **esto**
por **miedo** a los judíos,
porque **éstos** ya habían convenido en **expulsar** de la sinagoga
a quien reconociera a **Jesús** como el **Mesías**.
Por eso sus padres dijeron: '**Ya** tiene edad; pregúntenle **a él**'.

Alarga esta línea que resume lo hecho por Jesús.

bautismo. La alusión a la luz no tiene por objetivo separar a los cristianos de los demás hombres, sino de convertirlos en portadores de la luz de Cristo ante los demás hombres. Sin la luz, los efesios cristianos serían semejantes a los demás paganos. Y deben ser como Jesús, luz del mundo.

Los pensamientos anteriores se fundamentan finalmente con una cita, cuyo origen no se ha podido aclarar. Lo más probable es que se trate de un verso cultual del temprano cristianismo, de un fragmento de un himno de la liturgia bautismal. Como en la Gnosis se describe la existencia como un sueño, ebriedad o muerte, los paganos permanecen en ese estado. Los cristianos son despertados y llamados a la luz solar que es Cristo. No deben entrar los cristianos en ese sueño de la muerte, sino en el estado de bienestar, despiertos hasta que brille el día de Cristo. Esta exhortación permanece actual también después del bautismo.

Dios actúa en la historia humana con una libertad que va más allá de la lógica: sus caminos superan los del hombre, como la luz sobrepasa las tinieblas. Esta luz divina tiene como objetivo introducirse en el corazón de toda creatura.

EVANGELIO En un trasfondo festivo de agua y de luz porque eran prominentes en los ritos de las Tiendas, Jesús lleva a cabo su revelación mediante una serie de enseñanzas que desatan una escalada persecutoria en su contra; la violencia le obliga a huir del recinto (ver Juan 8:59). En este paso narrativo, tiene ocasión el dramático relato de hoy.

La fiesta de las Tiendas era la más vistosa de las celebraciones judías, y a la que

Llamaron **de nuevo** al que había sido **ciego** y le dijeron:
"Da gloria a **Dios**.
Nosotros sabemos que **ese hombre** es pecador".
Contestó él: "Si es pecador, **yo no lo sé**;
sólo sé que yo era ciego y **ahora** veo".
Le preguntaron **otra vez**: "¿Qué te hizo? ¿**Cómo** te abrió los ojos?"
Les contestó: "**Ya** se lo dije a ustedes y **no** me han dado **crédito**.
¿Para qué quieren oírlo **otra vez**?
¿Acaso **también** ustedes quieren hacerse discípulos **suyos**?"
Entonces ellos lo **llenaron** de **insultos** y le dijeron:
"Discípulo de **ése** lo serás **tú**.
Nosotros somos discípulos de **Moisés**.
Nosotros **sabemos** que **a Moisés** le habló Dios.
Pero **ése**, no sabemos de **dónde** viene".

Apóyate en las negrillas para enfatizar lo que está en juego en el parágrafo.

Replicó **aquel** hombre:
"Es **curioso** que ustedes no sepan de **dónde** viene
y, sin embargo, me ha **abierto** los ojos.
Sabemos que Dios no escucha a los **pecadores**,
pero al que lo **teme** y **hace su voluntad**, a ése **sí** lo escucha.
Jamás se había oído decir que alguien
abriera los ojos a un **ciego de nacimiento**.
Si **éste** no viniera de Dios, no tendría **ningún poder**".
Le **replicaron**:
"Tú eres **puro pecado** desde que naciste,
¿cómo pretendes darnos **lecciones**?"
Y lo echaron **fuera**.

La frase inicial es una conminación a abrazar una doctrina, no una mera invitación a la alabanza. Dale ese tono ríspido y urgente que debe tener.

Baja la velocidad en el argumento del curado, pero sin aletargarlo. Es fundamental que la audiencia note la coherencia de lo que dice.

Supo **Jesús** que lo habían echado fuera,
y cuando lo **encontró**, le dijo:
"¿Crees **tú** en el **Hijo del hombre**?"
Él contestó: "¿Y **quién** es, Señor, para que **yo crea** en él?"
Jesús le dijo: "**Ya** lo has **visto**;
el que está hablando contigo, **ése** es".

Hay un cambio de escenario. Ahora es un encuentro personal e íntimo. Haz notar reverencia y respeto en lo que se está proclamando.

concurrían peregrinos principalmente de Babilonia, que traían consigo el más rico tributo anual hasta el templo. La celebración incluía procesiones desde la alberca de Siloé hasta el altar del templo, y por las noches el encendido de los gigantescos candelabros para iluminar los patios del templo donde se hacían bailes y se festejaba "delante de Dios". En capítulos previos, la revelación de Jesús aludió a ambos rituales, al del agua (Jn 7:37) y al de la luz (8:12). La lectura de hoy cuenta la señal o milagro de una curación que desencadena un proceso judicial persecutorio, de parte de las autoridades religiosas, que empalma con un proceso de discernimiento discipular, de parte del curado.

El relato de la curación del ciego de nacimiento está articulado en siete cuadros, diferenciados por los personajes que intervienen. Por boca de los discípulos, en la primera escena se introduce un inveterado asunto teológico que explica los males y desgracias humanas en razón de la culpa por algún pecado. La santidad de Dios no permitiría dejar impune ningún pecado. Jesús, sin embargo, no anda el camino de la teología de la retribución, sino el de la glorificación, pues nada da mayor gloria a Dios que la vida de sus creaturas.

Jesús coloca la carencia del ciego de nacimiento en el carril de su propia misión: "para que las obras de Dios sean manifiestas en él" (9:3). El que opera la manifestación de tales obras es el Mesías (ver Jn 4:34). Jesús no va tras la causa de la ceguera congénita, un punto insoluble, sino sobre la oportunidad de manifestar lo que Dios está operando en favor de los desposeídos, los relegados y los faltos de visión.

La gloria de Dios consiste en pronunciar la verdad sobre Jesús. Los líderes judíos, los

Él dijo: "**Creo,** Señor".
Y postrándose, lo **adoró**.

La declaración de Jesús tiene tono sapiencial. Deben sonar lapidarias las palabras finales.

Entonces le dijo Jesús:
"Yo **he venido** a este mundo para que se **definan** los campos:
para que **los ciegos vean**, y los que ven **queden ciegos**".
Al oír esto, algunos **fariseos** que estaban con él le **preguntaron**:
"¿Entonces, **también nosotros** estamos ciegos?"
Jesús les contestó: "Si **estuvieran ciegos, no tendrían** pecado;
pero como **dicen** que ven, **siguen** en su **pecado**".

Forma breve: Juan 9:1, 6–9, 13–17, 34–38

fariseos, tratan de ofuscar la verdad por varias vías, descalificando el milagro, atemorizando a los testigos y hasta negando lo sucedido, hasta que finalmente expulsan de la comunidad social y cultual al que entiende todo con una lógica doméstica. El curado, por su parte, cuenta lo que él mismo experimentó, confronta a sus detractores y hasta exhibe su falta de coherencia. Por dos vías la verdad va aflorando. La gloria de Dios, debe notarlo el lector, se manifiesta en la verdad.

Del curado nunca se dice su identidad; más allá de que es legalmente adulto, no tiene nombre alguno, ni se dicen pormenores suyos. El relato deja suponer que se trata de un judío, pero esto no es absoluto. En el terreno de la simbología, un ciego de nacimiento bien puede personificar al pagano, un griego incapaz de comprender la revelación mosaica. En el mismo terreno, sin embargo, el ciego puede encarnar a cualquier judío, al que se le invita a mirar las cosas con ojos diferentes; a mirar su propia experiencia para dilucidar si Jesús es o no el enviado de Dios. La experiencia personal no puede ser sofocada por la ceguera de los líderes. La luz traída por Jesús ciega a los iluminados rectores de la vida del pueblo, en tanto que hace ver a los que obedeciendo a su palabra, acuden a lavarse con las aguas de Siloé, las del enviado divino.

V DOMINGO DE CUARESMA

I LECTURA Ezequiel 37:12–14

Este es un texto pleno de la promesa de vida que hace el Señor a los suyos, un verdadero evangelio para el pueblo. El anuncio profético debe resonar en el corazón tuyo y en el de la asamblea.

Lectura del libro del profeta Ezequiel

Esto dice el Señor Dios:
"Pueblo mío, **yo mismo abriré** sus sepulcros,
los **haré salir** de ellos y los **conduciré** de nuevo
a la tierra de **Israel**.

Cuando **abra** sus sepulcros y los **saque** de ellos, **pueblo mío**,
ustedes **dirán** que **yo soy** el Señor.

Entonces les **infundiré** a ustedes mi espíritu y **vivirán**,
los **estableceré** en su tierra
y ustedes **sabrán** que yo, el Señor, lo **dije** y lo **cumplí**".

SALMO RESPONSORIAL Salmo 129:1–2, 3–4, 5–7ab, 7cd–8

Para meditar.

R. Del Señor viene la misericordia, la redención copiosa.

Desde lo hondo a ti grito, Señor: Señor, escucha mi voz; estén tus oídos atentos a la voz de mi súplica. R.

Si llevas cuentas de los delitos, Señor, ¿quién podrá resistir? Pero de ti procede el perdón, y así infundes respeto. R.

Mi alma espera en el Señor, espera en su palabra; mi alma aguarda al Señor, más que el centinela la aurora. Aguarde Israel al Señor, como el centinela la aurora. R.

Porque del Señor viene la misericordia, la redención copiosa; y él redimirá a Israel de todos sus delitos. R.

I LECTURA Ezequiel ha sido uno de los profetas que más ha recurrido en sus profecías al sueño y la fantasía en grado extremo. Le tocó vivir en su tierra, Jerusalén, bajo la amenaza constante de la invasión caldea, pero terminó viviendo el resto de su vida en el exilio babilónico. Habla a veces con furia y coraje de la situación en la que se encuentran los desterrados, quienes deben, además, soportar las acusaciones de culpabilidad que les lanzan los que fueron dejados en la tierra de Judá.

La profecía que leemos hoy nos deja intuir la grandeza de los sucesos históricos salvíficos, que entonces iluminaron al pueblo y ahora nos siguen iluminando. Este oráculo del profeta nace de un suceso histórico que interesa a Israel. Como es historia, ya se dio, y es conocida por todos, pero ha sido transformada y puede ser leída como signo y anticipación de lo que Dios prepara para el final de los tiempos. El profeta por lo mismo, va intercalando el presente con el futuro. Así llama el Señor a la comunidad a la conversión.

Un ambiente de desánimo, más aún, de desesperación y amargura reinaba en algunos círculos de los desterrados, entre los que se encontraba el de Ezequiel. En ese contexto, el profeta llama a Israel a considerar que el desastre no vino de la nada, sino que es el fruto de su culpabilidad y dureza de corazón. No es que ahora los vaya el Señor a castigar más. Ya están muertos. Por esto ahora viene un cambio de página. El Señor va a consolarlos y a anunciarles que intentará un nuevo camino con su pueblo. Para hacer entendible la radicalidad de la liberación del destierro, el profeta recurre a la imagen de los sepulcros llenos de huesos secos, faltos de vida. Son estos sepulcros la imagen plástica de la situación en

No te olvides de pausar una vez que has anunciado de dónde procede la lectura. Los tres párrafos son muy elocuentes. No pierdas el hilo de la argumentación.

Esta parte es una especie de reproche indirecto: "Te lo digo a ti mi hija, entiéndelo tú, mi nuera", dice el dicho popular.

La consecuencia que Pablo extrae pronúnciala con toda claridad.

II LECTURA Romanos 8:8–11

Lectura de la carta del apóstol san Pablo a los romanos

Hermanos:
Los que viven en forma **desordenada** y **egoísta**
no pueden **agradar** a Dios.
Pero ustedes **no llevan** esa clase de vida,
sino una vida **conforme al Espíritu**,
puesto que el Espíritu de Dios habita **verdaderamente**
en **ustedes**.

Quien **no tiene** el Espíritu de Cristo, **no es** de Cristo.
En cambio, si Cristo **vive** en ustedes,
aunque su cuerpo **siga sujeto** a la muerte a causa del **pecado**,
su espíritu **vive** a causa de la actividad **salvadora** de Dios.

Si el **Espíritu** del Padre, que resucitó a Jesús de entre los muertos,
habita en **ustedes**,
entonces el **Padre**, que resucitó a Jesús de entre los muertos,
también les dará **vida** a sus cuerpos mortales,
por obra de su **Espíritu**, que habita en **ustedes**.

que se encontraba esa parte del pueblo. "¿Podrán revivir estos huesos?", pregunta terrible que Dios dirige al vidente. Es decir, ¿habrá una posibilidad de salir de esta situación de muerte?

Retoma el autor el tema del éxodo: habrá un nuevo éxodo, cuya meta será el regreso a la tierra ancestral, a la tierra prometida. En esta tierra el pueblo podrá experimentar de nuevo la familiaridad de su Dios y podrá vivir en paz con la esperanza de un futuro mejor. Dios proyecta un nuevo éxodo, en el que se le dará a Israel una nueva posibilidad de vida, no conectada con la observancia de las leyes, sino con el regalo del Espíritu de Dios. Lo hará definitivo con Jesús, su hijo amado y lo continuará también con nosotros (ver 1 Cor 15:22).

Podemos leer la historia de la humanidad como un ir de la vida a la muerte. El mal amenaza al hombre en todas las épocas. Éste recurre a toda clase de posibilidades para vencer al mal, pero el mal está incrustado, pegado en lo más íntimo del ser humano. Para extraerlo se necesita de mucho más que de la simple querencia o deseo humano de liberarse. Aquí es donde entra el Señor Dios. Este mal es el pecado. Dios tiene la última palabra, venciendo al pecado y a sus consecuencias: la muerte. El profeta es muy claro: "Comprenderán que yo soy el Señor, cuando abra sus sepulcros" (v. 13). Es decir, cuando vean la realidad de lo que hace la fuerza de Dios, su Espíritu. Esta promesa será cumplida cuando sea derramado el espíritu sobre la Iglesia (ver Hch 1:3).

II LECTURA Es algo curioso, pero en nuestro mundo y época, cuando parece que el progreso más ha luchado contra los males que aquejan al hombre, es cuando más se siente la pre-

EVANGELIO Juan 11:1–45

Lectura del santo Evangelio según san Juan

La extensión de la lectura pide mucho esmero y preparación. Observa sus partes y determina la velocidad a la que leerás cada una de ellas.

En **aquel** tiempo, se encontraba enfermo **Lázaro**, en **Betania**,
el pueblo de **María** y de su hermana **Marta**.
María era la que una vez **ungió** al Señor con **perfume**
y le **enjugó los pies** con su **cabellera**.
El **enfermo** era su hermano **Lázaro**.
Por eso las dos hermanas le mandaron decir a **Jesús:**
"Señor, el amigo a quien tanto quieres está **enfermo**".

Dale solemnidad a este pronunciamiento de Jesús.

Al oír esto, **Jesús** dijo:
"Esta enfermedad **no acabará** en la muerte,
sino que servirá para la **gloria de Dios**,
para que el **Hijo de Dios** sea **glorificado** por ella".

Trasmite en tu entonación los sentimientos de Jesús por Marta, María y Lázaro. Narra en detalle lo que pasa mientras Jesús se entera de su enfermedad.

Jesús amaba a **Marta**, a su **hermana** y a **Lázaro**.
Sin embargo, cuando se enteró de que **Lázaro** estaba **enfermo**,
se detuvo **dos días más** en el lugar en que se hallaba.
Después dijo a sus discípulos: "Vayamos **otra vez** a Judea".
Los **discípulos** le dijeron:
"**Maestro**, hace poco que los judíos querían **apedrearte**,
¿y tú vas a **volver** allá?"
Jesús les contestó: "¿**Acaso** no tiene doce horas el día?
El que camina de **día** no tropieza,
porque ve la **luz** de este mundo;
en cambio, el que camina de **noche** tropieza,
porque le **falta** la luz".

Dijo esto y **luego** añadió:
"**Lázaro**, nuestro amigo, se ha **dormido**;
pero yo voy **ahora** a despertarlo".
Entonces le dijeron sus discípulos:
"**Señor**, si duerme, es que va a **sanar**".

sencia del mal y de su amiga inseparable: la muerte.

Es claro que hay de vida a vida. Hay quien sabe y entiende para qué es la vida y hay otros, para algunos la mayoría, que viven por vivir, sin pensar ni darle una dirección a su existencia. Pablo ha sido uno de los hombres que ha vivido con más intensidad y nos ha dejado en sus cartas, entre muchas cosas, el fruto de su reflexión sobre el arte de vivir.

Pablo establece un contraste entre "vivir bajo el dominio de la carne" y "vivir bajo el dominio del Espíritu". No se habla de una lucha entre distintas personas o grupos sociales, sino de la lucha que se desencadena al interno de una sola persona. Es una descripción de la vida espiritual del cristiano. Una lucha del egoísmo contra el amor, la lucha del diablo contra Dios, la pugna de las tinieblas contra la luz. Esta lucha determina a todo hombre. Los habitantes de la comunidad de Qumrán ya antes de Pablo describían la existencia de todo hombre, como un pleito cerrado entre el espíritu del mal y del bien, terminando al final, con la derrota del bien. El evangelista Lucas se mueve en este mismo simbolismo. Jesús en el arco de su ministerio ha entablado esta lucha desde su inicio (fue tentado por el diablo), hasta su fin, cuando el diablo entró en Judas para lanzar el último ataque contra Jesús (ver Lc 22:3).

Nosotros los cristianos tenemos en la vida esta misma perspectiva. El mal y el bien se acercan a nuestras decisiones. El mal nos acecha a cada momento, pero el Espíritu, dado a nosotros desde el bautismo, nos da la fuerza para llegar a la victoria. El Señor nos enseñó el camino. Con la ayuda del Espíritu venceremos también nosotros.

Jesús hablaba de la **muerte**,
pero ellos **creyeron** que hablaba del **sueño natural**.
Entonces Jesús les dijo **abiertamente**:
"Lázaro **ha muerto**, y me alegro por ustedes
de **no** haber estado ahí,
para que crean.
Ahora, vamos allá".
Entonces **Tomás**, por sobrenombre el **Gemelo**,
dijo a los **demás** discípulos:
"Vayamos **también nosotros**, para **morir** con él".

Cuando llegó **Jesús**, Lázaro llevaba **ya cuatro días** en el sepulcro.
Betania quedaba **cerca** de Jerusalén,
como a unos **dos kilómetros y medio**,
y **muchos** judíos habían ido a ver a **Marta** y a **María**
para **consolarlas** por la muerte de su hermano.
Apenas oyó Marta que Jesús llegaba, **salió** a su encuentro;
pero María **se quedó** en casa.
Le dijo **Marta** a Jesús:
"**Señor**, si hubieras estado aquí, no habría **muerto** mi hermano.
Pero **aún ahora** estoy **segura** de que Dios
te **concederá** cuanto le **pidas**".
Jesús le dijo: "Tu hermano **resucitará**".
Marta respondió:
"**Ya sé** que resucitará en la resurrección del **último día**".
Jesús le dijo: "**Yo soy** la resurrección y la vida.
El que **cree** en mí, aunque haya muerto, **vivirá**;
y todo aquel que está vivo y **cree en mí**,
no morirá para siempre.
¿Crees **tú** esto?"
Ella le contestó:
"**Sí, Señor**. Creo **firmemente** que tú eres el **Mesías**,
el **Hijo de Dios**,
el que tenía que **venir** al mundo".

La confesión de Marta debe sonar firme y contundente.

El Espíritu de Dios es el verdadero protagonista de esta descripción paulina.

El tema de la libertad está estrechamente ligado con el tema de la efusión del Espíritu. Dejarse guiar por el Espíritu, no es ir contra la Ley. Las normas que proceden del Espíritu de Dios, no son una camisa de fuerza, sino indicaciones del camino. Estas indicaciones no bastan, se necesita la fuerza, el ánimo, la decisión. El hombre llamado "carnal" por Pablo, es decir, el que se deja llevar por sus pasiones, no podrá recorrer el camino indicado por la norma. Sólo el que se deja llenar del Espíritu Santo, tendrá la fuerza para lograr que su inclinación carnal sea derrotada. Pero el Espíritu llena también de libertad al hombre, le quita el yugo del aburrido y pesado "tener que, deber obrar así o asá". Enfrente pone el amor del Señor que nos invita a seguir su camino. El Espíritu de Dios es, pues, el distribuidor de la energía espiritual.

Vivir según el Espíritu significa para nosotros los cristianos, dejarse guiar por la lógica del evangelio, cultivar una mentalidad abierta a todos, favorecer una cultura solidaria de estar en favor del hermano, ante todo, de los más desfavorecidos, poner al otro antes que a nuestra persona. En una palabra, significa hacer creíble, porque damos testimonio de ello, de que somos sal que está dándole sabor a nuestro entorno.

EVANGELIO El relato de la resurrección de Lázaro es el punto culminante del quehacer revelador de Jesús, que inició en Caná de Galilea con la primera de las señales: la conversión del agua en vino (Jn 2:1). Al paso de la narración, Jesús se había venido acreditando como el enviado divino con milagros o señales cada vez más evidentes y públicas. San Juan

Es el turno de María: acelera la lectura pero sin atropellarla.

Debe quedar muy claro que los gestos de María son de una auténtica discípula de Jesús.

El llanto y la conmoción de Jesús deben tocar al auditorio.

Después de decir **estas palabras**,
fue a buscar a su hermana **María** y le dijo en **voz baja**:
"**Ya vino** el Maestro y **te llama**".
Al oír **esto**, María **se levantó** en el acto
y **salió** hacia donde estaba **Jesús**,
porque **él** no había llegado aún al pueblo,
sino que estaba en el lugar donde **Marta** lo había **encontrado**.
Los **judíos** que estaban con María en la casa, **consolándola**,
viendo que ella **se levantaba** y salía **de prisa**,
pensaron que iba al sepulcro para **llorar** ahí y la **siguieron**.

Cuando llegó **María** adonde estaba Jesús, al verlo,
se echó a sus pies y le dijo:
"**Señor**, si hubieras estado aquí, no habría **muerto** mi **hermano**".
Jesús, al verla **llorar** y al ver llorar a los judíos
que la **acompañaban**,
se conmovió hasta **lo más hondo** y preguntó:
"¿**Dónde** lo han puesto?"
Le contestaron: "**Ven**, Señor, y lo **verás**".
Jesús se puso a **llorar** y los judíos **comentaban**:
"De veras ¡**cuánto lo amaba**!"
Algunos decían:
"¿No podía **éste**, que abrió los **ojos** al **ciego de nacimiento**,
hacer que Lázaro **no muriera**?"

Jesús, **profundamente** conmovido **todavía**,
se detuvo ante el **sepulcro**, que era una **cueva**,
sellada con una **losa**.
Entonces dijo Jesús: "**Quiten** la losa".
Pero **Marta**, la hermana del que había muerto, **le replicó**:
"**Señor**, ya huele mal, porque lleva **cuatro días**".
Le dijo Jesús: "¿No te he dicho que **si crees**,
verás la **gloria de Dios**?"
Entonces **quitaron** la piedra.

llama a estos actos portentosos "señales" porque remiten a una realidad más profunda a la que tienen acceso quienes se atreven a creer en él, a recibirlo.

Las señales de Jesús remiten a su identidad profunda y a su misión de enviado celeste. Las señales dicen algo de Jesús que no todos están dispuestos a admitir: su unidad con Dios, su Padre. Jesús no opera por cuenta propia, sino en perfecta unidad con Dios; de no ser así, él no sería capaz de sanar enfermos y alimentar a las multitudes. Complementariamente, la misión de Jesús consiste en darle gloria sólo a Dios. Jesús no hace nada para sí mismo; él no busca hacerse un nombre para la admiración o aplauso de la gente. Todo lo que él realiza, sus señales, es para que los fieles se aprovechen de la verdad y la misericordia de Dios, presentes en Jesús mismo. Todas las señales de Jesús remiten a la gloria de Dios, poseen un potencial "glorificativo" que se manifiesta en la fidelidad de Jesús.

La primera reacción de Jesús ante la noticia de la enfermedad de su amigo querido que yace en Betania, coloca todo el episodio bajo la óptica de la gloria de Dios. En palabras de Jesús, la enfermedad de Lázaro no es de muerte, sino para la de glorificación del Hijo de Dios, específicamente. En el evangelio se ha hablado de la glorificación de Jesús como el momento en el que será derramado el Espíritu sobre todos los crean en él (7:39), e igualmente como un beneficio que Jesús exclusivamente recibe de su Padre, no algo que él busque (8:54). Así tenemos que "glorificación" designa un dinamismo exclusivo entre Padre e Hijo—también el Espíritu participa en él (cf. 16:14)—que es como la expresión más elocuente de la unidad entre Dios y Jesús, cuyo esplendor será la crucifixión. La gloria

La orden de Jesús pronúnciala con todo vigor.

Esta oración hazla tuya. No corras. Deja una brevísima pausa al terminarla. Luego eleva un poco la voz para la orden.

Jesús **levantó** los ojos a lo alto y **dijo**:
"**Padre**, te doy **gracias** porque me has **escuchado**.
Yo **ya sabía** que tú siempre me **escuchas**;
pero lo he dicho a causa de esta **muchedumbre** que me rodea,
para que **crean** que tú me has **enviado**".
Luego **gritó** con voz potente: "¡**Lázaro, sal de ahí**!"
Y salió el **muerto**, atados con **vendas** las **manos** y los **pies**,
y la **cara** envuelta en un **sudario**.
Jesús les dijo: "**Desátenlo**, para que pueda **andar**".

Muchos de los judíos que habían ido a casa de **Marta** y **María**,
al **ver** lo que había hecho Jesús, **creyeron en él**.

Forma breve: Juan 11:3–7, 17, 20–27, 33b–45

de Jesús, la glorificación del Hijo de Dios implica la muerte en cruz.

Pero la enfermedad de Lázaro reporta beneficios también para los discípulos, como anota el diálogo con el grupo, tras los dos días "de más" que permanecen todavía en el lugar (11:6). El beneficio será el de la fe. La resurrección de Lázaro, arrancárselo a la muerte desde la tumba misma, será el catalizador necesario para que la fe discipular se condense en el Hijo de Dios, Jesús.

Cuando se habla de que Jesús es el Hijo de Dios, cabe entenderlo bajo dos aspectos. Primero, que Jesús es el Mesías, el Ungido o Cristo prometido al pueblo de Israel. Esto tiene sustento en la interpretación de las profecías contenidas en las Escrituras. Pero también—segundo aspecto—que Jesús participa de la misma divinidad de Dios, al que llama Padre, y con quien sostiene un vínculo de unidad indisoluble. A esta unidad entre Padre e Hijo, al dinamismo de darse gloria recíprocamente, el creyente accede mediante la fe. Pero esta fe sólo brotará cuando Jesús haya resucitado de entre los muertos, no antes. Por eso Jesús dice que se alegra porque la fe discipular encontrará en la resurrección de Lázaro un resorte, o si se quiere una anticipación, de lo que acontecerá en la Pascua futura. Entonces, quedará abierto para el creyente el acceso total para participar de la gloria del Hijo de Dios, y ésta es la causa de la alegría de Jesús.

DOMINGO DE RAMOS

EVANGELIO Mateo 21:1–11

El relato es breve y pintoresco; no le restes frescura. Hazlo ágil leyendo a buena velocidad.

Lectura del santo Evangelio según san Mateo

Cuando se aproximaban ya a **Jerusalén**,
al llegar a **Betfagé**, junto al **monte de los Olivos**,
envió Jesús a **dos de sus discípulos**, diciéndoles:
"**Vayan** al pueblo que **ven** allí enfrente;
al entrar, **encontrarán** amarrada una **burra**
y un **burrito** con ella;
desátenlos y **tráiganmelos**.
Si **alguien** les pregunta algo,
díganle que el Señor **los necesita** y enseguida los devolverá".

Cambia la velocidad en las palabras del profeta.

Esto sucedió para que **se cumplieran** las palabras del profeta:
Díganle *a la hija de Sión:* ***He aquí*** *que tu rey* ***viene a ti****, apacible*
y montado en un ***burro****,*
en un burrito, hijo de animal de yugo.

Fueron, pues, los discípulos e **hicieron** lo que Jesús
les había **encargado**
y trajeron consigo la **burra** y el **burrito**.
Luego pusieron sobre ellos sus **mantos** y Jesús **se sentó** encima.
La gente, **muy numerosa**, extendía sus **mantos** por el **camino**;
algunos cortaban **ramas** de los árboles y **las tendían** a su paso.
Los que iban delante de él y los que lo seguían **gritaban**:
*"**¡Hosanna!** ¡Viva el **Hijo de David**!*
¡Bendito *el que viene en* ***nombre del Señor****!* ***¡Hosanna*** *en el cielo!"*

EVANGELIO El peregrinaje que Jesús iniciara en Galilea llega a la meta con su entrada clamorosa a Jerusalén.

Resalta el conocimiento pormenorizado del porvenir que Jesús muestra. Jesús conoce como Dios conoce. Nada se le esconde. Esto tiene que traer a la memoria de todos los discípulos lo que "tiene que suceder" en Jerusalén (16:21; 20:17); se trata de una "necesidad" que Jesús comienza a ejecutar. Todo corresponde a un designio divino y anticipado en los oráculos de los profetas, en este caso de Zacarías.

La profecía anuncia a Jerusalén la llegada de un rey manso (Zac 9:9s.) La ciudad había sido asediada, saqueada y destruida en diversos momentos de su historia. Era botín de guerra tanto para los reyes extranjeros —fueran egipcios, asirios, babilonios o medos y persas— como para los nacionales. Tribulaciones no le faltaron. Por eso el profeta anuncia algo distinto: un rey vulnerable. Esto es algo inconcebible, pues el poder se consigue a sangre y espada. Pero este rey es completamente diferente.

A identificarlo vienen los dos animales sobre los que entra el Mesías en su ciudad. Ya los rabinos asociaban al mesías con una asna y su borrico mencionados en la bendición de Jacob sobre Judá (ver Génesis 49:11). Tradicionalmente, los líderes de Israel montaban sobre asnas, no sobre caballos, en la época en que los jueces iban de poblado en poblado impartiendo justicia. San Mateo describe una estampa inverosímil, por improcedente, al hacer que Jesús monte sobre los dos animales. En realidad lo que quiere es hacer inequívoca la alusión al mesías davídico. Esto lo reconocen los peregrinos y vocean líneas del Salmo 118:26, y saludan la justicia que llega para el pueblo.

Al entrar Jesús en Jerusalén, **toda la ciudad** se conmovió.
Unos decían: "¿Quién es **éste**?"

La escena es tumultuosa y llena de colorido. Dale viveza con tu mismo lenguaje corporal.

Y la **gente** respondía:
"**Éste** es el **profeta Jesús**, de **Nazaret** de **Galilea**".

I LECTURA Isaías 50:4–7

Lectura del libro del profeta Isaías

El poema es autobiográfico y avanza creciendo en dramatismo. Apóyate en las negrillas y marca bien las pausas de los parágrafos.

En aquel entonces, dijo **Isaías**:
"El **Señor** me ha dado una **lengua experta**,
para que pueda **confortar** al abatido
con **palabras de aliento**.

Mañana tras mañana, el Señor **despierta** mi oído,
para que **escuche** yo, como **discípulo**.
El Señor Dios me ha hecho oír **sus palabras**

Recuerda que la primera persona es fundamental.

y yo no he opuesto **resistencia**
ni me he **echado** para **atrás**.

Ofrecí la **espalda** a los que me **golpeaban**,
la mejilla a los que me tiraban de la barba.
No aparté mi rostro de los **insultos** y **salivazos**.

La confianza crece al máximo. Estas líneas deben inculcar seguridad inconmovible en el auditorio.

Pero el **Señor** me **ayuda**,
por eso no quedaré **confundido**,
por eso **endureció** mi rostro como **roca**
y sé que no quedaré **avergonzado**".

I LECTURA Escuchamos en la liturgia el tercer canto del Siervo del Señor. Con esos cantos, cuatro en total, el profeta manifiesta el motivo de su quehacer profético. Lo importante es para qué lo envió el Señor, además de que la recepción de este mensaje y la manera de llevarlo a cabo, forman parte del encargo divino.

Empieza el profeta hablando del don que le otorgó el Señor para su misión. Dice que recibió una lengua de discípulo. Con esto alude a la técnica de entonces para aprender de memoria. Con la repetición se fijaba en la memoria lo que se debía transmitir. El Siervo es un discípulo que debe repetir el mensaje divino, para que nada se le olvide y pueda comunicar lo recibido sin cambios. Dice que por la mañana afina su oído: se prepara para oír. El profeta dirá lo que le viene de Dios. Será mensaje de consuelo, de modo que el profeta debe saber consolar, lo que no es fácil.

El profeta no ha rehuido, sino que obedece puntualmente lo mandado por el Señor. Esto le traía crítica y persecución. Él obedece y soporta. Todo es voluntad de Dios y para gloria divina.

El Señor está con él, no lo defraudará, ni lo dejará fracasar. Su fuerza no es la terquedad, sino la conciencia segura de que Dios está detrás de todo lo que el profeta dice y hace y tendrá éxito.

La figura del Siervo que sufre se puede aplicar a una persona o a la comunidad. Habrá que conservar esta ambivalencia al aplicarla a Jesús y a la comunidad cristiana. Lo dicho del Siervo fluye hasta la comunidad judía y se derrama hasta la cristiana, pasando por el Señor Jesús.

Para meditar.

SALMO RESPONSORIAL Salmo 21:8–9, 17–18a, 19–20, 23–24

R. Dios mío, Dios mío, ¿por qué me has abandonado?

Al verme se burlan de mí, hacen visajes,
menean la cabeza: "Acudió al Señor,
que lo ponga a salvo; que lo libre si tanto
lo quiere". R.

Me acorrala una jauría de mastines, me
cerca una banda de malhechores: me
taladran las manos y los pies, puedo contar
mis huesos. R.

Se reparten mi ropa, echan a suerte mi
túnica. Pero tú, Señor, no te quedes lejos;
fuerza mía, ven corriendo a ayudarme. R.

Contaré tu fama a mis hermanos, en medio
de la asamblea te alabaré. Fieles del Señor,
alábenlo, linaje de Jacob, glorifíquenlo,
témanle, linaje de Israel. R.

II LECTURA Filipenses 2:6–11

Lectura de la carta del apóstol san Pablo a los filipenses

Este cántico es anterior a Pablo. Nota el movimiento descendente y el ascendente que describen sus acciones. La cesura entre una parte y otra debe ser muy clara.

Cristo, siendo **Dios**,
no consideró que debía **aferrarse**
a las **prerrogativas** de su condición **divina**,
sino que, por el **contrario**, **se anonadó** a sí mismo,
tomando la condición de **siervo**,
y se hizo **semejante** a los hombres.
Así, hecho uno de ellos, **se humilló** a sí mismo
y por **obediencia** aceptó **incluso** la muerte,
y una **muerte** de **cruz**.

Inicia la ascensión del Cristo. El movimiento es envolvente, de modo que la asamblea debe sentirse interpelada también.

Por eso Dios **lo exaltó** sobre **todas** las cosas
y **le otorgó** el nombre que está sobre **todo** nombre,
para que, **al nombre de Jesús**, **todos** doblen la rodilla
en el **cielo**, en la **tierra** y en los **abismos**,
y **todos** reconozcan **públicamente** que **Jesucristo** es el **Señor**,
para **gloria** de **Dios Padre**.

II LECTURA Pablo injertó aquí un himno a Cristo. Aparte de su belleza, el himno expresa, con la brevedad y ritmo propios de la auténtica poesía, lo central de la misión de Jesús entre nosotros. Se compone de dos estrofas. La primera describe la humillación del Hijo de Dios; la segunda, su exaltación.

El himno alude claramente al misterio de la encarnación. Habría que leerlo tripartitamente: alusión al cielo; a la tierra en la experiencia de la cruz y, finalmente, a la gloria de la resurrección. El misterio pascual echa raíces en el misterio de la encarnación. Pablo le presta pocas líneas al misterio de la encarnación. Jesús tomó una forma de vida especial: la del esclavo. Se abajó de manera increíble, siendo quien era: Dios. Emplea el himno una palabra atrevida: vaciarse. Lo hizo a sabiendas, pues desde siempre ha tenido su condición divina. Hay pues un proceso de descenso-ascenso. Es imposible, pero se puede entender algo de este misterio de la encarnación.

No simuló Jesús hacerse hombre. Aquí está la grandeza del acto y la extrañeza de este abajamiento: un ser humano es algo inestable e imperfecto. No tiene poder sobre el tiempo y espacio, que es lo que lo determinan. Todo lo contrario a lo que es Dios. El don de sí mismo por amor a los hermanos se presenta en primera persona; mientras que recibe la gloria del Padre. Jesús es puesto por el Padre en el centro de su plan salvífico.

La salvación es, pues, al mismo tiempo don y compromiso y por eso es esperada y recibida como fruto de una intervención omnipotente de Dios en nuestra vida. Este don inmenso de Dios espera de nosotros un reconocimiento, que se manifiesta en un llevar a cabo el mismo tipo de vida.

EVANGELIO Mateo 26:14—27:66

Pasión de nuestro Señor Jesucristo según san Mateo

Por ser muy extensa, esta lectura de la Pasión suele ser hecha entre varios lectores. Hay que coordinarse muy bien. Pero tengan siempre presente que más que atender a un entretenido melodrama, la asamblea debe ser conducida en el misterio de la pasión, muerte y resurrección de su Señor, para unirse con él.

En **aquel** tiempo, uno de los **Doce**, llamado **Judas Iscariote**,
fue a ver a los **sumos sacerdotes** y les dijo:
"¿**Cuánto** me dan si les entregó a **Jesús**?"
Ellos quedaron en darle **treinta monedas de plata**.
Y desde ese momento **andaba buscando**
una **oportunidad** para **entregárselo**.

El **primer día** de la **fiesta** de los panes **Ázimos**,
los discípulos **se acercaron** a Jesús y le **preguntaron**:
"¿**Dónde** quieres que te preparemos la **cena de Pascua**?"
Él respondió:
"**Vayan** a la ciudad, a casa de Fulano, y **díganle**:
'El **Maestro** dice: Mi **hora** está ya **cerca**.
Voy a celebrar la **Pascua** con mis **discípulos** en tu **casa**'".
Ellos **hicieron** lo que Jesús les había **ordenado**
y **prepararon** la cena de **Pascua**.

El ambiente requiere de intimidad y recogimiento.

Al **atardecer**, se sentó a la mesa con los **Doce**,
y mientras **cenaban**, les dijo:
"Yo les **aseguro** que uno dc ustedes va a **entregarme**".
Ellos se pusieron **muy tristes**
y comenzaron a preguntarle **uno por uno**:
"¿Acaso **soy yo**, Señor?"
Él respondió:
"El que **moja** su **pan** en el **mismo** plato que yo,
ése va a entregarme.
Porque el **Hijo del Hombre** va a **morir**, como está **escrito** de él;
pero ¡**ay de aquel** por quien el Hijo del hombre
va a ser **entregado**!
¡**Más** le valiera a ese hombre **no haber nacido**!"

En nuestro mundo todo nos invita a buscar el triunfalismo. Vivimos inmersos en la preocupación por ser alguien en la sociedad. Todo sacrificio es poco. La llamada al poder y al éxito aparece por doquier. En este ambiente estamos llamados a poner en evidencia, con nuestro ejemplo, que el poder y la gloria sólo son sólidos y valederos, siguiendo el ejemplo del abajamiento del Señor.

EVANGELIO San Mateo hilvana las enseñanzas y los prodigios de Jesús en torno a una peregrinación desde Galilea a Jerusalén. Ya en la ciudad santa, Jesús no hace milagro alguno, salvo los enunciados con ocasión de la expulsión de los mercaderes del templo, el día primero (21:14). Allí mismo, conforme Jesús enseña, emerge el rechazo de los líderes y el pueblo de Israel al reinado de Dios, lo que les significa quedarse fuera y ser relegados frente a los extranjeros que sí lo aceptan. Los jefes deciden matar a Jesús. Esto se trata en Mateo 26–28. Hoy nos adentramos en la fase del sufrimiento del Mesías, que va de la conspiración hasta la ejecución del Cristo de Dios.

El complot contra el Mesías. San Mateo abre su relato de la pasión con Jesús descubriendo a sus discípulos lo que a él le aguarda: será entregado y crucificado. Les revive lo que ya decía por el camino (ver 16:21; 17:22; 20:17).

El sumo sacerdote, Caifás, orquesta el complot para ejecutar al Mesías; lo secundan los líderes del pueblo: sumos sacerdotes y ancianos. La popularidad de Jesús los vuelve precavidos. Su caución tiene el límite de los dos días ya anunciados por Jesús. Él tiene la batuta, no ellos.

Entonces preguntó **Judas,** el que lo iba a entregar:
"¿Acaso **soy yo**, Maestro?"
Jesús le respondió: "**Tú lo has dicho**".

Los gestos y las palabras de este parágrafo deben ganar toda la reverencia de los escuchas. Haz el relato con espíritu de piedad.

Durante la cena, Jesús **tomó un pan**, y pronunciada la **bendición**,
lo **partió** y lo dio a sus **discípulos**, diciendo:
"**Tomen y coman**. Este es mi **Cuerpo**".
Luego tomó en sus manos una **copa de vino**,
y pronunciada la **acción de gracias**,
la **pasó** a sus discípulos, diciendo:
"**Beban** todos de ella, porque ésta es mi **Sangre**,
Sangre de la **nueva alianza**,
que será **derramada** por todos,
para el **perdón** de los pecados.
Les digo que **ya no beberé** más del fruto de la vid,
hasta el día en que beba con ustedes el **vino nuevo**
en el **Reino** de mi Padre".

Después de haber cantado el **himno**,
salieron hacia el **monte de los Olivos**.

Haz contacto visual con el auditorio al anunciar el escándalo que hará presa de todos.

Entonces **Jesús** les dijo:
"**Todos** ustedes se van a **escandalizar** de mí esta noche,
porque está **escrito**:
Heriré *al pastor y* ***se dispersarán*** *las ovejas del rebaño.*
Pero **después** de que yo **resucite**, iré **delante** de ustedes a **Galilea**".

Dale un tono tan arrebatado como decidido a las reacciones de Pedro.

Entonces Pedro le replicó: "Aunque **todos** se escandalicen de ti,
yo **nunca** me escandalizaré".
Jesús le dijo:
"**Yo te aseguro** que esta misma noche,
antes de que el gallo cante, me habrás negado **tres veces**".
Pedro le replicó:
"Aunque tenga que **morir** contigo, **no te negaré**".
Y lo mismo dijeron **todos** los discípulos.

La unción en Betania. La comida principal se hacía ya atardecido. Simón el leproso vive en Betania, muy cerca de Jerusalén; él es el anfitrión de una cena cuyo platillo mejor es la acción de una mujer que unge la cabeza de Jesús con un perfume muy caro. La cena pública era ocasión de alegría y festejo, no de ahorros. Cuando los discípulos reprueban el dispendio de ella, Jesús defiende lo hecho por la mujer: se trata de la unción para sepultar al Mesías. Una obra superior a la de asistir a los pobres.

El perfume derramado irreparablemente sostiene el motivo de la muerte inevitable, pero también da esperanza. Para los rabinos fariseos, y luego para los cristianos, perfumar el cadaver era prepararlo a la resurrección; era combatir la corrupción. Jesús comparte la convicción e incorpora a esta mujer anónima al Evangelio, que tiene por núcleo la resurrección del Mesías.

La traición de Judas. Al generoso derroche de la mujer contrasta la traición de uno de los Doce. Al menos, así lo presenta Mateo, pues no clausura la cena en Betania. Judas entrega a su señor al precio mísero de un esclavo inservible, herido, necesitado de cura (ver Ex 21:32; Zac 11:12). Agazapada, la muerte aguarda. Jesús marcó dos días para que todo ocurra, y ya ha pasado uno.

La cena pascual. Esta cena se compone de los preparativos y la celebración. Los preparativos eran un ritual exigente. Había que excluir el pan viejo, y sacar de la casa todo rastro de levadura. Ázimo es el pan sin levadura, y era el que debía comerse desde el inicio del nuevo año, y por siete días.

San Mateo hace aflorar otra vez la conciencia de Jesús sobre su muerte inminente. "Mi tiempo está cerca", es el mensaje urgente al dueño de la casa. Los discípulos cumplen las indicaciones del Maestro. Era

Es una escena exterior, pero cargada de dramatismo y angustia. Dale su peso específico.

Entonces Jesús fue con ellos a un lugar llamado **Getsemaní**,
y dijo a los **discípulos**:
"**Quédense** aquí mientras yo voy a orar **más allá**".
Se llevó consigo a **Pedro** y a los dos **hijos de Zebedeo**
y comenzó a sentir **tristeza** y **angustia**. Entonces les dijo:
"Mi alma está llena de una **tristeza mortal**.
Quédense aquí y velen **conmigo**".
Avanzó unos pasos más,
se postró rostro en tierra y **comenzó a orar**, diciendo:
"**Padre** mío, si es **posible**, que **pase** de mí este **cáliz**;
pero que no se haga como **yo quiero**, sino como **quieres tú**".

Esta parte debe llenarse con paciencia. Dale velocidad a la lectura, pero sin precipitaciones.

Volvió entonces a donde estaban los **discípulos**
y los encontró **dormidos**.
Dijo a **Pedro**:
"¿No han podido velar conmigo **ni una hora**?
Velen y oren, para no caer en la **tentación**,
porque el **espíritu** está **pronto**, pero la **carne** es **débil**".
Y alejándose **de nuevo**, se puso a **orar**, diciendo:
"**Padre** mío, si este **cáliz** no puede pasar sin que yo lo **beba**,
hágase tu voluntad".
Después **volvió** y **encontró** a sus discípulos **otra vez** dormidos,
porque tenían los ojos **cargados** de sueño.
Los dejó y se fue a orar de nuevo por **tercera vez**,
repitiendo las **mismas palabras**.
Después de esto, **volvió** a donde estaban los **discípulos** y les dijo:
"**Duerman** ya y **descansen**. He aquí que **llega la hora**
y el **Hijo del hombre** va a ser **entregado** en manos
de los **pecadores**.
¡Levántense! ¡Vamos! Ya está **aquí** el que me va a **entregar**".

Se eleva la tensión con la llegada de Judas. Esta parte debe tener una velocidad media alta, que denote lo que está describiéndose.

Todavía estaba hablando **Jesús**, cuando llegó **Judas**,
uno de los **Doce**,
seguido de una chusma **numerosa** con **espadas** y **palos**,
enviada por los **sumos sacerdotes** y los **ancianos** del pueblo.
El que lo iba a entregar les había dado **esta señal**:

la víspera de la Pascua, probablemente viernes del año 30, o quizá del 33.

La cena. Más que el menú, importa el tema de conversación: la entrega y crucifixión de Jesús (26:1). Se va al quién: uno de los Doce. Se especifica que come del mismo plato del que Jesús come. Se comía al estilo griego. Los comensales se reclinaban sobre triclinios o cojines, apoyándose en un antebrazo, mientras que con la mano libre podían tomar pan y mojarlo en las salsas colocadas en pequeñas mesas junto a ellos. Desconocemos la disposición precisa de la reunión, pero de cada mesita podían comer tres, cuatro o hasta seis comensales. Jesús habla con el lenguaje de los salmos (ver Sal 41:10), que lamentan la traición más dolorosa. Judas se dirige a Jesús con "Rabí", no como "Señor"; se distancia de Jesús. La identificación del traidor es pública.

Una comida de alianza. Hay como tres puntos de interés en la cena misma: las palabras y gestos de Jesús sobre el pan, aquellos sobre la copa y el juramento conclusivo. Todo ocurre "mientras estaban comiendo". Lo que Jesús hace se inscribe en el curso normal de la comida pascual, pero no sobre sus ingredientes distintivos que eran la salsa roja, las hierbas amargas y el cordero.

Sobre un pan sin fermento, Jesús pronuncia una bendición. Esto no es normal. Lo es al inicio de un banquete o comida, cuando el anfitrión o cabeza de familia distribuye pan a los comensales para significar la igualdad y la fraternidad común. La bendición reconoce a Dios como la fuente del sustento y de la vida misma. Pero Jesús le da al pan bendito, partido y repartido un sentido nuevo. Es su cuerpo a consumir. No es un cuerpo a cuidar, ni a venerar, sino a consumir. Un cuerpo que se integra en el cuerpo

"**Aquel** a quien yo le dé un **beso, ése** es. **Aprehéndanlo**".
Al **instante** se acercó a Jesús y le dijo:
"¡Buenas noches, **Maestro**!". Y lo **besó**.
Jesús le dijo: "Amigo, ¿es **esto** a lo que has venido?"
Entonces **se acercaron** a Jesús, **le echaron** mano y **lo apresaron**.

Contrasta la velocidad de la reacción violenta con las ecuánimes palabras del Maestro.

Uno de los que estaban con Jesús **sacó la espada**,
hirió a un **criado** del sumo sacerdote y **le cortó** una **oreja**.
Le dijo entonces Jesús:
"**Vuelve** la espada a su lugar, pues **quien** usa la **espada**,
a espada **morirá**.
¿No **crees** que si yo se lo **pidiera** a mi **Padre**,
él pondría **ahora mismo** a mi disposición
más de **doce legiones** de ángeles?
Pero, ¿**cómo** se cumplirían entonces las **Escrituras**,
que dicen que **así** debe suceder?"
Enseguida dijo Jesús a aquella **chusma**:
"¿Han salido ustedes a **apresarme** como a un **bandido**,
con **espadas** y **palos**?
Todos los días yo **enseñaba**, sentado en el **templo**,
y no me **aprehendieron**.
Pero **todo esto** ha sucedido
para que **se cumplieran** las predicciones de los **profetas**".
Entonces **todos los discípulos** lo **abandonaron** y **huyeron**.

Apóyate en la puntuación para enfatizar los elementos de este párrafo; no bajes la velocidad.

Los que **aprehendieron** a Jesús
lo **llevaron** a la **casa** del sumo sacerdote **Caifás**,
donde los **escribas** y los **ancianos** estaban **reunidos**.
Pedro los fue siguiendo de **lejos**
hasta el **palacio** del **sumo sacerdote**.
Entró y se **sentó** con los **criados** para ver en **qué paraba aquello**.

Los sumos sacerdotes y **todo el sanedrín**
andaban buscando un **falso testimonio** contra Jesús,
con ánimo de **darle muerte**; pero no lo **encontraron**,
aunque se **presentaron** muchos **testigos falsos**.

de cada comensal. Un cuerpo que orienta a una unidad más amplia y compleja, a la unidad en el cuerpo de Cristo.

Lo hecho con la copa sí parece inscrito en el ritual pascual. En el curso de la cena, se bebían tres o cuatro copas rituales de vino, con una bendición particular sobre cada una. No sabemos de cuál copa se trate, pero Jesús tras dar gracias, y pasar la copa a los comensales, da su sentido. Es copa de la alianza en su sangre derramada, para perdonar los pecados. Israel tiene vigente una alianza, la de Moisés, la de la sangre de la circuncisión, y la de los sacrificios expiatorios en el templo. La de Jesús es una alianza nueva, en su sangre derramada y contenida en la copa. Todos beben; una copa para todos. Cada cual participa en esa alianza que da el perdón divino, en Cristo Jesús. Lo mismo expresó Mateo 1:21 (ver Mt 9:2–8)

El tercer foco de interés es el juramento que Jesús hace de abstenerse de vino, hasta la reunión escatológica universal. El voto reafirma la fidelidad de Jesús a los suyos. No festejará sino con ellos en el Reino de su Padre. Ellos beben de la copa de la alianza, en tanto el Reino no sea experiencia plena. Se crea una tensión: Cristo espera. Por ese juramento, toda celebración eucarística está preñada del "ya pero todavía no" del Reino. La "tensión escatológica" impulsa a la plenitud del Reino. Los comensales cantaban los Salmos 113–118 para clausurar la cena pascual. El año nuevo había comenzado.

El anuncio del golpe. Aflora de nuevo la conciencia de Jesús sobre todo lo que se avecina. Con palabras de Zacarías 13:7, Jesús advierte al grupo de sus discípulos que la solidaridad sellada en la cena quedará hecha añicos esa misma noche: el escándalo hará presa en ellos. Pero los reconforta:

Al fin llegaron dos, que dijeron:
"**Éste** dijo: 'Puedo **derribar** el templo de Dios
y reconstruirlo en **tres días**'".
Entonces el **sumo sacerdote** se levantó y le dijo:
"¿No respondes **nada** a lo que **éstos** atestiguan en **contra tuya**?"
Como Jesús **callaba**, el **sumo sacerdote** le dijo:
"Te **conjuro** por el Dios **vivo**
que nos digas si **tú** eres el **Mesías**, el Hijo de Dios".
Jesús le respondió: "**Tú** lo has dicho.
Además, yo les **declaro**
que **pronto** verán al **Hijo del hombre**,
sentado a la derecha de Dios,
venir sobre las nubes del cielo".

Distingue en las partes discursivas lo que es discurso directo de lo que no lo es.

Entonces, el sumo sacerdote **rasgó** sus vestiduras y **exclamó**:
"¡Ha **blasfemado**! ¿Qué **necesidad** tenemos **ya** de **testigos**?
Ustedes mismos han oído la blasfemia. ¿**Qué les parece**?"
Ellos respondieron: "Es reo de **muerte**".
Luego comenzaron a **escupirle** en la **cara** y a darle **bofetadas**.
Otros lo **golpeaban**, diciendo:
"Adivina **quién** es el que te ha **pegado**".

El párrafo crece en dramatismo. Eleva ligeramente la voz en la declaración de blasfemia.

Entretanto, **Pedro** estaba **fuera**, sentado en el **patio**.
Una **criada** se le **acercó** y le **dijo**:
"**Tú también** estabas con **Jesús**, el galileo".
Pero él lo **negó** ante **todos**, diciendo:
"**No sé** de qué me estás hablando".
Ya se iba hacia el **zaguán**,
cuando lo vio **otra criada** y dijo a los que estaban ahí:
"**También ése** andaba con **Jesús**, el nazareno".
Él de nuevo lo **negó** con **juramento**:
"**No conozco** a ese hombre".
Poco después se acercaron a **Pedro**
los que estaban ahí y le dijeron:
"No cabe duda de que **tú también** eres de ellos,
pues **hasta** tu **modo de hablar** te delata".

La escena es exterior. Familiarízate con todas las palabras de esta parte. El tono de Pedro debe ser cada vez más enfático en cada afirmación. Esta escena se prolonga un párrafo más. Al terminar, marca la pausa haciendo contacto visual con la asamblea. Luego prosigue con el nuevo día.

él mismo, resucitado, los guiará en Galilea. El escándalo equivale a una trampa o un obstáculo. El de esa noche es el golpe sobre Jesús, el Mesías.

El escándalo, como la dispersión, es inevitable. Pedro no lo admite; se considera mejor preparado que el resto de sus compañeros. Lo que le trae un pinchazo preciso de Jesús en el modo como se afrentará de él, esa misma noche, hasta en tres ocasiones. Pedro protesta su fidelidad inquebrantable a Jesús, y los demás hacen lo mismo. Son incapaces de ver sus propias falencias todavía.

La oración en Getsemaní. Separado por el barranco del Cedrón, al oriente de Jerusalén está el monte de los Olivos; allí está Getsemaní, donde había una presa para moler olivas y envasar el aceite. Allá va Jesús a orar. Se hace acompañar de los tres discípulos que le vieron conversar con Moisés y Elías (Mt 17:1). Les pide que lo acompañen a orar. Él se adentra para hacerlo a solas. Entonces cae a tierra, presa de la angustia por la muerte ominosa y de la tristeza (ver Salmo 42 y 43). El abatimiento es total. No encuentra gusto alguno en este encuentro con Dios, su Padre. Sólo atina a suplicar que retire la copa, pero se somete enteramente a su voluntad (ver Mt 6:10). Esa es toda su oración. Es la oración del Hijo fiel implorando a su Padre. Sólo el cumplimiento de la voluntad del Padre le mantiene la fidelidad.

Sus acompañantes duermen; así, serán incapaces de soportar el escándalo. El cuadro se repite dos veces más, y hará eco en las negaciones petrinas.

Jesús expresa una vez más su determinación de entregarse a su destino de dolor y gloria, aunque aquí sólo amenaza la igno-

Entonces él comenzó a echar **maldiciones**
y a jurar que **no conocía** a aquel hombre.
Y en aquel momento **cantó el gallo**.
Entonces **se acordó** Pedro de que **Jesús** había dicho:
"**Antes** de que **cante** el **gallo**, me habrás negado **tres veces**".
Y **saliendo** de ahí se soltó a llorar **amargamente**.

Llegada la **mañana**,
todos los **sumos sacerdotes** y los **ancianos** del pueblo
celebraron consejo **contra Jesús** para **darle muerte**.
Después de **atarlo**, lo llevaron ante el procurador, **Poncio Pilato**,
y se lo **entregaron**.

La trama arranca con un nuevo desarrollo, con Judas como protagonista.

Entonces **Judas**, el que lo había **entregado**,
viendo que Jesús había sido **condenado a muerte**,
devolvió **arrepentido** las **treinta monedas** de plata
a los **sumos sacerdotes** y a los **ancianos**, diciendo:
"**Pequé**, entregando la sangre de un **inocente**".
Ellos dijeron:
"¿Y a nosotros **qué** nos importa? Allá **tú**".
Entonces Judas **arrojó** las monedas de plata en el templo,
se **fue** y se **ahorcó**.

La referencia a la Escritura es deliberada; alarga la línea final de este parágrafo.

Los **sumos sacerdotes** tomaron las **monedas de plata**, y dijeron:
"No es **lícito juntarlas** con el dinero de las **limosnas**,
porque son **precio de sangre**".
Después de deliberar, **compraron** con ellas el **campo del alfarero**,
para **sepultar** ahí a los **extranjeros**.
Por eso aquel campo se llama **hasta el día de hoy**
"**Campo de sangre**".
Así **se cumplió** lo que dijo el profeta **Jeremías**:
Tomaron las ***treinta monedas*** *de plata en que fue* ***tasado***
aquel *a quien* ***pusieron precio*** *algunos hijos de* ***Israel***,
y las dieron por el ***campo del alfarero***,
según lo que me ordenó el ***Señor***.

minia, pues los pecadores desatarán su furia sobre el Justo.

La detención del Rabí. El golpe sobre el Pastor es limpio y certero. Sacerdotes y ancianos usan un grupo numeroso y armado; lo guía uno de los Doce. Actúan de noche. Judas dirige la detención con el saludo y un beso al Rabí para poder cerrar la trampa. Jesús acepta los eventos. Entonces surge la defensa violenta de parte de los discípulos. Jesús la acalla. Su detención no es algo que se le imponga desde afuera o que le violente su voluntad, ahora unificada a la de su Padre. Bien habría podido, de quererlo, solicitar al Padre la protección de la que goza el entero Israel. El poder mesiánico de Jesús no va en esa dirección (ver Mt 4:6), sino en la del cumplimiento escriturario.

La defensa del Maestro dilucida quién es quién. Él no es un bandido, es decir, uno de los insurrectos que se mueven al margen del orden legal. Para atraparlos se necesita la violencia, espadas y palos. Él es un maestro, una persona pública. Atribuye que esto suceda a las escrituras de los profetas. La alusión es a Zacarías 13:7, ya aludido en el verso 31, pues ahora los discípulos se dan a la fuga. Aquí concluye el primer movimiento del relato de la pasión.

El proceso al Hijo del Hombre. Caifás, el sumo sacerdote y presidente del sanedrín, dirige el proceso. Esta reunión nocturna difícilmente tiene carácter legal, y es implausible que sea una sesión sanedrita, aunque varios de sus miembros acudan a la casa del sumo sacerdote. Se reúnen para explorar el cargo de muerte contra Jesús, transgrediendo el penúltimo de los mandamientos de la alianza con Dios (Ex 20:16). Los escribas son peritos en derecho, y capaces de legitimar o invalidar un acto. Al

El parágrafo es muy amplio. Dale vivacidad y presteza apoyándote en la puntuación.

Jesús compareció ante el procurador, **Poncio Pilato,**
quien le preguntó:
"¿Eres **tú** el rey de los **judíos**?"
Jesús respondió: "**Tú** lo has dicho".
Pero **nada** respondió a las **acusaciones** que le hacían
los **sumos sacerdotes** y los **ancianos.**
Entonces le dijo **Pilato**:
"¿No oyes **todo** lo que dicen **contra ti**?"
Pero él **nada** respondió,
hasta el punto de que el **procurador** se quedó **muy extrañado.**
Con ocasión de la fiesta de la **Pascua,**
el procurador solía **conceder** a la multitud
la **libertad** del preso que **quisieran.**
Tenían entonces un **preso famoso**, llamado **Barrabás.**
Dijo, pues, Pilato a los **ahí reunidos**:
"¿A **quién** quieren que le deje en **libertad**:
a **Barrabás** o a **Jesús**, que se dice el **Mesías**?"
Pilato sabía que se lo habían entregado **por envidia.**

Este paréntesis y el párrafo siguiente se relacionan a modo de contraste.

Estando él sentado en el tribunal, **su mujer** mandó decirle:
"**No te metas** con ese hombre justo,
porque **hoy** he sufrido mucho en sueños **por su causa**".

Mientras tanto, los **sumos sacerdotes** y los **ancianos**
convencieron a la **muchedumbre**
de que pidieran la **libertad** de **Barrabás** y la **muerte** de **Jesús.**
Así, cuando el procurador les **preguntó**:
"¿A **cuál** de los dos quieren que les **suelte**?"
Ellos respondieron: "A **Barrabás**".
Pilato les dijo:

Aumenta poco a poco el tono de tu voz en cada solicitud de crucifixión.

"¿Y qué voy a hacer con **Jesús**, que se dice el **Mesías**?"
Respondieron todos: "**Crucifícalo**".
Pilato preguntó: Pero, ¿qué **mal** ha hecho?"
Mas ellos seguían **gritando cada vez** con más fuerza:
"¡**Crucifícalo**!"

testigo falso le debería caer la pena solicitada para el indiciado (ver Dt 19:11).

El cargo que encuentran contra Jesús cabe entenderlo o como demencia o como una pretensión mesiánica de divinidad. Los lectores saben, sin embargo, que las palabras de los falsos testigos guardan un sentido pleno y verdadero. Más aún, al oído judío, lo dicho por el sumo sacerdote a Jesús evoca una entronización actual, pues el sumo sacerdote actúa inspirado proféticamente (ver Jn 11:52). En ese tenor, Jesús confirma el pronunciamiento del pontífice.

El pontífice conmina a Jesús en el nombre de Dios. Y Jesús revela su entronización mesiánica con palabras del profeta Daniel (Dan 7:13) y ecos del Salmo 110. Est se entiende como blasfemia; Jesús se pone en un lugar que no le corresponde: a la derecha de Dios, símbolo de la autoridad plena y universal.

El cierre del cuadro es demencial. Al entronizado Hijo del Hombre, autoridades y representantes del pueblo de Dios lo sobajan con crueldad inhumana.

El proceso de Pedro. Pedro comienza por negar haber estado con Jesús el Galileo, luego juramenta no haber estado con Jesús el Nazoreo y termina jurando e imprecando no pertenecer al grupo discípulos. Su forma galilea de hablar lo delató como un seguidor, de modo que mientras más lo niega, más crece su mentira. En la tercera negativa, Pedro vocifera contra el mismo grupo que él capitanea y representa. La ignominia es escandalosa. El canto del gallo, sin embargo, hace caer en la cuenta a Pedro de su propia falsedad, ya anticipada por el Galileo (ver Mt 26:34), y entonces la ahoga en lágrimas.

La entrega a los romanos. Lo que debiera haber sido un complejo proceso jurí-

Al gesto público Pilato lo acompaña con su declaración rotunda. Tu tono debe sonar igual de terminante.

Entonces **Pilato**,
viendo que **nada** conseguía y que **crecía** el **tumulto**
pidió agua y **se lavó las manos** ante el pueblo, diciendo:
"Yo no me hago **responsable** de la **muerte** de este hombre **justo**.
Allá ustedes".
Todo el pueblo respondió:
"¡Que su **sangre caiga** sobre **nosotros** y sobre **nuestros hijos**!"
Entonces Pilato **puso en libertad** a **Barrabás**.
En cambio a Jesús lo hizo **azotar** y lo **entregó**
para que lo **crucificaran**.

Las burlas son punzantes; no alargues el párrafo ni adoptes un tono lastimero.

Los **soldados** del procurador **llevaron** a Jesús al **pretorio**
y **reunieron** alrededor de él a **todo el batallón**.
Lo **desnudaron** y le echaron encima un **manto de púrpura**,
trenzaron una **corona de espinas** y se la pusieron **en la cabeza**;
le pusieron una **caña** en su mano derecha,
y **arrodillándose** ante él, **se burlaban** diciendo:
"¡Viva el **rey** de los **judíos**!",
y le **escupían**.
Luego, **quitándole** la caña, **golpeaban** con ella en la **cabeza**.
Después de que **se burlaron** de él, le **quitaron** el manto,
le **pusieron sus ropas** y lo llevaron a **crucificar**.

Con un tono severo describe la deshumanización de Jesús.

Al salir, encontraron a un hombre de **Cirene**, llamado **Simón**,
y **lo obligaron** a llevar la **cruz**.
Al llegar a un lugar llamado **Gólgota**,
es decir, "**Lugar de la Calavera**",
le dieron a **beber** a Jesús **vino** mezclado con **hiel**;
él lo **probó**, pero **no lo quiso beber**.
Los que lo crucificaron **se repartieron** sus vestidos,
echando suertes,
y se quedaron sentados **para custodiarlo**.
Sobre su cabeza pusieron **por escrito** la **causa de su condena**:
'**Éste** es Jesús, el **rey** de los **judíos**'.
Juntamente con él, crucificaron a **dos ladrones**,
uno a su **derecha** y el **otro** a su **izquierda**.

dico, se lee en una línea. El consejo judío no ha buscado discernir alguna culpa de Jesús, sino quitarlo de en medio como sea; por eso lo entregan al procurador romano, que era quien podía ejecutarlo con todas las de la ley.

El precio de la sangre. El desenlace del relato sobre Judas paralela y contrasta el de Simón Pedro. Judas se arrepiente de su traición y busca remediarla, sin éxito. Devuelve el dinero de la compraventa al templo, pues posiblemente de su tesoro habría salido. Pero es dinero de sangre, por lo que los sumos sacerdotes no pueden darle un destino sacrificial, es decir que beneficie a Israel, que le reconcilie con Dios. Ellos deciden usarlo para la beneficencia pública: adquirir un lugar para sepultar a los extranjeros.

San Mateo acomoda textos de las Escrituras (Jer 19:2 y 7:32; Zac 11:13) para darle un sentido más profundo al precio de la sangre inocente, rechazada por los sacerdotes. En Zacarías, con la devolución del dinero, Dios cancela la alianza con su pueblo, ya no lo apacentará más, y queda rota la fraternidad entre Judá e Israel. El pastor devuelve el dinero vía el tesoro del templo, es decir, que será empleado en ofrendas sacrificiales por el pecado del pueblo. En cambio, en la narración de san Mateo, el precio de la sangre de Jesús beneficia ya a los extranjeros. Este es un trazo simbólico muy a tono con la universalidad del narrador (ver Mt 4:16).

El proceso al rey de los judíos. Los acusadores no formulan ningún cargo específico contra Jesús ante el procurador de justicia. Se colige que acusarían a Jesús por su pretensión mesiánica, es decir, de tenerse por rey de los judíos, de ser el ungido y, por tanto, de sublevación contra el César. Esto sería algo serio para el imperio y suficiente para una ejecución, pero no hay

Las burlas son verdaderos sarcasmos. Guíate con las negrillas para acentuar la descripción.

Los que pasaban por ahí,
lo insultaban moviendo la cabeza y **gritándole**:
"**Tú**, que destruyes el templo y en tres días **lo reedificas**,
sálvate a ti mismo; si eres el Hijo de Dios, **baja** de la cruz".
También se burlaban de él los **sumos sacerdotes**,
los **escribas** y los **ancianos**, diciendo:
"Ha salvado a otros y no puede salvarse **a sí mismo**.
Si es el rey de Israel, que **baje** de la cruz y **creeremos** en él.
Ha puesto su **confianza** en **Dios**,
que Dios lo salve **ahora** si es que **de verdad** lo ama,
pues él ha dicho: '**Soy el Hijo de Dios**'".
Hasta los ladrones que estaban crucificados a su lado
lo injuriaban.

Alarga la frase pronunciada por Jesús.

Desde el **mediodía** hasta las **tres de la tarde**,
se oscureció **toda** aquella tierra.
Y alrededor de las **tres**, Jesús exclamó **con fuerte voz**:
*"**Elí, Elí, ¿lemá sabactaní?**"*,
que quiere decir: "**Dios mío, Dios mío**,
¿por qué me has **abandonado**?"
Algunos de los presentes, al oírlo, decían: "Está llamando a **Elías**".

Fíjate en el lenguaje de salvación implicado en este cuadro. Con profunda reverencia anuncia la muerte del Mesías. Haz una pausa notable al final de este parágrafo.

Enseguida uno de ellos fue corriendo a tomar una **esponja**,
la **empapó** en vinagre y sujetándola a una caña,
le **ofreció de beber**.
Pero **otros** le dijeron:
"**Déjalo. Veamos** a ver si viene Elías a **salvarlo**".
Entonces Jesús, dando de nuevo un **fuerte** grito, **expiró**.

[Aquí todos se arrodillan y guardan silencio por unos instantes.]

pruebas. El silencio de Jesús parece admisión tácita. Pero Pilato mismo desestima totalmente el asunto y hasta busca descargar al Cristo, dándoles a escoger entre Barrabás y Jesús.

El lector cristiano confronta la opción por un mesianismo político, el de la fuerza que alcanza y mantiene el poder y la autoridad, y la opción no política, que busca el bienestar de las personas, desde el no poder. La costumbre de soltar a un preso por la pascua no se puede confirmar por otras fuentes. Pero Mateo ilustra bien la voluntad de los líderes judíos: lo quieren crucificado.

Pilato mismo no quiere involucrarse, por advertencia de su mujer, incluso siendo quien ¡administra justicia! Los acusadores piden la cruz para el Cristo. El procurador se lava las manos y les entrega a Jesús. Ellos asumen la muerte del inocente. La ejecución comienza por disminuir al reo.

Las burlas a Jesús evidencian lo que está de fondo: la realeza de Jesús. La tropa romana exhibe qué tipo de mesías es Jesús: deshumanizado, solo, desnudo, ultrajado, coronado de punzante dolor, con un cetro de rastrojo y objeto de burlas, a voluntad de los soldados. Esto es el Cristo a los ojos imperiales.

La ejecución del Mesías. La crucifixión era el peor de los tormentos para someter a los esclavos rebeldes al imperio. Los reos cargaban su propio patíbulo hasta el lugar del suplicio, pero en el caso de Jesús, un fuereño, quizá migrante o peregrino, llamado Simón, le ayuda (ver Hch 2:10). La ejecución era pública, se hacía cerca de algún cruce de caminos o de las puertas de la ciudad, para escarmiento de los que entran y salen. Para amainar la crisis del tormento a los reos les daban algún tipo de narcótico a

Los eventos son dramáticos; acelera un tanto el relato en esta parte.

Entonces el **velo** del templo **se rasgó** en dos partes,
de **arriba a abajo,**
la **tierra tembló** y las **rocas se partieron.**
Se abrieron los **sepulcros**
y resucitaron **muchos justos** que habían **muerto,**
y **después** de la resurrección de **Jesús,**
entraron en la ciudad santa y se aparecieron a **mucha gente.**
Por su parte, el **oficial** y los que estaban con él
custodiando a Jesús,
al ver el **terremoto** y las cosas que ocurrían,
se llenaron de un **gran temor** y dijeron:
"Verdaderamente **éste** era Hijo de Dios".

La asamblea debe escuchar con toda claridad los nombres de los testigos. No te precipites en estas líneas.

Estaban **también** allí,
mirando desde lejos, **muchas de las mujeres**
que habían **seguido** a Jesús desde Galilea **para servirlo.**
Entre ellas estaban **María Magdalena,**
María, la madre de **Santiago** y de **José,**
y la madre de los **hijos de Zebedeo.**

Al atardecer, vino un **hombre rico** de **Arimatea,** llamado **José,**
que se había hecho **también** discípulo de Jesús.
Se presentó a **Pilato** y le pidió el **cuerpo de Jesús,**
y Pilato **dio orden** de que se lo **entregaran.**

Alarga un tanto las acciones de la sepultura; procura que la pesadez de la roca se perciba muy bien.

José **tomó** el cuerpo, **lo envolvió** en una sábana limpia
y **lo depositó** en un sepulcro **nuevo,**
que había hecho excavar en la roca para **sí mismo.**
Hizo rodar una **gran piedra** hasta la entrada del sepulcro
y **se retiró.**
Estaban ahí **María Magdalena** y la **otra María,**
sentadas frente al **sepulcro.**

beber, lo que san Mateo ajusta a tenor del Salmo 69:22; Jesús no lo bebe. Los ajusticiaban desnudos, pues las ropas del criminal eran botín de los verdugos; los soldados se rifan los vestidos (ver Salmo 22:19). El letrero sobre la cruz, "Jesús, el rey de los judíos", despeja la causa de la ejecución.

Ya en cruz, las burlas continúan: este Mesías es incapaz de salvar a nadie. San Mateo dispone tres grupos de gente escarneciendo a Jesús. Los viandantes se burlan del "constructor" del santuario reviviendo aquella causa de blasfemia en el palacio del sumo sacerdote, pero hay ecos de los Salmos 22:7 y 109:25, por ejemplo. El grupo de los sumos sacerdotes, los escribas y los ancianos, se mofa de la fe en Dios del Crucificado, el rey de Israel. Las burlas suenan a blasfemia también. El lector sabe que Jesús es el Hijo de Dios, en una condición diferente a la del rey del pueblo elegido. También los bandidos crucificados con él lo vejan, no lo consideran uno de los suyos en desgracia.

La oscuridad se apodera de toda la tierra a la hora de la muerte de Jesús. El clamor de Jesús en cruz hace eco a la burla de los líderes judíos. Jesús se confía a Dios; su grito es la oración del justo angustiado suplicando la salvación (Sal 22:2). Pero los presentes prolongan la burla jugando con la figura de Elías que era el precursor de la era mesiánica y abogado de los agonizantes. Apenas uno de los que escuchan corre a socorrerlo con vinagre, Jesús muere dando un grito poderoso.

El grito de muerte del Mesías desgarra el velo del templo, signo de que Dios mismo ha escuchado algo insoportable (ver Mt 26:65), y del duelo de la tierra misma que no puede retener a los santos que entran a la ciudad santa (ver Am 8:9; Is 26:19; 1 Pe 3:19), preludio de la resurrección final.

En la conclusión, el narrador le guiña el ojo al auditorio. Las dos últimas líneas pronúncialas con detención.

Al **otro día**, el siguiente de la **preparación** de la **Pascua**,
los **sumos sacerdotes** y los **fariseos**
se reunieron **ante Pilato** y le dijeron:
"**Señor**, nos hemos **acordado** de que ese **impostor**,
estando **aún en vida**, dijo:
'A los tres días **resucitaré**'.
Manda, pues, **asegurar** el sepulcro hasta el **tercer día**;
no sea que vengan sus discípulos, **lo roben** y digan al pueblo:
'**Resucitó** de entre los muertos',
porque esta **última impostura** sería **peor** que la **primera**".
Pilato les dijo: "**Tomen** un pelotón de **soldados**,
seguren el sepulcro como **ustedes quieran**".
Ellos fueron y **aseguraron** el sepulcro,
poniendo un **sello** sobre la puerta y dejaron **ahí** la guardia.

Forma breve: Mateo 27:11–54

Ante señales tan prodigiosas, el propio comandante de ajusticiamiento externa su convicción, aunque deba entenderse en un sentido diferente al que le da el cristiano.

La descripción de la muerte de Cristo concluye mirando al grupo de discípulas que testifican los eventos. Las tres mujeres que destacan tienen nexos vigorosos en el movimiento de Jesús. La Magdalena será una figura discipular muy importante en los orígenes del cristianismo; a las dos restantes las identifica su maternidad. Se puede decir que ellas son la fuente de lo que san Mateo escribe sobre la muerte de Jesús.

De la sepultura se encarga un seguidor de Jesús, José de Arimatea. Por tratarse de un ajusticiado, Jesús no puede compartir el sepulcro con otros fieles (ver Dt 21:22). Esta obra de piedad era muy apreciada entre los judíos (ver Tob 1:18). San Mateo menciona a dos mujeres como custodiando el sepulcro. Ellas son como testigos y garantes de la esperanza mesiánica.

En este punto, san Mateo injerta un relato apologético para vigorizar la realidad de la resurrección corporal de Jesús. Sumos sacerdotes y fariseos (por vez primera en el relato mateano de la pasión) solicitan al procurador una guardia que asegure que los discípulos del Mesías no vayan a robar el cuerpo y propalen la mentira de la resurrección del Cristo. Pilato accede. La entrada del sepulcro queda sellada y la guardia en su puesto. San Mateo tapa toda salida a alguna "impostura".

JUEVES SANTO

I LECTURA Éxodo 12:1–8, 11–14

Lectura del libro del Éxodo

El decreto es muy descriptivo y hasta minucioso. Procura no perder el hilo; sigue la puntuación.

En **aquellos** días, el Señor les dijo a **Moisés** y a **Aarón**
en tierra de **Egipto**:
"**Este mes** será para ustedes el **primero** de **todos** los meses
y el **principio** del año.
Díganle a **toda** la comunidad de Israel:
'El día **diez** de este mes, tomará cada uno un cordero por **familia,**
uno por **casa**.
Si la familia es **demasiado pequeña** para comérselo,
que se junte **con los vecinos**
y elija un cordero adecuado **al número** de personas
y a la cantidad que **cada cual** pueda comer.
Será un animal **sin defecto**, macho, de un año, cordero o cabrito.

Asegúrate de que la atención de la asamblea está pendiente de tus palabras, haciendo contacto visual con ella.

Lo guardarán hasta el día **catorce** del mes,
cuando **toda la comunidad** de los hijos de Israel
lo inmolará **al atardecer**.
Tomarán la sangre y rociarán **las dos jambas**
y el **dintel de la puerta** de la casa
donde vayan a comer el **cordero**.
Esa noche comerán la **carne, asada** a fuego;
comerán **panes sin levadura** y **hierbas amargas**.
Comerán **así:**
con la **cintura ceñida**, las **sandalias** en los **pies**,
un **bastón** en la **mano** y a **toda prisa**,
porque es la **Pascua**, es decir, el **paso del Señor**.

I LECTURA La lectura del Éxodo nos recuerda la institución de la pascua hebrea. Esta fiesta, importante entre los judíos, está llena de ritos, que la fueron enriqueciendo a través de las épocas. Estos ritos tienen un sentido simbólico, hablan al pueblo de lo que sucedió y sucede en cada celebración pascual. No han sido inventados de la nada, sino tienen sus profundas raíces fundadas en una cultura ancestral.

Originariamente esta fiesta tenía un sabor netamente pastoril, pues se celebraba en el momento en que los pastos nuevos aparecían en algunas partes desérticas y el grupo por medio de esa celebración espantaba a los malos espíritus e invocaba a su Dios para que lo ayudara en ese paso aventurado que daría al internarse con sus ganados en tierras nuevas y desconocidas surgidas del desierto. Se celebraba esta fiesta en la noche, con ocasión de la primera luna llena de la primavera. Con el pan sin levadura y la hierba del desierto se comía un cordero, asado al fuego. El rito con sus minuciosidades, constaba de dos partes: el rito de los panes sin levadura y el del sacrificio del cordero pascual.

La liturgia nos entrega este texto para recordar lo que Jesús hizo la vigilia de su pasión. Por otro lado, la tradición cristiana vio en el cordero inmolado la prefiguración del sacrificio de Cristo en la cruz. Hay alusiones claras al rito pascual antiguo: el pan ácimo es el pan de los nómadas peregrinos; de la misma forma, el pan eucarístico es el pan para el viaje, el pan de los peregrinos.

La pascua no puede ser comida por una sola persona, sino necesita la comunidad y todo porque Dios salva al conjunto como comunidad. Así la eucaristía tiene un significado y eficacia completamente comunitaria.

Señala con energía las acciones de Dios; son impresionantes.

Yo pasaré esa noche por la tierra de **Egipto**
y **heriré** a **todos los primogénitos** del país de Egipto,
desde los hombres **hasta** los ganados.
Castigaré a **todos los dioses** de Egipto, **yo,** el Señor.
La **sangre** les servirá de **señal** en las casas donde **habitan ustedes.**
Cuando yo vea la sangre, **pasaré de largo**
y **no habrá** entre ustedes **plaga exterminadora,**
cuando **hiera yo** la tierra de **Egipto.**

Eleva la mirada hacia la asamblea, como dando fe de que lo proclamado se ha venido cumpliendo.

Ese día será para ustedes un **memorial**
y lo celebrarán como **fiesta** en **honor del Señor.**
De generación en generación **celebrarán** esta festividad,
como **institución perpetua**'".

Para meditar.

SALMO RESPONSORIAL Salmo 115:12–13, 15–16, 17–18

R. El cáliz de la bendición es comunión con la sangre de Cristo.

¿Cómo pagaré al Señor / todo el bien que me ha hecho? / Alzaré la copa de la salvación, / invocando su nombre. R.

Mucho le cuesta al Señor / la muerte de sus fieles. / Señor, yo soy tu siervo, siervo tuyo, hijo de tu esclava; / rompiste mis cadenas. R.

Te ofreceré un sacrificio de alabanza, / invocando tu nombre, Señor. / Cumpliré al Señor mis votos, / en presencia de todo el pueblo. R.

II LECTURA 1 Corintios 11:23–26

Lectura de la primera carta del apóstol san Pablo a los corintios

Hermanos:

Con grandeza de espíritu, acércate al texto y proclámalo con toda reverencia. Es un tesoro de todas las generaciones cristianas.

Yo **recibí** del Señor **lo mismo** que les he **trasmitido:**
que el **Señor Jesús,** la noche en que iba a ser **entregado,**
tomó pan en sus manos,
y pronunciando la **acción de gracias,** lo **partió** y **dijo:**
"Esto es mi **cuerpo,** que se entrega por **ustedes.**
Hagan **esto** en **memoria mía**".

Se come la nueva pascua en la noche, que es una vigilia en honor del Señor. El evangelio recuerda a los cristianos que el Señor volverá de improviso en la noche. Por esto hay que estar vigilantes. La eucaristía que celebramos, está toda ella tendida hacia la venida del Señor. La sangre que salvaba a los hebreos del exterminador, ahora se convierte en la sangre del Señor, derramada en la cruz, para la salvación de todos. Así el significado de la eucaristía hunde sus raíces en la pascua antigua y la lleva a su perfección.

II LECTURA En esta parte de la carta, Pablo reacciona ante las noticias que le habían llegado de la comunidad corintia sobre ciertas prácticas que se tenían en las asambleas eucarísticas. Aparece ya un relato sobre la institución de este rito. Pablo escribe claramente que este relato lo había recibido por tradición, tal vez en el largo tiempo que estuvo enseñando en Antioquia.

Según el relato, Jesús llevó a cabo un rito de bendición de la mesa, previsto en el ritual hebreo. No sabemos con toda certeza si celebraría la cena de pascua, lo que se supone, aunque los datos son ambiguos, o una cena donde hubo una alusión a ese rito pascual, memorial de la liberación de los hebreos de Egipto. Se reconoce en el pan el don de Dios, que permite conservar la vida y alimentarla con una connotación comunitaria. Se añade que este don de Dios es su cuerpo que se da por nosotros. Se alude al sentido sacrificial y redentor de la muerte del Señor. Jesús murió por nosotros. Al comer de este pan, la muerte del Señor se convierte en nosotros en fuente de vida y de unidad.

Lo **mismo** hizo con el cáliz **después** de cenar, diciendo:
"Este **cáliz** es la **nueva alianza** que se sella con mi **sangre**.
Hagan **esto** en **memoria mía** siempre que **beban** de él".

Por eso,
cada vez que ustedes comen de **este pan** y beben de **este cáliz**,
proclaman la muerte del Señor, **hasta que vuelva**.

EVANGELIO Juan 13:1–15

Lectura del santo Evangelio según san Juan

Deja que este Evangelio te llene el corazón. Desde allí anúncialo a toda la asamblea.

Antes de la fiesta de la **Pascua**,
sabiendo Jesús que había **llegado** la hora
de pasar de este mundo al **Padre**
y habiendo amado a los **suyos**, que estaban en el **mundo**,
los amó **hasta el extremo**.

Resalta la conciencia de Jesús. Nada se escapa de su voluntad.

En el transcurso de la **cena**,
cuando ya el **diablo** había puesto en el corazón
de **Judas Iscariote**, hijo de **Simón**,
la idea de **entregarlo**,
Jesús, **consciente** de que el Padre había puesto en sus manos **todas las cosas**
y **sabiendo** que había **salido** de Dios y a Dios **volvía**,
se levantó de la mesa, **se quitó** el manto
y tomando una **toalla**, se la **ciñó**;
luego **echó agua** en una **jofaina**
y se puso a **lavarles los pies** a los **discípulos**
y a **secárselos** con la **toalla** que se había **ceñido**.

Jesús presenta la copa de vino aludiendo a la sangre derramada sobre el altar en el Sinaí, donde el pueblo y el Señor celebraron la alianza. Dios se comprometió a estar con el pueblo y el pueblo se comprometió a llevar una vida digna, donde el pivote estaba representado por la exclusiva adoración al Señor. Esto exigía forjar una comunidad contraria a Egipto: una sociedad igualitaria, de hermanos.

Renovar esta memorial, significa proclamar ante Dios el significado de la muerte y resurrección del Señor, en la esperanza que el Señor venga al final a completar el misterio de una comunión universal. Al recordar Pablo a los corintios lo que les ha transmitido, tiene en vista los desórdenes que han insertado en la práctica eucarística. Su comportamiento contra los pobres, no sólo es una ofensa a Dios, sino que indica lo contrario de lo que significa la cena del Señor. Esto es indigno de la cena del Señor.

Los cristianos que hoy celebran la eucaristía, no deben olvidar su manera de celebrarla. La eucaristía "hace la Iglesia", revela a toda comunidad eclesial lo que es y lo que debe ser, al repetir el gesto eficiente que el Señor dejó en este sacramento.

EVANGELIO San Juan inicia esta parte principal de su evangelio con una frase densa que le pone el marco teológico y narrativo a todos los episodios que siguen, comenzando con el lavatorio de los pies y terminando con las visitas a la tumba. Todo está marcado por la coincidencia de la pascua judía y la hora de Jesús.

En este evangelio, la historia de Jesús está enmarcada por la pascua; es un evangelio pascual. Allá por el capítulo dos, con ocasión de la primera pascua, Jesús subió a Jerusalén y expulsó del templo a vendedores y compradores. Entonces, él apuntó una

Haz sonar la resistencia de Pedro como férrea. La voz de Jesús, en cambio, con serenidad inconmovible.

Cuando llegó a **Simón Pedro**, éste le dijo:
"Señor, ¿me vas a lavar tú **a mí** los pies?"
Jesús le replicó:
"Lo que estoy haciendo tú no lo entiendes **ahora**,
pero lo comprenderás **más tarde**".
Pedro le dijo: "Tú **no** me lavarás los pies **jamás**".
Jesús le contestó: "Si no te lavo, **no tendrás parte** conmigo".
Entonces le dijo Simón Pedro:
"En **ese caso**, Señor, **no sólo** los pies,
sino **también** las **manos** y la **cabeza**".
Jesús le dijo:
"El que se ha **bañado** no **necesita** lavarse más que los **pies**,
porque **todo él** está limpio.
Y **ustedes** están **limpios**, aunque no **todos**".
Como **sabía** quién lo iba a entregar, **por eso** dijo:
'**No todos** están **limpios**'.

Estas enseñanzas de Jesús ve alargándolas para hacer la salida de la lectura con naturalidad.

Cuando **acabó** de lavarles los **pies**,
se puso **otra vez** el manto, **volvió** a la mesa y les **dijo**:
"¿**Comprenden** lo que acabo de hacer con **ustedes**?
Ustedes me llaman **Maestro** y **Señor**, y dicen bien, porque **lo soy**.
Pues si **yo**, que soy el **Maestro** y el Señor, **les he lavado los pies,**
también ustedes deben lavarse los pies **los unos a los otros.**
Les he dado **ejemplo**,
para que lo que yo he hecho **con ustedes**,
también ustedes lo **hagan**".

señal mesiánica que iba a realizar: levantar el templo en tres días. El evangelista aclaraba que, en realidad, se trata de su cuerpo.

En la segunda pascua, capítulo 6, Jesús no va a Jerusalén sino que se aleja hacia la ribera del lago de Galilea. Entonces, Jesús alimentó milagrosamente a la multitud de sus seguidores, cruzó el mar de Tiberíades y luego en la sinagoga de Cafarnaúm explicó el sentido de la señal del pan para todos. Él es el pan de la vida verdadera, que quien quiera salvarse tiene que comer.

La tercera pascua coincide con "la hora" de Jesús y marca su paso "de este mundo al Padre". "La hora" es el tiempo de la manifestación de Jesús (ver Jn 2:4, 11; 8:20). El lector sabe también que es la hora de la glorificación, que consiste en la manifestación pública del amor extremo de Jesús por los suyos, sus discípulos. Su muerte en cruz es la muestra del amor total por ellos. Sin embargo, ¿cómo van a captar los discípulos el amor de Jesús, si ellos huirán y él morirá solo y abandonado? Ellos podrán experimentar el amor de Jesús en una acción tremendamente profunda y llena de significado, cuando él les lave los pies.

En el horizonte pascual, el lavatorio de los pies viene a ser una "contrafigura" simbólica del paso "en seco" del mar Rojo (ver Ex 14:29). Ahora, el nuevo Moisés, Jesús, guía a los suyos a una tierra nueva, la tierra de la promesa, que él es el primero en pisar. Es "la tierra del Padre", a la que se llega por la muerte. Jesús transparenta su conciencia en este acto del lavatorio, con el que prepara a los suyos para que "tengan parte" con él. Ellos vendrán luego, a condición de que hagan lo mismo unos por otros. Es decir, que entreguen la vida por sus condiscípulos, como el Maestro y Señor lo ha hace por ellos.

VIERNES SANTO

I LECTURA Isaías 52:13—53:12

Pronuncia con solemnidad esta lectura que es amplia. Visualiza sus partes y procura darle un acento propio a cada una de ellas.

Lectura del libro del profeta Isaías

He aquí que mi siervo **prosperará**,
será **engrandecido** y **exaltado**,
será puesto en **alto**.
Muchos se horrorizaron al verlo,
porque estaba **desfigurado** su semblante,
que no tenía ya aspecto de **hombre**;
pero **muchos** pueblos se llenaron de **asombro**.
Ante **él** los **reyes** cerrarán la **boca**,
porque **verán** lo que **nunca** se les había contado
y **comprenderán** lo que **nunca** se habían imaginado.

Tras la pregunta inicial, ve dándole mayor intensidad a las líneas que siguen; suaves primero, intensas después.

¿**Quién** habrá de **creer** lo que hemos anunciado?
¿A **quién** se le revelará el **poder** del Señor?
Creció en su **presencia** como planta **débil**,
como una **raíz** en el **desierto**.
No tenía **gracia** ni **belleza**.
No vimos en él **ningún** aspecto atrayente;
despreciado y **rechazado** por los hombres,
varón de **dolores**, habituado al **sufrimiento**;
como uno del cual **se aparta** la mirada,
despreciado y **desestimado**.

Acentúa los adjetivos y pronombres de primera persona de plural. La inocencia del Siervo habla por sí sola al corazón de la asamblea.

Él soportó nuestros **sufrimientos**
y aguantó nuestros **dolores**;
nosotros lo tuvimos por **leproso**,
herido por Dios y **humillado**,

La pasión de Cristo ha encontrado especialmente entre nuestros pueblos latinoamericanos e hispanoparlantes, una resonancia inigualable. El Varón de dolores es como una proyección de la propia historia, del incesante sufrimiento injusto de tanta gente y de tantas generaciones. En muchísimas comunidades, y con verdadera piedad, la pasión del Señor se dramatiza en el "Viacrucis viviente", y un sinnúmero de personas se vuelca a las calles para acompañarlo. Si en cierto sentido, este Viacrucis es la expresión del profundo sentido penitencial, de dolor por los pecados y las ofensas contra Dios y su Cristo, también expresa la intensa solidaridad cristiana del pueblo con el que sufre, con el condenado y víctima de la injusticia legalizada. Hoy es el día en el que la fe cristiana se abisma en el sinsentido del dolor y de la muerte del Inocente, el Hijo de Dios, para la redención de todos los pecadores.

Este día, la Iglesia se consagra al ayuno, a la penitencia, a orar y a contemplar a su Señor crucificado. Es un día de duelo, de pesadumbre y de silencio recatado. En muchas comunidades de fe, además de la celebración litúrgica que ocupa el centro espiritual en esta solemnidad, se tiene al anochecer el Pésame a la Virgen de los Dolores y la procesión con el Santo entierro por las calles del pueblo. Por su parte, la celebración litúrgica

traspasado por **nuestras** rebeliones,
triturado por **nuestros** crímenes.
Él soportó el **castigo** que nos trae la **paz**.
Por sus **llagas** hemos sido **curados**.

Repite la misma técnica del párrafo segundo, tras la pregunta de la línea segunda.

Todos andábamos **errantes** como ovejas,
cada uno siguiendo su camino,
y el **Señor** cargó sobre él **todos** nuestros crímenes.
Cuando lo **maltrataban**, se **humillaba** y **no** abría la **boca**,
como un **cordero** llevado a degollar;
como **oveja** ante el esquilador,
enmudecía y **no** abría la **boca**.

Esta parte prolonga la previa. No alargues la pausa entre los párrafos como si se tratara de otra cosa.

Inicuamente y **contra toda justicia** se lo llevaron.
¿**Quién** se preocupó de su **suerte**?
Lo **arrancaron** de la tierra de los **vivos**,
lo hirieron de **muerte** por los **pecados** de mi **pueblo**,
le dieron **sepultura** con los **malhechores** a la hora de su **muerte**,
aunque **no** había cometido **crímenes**, ni hubo **engaño**
en su **boca**.

En estos párrafos finales inicia el encumbramiento del Siervo. Dale un poco más de volumen a tu voz, conforme te vayas acercando al final.

El **Señor** quiso triturarlo con el **sufrimiento**.
Cuando entregue **su vida** como expiación,
verá a sus **descendientes**, prolongará sus **años**
y por medio de **él** prosperarán los **designios** del **Señor**.
Por las **fatigas** de su **alma**, verá la **luz** y se **saciará**;
con sus **sufrimientos** justificará mi siervo a **muchos**,
cargando con los **crímenes** de ellos.

Por eso le daré una parte entre los **grandes**,
y con los **fuertes** repartirá **despojos**,
ya que **indefenso** se entregó a la **muerte**
y fue contado entre los **malhechores**,
cuando tomó sobre sí las **culpas de todos**
e **intercedió** por los **pecadores**.

es muy austera y centrada en el árbol de la cruz, símbolo de nuestra vida y salvación.

I LECTURA La lectura pertenece a los famosos Cantos del Siervo del Señor. Éste forma el cuarto canto que el autor del segundo Isaías entreveró dentro de su composición (Is 45). Le sirvió para dar una interpretación de la salida de la esclavitud. Alude entre líneas a la salida de Egipto y al don de la tierra. La figura de este Siervo es inasible, tan pronto aparece como un individuo para luego tomar rasgos de una comunidad, Israel. Habrá que pensar en el sentido individual con un sentido ampliamente corporativo o comunitario.

El autor se inspiró y forjó una figura literaria con contornos muy bien definidos, sobre todo, significativos. En quince versos ofrece todo un tránsito del Siervo por la vida. Al principio el profeta pone a hablar al Señor, haciéndolo poco a poco desaparecer para dejar la palabra a interlocutores indeterminados.

El poema empieza con una proclamación triunfal, que reaparecerá al final. Tiene éxito. Pero antes de éste, hay una verdadera desgracia. El poeta evoca el derrumbe del pueblo ante Babilonia y las naciones. Ha habido un abajamiento del Siervo: retoño frágil

Para meditar.

SALMO RESPONSORIAL Salmo 30:2 y 6, 12–13, 15–16, 17 y 25

R. Padre, a tus manos encomiendo mi espíritu.

A ti, Señor, me acojo: / no quede yo nunca defraudado; / tú que eres justo, ponme a salvo. / En tus manos encomiendo mi espíritu: / tú, el Dios leal, me librarás. R.

Soy la burla de todos mis enemigos, / la irrisión de mis vecinos, / el espanto de mis conocidos; / me ven por la calle y escapan de mí. / Me han olvidado como a un muerto, / me han desechado como a un cacharro inútil. R.

Pero yo confío en ti, / Señor, te digo: "Tú eres mi Dios". / En tu mano están mis azares; / líbrame de los enemigos que me persiguen. R.

Haz brillar tu rostro sobre tu siervo, / sálvame por tu misericordia. / Sean fuertes y valientes de corazón, / los que esperan en el Señor. R.

II LECTURA Hebreos 4:14–16; 5:7–9

Lectura de la carta a los hebreos

El sacerdocio de Jesucristo es único, pero de él todos participamos. Identifica pronombres, adjetivos y formas verbales de primera persona de plural y envuelve a la asamblea cuando los pronuncies.

Hermanos:
Jesús, el **Hijo de Dios**, es nuestro **sumo sacerdote**,
que ha entrado en el **cielo**.
Mantengamos **firme** la profesión de **nuestra fe**.
En **efecto**,
no tenemos un **sumo sacerdote**
que no sea capaz de **compadecerse** de nuestros **sufrimientos**,
puesto que **él mismo** ha pasado
por las **mismas pruebas** que nosotros, **excepto el pecado**.
Acerquémonos, por tanto,
con **plena confianza** al trono de la **gracia**,
para recibir **misericordia**,
hallar la **gracia** y obtener **ayuda** en el momento **oportuno**.

Esta puntualización es incisiva; no la pases de prisa.

Precisamente por eso, **Cristo**, durante su vida **mortal**,
ofreció **oraciones** y **súplicas**, con fuertes **voces** y **lágrimas**,
a **aquel** que podía librarlo de la **muerte**,
y fue **escuchado** por su **piedad**.

de un árbol cortado sobre la tierra de Israel, devastada. Enfermo y leproso ante quien se voltea el rostro por desprecio. Todo esto piensan los pecadores del Siervo y de su acción. Ha sufrido pacientemente y sin reclamar, como el profeta Jeremías. Será una víctima expiatoria. El Siervo verá, pagando con su muerte expiatoria, el éxito del designio del Señor en la elección de David y su dinastía. Estará lleno del conocimiento de Dios, como lo anunciaba Isaías (11:1) para el país que gobernaría con justicia el retoño de Jesé. Así las naciones son llamadas a un pacto eterno, para participar de los favores de que disponía David.

La comunidad cristiana desde el principio ha percibido en los rasgos de este Siervo, los trazos de su Señor: Jesús encaja perfectamente con el Siervo que sufre, del que habla Isaías. Toma todo su sentido si se lee ese canto, mirando a Cristo en la cruz. Al escuchar este canto que se proclama este día para conmemorar la pasión del Señor por nosotros, pone en evidencia por contraste, los efectos benéficos del sacrificio del Señor. Termina el canto con una sensación de paz, de confianza en Dios y de alabanza, no es un grito de desesperación.

Hoy somos invitados a profundizar en el misterio de la muerte del Señor, para

A pesar de que era el **Hijo**, aprendió a **obedecer** padeciendo,
y llegado a su **perfección**, se convirtió en la **causa**
de la **salvación eterna**
para **todos** los que lo **obedecen**.

EVANGELIO Juan 18:1—19:42

Pasión de nuestro Señor Jesucristo según san Juan

El relato es amplio, y pueden hacerlo entre varios lectores. Además de coordinarse bien, prepárense espiritualmente para hacer una proclamación digna y fructuosa para su comunidad parroquial.

En **aquel** tiempo,
Jesús fue con sus **discípulos** al otro lado del torrente **Cedrón**,
donde había un **huerto**,
y entraron allí **él** y sus **discípulos**.
Judas, el **traidor**, conocía **también** el sitio,
porque **Jesús** se reunía **a menudo** allí con sus **discípulos**.

Este diálogo es vivaz. Nota lo que es información parentética, la que se da al calce o al margen de la acción, y procura que la asamblea la perciba como tal.

Entonces **Judas** tomó un batallón de **soldados**
y **guardias** de los **sumos sacerdotes** y de los **fariseos**
y entró en el huerto con **linternas**, **antorchas** y **armas**.

Jesús, sabiendo **todo** lo que iba a suceder, se **adelantó** y les **dijo**:
"¿A **quién** buscan?"
Le contestaron: "A **Jesús, el nazareno**".
Les dijo Jesús: "**Yo soy**".
Estaba **también** con ellos **Judas**, el **traidor**.
Al decirles "**Yo soy**", retrocedieron y **cayeron a tierra**.
Jesús les **volvió** a preguntar: "¿A **quién** buscan?"
Ellos dijeron: "A **Jesús, el nazareno**".
Jesús contestó:
"Les he dicho que **soy yo**.
Si me buscan **a mí**, dejen que **éstos** se vayan".
Así **se cumplió** lo que Jesús había **dicho**:
'No he perdido a **ninguno** de los que me diste'.

poder captar y asimilar el misterio de nuestra muerte y resurrección. La muerte va perdiendo entre nosotros su sentido profundo de rotura, para convertirse también en ceremonia, aun en espectáculo. O en noticia cotidiana, que al aparecer tan seguido, se hace corriente, ordinaria, perdiendo su singularidad y significado. Habrá que captar lo que es morir, el aniquilamiento total de una persona, para entender un poco más que es una creación, una transformación completa por parte del Señor al resucitarnos.

II LECTURA Esta segunda lectura es como un tercer panel de un tríptico, en cuyo centro está el evangelio de Juan. El autor de la epístola a los Hebreos muestra la dignidad de Jesús y revela el misterio de su obediencia al Padre. Presenta a Jesús como nuestro Sumo Sacerdote. Los hebreos esperaban del sumo sacerdote que es presentara sus ofrendas a Dios de una forma irreprensible y así obtuviera para ellos la misericordia y favor divino. Pero en el templo de Jerusalén el sumo sacerdote no encontraba a Dios cara a cara. Ahora nuestro Sumo Sacerdote, Jesús, ha "atravesado los cielos". Él está vivo con Dios en el cielo. Atravesar los cielos significa que obró como mediador, que va a presentar a Dios la víc-

Entonces **Simón Pedro**, que llevaba una **espada**,
la sacó e **hirió** a un **criado** del sumo sacerdote
y **le cortó la oreja** derecha.
Este criado se llamaba **Malco**.
Dijo **entonces** Jesús a Pedro:
"**Mete** la espada en la **vaina**.
¿No voy a beber el **cáliz** que me ha dado mi **Padre**?"

El **batallón**, su **comandante** y los **criados** de los judíos
apresaron a Jesús,
lo **ataron** y lo llevaron **primero** ante **Anás**,
porque era suegro de **Caifás**, sumo sacerdote **aquel año**.
Caifás era el que había dado a los judíos **este consejo**:
'Conviene que muera **un solo hombre** por el pueblo'.

Simón Pedro y **otro** discípulo **iban siguiendo** a Jesús.
Este discípulo era **conocido** del sumo sacerdote
y **entró** con Jesús en el **palacio** del sumo sacerdote,
mientras Pedro **se quedaba fuera**, junto a la puerta.

No le des tono severo a la voz de la portera, se trata de una simple pregunta.

Salió el otro discípulo, el **conocido** del sumo sacerdote,
habló con la portera e **hizo entrar** a Pedro.
La portera dijo **entonces** a Pedro:
"¿No eres **tú también** uno de los discípulos de **ese** hombre?"
Él le dijo: "**No lo soy**".
Los **criados** y los **guardias** habían encendido un **brasero**,
porque hacía **frío**, y se **calentaban**.
También **Pedro** estaba con ellos de pie, **calentándose**.

El tono de la voz de Jesús es sereno. Nada de sobresaltos.

El **sumo sacerdote** interrogó a **Jesús**
acerca de sus **discípulos** y de su **doctrina**.
Jesús le contestó:
"Yo he hablado **abiertamente** al mundo
y he enseñado **continuamente** en la sinagoga y en el templo,
donde se reúnen **todos** los judíos,
y no he dicho **nada** a escondidas.
¿**Por qué** me interrogas **a mí**?

tima que nos reconcilia con él. En ese cielo, habitación misteriosa de Dios, está "siempre vivo para interceder en nuestro favor" (7:25). Lo hizo ofreciéndose al Padre por nosotros.

Sin embargo, dice el autor que su ida no lo convirtió en un extraño para nosotros. Él es perfecto y nos quiere hacer perfectos. Él ha conocido nuestra situación humana con todos sus problemas, alturas y bajezas. Ha sido un ser sensible, emotivo, capaz de experimentar el placer y el dolor, la alegría y la pena, la ansiedad y la serenidad. En una palabra, ha sido semejante a nosotros en todo "a excepción del pecado" (4:15). Ha amado al Padre y a nosotros. Vino a cumplir la voluntad del Padre. Se ofreció al Padre por nosotros. Experimentó la prueba, inscrita en su memoria y en su corazón. Jesús es un Sumo Sacerdote cercano a nuestras debilidades y lleno de comprensión a nuestra debilidad.

Las palabras de la lectura nos invitan a estar firmes en nuestra fe y a acercarnos al trono de la gracia. Después de esta exhortación, el autor presenta la excelencia de esa mediación. Él ha tenido miedo de la muerte y esa muerte de cruz que había visto más de una vez. Su cuerpo, que ama la vida, teme a la muerte. Acepta esta terrible muerte para

Interroga a los que me han **oído**, sobre lo que les he hablado.
Ellos saben lo que he dicho".

La respuesta de Jesús reviste especial dignidad.

Apenas dijo esto, uno de los guardias
le dio una **bofetada** a Jesús, diciéndole:
"¿**Así** contestas al **sumo sacerdote**?"
Jesús le respondió:
"Si he faltado al hablar, **demuestra** en qué he fallado;
pero si he hablado como **se debe**, **¿por qué** me pegas?"
Entonces **Anás** lo envió atado a **Caifás**, el sumo sacerdote.

Esta pregunta a Pedro es ya incisiva.

Simón Pedro estaba de pie, **calentándose**, y le dijeron:
"¿No eres **tú también** uno de sus discípulos?"
Él lo negó diciendo: "**No lo soy**".
Uno de los **criados** del sumo sacerdote,
pariente de aquel a quien Pedro le había **cortado** la **oreja**, le dijo:
"¿Qué no te vi yo **con él** en el **huerto**?"
Pedro **volvió a negarlo** y enseguida **cantó un gallo**.

Llevaron a Jesús de casa de Caifás **al pretorio**.
Era **muy de mañana** y ellos **no entraron** en el palacio
para no incurrir en **impureza**
y poder así **comer** la cena de Pascua.

En esta parte muestra cierta duda y perplejidad de Pilato.

Salió entonces **Pilato** a donde estaban ellos y les dijo:
"¿**De qué** acusan a ese hombre?"
Le contestaron: "Si **éste** no fuera un **malhechor**,
no te lo hubiéramos **traído**".
Pilato les dijo: " Pues **llévenselo** y júzguenlo **según su ley**".
Los **judíos** le respondieron:
"No estamos **autorizados** para dar muerte a **nadie**".
Así **se cumplió** lo que había dicho **Jesús**,
indicando **de qué muerte** iba a morir.

Dale más viveza a este diálogo entre el Procurador y Jesús.

Entró **otra vez** Pilato en el pretorio, **llamó** a Jesús y le **dijo**:
"¿Eres **tú** el **rey** de los **judíos**?"
Jesús le contestó: "¿Eso lo preguntas **por tu cuenta**
o te lo han dicho **otros**?"

revelarnos su amor. Pide a su Padre que lo libre, pero le da un completo asentimiento a su voluntad. Por este medio ha obtenido la perfección. Fue escuchado por su Padre, ya que "lo ha glorificado". Así, se ha convertido en "causa de salvación eterna para todos los que le obedecen". La cruz de Cristo no es ya un símbolo de muerte, sino es Buena Noticia, evangelio de vida, de esperanza, participación de la vida eterna.

EVANGELIO Cuando san Juan contó la expulsión de los mercaderes del templo (Jn 2:15), anticipó la señal mayor de todo su escrito: la destrucción y edificación del templo nuevo, es decir, la pascua del Mesías de Dios (Jn 2:11). Ese anuncio a las autoridades judías viene a ejecutarse aquí, en los capítulos 18 y 19. La pascua del Mesías es su tránsito "de este mundo... a Dios..."; es la hora de la revelación suprema del amor total y del cumplimiento absoluto de la voluntad del Padre (ver 13:1–3).

La aprehensión en el huerto. San Juan destaca el señorío de Jesús sobre los acontecimientos: sabe todo lo que está por venir, y actúa en favor de los suyos, abriéndoles la opción para que salven su vida. Incluso los mismos adversarios acatarán su voluntad. Jesús es el soberano en todo momento; no

Pilato le respondió: "¿**Acaso** soy yo judío?
Tu **pueblo** y los **sumos sacerdotes** te han entregado **a mí**.
¿**Qué** es lo que has hecho?"
Jesús le contestó:
"Mi Reino **no es** de este mundo.
Si mi Reino **fuera** de este mundo,
mis **servidores** habrían **luchado**
para que **no cayera** yo en manos de los **judíos**.
Pero mi Reino **no es** de aquí".
Pilato le dijo: "¿Conque **tú eres rey**?"
Jesús le contestó:
"**Tú** lo has dicho. **Soy rey**.
Yo nací y **vine al mundo** para ser **testigo** de la **verdad**.
Todo el que es de la verdad, **escucha** mi voz".
Pilato le dijo: "¿Y **qué es** la verdad?"

Los pronunciamientos de inocencia deben ser muy claros. Dale tiempo al diálogo sobre la realeza.

Dicho **esto**, salió **otra vez** a donde estaban los **judíos** y les dijo:
"No encuentro en él **ninguna culpa**.
Entre ustedes es **costumbre** que por Pascua
ponga en **libertad** a un **preso**.
¿Quieren que les **suelte** al **rey** de los **judíos**?"
Pero todos ellos gritaron: "¡**No, a ése no**! ¡A **Barrabás**!"
(El tal **Barrabás** era un **bandido**.)

La voz de Pilato no debe sonar complaciente.

Entonces Pilato **tomó** a Jesús y **lo mandó azotar**.
Los **soldados** trenzaron una **corona de espinas**,
se la pusieron en la **cabeza**,
le echaron encima un **manto** color **púrpura**,
y **acercándose** a él, le decían: "¡**Viva** el **rey** de los **judíos**!",
y le daban **bofetadas**.

Dale velocidad a este párrafo.

Pilato salió **otra vez** afuera y les dijo:
"**Aquí** lo traigo para que sepan que **no encuentro** en él
ninguna culpa".
Salió, pues, Jesús llevando la **corona de espinas**
y el **manto** color **púrpura**.

rehúye la búsqueda del traidor y se identifica con toda entereza delante de sus captores.

Los "Yo soy" de Jesús hacen eco a la voz de Dios, cuando se aprestaba a salvar a su pueblo de los poderes que lo oprimían; Dios se identificaba con el "Yo soy", para que sus fieles obtengan la certeza de que lo que sucede es operado por él mismo, y por nadie más.

Destacan Pedro, en el grupo de discípulos, y Malco en el que comanda Judas. El seguidor de Jesús pareciera pertenecer al otro bando, pues está armado y ataca con la espada a un esclavo del sumo sacerdote. Al parecer es un ataque cobarde porque ocurre cuando el Cristo ya abrió la opción de la fuga. Jesús reprueba la resistencia violenta de su defensor para poder apurar la tremenda copa que el Padre le tiende, y así llevar a cumplimiento su obra. Por otro lado, en Malco, cuyo nombre significa "rey", san Juan exhibe la humillación y deformación de la realeza como la conciben las autoridades romanas y religiosas judías. Aquí no hay curación del mutilado, como en Lucas. Con la batalla simbólica de la luz y las tinieblas en desarrollo, se va dando también el discernimiento sobre la realeza del Mesías de Dios.

Pilato les dijo: "**Aquí está el hombre**".
Cuando lo vieron los **sumos sacerdotes**
y sus servidores, **gritaron**:
"¡**Crucifícalo, crucifícalo**!"
Pilato les dijo: "**Llévenselo** ustedes y **crucifíquenlo**,
porque **yo no encuentro** culpa en él".
Los **judíos** le contestaron: "Nosotros tenemos **una ley**
y según esa ley **tiene que morir**,
porque se ha declarado **Hijo de Dios**".

Cuando Pilato oyó **estas palabras**, se asustó **aún más**,
y entrando **otra vez** en el **pretorio**, dijo a Jesús:
"¿De **dónde** eres tú?"
Pero Jesús no le respondió.
Pilato le dijo entonces: "¿**A mí** no me hablas?
¿No sabes que tengo **autoridad** para **soltarte**
y **autoridad** para **crucificarte**?"
Jesús le contestó: "No tendrías **ninguna autoridad** sobre mí,
si no te la hubieran dado **de lo alto**.
Por eso, el que me ha **entregado** a ti tiene un **pecado mayor**".

La presentación reviste solemnidad. Hay un doble sentido en todo este drama.

Desde **ese** momento, Pilato **trataba** de soltarlo,
pero los judíos **gritaban**:
"¡Si sueltas a **ése**, no eres **amigo** del **César**!;
porque **todo** el que **pretende** ser **rey**, es **enemigo** del **César**".
Al oír **estas palabras**, Pilato **sacó** a Jesús y lo **sentó** en el **tribunal**,
en el sitio que llaman "**el Enlosado**" (en hebreo **Gábbata**).
Era el día de la **preparación** de la **Pascua**, hacia el **mediodía**.
Y dijo Pilato a los judíos: "**Aquí** tienen a su **rey**".
Ellos gritaron: "¡**Fuera, fuera! ¡Crucifícalo**!"

Dale un tono de cierta inquietud a la pregunta de Pilato.

Pilato les dijo: "¿A su **rey** voy a **crucificar**?"
Contestaron los **sumos sacerdotes**:
"**No** tenemos más **rey** que el **César**".
Entonces se lo **entregó** para que lo **crucificaran**.

Proceso y ejecución del Mesías. Justo al inicio del interrogatorio privado, san Juan apunta el sentido de lo que está ocurriendo al citar el consejo de Caifás: la muerte de Jesús será para beneficio del pueblo (ver Jn 11:50).

Anás interroga a Jesús embozado en la preocupación por la paz social. Si Jesús se tiene por el Mesías de Dios, y sus seguidores lo reconocen tal, esto tiene consecuencias políticas y sociales que no pueden ocultarse. Pero Jesús era un maestro itinerante con algunos seguidores galileos y contados simpatizantes en Jerusalén, que no representaba una amenaza seria para la paz social. A los ojos de los jerarcas, sin embargo, convenía cegar cualquier posibilidad de sublevación, pues de crecer la popularidad del Galileo, se convertiría en un peligro nacional, ante todo para la jerarquía que se alimentaba del templo y su teología, como anticipa Caifás ya en 11:40. Había que cortar por lo sano.

Jesús aclara que su movimiento no es esotérico, ni secreto, de iluminados o para unos cuantos, sino que sus enseñanzas son públicas y universales. La transparencia de la doctrina y del propio Jesús, así como su tranquilidad contrasta con los modos de proceder de los sacerdotes, que se mane-

Tomaron a **Jesús** y él, **cargando** la cruz,
se dirigió hacia el sitio llamado "**la Calavera**"
(que en **hebreo** se dice **Gólgota**), donde lo **crucificaron**,
y con él a **otros dos**, uno de cada lado, y en **medio** a **Jesús**.
Pilato **mandó escribir** un letrero y ponerlo **encima** de la cruz;
en él estaba escrito: '**Jesús** el **nazareno**, el **rey** de los **judíos**'.
Leyeron el letrero **muchos** judíos

Empieza a subir el tono de la petición judía.

porque estaba **cerca** el lugar donde crucificaron a **Jesús**
y estaba escrito en **hebreo, latín** y **griego**.
Entonces los **sumos sacerdotes** de los judíos le dijeron a **Pilato**:
"**No** escribas: 'El **rey** de los **judíos**', sino: '**Éste** ha dicho: Soy **rey** de los **judíos**'".
Pilato les contestó: "Lo escrito, **escrito está**".

Aunque la descripción es minuciosa, adopta la velocidad media del narrador.

Cuando crucificaron a Jesús, los soldados **cogieron** su **ropa**
e hicieron **cuatro partes**,
una para **cada** soldado, y **apartaron** la **túnica**.
Era una túnica **sin costura**,
tejida toda de una **sola** pieza de arriba a abajo.
Por eso se dijeron:
"No la **rasguemos**, sino **echemos suerte** para ver a **quién** le toca".
Así **se cumplió** lo que dice la **Escritura**:
*Se **repartieron** mi **ropa** y **echaron** a **suerte** mi **túnica**.*
Y **eso** hicieron los **soldados**.

La crucifixión es un momento climático que se prolonga. Apóyate en la puntuación para que no te precipites en la lectura.

Junto a la cruz de Jesús estaba su **madre**,
la **hermana** de su **madre**, **María** la de **Cleofás**,
y **María Magdalena**.
Al ver a su **madre** y junto a ella al discípulo que **tanto quería**,
Jesús dijo a su **madre**:
"**Mujer**, ahí está tu **hijo**".
Luego dijo al **discípulo**: "Ahí está tu **madre**".
Y **desde entonces** el discípulo se la llevó a vivir **con él**.

Procura que las palabras de Jesús sean recibidas por toda la asamblea. Haz contacto visual con ella.

Después de esto, **sabiendo** Jesús que **todo** había llegado
a su **término,**
para que **se cumpliera** la **Escritura**, dijo: ***"Tengo sed"***.

jan a oscuras, con violencia y a espaldas del pueblo.

Afuera, Pedro niega todo vínculo con su maestro hasta por tres veces. Se desdice y se despoja de su identidad de discípulo. Simón Pedro niega hasta la evidencia del pariente de Malco. Lo que no puede callar es el canto del gallo y la memoria de las palabras de Jesús.

De lo ocurrido en casa de Caifás, el sumo sacerdote en funciones y yerno de Anás, nada dice san Juan. De mañana llevaron a Jesús al pretorio, el sitio donde despachaba el procurador romano cuando iba a Jerusalén. San Juan lanza una puya contra el prurito judío de pureza cuando dice que no entraron en la casa del pagano para no contaminarse y poder comer la pascua.

Creen guardar la Ley pero alimentan intenciones homicidas.

Pilato, militar y pragmático, era el administrador de la justicia. Quiere saber el crimen que le imputan a Jesús, pero sólo obtiene generalidades. La realeza de Jesús es el foco de la amplia comparecencia ante el representante del César romano. Decir que Jesús es el Mesías de Dios equivale a decir que es "rey de los judíos". Su reinado

Con profunda reverencia interna atiende a la muerte del Mesías. Arrodíllate con todos, llegado el momento.

Había allí un **jarro** lleno de **vinagre**.
Los **soldados** sujetaron una **esponja** empapada en **vinagre**
a una **caña** de **hisopo**
y se la **acercaron** a la **boca**.
Jesús **probó** el vinagre y dijo: "**Todo está cumplido**",
e, inclinando la cabeza, **entregó el espíritu**.

[Aquí se arrodillan todos y se hace una breve pausa.]

Entonces, los **judíos**,
como era el día de **preparación** de la **Pascua**,
para que los **cuerpos** de los **ajusticiados**
no se quedaran en la cruz el **sábado**,
era un día **muy solemne**,
pidieron a Pilato que les **quebraran** las piernas
y los **quitaran** de la cruz.
Fueron los soldados, le **quebraron** las piernas a **uno** y luego al **otro**
de los que habían sido **crucificados con él**.
Pero al llegar a **Jesús**, viendo que **ya había muerto**,
no le quebraron las piernas,
sino que uno de los soldados le **traspasó el costado**
con una **lanza**
e **inmediatamente** salió **sangre** y **agua**.

Retoma el hilo narrativo y aumenta un poco la velocidad de tu lectura en esta parte.

El que vio da **testimonio** de esto y su testimonio es **verdadero**
y él sabe que dice la **verdad**, para que también ustedes **crean**.
Esto sucedió para que **se cumpliera** lo que dice la **Escritura**:
No le quebrarán ningún hueso;
y en **otro lugar** la Escritura dice: *Mirarán al que traspasaron.*

Entra una información colateral que el auditorio debe notar que es tal.

Después de esto, **José de Arimatea**, que era **discípulo** de Jesús,
pero **oculto** por miedo a los judíos,
pidió a Pilato que lo dejara **llevarse** el cuerpo de Jesús.
Y Pilato lo **autorizó**.
Él fue entonces y **se llevó** el cuerpo.

no es de este mundo, porque sus raíces y su inspiración no son las de este mundo. Uno tiene que recordar el reinado del Hijo del hombre daniélico que viene del cielo, opuesto a los reinados de las bestias que vienen del mar y de la tierra. El reinado de Jesús es el de la verdad, no de la mentira ni del pecado; es el reino de la humanidad gloriosa. En esta línea de revelación y transparencia, la verdad significa la fidelidad inquebrantable de Dios por los suyos. Esa fidelidad es la que el hombre Jesús encarna y es la misma que las autoridades rechazan, de la que se mofan y reniegan.

La crucifixión de Jesús es la expresión más clamorosa del amor de Dios por su pueblo, necesitado de misericordia. Por un lado, el Mesías de Dios va siendo sometido por los líderes judíos y romanos, a una deshumanización aberrante, en nombre de la sobrevivencia del pueblo y de la seguridad nacional. Por el otro, en esa andadura de deshumanizar al Mesías, sus verdugos también se deshumanizan, pierden lo que les distingue de lo irracional, la imagen de Dios, para adoptar a la violencia por señora. Así, la deshumanización se da por cuenta doble: en la víctima y en sus verdugos. En semejante proceso, recuperar la humanidad sólo será posible mediante el poder de la misericordia; la misericordia todopoderosa de Dios.

En la crucifixión, Dios, su rostro, se deja ver en las palabras de las Escrituras proféticas que san Juan va desgranando en un cuadro y en otro. Ellas muestran una perspectiva más alta, la del proyecto divino que no se mira ni sorprendido ni sobrepasado por los acontecimientos, sino que los

Llegó también **Nicodemo**, el que había ido a verlo **de noche**,
y trajo unas **cien libras** de una mezcla de **mirra** y **áloe**.

La escena de la sepultura reclama recogimiento y atención al detalle. Ve bajando la velocidad de la lectura en las líneas finales.

Tomaron el cuerpo de Jesús
y lo **envolvieron** en lienzos con esos aromas,
según **se acostumbra enterrar** entre los judíos.
Había un **huerto** en el sitio donde lo **crucificaron**,
y en el huerto, un **sepulcro nuevo**,
donde **nadie** había sido enterrado **todavía**.
Y como para los **judíos** era el día de la **preparación** de la **Pascua**
y el sepulcro estaba **cerca**, allí pusieron a **Jesús**.

mantiene bajo el horizonte de la salvación. Es la hora del cumplimiento; cuando la palabra se ha venido a cuajar en gestos, carne, acción y fuente de esperanza para quienes contemplen al Traspasado.

La sepultura de Jesús no corresponde a su condición de ajusticiado o criminal, sino a la de un rey. Los perfumes abundantes mitigarán los olores de la putrefacción, y el sepulcro nuevo habla del espacio incontaminado y de la novedad que la pascua inicia. La gente piadosa solía sepultar a sus difuntos cerca de algún árbol o en algún huerto, como signo de vida imperecedera y, luego, de resurrección. José de Arimatea, un discípulo oculto, y Nicodemo, uno de los principales fariseos, ejecutan las honras fúnebres al cuerpo del Mesías. Ellos no podrán comer la pascua sino hasta después de una prolongada purificación. Por otro lado, desde su identidad tan condicionada, ellos comienzan a restituir la humanidad de la Víctima.

VIGILIA PASCUAL

I LECTURA Génesis 1:1—2:2

Lectura del libro de Génesis

La novedad es lo principal en esta lectura. Cada acción de Dios es nueva. Déjate llevar por la admiración y el entusiasmo.

En el principio **creó** Dios el **cielo** y la **tierra**.
La tierra era **soledad** y **caos**;
y las tinieblas **cubrían** la faz del abismo.
El espíritu de Dios **se movía** sobre la superficie de las **aguas**.

Dijo Dios: "Que **exista** la luz", y la luz **existió**.
Vio Dios que la luz **era buena**, y **separó** la luz de las **tinieblas**.
Llamó a la luz "**día**" y a las tinieblas, "**noche**".
Fue la tarde y la mañana del **primer día**.

Dijo Dios: "Que haya una **bóveda** entre las **aguas**,
que **separe** unas aguas de **otras**".
E hizo Dios una **bóveda**
y **separó** con ella las aguas de **arriba**, de las aguas de **abajo**.
Y **así** fue.
Llamó Dios a la bóveda "**cielo**".
Fue la tarde y la mañana del **segundo día**.

Separa los días con toda claridad haciendo doble pausa entre ellos.

Dijo Dios:
"Que **se junten** las aguas de **debajo** del cielo en un **solo** lugar
y que aparezca el **suelo seco**". Y **así** fue.
Llamó Dios "tierra" al suelo seco y "mar" a la masa de las aguas.
Y vio Dios que era **bueno**.

Esta noche, la más santa de todas las noches, la Iglesia entera se dispone a escuchar a su Señor, a acoger su palabra y a dejarse santificar por ella. Es la palabra de Dios, la que santifica esta noche con todos sus ingredientes: fuego y luz, agua y aceites, ropajes y gestos, cantos y silencios. Pero de un modo privilegiado, la palabra de Dios santifica a su pueblo, nosotros; nos hace santos. Es necesario, pues, disponerse a recibir ese torrente de Escrituras, que se derrama sobre nosotros con abundancia inusual: siete lecturas del Antiguo Testamento y dos del Nuevo, la epístola y el evangelio. Esta noche, "la madre de todas las vigilias", como asegura el Misal Romano retomando a san Agustín (Sermón 219), celebramos que hemos sido engendrados santos por la Palabra de Dios.

Las lecturas de esta noche proclaman los acontecimientos de la historia de la salvación que Dios patentó a su pueblo. La mano de Dios operando en favor de los suyos es lo que la Iglesia contempla conforme llegan a sus oídos los portentos divinos. La creación, las promesas hechas a Abraham, la liberación de la esclavitud, las nupcias de Dios con su pueblo, la invitación universal al banquete de la alianza perpe-

Dijo Dios: "**Verdee** la tierra con plantas que den semilla
y **árboles** que den fruto y semilla,
según su **especie**, sobre la tierra". Y **así** fue.
Brotó de la tierra **hierba verde**, que producía **semilla**,
según su **especie**,
y árboles que daban **fruto** y llevaban **semilla**, según su especie.
Y vio Dios que era **bueno**. Fue la tarde y la mañana del **tercer día**.

Al hablar de la bóveda celeste baja la velocidad de la lectura, para que la asamblea asocie las imágenes cotidianas a la lectura.

Dijo Dios: "Que haya **lumbreras** en la bóveda del cielo,
que separen el **día** de la **noche**,
señalen las **estaciones**, los **días** y los **años**,
y **luzcan** en la bóveda del cielo para **iluminar** la tierra".
Y **así** fue.
Hizo Dios las **dos grandes** lumbreras:
la lumbrera **mayor** para regir el **día**
y la **menor**, para regir la **noche**;
y **también** hizo las **estrellas**.
Dios puso las **lumbreras** en la bóveda del cielo
para **iluminar** la tierra,
para **regir** el día y la noche, y **separar** la luz de las tinieblas.
Y vio Dios que era **bueno**.
Fue la tarde y la mañana del **cuarto día**.

Dijo Dios: "**Agítense** las aguas con un **hervidero** de seres vivientes
y **revoloteen** sobre la tierra las **aves**, bajo la bóveda del cielo".
Creó Dios los **grandes animales marinos**
y los **vivientes** que en el agua se **deslizan** y la **pueblan**,
según su **especie**.
Creó **también** el mundo de las **aves**, según sus **especies**.
Vio Dios que era **bueno** y los **bendijo**, diciendo:
"Sean **fecundos** y **multiplíquense**; llenen las **aguas** del mar;
que las aves **se multipliquen** en la tierra".
Fue la tarde y la mañana del **quinto día**.

La bendición a los animales tiene una solemnidad particular. Pronúnciala con vigor y enjundia.

tua, la presentación de la sabiduría para bien vivir, y la regeneración del pueblo, hablan del gran proyecto de Dios para los suyos que verá la realidad en Cristo Jesús, muerto y resucitado.

El misterio pascual de Cristo, la vida nueva para los creyentes, es lo que escuchamos en la epístola de san Pablo, porque todo nace del anuncio exultante ante el sepulcro abierto, el grito de la tierra y de toda la creación, por la resurrección de Cristo. En ella concurren cielos y tierra, noche y día, humanos y ángeles, porque es la nueva creación.

A la palabra escuchada, la Iglesia responde con la misma palabra revelada de Dios, por eso cantamos un Salmo luego de cada lectura, o lo meditamos en silencio. Bebamos, pues, del torrente de la vida.

I LECTURA La primera lectura de esta víspera pascual empieza con el relato de la creación. El autor no quiso darnos propiamente una historia, pues no hay ninguna tradición histórica del principio del mundo, ni del principio de la humanidad. Intenta más bien dar un significado al mundo presente. No habla propiamente del pasado, sino del presente. Quiere decirnos el autor lo que es el mundo y el hombre.

Dijo Dios: "**Produzca** la tierra vivientes, según sus **especies**:
animales **domésticos, reptiles** y **fieras**, según sus **especies**".
Y **así** fue.
Hizo Dios las **fieras**, los animales **domésticos** y los **reptiles**,
cada uno según su especie.
Y vio Dios que era **bueno**.

Dijo Dios: "Hagamos al **hombre** a **nuestra imagen** y **semejanza**;
que domine a los **peces** del mar, a las **aves** del cielo,
a los **animales domésticos**
y a **todo animal** que se arrastra sobre la tierra".

Las tres líneas de la creación de la humanidad hazlas pausadamente, pero con entusiasmo.

Y creó Dios al **hombre** a su **imagen**;
a imagen **suya** lo creó;
hombre y **mujer** los **creó**.

Y los **bendijo** Dios y les **dijo**:
"Sean **fecundos** y **multiplíquense**, llenen la tierra y sométanla;
dominen a los **peces** del mar, a las **aves** del cielo
y a **todo ser viviente** que se mueve sobre la tierra".

Y **dijo** Dios:
"**He aquí** que les entrego **todas** las plantas de semilla
que hay sobre la **faz** de la **tierra**,
y **todos** los árboles que producen **fruto** y **semilla**,
para que les sirvan de **alimento**.
Y a **todas** las fieras de la tierra, a **todas** las aves del cielo,
a **todos** los reptiles de la tierra, a **todos** los seres que respiran,
también les doy por alimento las **verdes plantas**". Y **así** fue.
Vio Dios **todo** lo que había hecho y lo encontró **muy bueno**.
Fue la tarde y la mañana del sexto día.

Las frases conclusivas anúncialas como se anuncia una victoria. Las fuerzas del caos y del abismo han sido vencidas por la palabra de Dios.

Así quedaron concluidos el cielo y la tierra con todos sus
ornamentos, y terminada su obra, descansó Dios
el séptimo día de todo cuanto había hecho.

Forma breve: Génesis 1:1, 26–31a

El autor dice de entrada con una figura polar, que Dios creó el cielo y la tierra, es decir, todo. Después va a pasar a especificar los componentes principales del mundo. Emplea un esquema gradual donde, por medio de cinco fórmulas repetidas pausadamente, produce en los oyentes una sensación de tranquilidad y armonía, conseguida por la periodicidad del género literario de la letanía.

Dios emplea dos acciones: con una crea, hace y, con otra, ordena. Con su palabra crea la luz para poder crear el tiempo. Éste irá cadenciándose entre la luz y la tiniebla, entre el día y la noche. Además, con esto empieza el orden que es una característica de la creación: todo está ordenado.

Dios divide las aguas de arriba de las de abajo, creando el firmamento, la tierra y el mar. Después vendrán las otras obras creadas, de tipo adorno. En la tierra creó Dios el pasto, las hierbas y los árboles frutales. Luego adornó Dios el firmamento con los astros: el sol, la luna y las estrellas. Después vino la creación de los animales del mar y las aves. En la tierra creó Dios los animales.

Después de haber creado y ordenado perfectamente el mundo, pasa Dios a crear la obra más importante: el hombre. Lo crea a su imagen. El hombre es varón y hembra.

Para meditar.

SALMO RESPONSORIAL Salmo 103:1–2a, 5–6, 10, y 12, 13–14, 24, y 35c

R. Envía tu Espíritu, Señor, y repuebla la faz de la tierra.

Bendice, alma mía, al Señor, / ¡Dios mío, qué grande eres! / Te vistes de belleza y majestad, / la luz te envuelve como un manto. R.

Asentaste la tierra sobre sus cimientos, / y no vacilará jamás; / la cubriste con el manto del océano, / y las aguas se posaron sobre las montañas. R.

De los manantiales sacas los ríos / para que fluyan entre los montes, / junto a ellos habitan las aves del cielo, / y entre las frondas se oye su canto. R.

Desde tu morada riegas los montes, / y la tierra se sacia de tu acción fecunda; / haces brotar hierba para los ganados / y forraje para los que sirven al hombre. R.

Cuántas son tus obras, Señor, / y todas las hiciste con sabiduría, / la tierra está llena de tus criaturas. / ¡Bendice, alma mía, al Señor! R.

Alternativo: Salmo 32:4–5, 6–7, 12–13, 20, y 22

II LECTURA Génesis 22:1–18

Lectura del libro del Génesis

La lectura es difícil por su dramatismo. Prepárala fijándote en las etapas del relato, pues todos los párrafos son muy intensos.

En **aquel** tiempo, Dios le puso una **prueba** a Abraham y le dijo:
"**¡Abraham, Abraham!**"
Él respondió: "**Aquí estoy**".
Y **Dios** le dijo:
"**Toma** a tu hijo único, **Isaac**, a quien **tanto** amas;
vete a la región de **Moria**
y ofrécemelo **en sacrificio**, en el monte que **yo te indicaré**".

Haz que la frase "al tercer día" retintinee en los oídos de la asamblea, para que las asociaciones se despierten.

Abraham **madrugó, aparejó** su burro,
tomó consigo a dos de sus criados y a **su hijo Isaac**;
cortó leña para el sacrificio
y **se encaminó** al lugar que Dios le había **indicado.**
Al **tercer día** divisó a lo lejos el lugar.

El hombre es una pareja humana. La gran dignidad del ser humano es ser imagen de Dios. Es decir, las cosas de arriba y debajo no pueden representar a Dios. La única imagen que representa a Dios, es el ser humano.

El relato de la creación va a un primer fin: la creación del hombre. El Señor Dios le puso al hombre como tarea humanizar al mundo, darle su imagen. El hombre cuidará la creación, le dará algo que sólo él le puede dar: el orden, la armonía completa.

Finalmente, la intención última de la creación es Dios, es su glorificación. Todo fue creado por Dios y para él, como en bella frase dirá san Pablo.

II LECTURA Abraham se encontró un día con Dios y empezó a caminar con él. Lo conocía con un nombre: el Dios de sus padres. Cuando comenzó su andada con él, ya era tarde en su vida. Dios lo acompañó, prometiéndole una descendencia y tierra para su ganado. Lo que Abraham deseaba más en su corazón, sin duda, era tener descendencia. No había tenido hijos y tanto él como su mujer ya eran ancianos y, por lo tanto, la paternidad no podía venirle por la naturaleza. Pero el Dios de sus padres le había prometido que

Les dijo entonces a sus **criados**:
"**Quédense** aquí con el burro;
yo iré con el muchacho **hasta allá**,
para **adorar** a Dios y **después** regresaremos".

Abraham **tomó** la leña para el **sacrificio**,
se la **cargó** a su hijo **Isaac**
y **tomó** en su mano el **fuego** y el **cuchillo**.
Los dos caminaban **juntos.**

El diálogo es muy dramático. El corazón devastado del padre se deja ver en sus respuestas cargadas de confianza absoluta en Dios.

Isaac dijo a su padre Abraham: "¡**Padre**!"
Él respondió: "¿Qué quieres, **hijo**?"
El muchacho contestó:
"Ya tenemos **fuego** y **leña**, pero,
¿dónde está el **cordero** para el **sacrificio**?"
Abraham le contestó:
"**Dios** nos dará el cordero para el sacrificio, **hijo mío**".
Y **siguieron** caminando **juntos**.

Cuando **llegaron** al sitio que Dios le había **señalado**,
Abraham levantó un **altar** y acomodó la **leña**.

El punto dramático culminante es el golpe fatal. Haz una pausa de dos tiempos antes de iniciar el siguiente párrafo.

Luego **ató** a su hijo Isaac, **lo puso sobre el altar**, encima de la leña,
y **tomó** el cuchillo para **degollarlo**.

Pero el **ángel** del Señor lo **llamó** desde el cielo y le **dijo**:
"¡**Abraham, Abraham**!" Él contestó: "**Aquí estoy**".
El ángel le dijo: "**No** descargues la mano contra tu **hijo**,
ni le hagas **daño**.
Ya veo que temes a Dios, porque no le has **negado** a tu hijo **único**".
Abraham **levantó** los ojos y **vio** un **carnero**,
enredado por los **cuernos** en la **maleza**.
Atrapó el carnero y **lo ofreció** en sacrificio, en **lugar** de su **hijo**.

sería padre. Abraham creyó y poco a poco esta creencia, esa fe, va a irse solidificando, diríamos, se va a ir purificando hasta perfeccionarse.

La lectura segunda de esta noche santa, nos pone ante la mayor prueba que pudo tener Abraham. Dios le va a poner una dura prueba. Abraham no es un superhombre, es un sencillo nómada que en su camino sin límites, ha aprendido que el hombre tiene muchos límites. Dios va a probar su fe. Le pide Dios algo inaudito: su hijo. Quiere que lo sacrifique en su honor. No le da más explicaciones. Tal vez, Abraham no las necesitaba. Le bastaba la orden. Se puso en camino. Todavía en el camino va a escuchar voces que lo pueden desviar de la orden divina.

Dios le está pidiendo un sacrificio, sí, pero no lo de la sangre, lo del sentimiento paterno, sino su futuro, su esperanza. Sin esperanza por pequeña que sea, nadie puede vivir. Un puñado de aztecas, al ver derribados sus dioses, se murieron. No hubo necesidad de ajusticiarlos. Ya no había esperanza. Se apoderó de ellos la tristeza y ésta los llevó rápidamente a la muerte.

Abraham creyó contra toda esperanza. Le dio su esperanza a Dios y así llegó a la perfección. Dios le reconoce su don y le hace entender que en adelante su hijo, el de

Abraham puso por **nombre** a aquel sitio "**el Señor provee**",
por lo que **aun el día de hoy** se dice:
"el **monte** donde el **Señor provee**".

Formula con toda solemnidad el juramento final de Dios por boca del ángel. Esta bendición alcanza hasta la asamblea de fe.

El ángel del Señor **volvió** a llamar a Abraham
desde el cielo y **le dijo**:
"Juro **por mí mismo,** dice el Señor,
que por haber hecho **esto**
y no haberme negado a **tu hijo único**,
yo te **bendeciré**
y **multiplicaré** tu descendencia como las **estrellas** del cielo
y las **arenas** del mar.
Tus descendientes **conquistarán** las ciudades enemigas.
En tu **descendencia** serán **bendecidos**
todos los pueblos de la tierra,
porque **obedeciste** a mis **palabras**".

Forma breve: Génesis 22:1–2, 9a–13, 15–18

Para meditar.

SALMO RESPONSORIAL Salmo 15:5 y 8, 9–10, 11

R. Protégeme, Dios mío, que me refugio en ti.

El Señor es el lote de mi heredad y mi copa, / mi suerte está en tu mano. / Tengo siempre presente al Señor, / con él a mi derecha no vacilaré. R.

Por eso se me alegra el corazón, / se gozan mis entrañas, / y mi carne descansa serena; / Porque no me entregarás a la muerte / ni dejarás a tu fiel conocer la corrupción. R.

Me enseñarás el sendero de la vida, / me saciarás de gozo en tu presencia, / de alegría perpetua a tu derecha. R.

la promesa, es el dado por Dios. Será una figura del Hijo del Padre, que obedeciéndole, se sacrificará por nosotros.

III LECTURA La celebración de la pascua tiene una relación directa con la salida de Egipto. Se refiere la pascua a aquella noche memorable más que ninguna otra, noche en que el Señor liberó a su pueblo de la opresión de Egipto. La salida de Egipto constituye el acto fundante más importante de la memoria cultural de Israel. Las representaciones pueden variar y, de hecho, varían: pensemos en las dos tradiciones que nos cuentan el hecho. Cada una la conserva adaptándola a los oyentes que tiene enfrente.

¿Qué fue lo que realmente sucedió en aquella noche memorable, que pronto se envolvió en los ritos? Si le hacemos caso a la primera tradición, la más antigua, representada por lo que se ha venido llamando yahvista, Moisés por mandato divino, ordenó al grupo de esclavos hebreos que se fueran hacia el oeste, cerca del mar.

Aquí aparecen varios elementos naturales que van a ayudar al grupo hebreo a salir de Egipto. Por un lado una niebla espesa que no permite a los egipcios, sus señores, distinguir a los hebreos; los egipcios

III LECTURA Éxodo 14:15—15:1

La lectura es amplia. Adopta una velocidad más alta a la ordinaria para hacer un recorrido con agilidad y atingencia.

Lectura del libro del Éxodo

En **aquellos** días, dijo el Señor a **Moisés**:
"¿Por qué **sigues** clamando **a mí**?
Diles a los **israelitas** que se pongan **en marcha**.
Y tú, **alza** tu bastón, **extiende** tu mano sobre el mar y **divídelo**,
para que los israelitas **entren** en el mar **sin mojarse**.
Yo voy a **endurecer** el corazón de los egipcios
para que los **persigan**,
y **me cubriré** de gloria
a **expensas** del faraón y de **todo** su ejército,
de sus **carros** y **jinetes**.
Cuando me haya **cubierto de gloria**
a **expensas** del faraón, de sus **carros** y **jinetes**,
los egipcios sabrán que **yo soy el Señor**".

Describe con vigorosas pinceladas de voz esta escena de una batalla.

El **ángel** del Señor, que iba **al frente** de las huestes de **Israel**,
se colocó tras ellas.
Y la **columna de nubes** que iba **adelante**,
también se desplazó y se puso a sus **espaldas**,
entre el campamento de los **israelitas**
y el campamento de los **egipcios**.
La nube era **tinieblas para unos** y **claridad para otros**,
y **así** los ejércitos **no** trabaron contacto durante **toda** la noche.

Moisés **extendió** la mano sobre el **mar**,
y el Señor **hizo soplar** durante **toda** la noche
un **fuerte viento** del este,
que **secó** el mar, y **dividió** las aguas.

están acampados cerca, pero atacarlos es imposible. Por otro lado, en un momento dado sopla un viento tan fuerte del este que hace que las aguas de un brazo del mar se recorran hacia el oeste, dejando un gran espacio del lecho de ese mar, vacío. Entonces Moisés, sobre orden divina, manda al grupo que atraviese esa parte. Lo obedecen. Después el viento cesa y las aguas retornan a su cauce. En esos momentos, cuando los perseguidores egipcios ya iban detrás de los hebreos, se encontraron con el agua y el lodo que impedía a los carros andar rápido, se atascaron. Así, tanto carros como soldados se anegaron. Los hebreos ya habían pasado y se salvaron.

Una acción simple para ser contada, pero difícil para llevarla a cabo, sobre todo, sirviéndose de los elementos naturales con los cuales sólo Dios puede disponer.

Así Israel contado este hecho fundamental con variantes, va a reconocer lo fundamental: Dios los sacó de la esclavitud. Esta intervención debe ser recordada de generación en generación. Jesús otorga a la cena pascual que celebró por última vez, un puesto central. Jesús es el verdadero cordero pascual: su sacrificio en la cruz inaugura el éxodo definitivo, la liberación definitiva del pecado y de la muerte.

Los israelitas **entraron** en el mar y **no se mojaban**,
mientras las aguas formaban una **muralla**
a su **derecha** y a su **izquierda**.
Los egipcios **se lanzaron** en su persecución
y **toda** la caballería del faraón, sus **carros** y **jinetes**,
entraron **tras ellos** en el mar.

Con firmeza en la voz acelera el relato en esta parte, para que se note como un golpe de parte del Señor.

Hacia el **amanecer**,
el **Señor** miró desde la columna de **fuego** y **humo**
al ejército de los **egipcios**
y sembró entre ellos el **pánico**.
Trabó las **ruedas** de sus **carros**,
de suerte que no avanzaban **sino pesadamente**.
Dijeron **entonces** los egipcios:
"**Huyamos** de Israel, porque el Señor **lucha**
en su favor **contra** Egipto".

No aminores la velocidad. Es una batalla prodigiosa la que se está describiendo, no un mero portento.

Entonces el Señor le dijo a **Moisés**:
"**Extiende** tu mano sobre el **mar**,
para que vuelvan las aguas **sobre los egipcios**,
sus **carros** y sus **jinetes**".
Y **extendió** Moisés su mano **sobre el mar**,
y **al amanecer**, las aguas **volvieron** a su sitio,
de suerte que **al huir**, los egipcios se **encontraron** con ellas,
y el Señor **los derribó** en medio del mar.
Volvieron las aguas y **cubrieron** los carros,
a los **jinetes** y a **todo el ejército** del faraón,
que se había **metido** en el mar para **perseguir** a **Israel**.
Ni uno solo se salvó.

Pero los **hijos de Israel** caminaban **por lo seco** en medio del mar.
Las aguas les hacían **muralla** a **derecha** e **izquierda**.
Aquel día salvó el Señor a Israel de las **manos** de **Egipto**.
Israel vio a los egipcios, **muertos en la orilla** del mar.
Israel vio la **mano fuerte del Señor** sobre los egipcios,
y el pueblo **temió** al Señor y **creyó** en el **Señor** y en **Moisés**,
su **siervo**.

La victoria está consumada, y es hora de la celebración. Toma muy en cuenta que no se dice la fórmula conclusiva habitual.

IV LECTURA Esta parte del poema con que el segundo Isaías termina su obra, es una respuesta al cuarto canto del Siervo (Is 52:13–53:12). La poesía obra con alusiones y semejanzas, lo que encontramos aquí. La primera imagen es la de la esposa olvidada y despechada, que vuelve a tomar el marido. En realidad, nunca había olvidado el Señor a su esposa, a Israel. Los "Por un tiempo solamente" (v. 7) es una clara alusión al destierro. La ternura se derrama por todo el poema: "Tu esposo es tu creador". "Con gran cariño te recogeré".

El profeta ve la salvación no como un suceso o una consecuencia de hechos, sino como una situación concreta. No le habla el autor de sucesos espectaculares ni exige de Israel un arrepentimiento. No dice la razón, o más bien sí: funda este vuelco de Dios hacia Israel en el amor que le tiene. Esto es lo que la poesía expresa con la abundancia de expresiones e imágenes: "con lealtad eterna te quiero, con gran cariño te recogeré …el Señor que te quiere". Dios le da su amor a Israel sin condiciones. No es por los méritos que haya hecho el pueblo, sino que todo está fundado en el cariño divino. De aquí se escapa ese amor a la esfera universal, abarcando a toda la humanidad.

Entonces **Moisés** y los hijos de Israel
cantaron este cántico **al Señor**:

[El lector no dice "Palabra de Dios" y el salmista de inmediato canta el salmo responsorial.]

Para meditar.

SALMO RESPONSORIAL Éx 15:1–2, 3–4, 5–6, 17–18

R. Cantaré al Señor, sublime es su victoria.

Cantaré al Señor, sublime es su victoria: / caballos y jinetes arrojó en el mar. / Mi fortaleza y mi canto es el Señor,/ Él es mi salvación;/ él es mi Dios, y yo lo alabaré,/ es el Dios de mis padres, y yo lo ensalzaré. R.

El Señor es un guerrero, su nombre es el Señor. / Los carros del faraón los lanzó al mar / y a sus guerreros; / ahogó en el mar Rojo a sus / mejores capitanes. R.

Las olas los cubrieron, / bajaron hasta el fondo como piedras. / Tu diestra, Señor, es fuerte y terrible,/ tu diestra, Señor, tritura el enemigo. R.

Los introduces y los plantas en el monte de tu heredad, / lugar del que hiciste tu trono, Señor; / santuario, Señor, que fundaron tus manos. / El Señor reina por siempre jamás. R.

IV LECTURA Isaías 54:5–14

Lectura del libro del profeta Isaías

Expresa los tiernos sentimientos de ese gran amor que Dios tiene por esta mujer abandonada, Israel, la novia de su juventud.

"El que **te creó**, te tomará **por esposa**;
su nombre es '**Señor de los ejércitos**'.
Tu **redentor** es el **Santo** de Israel;
será llamado '**Dios** de **toda** la tierra'.
Como a una **mujer abandonada** y **abatida**
te **vuelve** a llamar el **Señor**.
¿**Acaso** repudia uno a la esposa de la **juventud?**,
dice tu Dios.

Si antes la construcción de la ciudad fue obra de los hombres (Gen 2–4), ahora según el anuncio salvífico del profeta, el Señor construirá la ciudad (vv. 11–14). La salvación ofrecida por Dios tiene continuidad con lo anterior, pero no es una reposición de lo antiguo. Evita el poema llamativamente hablar de restituciones políticas, militares y sociales. Ni en lo religioso hay una alusión a una vuelta a los ideales de antaño. No hay promesa de reconstrucción de un templo que estaría en la ciudad de Jerusalén.

El futuro es descrito como un retomar a la esposa y llenarla de adornos. Se habla de dos a tres construcciones, pero se insiste en que en esa futura ciudad reinará la lealtad y la justicia: fundamentos de la sociedad diseñada desde el Sinaí y que Jesús lleva a su cumplimiento.

V LECTURA Empieza a cerrar su mensaje el profeta de la consolación. Como lo hacían los sabios, invita a los no iniciados. Los maestros empleaban el verbo de comer como figura. La sabiduría, el arte de pensar y saber decidir en la vida, es un alimento que se come, es algo sustancioso que hay que aprovechar. Por esto el profeta invita a los lectores a que coman, ya no la doctrina o tradición, sino el don de la

Por un instante te abandoné,
pero con **inmensa misericordia** te volveré a tomar.
En un **arrebato** de ira
te oculté un instante **mi rostro**,
pero con **amor eterno** me he **apiadado** de ti,
dice el Señor, **tu redentor**.

Pronuncia con viveza estas líneas que garantizan, de parte de Dios, la vida de los fieles.

Me pasa **ahora** como en los **días de Noé**:
entonces **juré** que las **aguas del diluvio**
no volverían a cubrir la tierra;
ahora juro **no enojarme** ya contra ti
ni volver a amenazarte.
Podrán **desaparecer** los **montes**
y **hundirse** las **colinas**,
pero **mi amor** por ti **no desaparecerá**
y mi **alianza de paz** quedará **firme para siempre**.
Lo dice el **Señor**, el que **se apiada** de ti.

Tú, la **afligida**, la **zarandeada** por la tempestad,
la **no consolada**:
He aquí que **yo mismo** coloco **tus piedras** sobre **piedras finas**,
tus **cimientos** sobre **zafiros**;
te pondré **almenas de rubí**
y **puertas de esmeralda**
y **murallas** de **piedras preciosas**.

Este párrafo anuncia la paz que da el conocimiento de Dios cuyo fruto es la justicia. Infunde un tono de esperanza a tu voz, elevándola un poco hacia el final.

Todos tus hijos serán **discípulos del Señor**,
y será **grande** su **prosperidad**.
Serás **consolidada** en la **justicia**.
Destierra la angustia,
pues ya **nada** tienes que temer;
olvida tu miedo,
porque ya no se acercará **a ti**".

salvación del cual él es mensajero. Se imagina el profeta estar en los mercados o andar por las calles, ofreciendo al pueblo esa salvación que Dios está por dar a todos. Además, emplea el verbo beber. La sabiduría se bebía. La imagen es la del hombre sediento. Esta necesidad fundamental del agua para el hombre, la toma para aludir a la terminología de Éxodo. No dejo Dios con sed a su pueblo cuando lo guió por el desierto (48:21), sino que se compadeció de ellos y los guió a manantiales de agua (49:10). Con esto habla, en el sentido de Amós 8:2, del hambre de la palabra de Dios, del deseo de la cercanía de Dios y de su ayuda. Dios los va a conducir a un nuevo éxodo.

Habla el Señor de la alianza que mantendrá con David, sólo que esa alianza, de acuerdo a lo insinuado en la profecía de Natán (2 Sam 7:24), está transformada en una alianza con el pueblo de Dios. Esto le garantiza al pueblo la situación salvífica que ahora le ofrece el Señor, siendo fiel a esa alianza concluida con David. Esta alianza se abre para todo el mundo. No se necesita dinero. El perdón y la salvación están a la portada de todos.

Finalmente, para que los oyentes se convenzan del cambio que está ofreciendo Dios, habla el texto de la palabra de Dios, de

Para meditar.

SALMO RESPONSORIAL Salmo 29:2, y 4, 5–6, 11, y 12a, y 13b

R. Te ensalzaré, Señor, porque me has librado.

Te ensalzaré, Señor, porque me has librado / y no has dejado que mis enemigos se rían de mí. / Señor, sacaste mi vida del abismo, / me hiciste revivir cuando bajaba a la fosa. R.

Tañan para el Señor, fieles suyos, / den gracias a su nombre santo; / su cólera dura un instante, / su bondad de por vida; / al atardecer nos visita el llanto; / por la mañana, el júbilo. R.

Escucha, Señor, y ten piedad de mí, / Señor, socórreme. Cambiaste mi luto en danzas / Señor, Dios mío, te daré gracias por siempre. R.

V LECTURA Isaías 55:1–11

Lectura del libro del profeta Isaías

La invitación es alegre; se convida a una fiesta, como si estuvieras en la plaza del pueblo invitando a todos a tomar parte de un festejo ya listo. Ponle urgencia a tu postura.

Esto dice el Señor:
"**Todos ustedes**, los que tienen **sed**, vengan por **agua**;
y los que **no** tienen dinero,
vengan, tomen **trigo** y **coman**;
tomen **vino** y **leche** sin pagar.
¿**Por qué** gastar el dinero en lo que **no** es **pan**
y el **salario**, en lo que no **alimenta**?

Escúchenme atentos y **comerán** bien,
saborearán platillos **sustanciosos**.
Préstenme atención, **vengan** a mí,
escúchenme y **vivirán**.

Aquí está la causa de la fiesta: Dios cumple sus promesas. Tu postura y tu voz deben sonar convincentes.

Sellaré con ustedes una **alianza perpetua**,
cumpliré las promesas que hice a **David**.
Como a **él** lo puse por **testigo** ante los **pueblos**,
como **príncipe** y **soberano** de las naciones,
así tú reunirás a un pueblo **desconocido**,
y las naciones que **no te conocían acudirán** a ti,
por **amor** del **Señor**, tu **Dios**,
por el **Santo de Israel**, que te ha **honrado**.

su fuerza y vigor. Varios profetas hablaban de la fuerza destructiva de la palabra de Dios (Jer 23:29). Aquí, en cambio, el profeta habla de la fuerza creadora de la palabra de Dos. Por esto emplea una imagen de la creación y deja que salgan conceptos e imágenes provenientes de la terminología de la creación. La palabra de Dios siempre conseguirá su objetivo.

VI LECTURA Esta lectura pertenece a la segunda parte de las tres de que consta el librito de Baruc. Este libro fue escrito después del destierro. Es un poema sapiencial, que describe la grandiosidad y sabiduría del Dios creador. Dios ha hecho todas las cosas y con gran poder ha conducido a su pueblo elegido. Además, lo ha distinguido sobre todos los otros pueblos, con el don de la ley.

Después de una invitación a ser escuchado, el autor le recuerda a Israel que apartarse de Dios es ir a la desgracia. El haber abandonado a Dios explica su manera de vivir. Ahora que abandonó "la fuente de la sabiduría" (v. 12), debe aprender de la amarga experiencia del destierro, que los grandes dones valederos: la vida larga, la luz y la paz, se encuentran en Dios y están pegados a su sabiduría.

Busquen al Señor mientras lo pueden **encontrar**,
invóquenlo mientras está **cerca**;
que el **malvado** abandone su **camino**,
y el **criminal**, sus **planes**;
que **regrese** al Señor, y **él tendrá piedad**;
a **nuestro** Dios, que es **rico** en **perdón**.

Aquí la lectura se adentra en lo sapiencial y sentencioso. Nota bien cómo cada parágrafo redondea un pensamiento.

Mis pensamientos no son los pensamientos **de ustedes**,
sus caminos no son **mis caminos**.
Porque **así** como aventajan los **cielos** a la **tierra**,
así aventajan **mis caminos** a los de **ustedes**
y **mis pensamientos** a **sus pensamientos**.

Como bajan del cielo la **lluvia** y la **nieve**
y no vuelven **allá**, sino **después** de empapar la tierra,
de **fecundarla** y hacerla **germinar**,
a fin de que dé **semilla** para **sembrar** y **pan** para **comer**,
así será la **palabra** que sale de **mi boca**:
no volverá a mí **sin resultado**,
sino que **hará mi voluntad**
y **cumplirá su misión**".

Para meditar.

SALMO RESPONSORIAL Isaías 12:2–3, 4bcd, 5–6

R. Ustedes sacarán agua con alegría de las vertientes de la salvación.

¡Vean cómo es Él, el Dios que me salva, / me siento seguro y no tengo más miedo, / pues el Señor es mi fuerza y mi canción, / Él es mi salvación! / Y ustedes sacarán agua con alegría de los manantiales de la salvación. R.

¡Denle las gracias al Señor; vitoreen su nombre! / Publiquen entre los pueblos sus hazañas. / Repitan que su nombre es sublime. R.

¡Canten al Señor porque ha hecho maravillas / que toda la tierra debe conocer! / ¡Griten de contento y de alegría, habitantes de Sión, / porque grande se ha portado contigo / el Santo de Israel! R.

Con una doble pregunta retórica sobre el origen de la sabiduría que es respondida con alusiones claras al poema de Job sobre este asunto del origen de la sabiduría (Job 28), introduce Baruc el poema laudatorio sobre la sabiduría: los hombres no la pueden encontrar, sólo Dios. El Señor enseñó esta sabiduría a Israel. Por medio de Israel dejó el Señor la sabiduría entre los humanos.

La sabiduría equivale a la Ley del Señor. Israel al poseer esta ley, tiene el tesoro más grande. Es lo que le da la identidad entre los pueblos en los que vive. No debe sentir inferioridad ante nadie, pues posee lo más valioso, claro, para transmitirlo a los demás.

Los cristianos sabemos que Jesús es la sabiduría de Dios, en él se encarna esa ley que se interioriza para formar esa nueva alianza, que llevó a su plenitud a la alianza antigua. En Jesús viene lo nuevo: "Mira, yo hago todo nuevo" (Ap 21:5). A este nuevo orden corresponde "el mandamiento nuevo" (Jn 13:34) que el Señor nos dio.

VII LECTURA Esta última lectura nos llega de la tercera parte del libro, donde el editor vino a agrupar los oráculos salvíficos de Ezequiel en favor del pueblo castigado (Ez 38). Había sucedido la

VI LECTURA Baruc 3:9–15, 32—4:4

Lectura del libro del profeta Baruc

La asamblea se va a reconocer en esta lectura. Aunque el profeta conmina a volverse al Señor, procura que tu voz no suene a regaño.

Escucha, Israel, los mandatos de **vida**,
presta oído para que adquieras **prudencia**.
¿**A qué** se debe, Israel, que estés **aún** en **país enemigo**,
que **envejezcas** en tierra **extranjera**,
que te hayas **contaminado** por el **trato con los muertos**,
que te veas **contado** entre los que **descienden** al **abismo**?

Es que **abandonaste** la **fuente** de la **sabiduría**.
Si hubieras **seguido** los **senderos** de **Dios**,
habitarías en paz **eternamente**.

Son consejos de sabiduría no reclamos. Haz estos párrafos con suavidad paterna.

Aprende **dónde** están la **prudencia**,
la **inteligencia** y la **energía**,
así aprenderás **dónde** se encuentra el **secreto** de vivir **larga vida**,
y **dónde** la **luz** de los ojos y la **paz**.
¿**Quién** es el que halló el lugar de la **sabiduría**
y tuvo acceso a sus **tesoros**?
El que todo lo **sabe**, la **conoce**;
con su **inteligencia** la ha **escudriñado**.
El que **cimentó** la tierra para **todos** los tiempos,
y la pobló de **animales cuadrúpedos**;
el que envía la **luz**, y ella **va**,
la **llama**, y **temblorosa** le **obedece**;
llama a los **astros**, que brillan **jubilosos**
en sus **puestos de guardia**,
y ellos le **responden**: "**Aquí estamos**",
y refulgen **gozosos** para **aquel** que los hizo.

La atención se pone en la majestad de Dios. Estos párrafos arrebatan la atención del auditorio llevándosela hasta el Creador de todo.

Él es **nuestro Dios**
y no hay **otro** como él;
él ha **escudriñado** los caminos de la **sabiduría**
y se la dio a su hijo **Jacob**,
a **Israel**, su **predilecto**.

destrucción del reino de Judá: destrucción de la ciudad capital, devastación de los demás pueblos y ciudades y, sobre todo, la destrucción del templo. Todo se había terminado. No se podía pensar en una pura reconstrucción de lo anterior, sino que había que pensar en una total ruptura con el pasado.

Ante esto que parecía el fin de la historia del pueblo, vuelve la tentación de los que quedaron vivos, tanto en el extranjero como en Judá, de volverse como los demás pueblos, de mezclarse y adorar a los demás dioses. Decían: "Seremos como los demás pueblos, como las razas de otros países, que adoran al leño y a la piedra" (Ez 20:32b). La fórmula de la alianza no vale más en el futuro: "Llámalo: No-pueblo-mío, porque ustedes no son mi pueblo y yo no estoy con ustedes" (Os 1:9). Se les olvida lo antiguo, cómo Dios había obrado varias veces de esta manera cuando el pueblo con sus faltas a la alianza había provocado el furor de Dios. Deberían de haber entendido que lo que acababa de pasar, tenía como objetivo: "Deben reconocer que Yo soy el Señor".

En estas palabras leídas hoy, Dios evoca lo que había sucedido: su pecado y sus crímenes, han conducido al pueblo al castigo del exilio y a la pérdida del dominio sobre su tierra. No se deben buscar en otros lados la causa de la deportación: la corrupción era radical y las naciones no interpretaron así este castigo, burlándose del Dios de Israel. Dieron ocasión a que los demás pueblos ridiculizaran al Señor. Por esto el

Después de esto, **ella apareció** en el **mundo**
y **convivió** con los **hombres**.

La **sabiduría** es el libro de los **mandatos de Dios**,
la ley de **validez eterna**;
los que la **guardan, vivirán**,
los que la **abandonan, morirán**.

El exhorto final tiene que hacerse con urgencia pero con ternura. Di la bienaventuranza última abarcando a la asamblea con tu mirada.

Vuélvete a ella, **Jacob**, y **abrázala**;
camina hacia la **claridad** de su **luz**;
no entregues a otros tu **gloria**,
ni tu dignidad a un pueblo **extranjero**.
Bienaventurados **nosotros**, Israel,
porque lo que **agrada** al **Señor**
nos ha sido **revelado**.

Para meditar.

SALMO RESPONSORIAL Salmo 18:8, 9, 10, 11

R. Señor, tú tienes palabras de vida eterna.

La ley del Señor es perfecta / es descanso del alma; / el precepto del Señor es fiel / e instruye al ignorante. R.
Los mandatos del Señor son rectos / y alegran el corazón; / la norma del Señor es límpida / y da luz a los ojos. R.

La voluntad del Señor es pura / y eternamente estable; / los mandamientos del Señor son verdaderos / y enteramente justos. R.
Más preciosos que el oro, / más que el oro fino; / más dulces que la miel / de un panal que destila. R.

VII LECTURA Ezequiel 36:16–28

Lectura del libro del profeta Ezequiel

Este recuento de la historia tiene tonos recriminatorios para mover a la conversión. Dios mismo la cuenta, dale tonos severos en algunos pasajes.

En **aquel** tiempo,
me fue dirigida la **palabra del Señor** en **estos términos**:
"**Hijo de hombre**, cuando los de la casa de **Israel**
habitaban en su tierra,
la **mancharon** con su **conducta** y con sus **obras**;
como **inmundicia** fue su **proceder** ante mis ojos.

Señor reaccionó regresando a los israelitas completamente purificados a la tierra ancestral. Para esto infundió en estos un espíritu nuevo, para que ahora sí pudieran cumplir la ley. Hoy nosotros también somos invitados a dejar que esta ley interna, la del Espíritu, nos empuje a tener una relación sana con Dios.

EPÍSTOLA El capítulo 6 tiene todo el aspecto de una homilía bautismal, en la que el apóstol Pablo hace una llamada a que los cristianos consideren las consecuencias del bautismo. El estilo oratorio de convencimiento aparece en las fórmulas que emplea. Todo gira alrededor de la afirmación "bautizados en Cristo Jesús".

Había una mala comprensión de la salvación por la fe, afirmación crucial del cristianismo. Entonces se le mal interpretaba a Pablo como si el ser salvados gratuitamente, invitara a pecar más, ya que esto provocaría la benevolencia divina. ¿La abundancia del pecado no multiplicaría los efectos de la misericordia de Dios? (6:1). De ninguna manera, dice Pablo. A la situación anterior del pecado, Cristo la ha sustituido por el régimen de la gracia. Ahora el pecado es incompatible con la vida de un cristiano unido a Cristo por la fe y el bautismo. El hecho nuevo no consiste en nuevos preceptos, sino en la unión del fiel con Cristo por medio del bautismo.

Entonces **descargué** mi **furor** contra ellos,
por la **sangre** que habían **derramado** en el **país**
y por haberlo **profanado** con sus **idolatrías**.
Los **dispersé** entre las **naciones**
y anduvieron **errantes** por **todas** las tierras.
Los **juzgué** según su **conducta**, según sus **acciones** los **sentencié**.
Y en las **naciones** a las que **se fueron**,
desacreditaron mi **santo nombre**,
haciendo que de ellos **se dijera**:
'**Éste** es el pueblo del Señor, y ha **tenido que salir** de su **tierra**'.

Cambia el tono y el rumbo de la historia. Ahora se enfila al futuro de la reconstrucción. La compasión y la esperanza deben también asomarse en un ritmo mejor pausado.

Pero, **por mi santo nombre**,
que la casa de Israel **profanó** entre las **naciones** a donde **llegó**,
me he **compadecido**.
Por eso, dile a la casa de **Israel**:
'**Esto** dice el Señor: no lo hago **por ustedes**, casa de Israel.
Yo mismo mostraré la santidad de mi nombre **excelso**,
que ustedes **profanaron** entre las naciones.
Entonces ellas **reconocerán** que **yo soy el Señor**,
cuando, **por medio de ustedes** les haga ver mi **santidad**.

Los **sacaré** a ustedes de entre las **naciones**,
los **reuniré** de **todos** los países y los **llevaré** a su **tierra**.
Los **rociaré** con **agua pura** y quedarán **purificados**;
los **purificaré** de **todas** sus **inmundicias** e **idolatrías**.

La promesa se extiende por dos párrafos. Pronúncialos con entusiasmo y lleva la esperanza a su culmen en la fórmula de alianza con la que cierra la lectura. Es muy cara esta lectura a todos los fieles.

Les **daré** un **corazón nuevo** y les **infundiré** un **espíritu nuevo**;
arrancaré de ustedes el **corazón de piedra**
y les **daré** un **corazón de carne**.
Les **infundiré mi espíritu**
y los **haré vivir** según mis **preceptos**
y **guardar** y **cumplir** mis **mandamientos**.
Habitarán en la tierra que di a **sus padres**;
ustedes serán mi **pueblo** y **yo** seré su **Dios**'".

El gesto de la inmersión, ayuda a captar el profundo significado del bautismo. Es una especie de entierro, una muerte que el bautismo simboliza y lleva a cabo en el creyente. Es un símbolo muy profundo. El agua tiene un significado doble, significa muerte y vida. Así aparece este doble sentido en los salmos y en los profetas. El cristiano participa realmente de la muerte de Jesús, al sumergirse en el agua, al morir. Nos unimos a Jesús que de la inmersión en la muerte salió vivo y glorioso la mañana de pascua.

Para nosotros la resurrección se despliega en dos tiempos. Primero aquí en nuestra existencia terrestre, la rotura radical con el pecado y la vivencia de la nueva vida cristiana, manifestada en el amor a Dios y a los hermanos. En un segundo tiempo, después del paso de la muerte, vendrá la transformación total del cuerpo y alma en un ser glorioso como la persona de Cristo.

EVANGELIO Esta noche, la Iglesia hace el gran memorial de los eventos de la historia de la salvación que Dios ha operado por su pueblo y que vienen a culminar en la gran noticia de la resurrección de Jesús. Esta noticia extraordinaria no es resultado de una lógica matemática, sino teológica, es decir, correspondiente al modo como Dios nos salva y se nos revela. Por eso es que nos llega gracias a una visión angélica—angelofanía—que a unos deja "como muertos", en tanto que a las discípu-

Para meditar.

SALMO RESPONSORIAL Salmo 41:3, 5def; Salmo 42:3, 4

R. Como busca la cierva corrientes de agua, así mi alma te busca a ti, Dios mío.

Mi alma tiene sed de Dios, del Dios vivo: / ¿cuándo entraré a ver el rostro de Dios? R.

Cómo marchaba a la cabeza del grupo, / hacia la casa de Dios, / entre cantos de júbilo y alabanza, / en el bullicio de la fiesta. R.

Envía tu luz y tu verdad; / que ellas me guíen / y me conduzcan hasta tu monte santo, / hasta tu morada. R.

Que yo me acerque al altar de Dios, / al Dios de mi alegría; / que te dé gracias al son de la cítara, / Dios, Dios mío. R.

¡Canten al Señor porque ha hecho maravillas que toda la tierra debe conocer! ¡Griten de contento y de alegría, habitantes de Sión, porque grande se ha portado contigo el Santo de Israel! R.

O bien, cuando no hay bautismos

Para meditar.

SALMO RESPONSORIAL Salmo 50:12–13, 14–15, 18–19

R. Oh Dios, crea en mí un corazón puro.

Oh Dios, crea en mí un corazón puro, / renuévame por dentro con espíritu firme; / no me arrojes lejos de tu rostro, / no me quites tu santo espíritu. R.

Devuélveme la alegría de tu salvación, / afiánzame con espíritu generoso. / Enseñaré a los malvados tus caminos, / los pecadores volverán a ti. R.

Los sacrificios no te satisfacen, / si te ofreciera un holocausto, no lo querrías. / Mi sacrificio es un espíritu quebrantado, / un corazón quebrantado y humillado tú no lo desprecias. R.

EPÍSTOLA Romanos 6:3–11

Lectura de la carta del apóstol san Pablo a los romanos

Esta lectura no es fácil de seguir por la asamblea. Sigue cuidadosamente la puntuación y apóyate en la separación de los parágrafos para que no se pierda su sentido. Si hay catecúmenos, la lectura cobra una relevancia especial.

Hermanos:

Todos los que hemos sido **incorporados** a Cristo **Jesús**
por medio del **bautismo**,
hemos sido **incorporados** a él en su **muerte**.

las les abre una perspectiva de vida insospechada. Al par de discípulas que fueron a visitar el sepulcro del Maestro, el ángel les rodó la piedra de la entrada del sepulcro para que pudieran entrar y ver la verdad que les anunciaba.

La resurrección de Cristo, con todo, no es un dato a contemplar, no hay escena dramática alguno, sino un evento que transforma totalmente al discípulo. Primero, porque la búsqueda originaria del discípulo por el Crucificado queda trunca, llega a un callejón sin salida, pues "el lugar donde estaba" quedó vacío (28:6). Ese vacío puede crear la desazón del sinsentido, pero es también el espacio para lo insospechado. Esa ausencia del Señor crucificado no es la meta del discipulado, menos su recompensa, sino el resorte para mover la memoria del destino de Jesús en sus propias palabras (16:21). Al recordarlas, las discípulas pueden constatar su veracidad y afianzarse en la certeza de que lo que ahora anuncia el ángel es verdad, "ha resucitado".

Pero la recepción del mensaje de la resurrección, en segundo término, transforma a su vez, a las discípulas en mensajeras o apóstoles. Ellas deben anunciar al grupo discipular que se retire a Galilea, ellas incluidas, donde "lo verán"; él va por delante (28:7). Ellas deben anunciar una reunión entre el Maestro y sus discípulos. Aquellos trágicos eventos que llevaron a la muerte en cruz del Mesías, hicieron añicos la unidad entre el Maestro y los suyos, pero ahora son superados con este anuncio nuevo. No es

En efecto, por el **bautismo** fuimos **sepultados** con él en su **muerte**,
para que, así como Cristo **resucitó** de entre los **muertos**
por la **gloria** del **Padre**,
así también nosotros llevemos una **vida nueva**.

Ahora viene la conclusión que retoma las consecuencias de lo expuesto. Dale esa cadencia que debe acompañar a lo rotundo e inapelable.

Porque, si hemos estado **íntimamente** unidos a **él**
por una **muerte semejante** a la **suya**,
también lo estaremos en su **resurrección**.
Sabemos que nuestro viejo fue **crucificado con Cristo**,
para que el **cuerpo del pecado** quedara **destruido**,
a fin de que **ya no sirvamos** al pecado,
pues el que ha **muerto** queda **libre** del **pecado**.

Por lo tanto, si hemos **muerto con Cristo**,
estamos **seguros** de que **también viviremos** con él;
pues **sabemos** que Cristo,
una vez **resucitado** de entre los muertos, **ya no morirá nunca**.
La muerte **ya no tiene dominio** sobre él,
porque al morir, **murió al pecado** de una vez **para siempre**;
y al resucitar, **vive ahora** para **Dios**.
Lo mismo **ustedes**, considérense **muertos al pecado**
y **vivos para Dios** en Cristo Jesús, **Señor nuestro**.

Para meditar.

SALMO RESPONSORIAL Salmo 117:1–2, 16–17, 22–23

R. Aleluya, aleluya, aleluya.

Den gracias al Señor porque es bueno, / porque es eterna su misericordia. / Diga la casa de Israel: / eterna es su misericordia. R.

La diestra del Señor es poderosa, / la diestra del Señor es excelsa. / No he de morir, viviré / para contar las hazañas del Señor. R.

La piedra que desecharon los arquitectos, / es ahora la piedra angular. / Es el Señor quien lo ha hecho, / es un milagro patente. R.

que hayan quedado en el olvido, de ninguna manera; ese paso del Mesías ha quedado incorporado en el mismo mensaje pascual: él "ha resucitado de entre los muertos" (28:7). Más todavía, es justamente ese paso que el Maestro, y sólo él, ha dado lo que lo instaura como Resucitado. Y en esta condición es el Guía de sus discípulos.

Las mensajeras de la resurrección, cuenta san Mateo, experimentan simultáneamente temor y alegría. El temor es la reacción humana ante alguna manifestación de Dios. Es una reacción natural ante lo desconocido, ante lo que nos sobrepasa porque es tremendo y no podemos manejar o manipular. Pero no es un temor paralizante, sino cargado de reverencia y respeto profundos. Enfrente está el anuncio pascual que también causa alegría explosiva porque la muerte no pudo con Jesús, porque Dios le ha dado vida nueva y porque lo verán en Galilea. Temor y alegría son las actitudes de todo discípulo transformado por la pascua del Cristo.

La resurrección de Jesús es el corazón de la fe cristiana y su savia; todo pende de ella. Por un lado, la fe en Cristo nos debe impulsar continuamente a hacer la memoria de Jesús, de sus palabras y de sus gestos para redescubrir cómo Dios ha venido a salvarnos y nos salva; nos da vida nueva, la vida de Cristo resucitado. No podemos hablar de creer en Jesús si omitimos esa memoria plasmada en los evangelios que la Iglesia ha atesorado de generación en generación. Ellos son la memoria discipular de

EVANGELIO Mateo 28:1–10

Lectura del santo Evangelio según san Mateo

Dale frescura a este relato y pronuncia con toda distinción los nombres de las mujeres.

Transcurrido el **sábado**, al amanecer del **primer día** de la semana,
María Magdalena y la **otra María** fueron a ver el **sepulcro**.
De pronto se produjo un **gran temblor**,
porque el **ángel** del Señor **bajó del cielo**
y **acercándose** al sepulcro,
hizo rodar la piedra que lo tapaba y **se sentó** encima de ella.

La aparición angélica debe causar asombro. Alarga esas dos líneas bajando la velocidad de la lectura. Luego acentúa el mensaje de la resurrección.

Su **rostro** brillaba como el **relámpago**
y sus **vestiduras** eran **blancas** como la **nieve**.
Los guardias, **atemorizados** ante él, se pusieron a **temblar**
y se quedaron **como muertos**.
El ángel **se dirigió** a las mujeres y les **dijo**:
"**No teman**. Ya sé que buscan a **Jesús**, el **crucificado**.
No está aquí;
ha **resucitado**, como lo había **dicho**.
Vengan a ver el lugar donde lo habían **puesto**.
Y **ahora**, vayan de **prisa** a decir a sus **discípulos**:
'Ha **resucitado** de entre los **muertos**
e **irá** delante de ustedes a **Galilea; allá** lo **verán**'.
Eso es **todo**".

Acelera la velocidad, hasta cuando Jesús intercepta la huida todo cambia.

Ellas **se alejaron** a **toda prisa** del **sepulcro**,
y **llenas de temor** y de **gran alegría**,
corrieron a dar la **noticia** a los **discípulos**.
Pero de repente **Jesús** les **salió** al encuentro y las **saludó**.
Ellas se le **acercaron**, le **abrazaron** los pies y lo **adoraron**.
Entonces les dijo Jesús: "**No tengan miedo**.
Vayan a decir a mis **hermanos** que se dirijan a **Galilea**.
Allá me **verán**".

Cristo muerto y resucitado. Complementariamente, la pascua de Cristo nutre y alimenta a todo discípulo en cada reunión celebrada en su nombre, principalmente en la reunión eucarística que desemboca en la caridad solidaria y solícita. Nos llenamos de temor y alegría con el mensaje pascual que el ángel nos trajo, pero el camino a Galilea apenas inicia.

DOMINGO DE PASCUA

I LECTURA Hechos 10:34a, 37–43

Lectura del libro de los Hechos de los Apóstoles

Pedro resume la historia de historia de Jesús. Identifica cada punto porque en ellos se condensa la salvación de Dios a sus fieles.

En **aquellos** días, **Pedro** tomó la palabra y **dijo**:
"**Ya saben** ustedes lo sucedido en **toda Judea**,
que tuvo principio en **Galilea**,
después del **bautismo** predicado por **Juan**:
cómo Dios **ungió** con el **poder** del **Espíritu Santo**
a **Jesús de Nazaret**
y cómo **éste** pasó haciendo el **bien**,
sanando a **todos** los **oprimidos** por el diablo,
porque Dios **estaba con él**.

Es un reclamo que debe mover al arrepentimiento.

Nosotros somos **testigos** de cuanto él hizo en **Judea**
y en **Jerusalén**.
Lo **mataron** colgándolo de la **cruz**,
pero Dios **lo resucitó al tercer día** y concedió verlo,
no a **todo** el pueblo,
sino **únicamente** a los **testigos** que él,
de **antemano**, había **escogido**:
a **nosotros**, que hemos **comido** y **bebido** con él
después de que **resucitó** de entre los **muertos**.

Pedro es fiel al designio de Dios, y lo mismo la comunidad eclesial que prosigue con el encargo de predicar el Evangelio. Baja la velocidad par ir saliendo de la lectura.

Él nos mandó predicar al pueblo
y **dar testimonio** de que Dios lo ha **constituido**
juez de **vivos** y **muertos**.
El **testimonio** de los **profetas** es **unánime**:
que cuantos **creen** en él
reciben, por su medio, el **perdón de los pecados**".

I LECTURA El problema de la elección de Israel y su interpretación, ocupó la teología y la vida del pueblo de Dios. En el movimiento de Jesús, desde el principio va a ser uno de los problemas álgidos y decisivos para que el movimiento cristiano se arraigue en el mundo mediterráneo. El peligro de que el movimiento cristiano, "el Camino", como se llamaba también, se quedara en una simple secta más como tantas otras dentro del mundo judío, fue evitado por ese paso de Pedro y los siguientes que vinieron después de él.

Los hechos hablan del sueño o visión de Pedro y de un centurión romano, Cornelio. Ambos sueños se van a concretar en una revelación e intervención clara del Espíritu Santo. Pedro tiene que dar una explicación en Jerusalén de por qué bautizó a un pagano directamente, sin ninguna exigencia de lo que se consideraba ser de alguna forma la tradición pura judía. La explicación de Pedro es simple: el Espíritu Santo vino sobre él, sin ninguna intervención humana, como había venido sobre todos los discípulos del Señor en pentecostés. Si el Espíritu así procedía, ¿quién era Pedro para oponerse a Dios?

¿Cómo procederá la comunidad cristiana con los paganos? Ya lo dibuja un poco Pedro hablando de la proclamación que había hecho a Cornelio acerca de Jesús. Había ofrecido a Cornelio un esbozo de la vida de Jesús, es decir, contó las etapas principales de su vida, recalcando su muerte y, sobre todo, su resurrección. Ellos, los apóstoles, fueron escogidos por Dios para proclamar quién es Jesús. Apareció vivo a los que lo habían seguido en su vida pública. Habían comido y bebido con él, no sólo en su vida terrenal, sino también después de la resurrección. Es esto un signo de

Para meditar.

SALMO RESPONSORIAL Salmo 117:1–2, 16–17, 22–23

R. Éste es el día en que actuó el Señor: sea nuestra alegría y nuestro gozo.
***O bien:* Aleluya.**

Den gracias al Señor porque es bueno, /
porque es eterna su misericordia. /
Diga la casa de Israel: / eterna es su misericordia. R.

La diestra del Señor es poderosa, / la diestra del Señor es excelsa. / No he de morir, viviré / para contar las hazañas del Señor. R.

La piedra que desecharon los arquitectos, /
es ahora la piedra angular. / Es el Señor quien lo ha hecho, / ha sido un milagro patente. R.

II LECTURA Colosenses 3:1–4

La lectura es breve y no hay necesidad de alargarla. Identifica las frases claves de cada línea para hacerlas notar a la asamblea.

Lectura de la carta del apóstol san Pablo a los colosenses

Hermanos:
Puesto que **ustedes** han **resucitado** con **Cristo**,
busquen los bienes de arriba,
donde está **Cristo**, sentado a la **derecha** de **Dios**.
Pongan **todo** el corazón en los **bienes** del cielo,
no en los de la **tierra**,
porque han **muerto** y su **vida** está **escondida**
con **Cristo** en **Dios**.
Cuando se manifieste **Cristo**, **vida** de **ustedes**,
entonces **también ustedes** se manifestarán **gloriosos**,
juntamente con él.

O bien:

la realidad. Pero la historia sigue. Les toca a ellos, a la comunidad cristiana, predicar a este Jesús. Hay una continuidad profunda entre los sucesos de la salvación, el testimonio y la predicación.

Pedro regresa a su punto departida (vv. 34–35). No hay discriminación de hombres, razas o pueblos. Jesús es el Señor de todos (v. 36). Cualquiera que cree en él, está perdonado y salvado. Basta invocar ahora el nombre de Jesús para recibir en respuesta la salvación de Dios.

II LECTURA Probablemente esta carta no fue escrita por Pablo, sino por uno de sus discípulos, Epafras (ver Col 1:4–9; 2:1; 4:12–13). La ocasión habría sido la llegada a la comunidad de doctores judaizantes, que con su predicación querían imponer a los cristianos, que venían del paganismo, ciertas prácticas judías.

La discusión del autor no se centra en regaños o pleitos, sino que se concentra en el Cristo resucitado. Estos predicadores judaizantes enseñaban la necesidad de practicar la ley mosaica. En concreto, hablaban de alimentos prohibidos (2:12). Añadían rasgos de los cultos helenistas (2:8). Decían que entre Dios y los hombres había intermediarios que gobernaban el mundo y que exigían su culto (2:18). Se iba contra la primacía de Cristo, mediador entre Dios y los hombres, y la libertad cristiana. En el centro está la resurrección de Cristo. Esta verdad da su sentido al universo, a la historia humana y a la vida humana. Los ángeles son servidores del Señor.

Según este autor, el cristiano ha resucitado con Cristo y está sentado con él en los cielos. La vida otorgada por Cristo en el bautismo, trasciende esta vida. Esta nueva

II LECTURA 1 Corintios 5:6b–8

Lectura de la primera carta del apóstol san Pablo a los corintios

Pablo recurre a la experiencia cotidiana. La asamblea también se sabe levadura para el mundo.

Hermanos:
¿**No saben** ustedes
que un **poco** de levadura hace fermentar **toda** la masa?
Tiren la antigua levadura,
para que sean **ustedes** una **masa nueva**,
ya que son **pan sin levadura**,
pues **Cristo**, nuestro **cordero pascual**, ha sido **inmolado**.

Con entusiasmo invita a celebrar la Pascua.

Celebremos, pues, la **fiesta de la Pascua**,
no con la **antigua levadura**, que es de **vicio** y **maldad**,
sino con el **pan sin levadura**, que es de **sinceridad** y **verdad**.

EVANGELIO Juan 20:1–9

Lectura del santo Evangelio según san Juan

Este relato está lleno de prisas. No las pierdas por querer ir al mensaje. Lo aleatorio es lo que provoca lo esencial.

El **primer día** después del **sábado**, estando todavía **oscuro**,
fue **María Magdalena** al sepulcro
y vio **removida** la piedra que lo cerraba.
Echó a **correr**,
llegó a la casa donde estaban **Simón Pedro** y el **otro discípulo**,
a quien Jesús **amaba**, y les dijo:
"Se han **llevado** del sepulcro al **Señor**
y **no sabemos** dónde lo habrán puesto".

Esta visión debe pronunciarse con reverencia y asombro, como si Jesús estuviera allí mismo. Hay que dejar que las palabras penetren, de a poco, en la asamblea.

Salieron Pedro y el otro discípulo camino del **sepulcro**.
Los dos iban **corriendo juntos**,
pero el otro discípulo corrió **más aprisa** que Pedro
y llegó **primero** al sepulcro,
e **inclinándose**, miró los **lienzos** puestos en el **suelo**,
pero **no entró**.

vida está animada por otro principio. La transformación, que ya es una realidad en el fondo de nuestro ser, no se ve en el exterior. Está velada a los ojos humanos. Esta vida de la que nosotros tenemos consciencia, pero de una forma imperfecta, es necesaria para que seamos probados y se manifieste el fondo de nuestro corazón. No podemos gozar inmediatamente de esta vida divina, hay que esperarla. Nadie nos puede arrancar esta vida, pero la podemos perder por nuestra propia infidelidad.

Esta vida, que hemos recibido en el bautismo, debemos traducirla en actos. La condición para llegar a la patria celestial, consiste en conformarnos a lo que somos, seres nacidos de nuevo (ver Jn 3:3–7). Estamos muertos a las cosas de este mundo, absteniéndonos de buscarlas, no dejándose tentar por éstas. Por esto, hay que pensar "en las cosas del cielo, no en las de la tierra". Es la paradoja del cristiano: participar en la muerte y en la resurrección de Cristo. Pero nuestra esperanza alcanzará su objetivo al final, cuando aparezca el Señor.

EVANGELIO El relato de la visita de María Magdalena al sepulcro de Jesús nos lleva al misterio más grande y luminoso que pueda abrazar la fe cristiana. A este magnífico misterio hay que acercarnos con pasos breves y contemplativos, no de un golpe. La Magdalena fue la primera en buscar a su Maestro, en satisfacer aquella ausencia que la jalaba hasta la tumba, para "verlo" a través de aquella roca que cerraba la entrada. Y hasta allá fue ella.

Apenas ver la piedra removida, la Magdalena presagia algo irremediable y tremendo. Por eso su reacción de ir a donde se encontraban dos discípulos que más tarde serán pilares de la comunidad de fe, para

En eso llegó también **Simón Pedro**, que lo venía **siguiendo**,
y **entró** en el sepulcro.
Contempló los lienzos puestos en el suelo
y el **sudario**, que había estado sobre la **cabeza** de Jesús,
puesto no con los **lienzos** en el **suelo**,
sino **doblado** en sitio aparte.
Entonces entró **también** el otro discípulo,
el que había llegado **primero** al sepulcro,
y **vio y creyó**, porque hasta entonces
no habían entendido las Escrituras,
según las cuales **Jesús debía resucitar** de entre los muertos.

Para las misas vespertinas del domingo: Mateo 28:1-10, o bien: Lucas 24:13–35

decirles que "se han llevado del sepulcro al Señor, y no sabemos dónde lo han puesto". Ella dice no lo que ve sino lo que infiere de aquella situación evidentemente anormal: que algunos que no pertenecen al grupo discipular debieron haber sustraído de la tumba el cuerpo del Señor. Sus palabras pronuncian una verdad mayor que lo que ella misma dice. Esta técnica la maneja muy bien el escritor de este evangelio para inducir al lector a buscar una verdad más profunda que le acerque al misterio insondable de la revelación de Cristo. Esto es lo que harán Pedro y el Discípulo amado.

La carrera de los discípulos es dispareja, como lo es su perspicacia de fe. Pedro se adentra en la tumba y mira lienzos y sudario, pero sólo el Discípulo amado tiene ojos para mirar más allá de aquellos despojos. Él mira en ellos un signo de lo acontecido que lo remite a las Escrituras. No hay un texto o pasaje bíblico que refiera puntualmente a este evento, sino que el autor remite a toda la revelación divina. Ella testimonia el poder de Dios de dar vida y no dejar en la corrupción a sus fieles.

Cada discípulo tiene su propio andar en la fe, pero las Escrituras nos congregan. Abrir el corazón a las Escrituras es también abrirlo a Jesús muerto y resucitado. Esa apertura y conexión es lo que genera la fe. La necesidad de la resurrección de Jesús es una necesidad de vida, y una necesidad del Dios de la vida. Gracias a esto, toda vida es signo de resurrección.

La liturgia de hoy nos regala a María Magdalena como la mistagoga o guía de la fe en Cristo resucitado, algo que el Discípulo amado y Pedro comenzaron a experimentar aquel amanecer pascual, adentro de la misma tumba.

II DOMINGO DE PASCUA (DE LA DIVINA MISERICORDIA)

I LECTURA Hechos 2:42–47

Lectura del libro de los Hechos de los Apóstoles

Esto que san Lucas describe es el ideal de toda comunidad cristiana. Nota lo que este modo de vivir provoca y dale relevancia en tu lectura.

En los **primeros días** de la Iglesia,
todos los hermanos acudían **asiduamente** a escuchar
las **enseñanzas** de los **apóstoles**,
vivían en **comunión fraterna**
y se **congregaban** para orar **en común**
y celebrar la **fracción del pan**.
Toda la gente estaba **llena** de **asombro** y de **temor**,
al ver los **milagros** y **prodigios** que los **apóstoles**
hacían en **Jerusalén**.

Abarca con tu mirada a la asamblea; haz contacto visual cada vez que se hable de la totalidad de alguna acción.

Todos los creyentes vivían **unidos** y lo tenían todo **en común**.
Los que eran **dueños** de **bienes** o **propiedades** los **vendían**,
y el producto era distribuido **entre todos**,
según las **necesidades** de **cada uno**.
Diariamente se reunían en el **templo**,
y en las **casas** partían el **pan**
y comían **juntos**, con **alegría** y **sencillez de corazón**.
Alababan a Dios y **toda** la gente los **estimaba**.
Y el Señor aumentaba **cada día**
el **número** de los que habían de **salvarse**.

I LECTURA Como un fruto de la resurrección, la Iglesia nos pone enfrente una descripción de la vida de la comunidad primitiva. Son una especie de cuadros pictóricos donde podemos ver las líneas fundamentales de lo que nunca va a cambiar. Las formas podrán ser otras, pero no los ejes o troncos de los árboles.

La comunidad cristiana primitiva había entendido el misterio de la resurrección de una manera concreta. Vivirían como discípulos que habían recibido ya el Espíritu, prenda y arras de la resurrección.

La descripción es concreta, tangible, creíble. Es fundamental el verso con el que empieza la lectura, porque indica las cuatro pilastras sobre las cuales está asentada una vida cristiana. Estas cuatro cualidades son fáciles de memorizar y, ante todo, están designadas para ponerse como fundamento de toda vida pastoral en los distintos siglos por los cuales atraviese la Iglesia.

La primera cualidad, y por lo mismo fundamental, es la escucha de la enseñanza de los apóstoles. Con esto se indica la interpretación que hacían los Doce de la Escritura por medio de la vida, muerte y resurrección del Señor. Es decir, recibían los cristianos una interpretación cristianizada, aunque fuera muy sobria, de la Escritura.

La segunda cualidad, era la vida en común. Esto está especificado en los siguientes versos: la participación de los bienes espirituales y materiales. Empezaron a mostrar los cristianos que todos los bienes tienen un sentido personal y comunitario.

La tercera cualidad era la fracción del pan, es decir, la eucaristía. Sería celebrada con unos ritos muy simples, muy pegados a los que el Señor había ejecutado en la Cena anterior a su muerte. Con esto ya está indi-

Para meditar.

SALMO RESPONSORIAL Salmo 117:2–4, 13–15, 22–24

R. Den gracias al Señor porque es bueno, porque es eterna su misericordia.

Diga la casa de Israel: eterna es su misericordia. Diga la casa de Aarón: eterna es su misericordia. Digan los fieles del Señor: eterna es su misericordia. R.

Empujaban y empujaban para derribarme, pero el Señor me ayudó; el Señor es mi fuerza y mi energía, él es mi salvación. Escuchen: hay cantos de victoria en las tiendas de los justos. R.

La piedra que desecharon los arquitectos es ahora la piedra angular. Es el Señor quien lo ha hecho, ha sido un milagro patente. Éste es el día en que actuó el Señor: sea nuestra alegría y nuestro gozo. R.

II LECTURA 1 Pedro 1:3–9

Lectura de la primera carta del apóstol san Pedro

Con profunda gratitud en el corazón bendice a Dios y dale énfasis a la razón para esta magnífica alabanza.

Bendito sea Dios, **Padre** de nuestro Señor **Jesucristo**,
por su **gran misericordia**,
porque al **resucitar** a Jesucristo de entre los **muertos**,
nos concedió **renacer** a la **esperanza** de una **vida nueva**,
que no puede **corromperse** ni **mancharse**
y que él nos tiene **reservada** como **herencia** en el cielo.
Porque **ustedes** tienen fe en Dios, **él** los **protege** con su **poder**,
para que **alcancen** la **salvación** que les tiene **preparada**
y que él **revelará** al **final** de los **tiempos**.

Pronuncia este exhorto con entusiasmo: "¡Alégrense!". Transmite esta convicción que anida en tu corazón.

Por esta razón, **alégrense**,
aun cuando **ahora**
tengan que sufrir **un poco** por adversidades de **todas** clases,
a fin de que su fe, **sometida a la prueba**,
sea hallada **digna** de **alabanza, gloria** y **honor**,
el día de la **manifestación de Cristo**.
Porque la fe de **ustedes** es **más preciosa** que el **oro**,
y el oro **se acrisola** por el **fuego**.

cando Lucas que la eucaristía es el centro de la vida cristiana.

Cuarta cualidad, la oración en común. Con esto no está dejando de lado la oración privada, sino que está recomendándonos que toda oración personal desemboque en una oración comunitaria. Si no es así, no tiene sentido. No estaría fuera de lugar recordar que muchos cristianos están hastiados de una liturgia que les es aburrida. Los cristianos que participan, no entienden más los ritos y el que los ejecuta lo hace con descuido y hastío. Sucede esto porque esta dimensión litúrgica está desligada de las cualidades anteriores de la comunidad cristiana. Nuestro reto es revitalizar el proyecto inspirándonos en lo que las Escrituras nos reflejan.

II LECTURA Después del saludo, pasa el autor a una oración de bendición, forma muy querida por la piedad judía. Jesús lo hacía en los momentos de tristeza y en los de alegría. La bendición es una alabanza a Dios por sus grandes actos de bondad y misericordia reconocidos igualmente por el judío y por el cristiano, y lo mismo en las obras creadas que en los actos concretos de la vida diaria.

San Pedro se eleva a la gran misericordia que Dios ha manifestado a los suyos, otorgándoles la llama inextinguible de la esperanza. Lo ha hecho resucitando a su Hijo Jesús. El que cree en Jesús, no cree en el Jesús muerto y sepultado, sino que ve hacia delante, esperando la plena manifestación del poder de Dios, el cual, así como resucitó a su Hijo nos resucitará a nosotros.

Por el bautismo, los cristianos hemos sido transformados en hijos de Dios, por lo cual tenemos derecho de participar como hijos en la herencia. Esta herencia se expresa concretamente. Es una herencia que no

Cambia el tono y hazlo como de confidencia con la asamblea.

A Cristo Jesús **ustedes** no lo han **visto** y, **sin embargo**, lo **aman**;
al **creer** en él ahora, **sin verlo**,
se **llenan** de una **alegría radiante** e **indescriptible**,
seguros de alcanzar la **salvación** de sus almas,
que es la **meta** de la **fe**.

EVANGELIO Juan 20:19–31

Lectura del santo Evangelio según san Juan

Este es un episodio lleno de la fresca convicción de la Pascua de Cristo que irrumpe en la vida. Dale ese tono de contundencia a estos relatos que disipan las dudas de la fe. El mensaje es de gozo y de recreación.

Al **anochecer** del día de la **resurrección**,
estando **cerradas** las puertas de la casa
donde se hallaban los **discípulos**,
por **miedo** a los judíos,
se presentó **Jesús** en medio de ellos y les **dijo**:
"La **paz** esté con **ustedes**".
Dicho esto, les **mostró** las **manos** y el **costado**.
Cuando los discípulos **vieron** al Señor, se **llenaron** de **alegría**.

De nuevo les dijo Jesús: "La **paz** esté con **ustedes**.
Como el **Padre** me ha **enviado**, así **también** los envío **yo**".
Después de decir esto, **sopló** sobre ellos y les **dijo**:
"**Reciban** al **Espíritu Santo**.
A los que les **perdonen** los pecados, les **quedarán perdonados**;
y a los que **no** se los **perdonen**, les **quedarán sin perdonar**".

Se abre la ventana a un desarrollo nuevo.

Tomás, uno de los **Doce**, a quien llamaban el **Gemelo**,
no estaba con ellos cuando vino **Jesús**,
y los **otros discípulos** le decían:
"Hemos **visto** al Señor".
Pero **él** les contestó:
"Si **no veo** en sus manos la **señal** de los **clavos**
y si **no meto** mi dedo en los **agujeros** de los **clavos**
y **no meto** mi mano en su costado, **no creeré**".

se puede destruir, manchar ni marchitar, ya que está colocada en el cielo. El tiempo final trae no sólo persecución y penas, como están en esos momentos sufriendo los cristianos, sino también el cumplimiento de la esperanza. De aquí que los deba invadir la alegría. El sufrimiento por el que pasan les sirve como prueba, es un proceso comparable a la purificación del oro.

Hay una repetición: "sin haberlo visto…, sin verlo", porque la fe y el amor tienen ojos que el cuerpo no conoce y si emplean los ojos es para ir más allá de lo que éstos perciben.

Lo que más aparece en esta bendición es la invitación a la alegría. Ésta está fundada en la esperanza. Sin esta postura en la vida, el hombre no encuentra sino desánimo y frustración. Esta es la existencia. O se queda el hombre con lo que hoy llamamos satisfactores que nos entretienen por un momento, pero que no llenan ese deseo de felicidad. La exhortación de san Pedro nos invita a ver con ojo crítico ciertos momentos gozosos y gloriosos de la vida de fe, pero con la conciencia de que la vida del cristiano es un continuo combate espiritual. Lo que nunca debe faltar y por lo cual da gracias: la esperanza en el Señor con el que compartiremos su resurrección.

EVANGELIO San Juan nos invita a hacer la experiencia de Cristo resucitado, a creer en él. La invitación viene de alguien que tiene un largo camino recorrido en la fe y que quiere que otros entren a esa comunión que es la fe.

Este evangelio tiene dos momentos. En el primero se transmite la sensación de cerrazón e incertidumbre que dominaba al grupo de discípulos. Están encerrados, pero sin comunión. Ese encierro miedoso lo

Ocho días después, estaban **reunidos** los discípulos
a puerta **cerrada**
y **Tomás** estaba con ellos.
Jesús se presentó de **nuevo** en **medio** de ellos y les dijo:
"La **paz** esté con **ustedes**".

Aunque hay reproche en las palabras del Señor, lo importante es disolver la duda. Es un auténtico evangelio las palabras finales del Resucitado.

Luego le dijo a Tomás: "**Aquí** están mis manos; **acerca** tu dedo.
Trae acá tu mano, **métela** en mi costado
y no sigas **dudando**, sino **cree**".
Tomás le respondió: "¡**Señor mío** y **Dios mío**!"
Jesús añadió: "**Tú** crees porque me has **visto**;
dichosos los que creen **sin haber visto**".

La conclusión del evangelio debe tener un tono diferente. Distingue esto haciendo una pausa antes de iniciar el párrafo.

Otras **muchas** señales **milagrosas** hizo Jesús
en **presencia** de sus **discípulos**,
pero **no** están escritas **en este libro**.
Se escribieron **éstas** para que **ustedes crean**
que **Jesús** es el **Mesías**,
el **Hijo de Dios**,
y para que, **creyendo**,
tengan vida en su **nombre**.

rompe el Resucitado y les da su paz y con ella, la alegría. Sólo entonces los hace sus enviados y los recrea con el Espíritu de Santidad, ese Forjador de la comunión de vida plena, abundante.

La comunión de vida discipular brota de contemplar las manos y el costado de Cristo resucitado. Al identificar las marcas de su Señor nace la comunión alegre en el discípulo. La alegría borra el miedo porque el pecado y su violencia, la muerte, no tienen más poder. Es la victoria de la fe pascual la que hace al discípulo, enviado del Hijo mismo, para proseguir su misión de comunión santificante.

El Espíritu Santo forja la comunión perdonando los pecados. En esto consiste la santificación: hacer que el pecador, el mundo, experimente la alegría y la paz obtenidas por la muerte y resurrección de Cristo. Tarea inmensa, pero gratísima la que su Señor le encomienda a sus discípulos.

El segundo momento se fija en la fisonomía del discípulo particular, más que en la del grupo. Tomás, el Gemelo, funge como figura representativa. Él no acepta lo que el grupo le anuncia, y se aferra a sus propias convicciones, las de la crucifixión. Sus propias certezas le impiden la comunión de la fe. Está como a medio camino pascual. Su creer está incompleto, no es el creer cristiano, y por eso lo que solicita es muy razonable. Tomás es el gemelo de todo discípulo que pide andar su propio camino.

La confesión de Tomás es la expresión más grande de la comunión pascual de la comunidad de discípulos. Todos y cada uno reconoce a Jesucristo como "Señor mío y Dios mío". De él nos viene la comunión pascual que se distingue por la alegría, la paz, la reconciliación y la santidad que obra el mismo Espíritu de Dios. Él nos recrea la comunión eclesial, un día tras otro, una semana tras otra.

III DOMINGO DE PASCUA

I LECTURA Hechos 2:14, 22–33

Lectura del libro de los Hechos de los Apóstoles

En esta lectura Pedro encara al pueblo. Evita trasponer ese escenario al de la proclamación litúrgica.

El día de **Pentecostés**,
se presentó **Pedro**, junto con los **Once**, ante la **multitud**,
y **levantando la voz**, dijo: "Israelitas, **escúchenme**.
Jesús de Nazaret fue un hombre **acreditado** por Dios ante **ustedes**,
mediante los **milagros, prodigios** y **señales**
que Dios **realizó** por medio de **él**
y que ustedes **bien** conocen.
Conforme al plan **previsto** y sancionado por **Dios**,
Jesús fue **entregado**,
y ustedes **utilizaron** a los paganos para **clavarlo** en la **cruz**.

Pero Dios lo **resucitó**, rompiendo las **ataduras** de la **muerte**,
ya que **no era posible** que la muerte **lo retuviera**
bajo su **dominio**.

El argumento de este párrafo es un tanto rebuscado; no te pierdas con las referencias escriturarias. Identifica la línea del raciocinio y dale el tono adecuado para que el auditorio lo pueda identificar.

En efecto, David dice, **refiriéndose** a él:
Yo veía ***constantemente*** *al Señor* ***delante*** *de mí,*
puesto que él está a ***mi lado*** *para que yo* ***no tropiece.***
Por eso ***se alegra*** *mi corazón y mi lengua* ***se alboroza,***
por eso ***también*** *mi cuerpo* ***vivirá*** *en la* ***esperanza,***
porque ***tú,*** *Señor,* ***no me abandonarás*** *a la muerte,*
ni dejarás *que tu santo sufra la corrupción.*
Me has enseñado el ***sendero de la vida***
y ***me saciarás de gozo*** *en tu presencia.*

I LECTURA La lectura primera nos trae la parte central del discurso de Pedro ante una muchedumbre, dando el significado de la venida del Espíritu Santo en Pentecostés. Los versos entresacados del discurso de Pedro, se refieren al kerigma de la cristiandad primitiva, que será norma para todos los tiempos.

El discurso de Pedro inicia con una cita de Joel, que interpreta el suceso de Pentecostés como el cumplimiento escatológico de las profecías de salvación (versos 15–21). Esa salvación, a su vez, se concretiza en el suceso de Jesús, del que habla el kerigma escatológico de los vv. 22–24. La resurrección de Cristo es obra de Dios. Los versos 29–36 aseguran la comprensión cristológica de la prueba escriturística. La consecuencia de lo anterior es que todo Israel debe reconocer a Jesús como el Ungido de Dios. Esto lleva a una finalidad: conversión y penitencia.

Al hablar de Jesús, Pedro presenta su vida pública pero interpretada como un momento privilegiado de salvación, porque por él, Dios se ha manifestado como salvador a través de los muchos y variados milagros que hizo. Por medio de estos signos Dios ha acreditado a Jesús ante sus contemporáneos y hoy también lo acredita ante nosotros, a condición de que abramos no sólo los ojos, sino también el corazón, para entender y aceptar lo querido por Dios.

La parte más importante de esta lectura presenta el misterio pascual de Jesús: pasión-muerte-resurrección-ascensión y don del Espíritu Santo. Aquí se entremezclan las obras de los hombres que condenaron y dieron muerte a Jesús y la obra de Dios que lo hace resucitar y subir al cielo, para que del cielo pueda enviar al Espíritu Santo como lo había prometido.

Es el punto culminante del discurso petrino. Aquí sí, haz contacto visual con la asamblea en las dos líneas finales.

Hermanos,
que me sea permitido hablarles **con toda claridad**:
el patriarca David **murió** y lo **enterraron**,
y su sepulcro **se conserva** entre nosotros **hasta el día de hoy**.
Pero, como era **profeta**,
y **sabía** que Dios le había **prometido** con **juramento**
que un **descendiente suyo** ocuparía su **trono**,
con **visión profética** habló de la **resurrección de Cristo**,
el cual **no fue abandonado** a la muerte **ni sufrió la corrupción**.

Pues bien, a este Jesús Dios **lo resucitó**,
y de ello **todos** nosotros somos **testigos**.
Llevado a los cielos por el **poder de Dios**,
recibió del Padre el **Espíritu Santo** prometido a él
y lo ha **comunicado**,
como **ustedes** lo están **viendo** y **oyendo**".

Para meditar.

SALMO RESPONSORIAL Salmo 15:1–2a y 5, 7–8, 9–10, 11

R. Señor, me enseñarás el sendero de la vida.

Protégeme, Dios mío, que me refugio en ti; yo digo al Señor: "Tú eres mi bien". El Señor es el lote de mi heredad y mi copa, mi suerte está en tu mano. R.

Bendeciré al Señor que me aconseja; hasta de noche me instruye internamente. Tengo siempre presente al Señor, con él a mi derecha no vacilaré. R.

Por eso se me alegra el corazón, se gozan mis entrañas, y mi carne descansa serena: porque no me entregarás a la muerte, ni dejarás a tu fiel conocer la corrupción. R.

Me enseñarás el sendero de la vida, me saciarás de gozo en tu presencia, de alegría perpetua a tu derecha. R.

La comunidad no es el origen de los dones escatológicos. Es sin embargo el lugar del Espíritu, porque en la muerte y resurrección de Jesús se abrió la puerta para su llegada. Este Espíritu irá abriendo los corazones de los fieles para que hagan suyos el mensaje y la vida de Jesús.

El día de hoy en varios ambientes se sigue oyendo la frase "Cristo sí, Iglesia no". Un sinsentido, pues se olvidan de que el Espíritu es el que desde dentro está soplando e infundiendo vida nueva y consistencia a su Iglesia. Los cristianos hemos impedido muchas veces que se conviertan en obras y acciones estos impulsos del Espíritu. La caridad y vivencia de Jesús no es algo que se mida con la vara del espectáculo, al que está tan acostumbrado nuestro mundo. La ayuda y el servicio al prójimo rehúye este tipo de medida moderna y prefiere la sencillez, aunque la Iglesia también tiene que salir al público para predicar la Buena Noticia de Jesús.

II LECTURA Después de la bendición de apertura, el autor sigue con una exhortación a que los cristianos lleven una vida coherente con su fe cristiana. Motiva esta exhortación con el núcleo de la ley de santidad: "Sean santos como yo (Yahveh), su Dios, soy santo" (Lev 19:2). Es el fundamento que puso el Señor a su pueblo para que pudiera acercarse a él, es decir, para que pudiera habitar el Señor Dios con ellos.

De esta exhortación, el autor extrae tres consecuencias. La primera es de que "vivan con respeto durante el tiempo de su peregrinación". La vida del creyente es presentada a menudo en la Biblia como una peregrinación. Vamos de paso por esta tierra y nos encaminamos hacia Dios. La luz de Pascua nos hace más vívido este pensamiento: somos peregrinos que caminamos hacia una tierra buena, esta peregrinación tiene

II LECTURA 1 Pedro 1:17–21

Lectura de la primera carta del apóstol san Pedro

La lectura ratifica la condición novedosa de los cristianos. Subraya las palabras de la paternidad divina y de la filiación cristiana.

Hermanos:
Puesto que **ustedes** llaman **Padre** a Dios,
que juzga **imparcialmente** la conducta de **cada uno**
según sus **obras**,
vivan **siempre** con temor **filial** durante su **peregrinar**
por la **tierra**.

El precio de la redención es alto, lo que debe llevar a caer en cuenta de lo precioso que son los fieles a los ojos de Dios. Recita este párrafo con verdadera convicción interna.

Bien saben ustedes que de su **estéril** manera de vivir,
heredada de sus padres,
los ha **rescatado** Dios,
no con bienes **efímeros**, como el **oro** y la **plata**,
sino con la **sangre preciosa** de Cristo,
el cordero sin **defecto** ni **mancha**,
al cual Dios había **elegido** desde **antes** de la **creación** del mundo,
y por amor a **ustedes**,
lo ha manifestado en **estos** tiempos, que son los **últimos**.

Esta línea es clave. Procura cerrar la lectura elevando el tono en la línea final.

Por Cristo, **ustedes** creen en Dios,
quien lo **resucitó** de entre los **muertos** y lo **llenó** de **gloria**,
a fin de que la **fe** de **ustedes**
sea también **esperanza** en Dios.

sus dificultades, pero, más que nada, ofrece la esperanza de poseer la tierra. El desierto es el camino para tener una valoración buena o mala, de acuerdo a nuestra actitud y conducta.

El segundo pensamiento que externa el autor, es la frase de que consideremos que el precio de nuestra liberación no fueron cosas perecederas, es decir, acciones o valores humanos, sino la preciosa sangre de Cristo. Esta acción liberadora que se actualizaba cada vez que se celebraba la pascua, sigue actualizándose en un sentido pleno en la eucaristía. El acento que se pone en la sangre, nos lleva al drama del Viernes Santo y a la contemplación de las llagas de Jesús que, sabemos, han llenado de compasión y conmoción al alma de tantos santos y santas, pensemos sobre todo en san Francisco de Asís. Esta sangre derramada una vez, sigue cubriendo y perdonando nuestros pecados.

El tercer pensamiento se expresa así: "Por medio de él creen en Dios, que lo resucitó de la muerte y lo glorificó". Nos manda el autor a la pascua de la resurrección, en la cual Jesús ha vencido el poder de Satanás y lo ha derrotado en todos los frentes. Esto une con la primera afirmación. Si estamos en este peregrinaje en la vida hacia algo mejor, que es la esperanza que jala a los hombres, para nosotros los cristianos esa esperanza es concreta y enorme: la continuación en la vida y en una vida mejor, transfigurada que, se nos dice, toda la felicidad que conocemos es una sombra de esa realidad. Deberíamos buscar nuevas formas para expresar esta esperanza. Además, no sólo debemos recordar que el Señor murió por nosotros, sino también con nosotros. Nos ha enseñado cómo debemos morir y nos promete que estará acompañándonos en nuestra muerte.

EVANGELIO Lucas 24:13–35

Lectura del santo Evangelio según san Lucas

La lectura es prolongada y conviene que la velocidad de la lectura tenga variaciones, para evitar la monotonía.

El **mismo** día de la **resurrección**,
iban **dos** de los discípulos hacia un pueblo llamado **Emaús**,
situado a unos **once** kilómetros de Jerusalén,
y comentaban **todo** lo que había sucedido.

Mientras **conversaban** y **discutían**,
Jesús se les acercó y comenzó a caminar **con ellos**;
pero los **ojos** de los dos discípulos estaban **velados**
y **no** lo reconocieron.
Él les preguntó:
"¿De **qué cosas** vienen hablando, **tan** llenos de **tristeza**?"

La trama encuentra un nuevo desarrollo. Este resumen de la pasión, muerte y resurrección de Jesús contiene lo fundamental. Dale relevancia, pero no alargues la lectura.

Uno de ellos, llamado **Cleofás**, le respondió:
"¿Eres tú el **único** forastero
que **no** sabe lo que ha sucedido **estos días** en Jerusalén?"
Él les preguntó: "**¿Qué cosa?**"
Ellos le respondieron: "Lo de **Jesús** el **nazareno**,
que era un **profeta poderoso** en **obras** y **palabras**,
ante **Dios** y ante **todo** el pueblo.
Cómo los **sumos sacerdotes** y **nuestros jefes**
lo **entregaron** para que lo condenaran a **muerte**,
y lo **crucificaron**.
Nosotros **esperábamos** que él sería el **libertador** de Israel,
y **sin embargo**, han pasado **ya tres días**
desde que **estas cosas** sucedieron.
Es cierto que **algunas mujeres** de nuestro grupo
nos han **desconcertado**,
pues fueron de **madrugada** al sepulcro, **no encontraron** el cuerpo
y llegaron contando que se les habían **aparecido** unos **ángeles**,
que les dijeron que estaba **vivo**.

EVANGELIO San Lucas agrupa los eventos de la resurrección de Jesús en este capítulo final de su evangelio. Todo comienza con la visita de las mujeres al sepulcro y luego la de Pedro (Lc 24:1, 12). Continúa la narración con el episodio de Emaús, y luego con la aparición del Resucitado "a los Once y compañeros" (24:33) y cierra con el relato breve de la Ascensión, cerca de Betania, que debió ocurrir ya de noche. Aquel fue un día largo, o mejor, sin ocaso, para la primera comunidad de discípulos. En este capítulo final del evangelio recurren varios motivos teológicos y literarios muy queridos para san Lucas: el camino, el discipulado, el kerigma, la fracción del pan, el cuerpo del Resucitado, el tiempo y el espacio de la salvación, etc. Pero sólo podemos explorar un poco uno mayor, la ciudad de Jerusalén.

Destaca la centralidad que san Lucas le concede a Jerusalén. Cuando él está escribiendo, la ciudad había sido ya destruida y su templo arrasado como consecuencia de la insurrección judía contra Roma, que había sumido al país en caos y destrucción. No obstante, la memoria de la ciudad como lugar de los eventos de salvación estaba viva. Jerusalén más que lugar urbano o político social, tenía sentido, en términos cristianos, como el lugar de la muerte y resurrección del Mesías. A diferencia de muchas religiones de la época, la cristiana tenía anclas en fechas y terrenos específicos. Este sentido histórico de la salvación es una de las notas más relevantes de la fe cristiana; Dios se revela en la transformación de la historia humana.

Si Jerusalén funciona como meta del peregrinar de Jesús con los suyos desde Galilea, es sobre todo, el lugar donde se ha cumplido puntualmente el anunciado destino

Algunos de nuestros compañeros fueron al **sepulcro**
y hallaron **todo** como habían dicho las **mujeres**,
pero a él **no lo vieron**".

La explicación de Jesús debes hacerla como un reproche de un hombre sabio y paciente.

Entonces Jesús les dijo:
"¡Qué **insensatos** son ustedes
y **qué duros** de corazón para creer **todo** lo anunciado
por los **profetas**!
¿**Acaso** no era **necesario** que el **Mesías** padeciera **todo esto**
y **así** entrara en su **gloria**?"
Y **comenzando** por **Moisés** y **siguiendo** con **todos** los **profetas**,
les explicó **todos** los pasajes de la **Escritura** que se referían a **él**.

Acelera la lectura para transmitir la inquietud de la reacción de los discípulos. Deja esa sensación de intranquilidad que causa lo inesperado.

Ya **cerca** del pueblo a donde se **dirigían**,
él hizo como que iba **más lejos**;
pero ellos le **insistieron**, diciendo:
"Quédate con **nosotros**, porque **ya** es **tarde**
y **pronto** va a **oscurecer**".
Y entró para **quedarse** con ellos.
Cuando estaban a la **mesa**,
tomó un **pan**, pronunció la **bendición**, lo **partió** y se lo **dio**.
Entonces se les **abrieron** los ojos y **lo reconocieron**,
pero él se les **desapareció**.
Y ellos se decían el **uno** al **otro**:
"¡**Con razón** nuestro corazón **ardía**,
mientras nos hablaba **por el camino**
y nos **explicaba** las Escrituras!"

Se levantaron **inmediatamente** y **regresaron** a Jerusalén,
donde encontraron **reunidos** a los **Once** con sus **compañeros**,
los cuales **les dijeron**:
"De veras ha **resucitado** el Señor y se le ha **aparecido** a Simón".
Entonces ellos contaron lo que les había pasado **por el camino**
y cómo lo habían **reconocido** al **partir el pan**.

del Hijo del hombre, que incluye "su salida" (ver Lc 9:31; 9:22). Esto es fundamental para san Lucas; Dios da cumplimiento a los anuncios proféticos. Así se valida la fe cristiana.

Por otra parte, la ciudad es también el punto de reunión discipular, más que física anímica. Los discípulos que se alejan entristecidos hacia Emaús, situada a unos once y medio kilómetros de la capital, se ven obligados a volver con sus compañeros para compartir enardecidos, su experiencia de resurrección. Al encontrarlos, miran confirmada su fe y adquieren nuevas experiencias de Jesús. En lo que resta del relato lucano, Jesús les pedirá permanecer allí hasta que "sean revestidos con la fuerza de lo alto" (24:49). En cierto sentido, Jerusalén es *topos* litúrgico, porque semeja lo que hacemos en la liturgia: convocación, compartir las experiencias de fe—acceso a las Escrituras y partir el pan, por ejemplo—y el envío evangelizador. ¿Cuál es ese lugar para nosotros?

Otros motivos recurren en el relato de Emaús. Tomemos por ejemplo el de cómo se hace la experiencia del discípulo de Jesús. El seguidor de Jesús aprende en la ruta de la vida cotidiana cuando intercambia su propia situación pero sobre todo cuando comparte con gente "extraña", que le abre las Escrituras, que le ilumina los pasos. Entonces surge el "ardor del corazón", el entusiasmo por "algo más". Entonces se abre la casa. Es para compartir en la intimidad el alimento y la suerte. En esa comunión el Resucitado, aunque invisible, deslumbra e impulsa. Por eso, el andar discipular urge a compartir la experiencia con otros discípulos, a una comunión más amplia y más profunda, una comunión de vida que se aprende de la historia de Jesús. Ese es el evangelio.

IV DOMINGO DE PASCUA

I LECTURA Hechos 2:14a, 36–41

Lectura del libro de los Hechos de los Apóstoles

Pedro pronuncia un discurso poderoso y convincente. Dale prestancia y volumen a tu voz sobre todo en el llamado al arrepentimiento.

El día de **Pentecostés**,
se presentó **Pedro** junto con los **Once** ante la **multitud**
y **levantando la voz**, dijo:
"Sepa **todo** Israel con **absoluta certeza**,
que **Dios** ha constituido **Señor** y **Mesías** al mismo **Jesús**,
a quien ustedes han **crucificado**".

Estas palabras les llegaron al **corazón**
y preguntaron a **Pedro** y a los **demás apóstoles**:
"¿**Qué** tenemos que hacer, **hermanos**?"
Pedro les contestó: "**Arrepiétanse**
y **bautícense** en el nombre de **Jesucristo**
para el **perdón** de sus **pecados**
y **recibirán** el Espíritu Santo.

Haz contacto visual con la asamblea en la apelación del "ustedes".

Porque las **promesas** de Dios **valen** para **ustedes** y para **sus hijos**
y **también** para **todos** los paganos
que el Señor, **Dios nuestro**, quiera llamar,
aunque estén **lejos**".

Este párrafo es como un colofón que muestra los resultados de la prédica petrina. El mensaje es bien recibido por el pueblo.

Con **éstas** y otras **muchas** razones,
los **instaba** y **exhortaba**, diciéndoles:
"**Pónganse** a salvo de este mundo **corrompido**".
Los que **aceptaron** sus palabras se **bautizaron**,
y **aquel día** se les agregaron unas **tres mil** personas.

I LECTURA La lectura representa una parte de la predicación de Pentecostés de Pedro (Hch 2:10). El v. 14 tiene la función de unir el discurso a los hechos acaecidos en Pentecostés. El v. 36 contiene el final de la parte cristológica y los siguientes versos se ocupan de la parte eclesiológica.

Pedro emplea una fórmula muy antigua de profesión de fe. Caracteriza a Jesús como Señor y Mesías, como el único salvador de la humanidad. Es la fe reducida a su mínimo: Jesús salva, y en este tiempo pascual debemos vivir esta afirmación con una experiencia que manifieste esta fe en el único salvador.

Este misterio de salvación en Jesús, revelado en su vida terrena, deriva en el estilo de vida que caracterizó a los primeros cristianos, un estilo de vida que podemos llamar pascual. En realidad, de la pascua de Cristo, de ese paso de la muerte a la vida, han nacido los sacramentos de la vida cristiana: el bautismo, precedido de la penitencia ofrece dos dones: el perdón de los pecados y el don del Espíritu Santo. Después viene el gran don: la eucaristía, el "partir el pan" (Hch 2:42).

Esta fe pascual nos lleva a las consecuencias morales. Las acciones primeras concretas manifestadas por los cristianos son: la penitencia, la alegría del perdón recibido, la escucha de la palabra en la predicación apostólica y la comunión con los que participan de esta misma esperanza cristiana. Es cierto que esta presentación que da Pedro no se ha llegado a cumplir en el trascurso de la historia. Hay muchos negros en medio de los puntos blancos. No se puede negar. Pero tampoco la presencia del Espíritu que nos empuja a vivir en medio de este

Para meditar.

SALMO RESPONSORIAL Salmo 22:1–3a, 3b–4, 5, 6

R. El Señor es mi pastor, nada me falta.

El Señor es mi pastor, nada me falta: en verdes praderas me hace recostar, me conduce hacia fuentes tranquilas y repara mis fuerzas. R.

Me guía por el sendero justo por el honor de su nombre. Aunque camine por cañadas oscuras, nada temo, porque tú vas conmigo: tu vara y tu cayado me sosiegan. R.

Preparas una mesa ante mí enfrente de mis enemigos; me unges la cabeza con perfume, y mi copa rebosa. R.

Tu bondad y tu misericordia me acompañan todos los días de mi vida, y habitaré en la casa del Señor por años sin término. R.

II LECTURA 1 Pedro 2:20b–25

Lectura de la primera carta del apóstol san Pedro

La lectura es de consolación para los cristianos que han de aceptar las penas que vengan por hacer el bien, con la mirada fija en la pasión de Jesús.

Hermanos:
Soportar con **paciencia**
los **sufrimientos** que les vienen a **ustedes** por hacer el **bien**,
es cosa **agradable** a los ojos de **Dios**,
pues a **esto** han sido llamados,
ya que **también Cristo** sufrió por **ustedes**
y les dejó **así** un **ejemplo** para que **sigan** sus huellas.

Él **no cometió** pecado **ni hubo** engaño en su **boca**;
insultado, **no devolvió** los insultos;
maltratado, **no profería** amenazas,
sino que **encomendaba** su causa al **único** que juzga con **justicia**;
cargado con nuestros pecados, **subió** al madero de la cruz,
para que, **muertos** al pecado, **vivamos** para la **justicia**.

Estas palabras son de misericordia y ternura; no les des tono meloso ni lastimero.

Por sus llagas **ustedes** han sido **curados**,
porque **ustedes** eran como ovejas **descarriadas**,
pero **ahora** han vuelto al **pastor** y **guardián** de sus **vidas**.

mundo, que en el fondo es igual al de los primeros cristianos.

Los frutos de la fe en el resucitado no son espectaculares, son visibles e imitables. En esto consistiría el escuchar y hacer vida lo dicho por Pedro.

II LECTURA En esta parte de la carta, el autor se dirige a los esclavos. Les pone la siguiente imagen de Cristo como clave para su comportamiento cristiano: "Cristo padeció por ustedes, dejándoles un ejemplo". Del misterio de Cristo muerto y resucitado se extrae una vocación: "Porque también Cristo padeció por ustedes, dejándoles un ejemplo".

Cristo no tuvo ninguna culpa, no hizo daño a nadie ni ofendió a alguien, sin embargo, soportó calumnias y ofensas. Dio un gran ejemplo de paciencia y de valor, de lo cual tenemos mucha necesidad los cristianos que vivimos en un mundo sordo al mensaje evangélico y que se ríe de cualquier invitación a tomar un camino que tenga como destinatario el bien del hombre y deje una apertura a Dios.

Jesús sirvió al hombre, ante todo, al que se le hacía injusticia y recibió como pago la injusticia de su auditorio. Fue fiel al mensaje que había recibido de su Padre, quien en la vigilia de su pasión le aseguró su protección: "Lo he glorificado y de nuevo lo glorificaré" (Juan 12:28).

Va a tomar el autor la descripción del Siervo del Señor del segundo Isaías (Isaías 53) para dibujar la acción del Señor: "No había pecado ni hubo engaño en su boca". Haciendo el bien, recibió en cambio el mal, la incomprensión. Mas esto no lo distrajo de su misión principal que era mostrar el amor sin límite, muriendo en la cruz por nuestros

EVANGELIO Juan 10:1–10

Lectura del santo Evangelio según san Juan

Este discurso es muy familiar. Procura que suene refrescante y renueve la confianza en Jesús.

En **aquel** tiempo, Jesús dijo a los **fariseos**:
"Yo les **aseguro** que el que **no entra**
por la **puerta** del redil de las **ovejas**,
sino que salta **por otro lado**, es un **ladrón**, un **bandido**;
pero el que **entra** por la puerta, **ése** es el **pastor** de las **ovejas**.
A **ése** le abre el que **cuida** la puerta, y las ovejas **reconocen** su **voz**;
él llama a **cada una** por su nombre y **las conduce** afuera.
Y cuando ha sacado a **todas** sus ovejas, camina **delante** de ellas,
y ellas **lo siguen**, porque **conocen su voz**.
Pero a un extraño **no** lo seguirán, sino que **huirán** de él,
porque **no conocen** la voz de los **extraños**".

Esta información del narrador ayuda a que el oyente sintonice con Jesús.

Jesús les puso **esta comparación**,
pero ellos **no entendieron** lo que les **quería decir**.
Por eso **añadió**:
"Les **aseguro** que yo soy la **puerta** de las **ovejas**.
Todos los que han venido **antes** que yo, son **ladrones** y **bandidos**;
pero mis ovejas **no** los han **escuchado**.

pecados. Al odio, origen del mal, opuso el amor, dejándose clavar en la cruz.

La consecuencia: no vivir más para el pecado, sino para la justicia. La justicia de Dios se manifiesta en bondad. No andar más como ovejas errantes, sin pastor. Busquemos al único pastor que da la vida por nosotros. El nos guiará adecuadamente en la vida y nos conducirá a esa agua fresca que ya se empieza a beber aquí, pero que desemboca en el agua eterna, que es la única que sacia definitivamente.

EVANGELIO El capítulo 10 fluye en el evangelio de san Juan con cierta naturalidad. Previamente, Jesús curó a un ciego de nacimiento, que por mantener el testimonio de lo sucedido fue expulsado o excomulgado por los fariseos de la vida judía o sinagogal. Entonces Jesús lo encontró para solicitarle una confesión de fe apoyada en su nueva visión. Ese capítulo se concluye con un solemne pronunciamiento sobre la pecaminosa ceguera de los líderes religiosos y la nueva visión de los que creen en Jesús. Los destinatarios del discurso que sigue, el del Buen Pastor, son los mismos líderes religiosos, los fariseos. Y si en el capítulo noveno se evidenciaron las relaciones entre los líderes y la gente, ahora la atención se concentra en la relación de Jesús con los creyentes. El capítulo 10 espejea el noveno. Es como poner un dibujo a contraluz para que resalten mejor las diferencias.

Una diferencia grande es la relación personal entre el creyente y Jesús, análoga a la que mantiene el pastor legítimo con sus ovejas. Hay líderes que pastorean sin legitimidad, denuncia Jesús. La legitimidad sólo puede darla Jesús, pues él es la puerta de las ovejas. La imagen refiere al edificio del

Esta nueva comparación invita a apegarse a Jesús. Que las palabras de la vida predominen en la salida de la lectura.

Yo soy la puerta; quien entre por mí se **salvará**,
podrá **entrar** y **salir** y **encontrará** pastos.
El **ladrón** sólo viene a **robar**, a **matar** y a **destruir**.
Yo he venido para que tengan **vida**
y la tengan en **abundancia**".

templo de Jerusalén donde había una puerta por la que eran introducidas las víctimas que serían sacrificadas en el altar. Las ovejas eran imagen del pueblo. El evangelio consiste en que por la puerta jesuánica las ovejas "podrán entrar y salir y encontrar pastos". No es una puerta de muerte, sino de vida y de libertad abundantes. El liderazgo pastoral sólo se legitima si ha pasado por esa puerta de vida abundante. De otro modo, será un liderazgo de matadero. Aquellos líderes que "sólo por su santo rezan", y que no les importa el bienestar de la comunidad de fe.

Todo cristiano posee un liderazgo desde su bautismo. Y está llamado a ejercerlo configurándose a Jesús, muerto y resucitado. Sin esa experiencia pascual, el liderazgo familiar, de grupo o parroquial, estará carente de legitimidad. Estamos llamados a tener vida en abundancia; la vida del Resucitado.

V DOMINGO DE PASCUA

I LECTURA Hechos 6:1–7

Lectura del libro de los Hechos de los Apóstoles

Refresca tu conciencia de vocero de la palabra para la asamblea litúrgica. Este privilegio es una gracia en favor de todos, a la vez que un compromiso de fe.

En **aquellos** días, como **aumentaba** mucho
el **número** de los discípulos,
hubo **ciertas quejas** de los judíos **griegos** contra los **hebreos**,
de que **no se atendía bien** a sus **viudas**
en el servicio de **caridad** de **todos** los días.

La decisión a tomar es importante. Haz notar la participación de toda la comunidad creyente en estos acontecimientos.

Los **Doce** convocaron entonces a la **multitud** de los discípulos
y les **dijeron**:
"No es **justo** que, **dejando** el ministerio de la **palabra de Dios**,
nos dediquemos a **administrar** los **bienes**.
Escojan entre **ustedes** a **siete hombres** de **buena reputación**,
llenos del Espíritu Santo y de **sabiduría**,
a los cuales **encargaremos este servicio**.
Nosotros nos dedicaremos a la **oración**
y al **servicio** de la **palabra**".

Los nombres son fundamentales. Pronúncialos con respeto y agradecimiento, porque por esos medios nos ha llegado la Buena Nueva de Jesús también.

Todos estuvieron de acuerdo y **eligieron** a **Esteban**,
hombre **lleno de fe** y del Espíritu Santo,
a **Felipe, Prócoro, Nicanor, Timón, Pármenas**
y **Nicolás**, prosélito de Antioquía.
Se los presentaron a los **apóstoles**
y **éstos**, después de haber orado, les **impusieron las manos**.

I LECTURA No todo problema es malo. A menudo un problema es ocasión de crecimiento. Así pasó en la historia de la Iglesia primitiva. Comenzaron a aparecer problemas; en concreto, el de que las viudas de los llamados helenistas: no eran atendidas como se debía. Esto dio oportunidad a que este asunto se discutiera y diera origen a una institución, llamada diaconía. Había que nombrar a siete diáconos que se dedicaran al servicio de las viudas de los helenistas. Los apóstoles avalaron la propuesta, pues ellos ya tenían clara su misión: la predicación de la palabra.

La Iglesia primitiva contó con dos instituciones complementarias: el servicio de la Palabra y el servicio a los necesitados o pobres. Son don realidades fundamentales del evangelio: predicar y servir.

Actualmente se sienten las mismas necesidades. No basta hacer la caridad, sino que se debe hacer de forma justa y concreta. Es fácil tener preferencias perjudiciales e injustas. Con el tiempo este servicio se va a diversificar, dado que el mundo se diversificó. Deberán adaptarse los servicios de caridad a las necesidades de nuestro tiempo. Los tiempos cambian y las necesidades también. La Iglesia no puede nunca dejar de lado el mandato divino del dar, de la caridad efectiva.

La institución del diaconado se hizo para seguir el ejemplo de Jesús, que tenía como una de sus características el servicio a los pobres, recordando a sus oyentes en cierta ocasión que "a los pobres los tendrán siempre con ustedes; pero a mí no me tendrán siempre" (Mt 26:11).

En cada diócesis y parroquia se debería hacer una revisión de cómo está organizado el servicio de la caridad. Es muy frecuente la idea de que la caridad es algo supletorio, o

Subraya los vocablos que hablan de multiplicación.

Mientras tanto, la **palabra de Dios** iba **cundiendo**.
En **Jerusalén** se multiplicaba **grandemente**
el **número** de los discípulos.
Incluso un grupo **numeroso** de sacerdotes había **aceptado** la **fe**.

Para meditar.

SALMO RESPONSORIAL Salmo 32:1–2, 4–5, 18–19

R. Que tu misericordia, Señor, venga sobre nosotros, como lo esperamos de ti.

Aclamen, justos, al Señor, que merece la alabanza de los buenos; den gracias al Señor con la cítara, toquen en su honor el harpa de diez cuerdas. R.

La palabra del Señor es sincera y todas sus acciones son leales; él ama la justicia y el derecho, y su misericordia llena la tierra. R.

Los ojos del Señor están puestos en sus fieles, en los que esperan en su misericordia, para librar sus vidas de la muerte y reanimarlos en tiempo de hambre. R.

II LECTURA 1 Pedro 2:4–9

La lectura es de consolación para los cristianos que han de aceptar las penas que vengan por hacer el bien, con la mirada fija en la pasión de Jesús.

Lectura de la primera carta del apóstol san Pedro

Hermanos:
Acérquense al Señor **Jesús**,
la piedra **viva**, **rechazada** por los **hombres**,
pero **escogida** y **preciosa** a los ojos de **Dios**;
porque **ustedes también** son **piedras vivas**,
que van **entrando** en la **edificación** del templo **espiritual**,
para **formar** un sacerdocio **santo**,
destinado a ofrecer sacrificios **espirituales**,
agradables a Dios, por medio de **Jesucristo**.
Tengan presente que **está escrito**:
He aquí *que pongo en* ***Sión*** *una* ***piedra angular***,
escogida *y* ***preciosa***;
el que crea en ella ***no*** *quedará* ***defraudado***.

de que algunos de los fieles o personas consagradas se dan el lujo de "hacer caridad", cuando sienten lástima por alguien, o de que hay que sentirse bien por hacerla. No. Ayudar solidariamente al necesitado es un grave rubro de la vida cristiana. Se ha olvidado que Jesús unió los dos aspectos que, por cuestiones prácticas y para ser efectivos, separaron o dividieron los apóstoles: predicar y servir a las mesas.

II LECTURA El capítulo segundo de 1 Pedro desarrolla una auténtica eclesiología, como el primero hizo con la cristología. Al hablar de la Iglesia, el autor destaca sus aspectos pascuales, pues esto es algo fundamental para vida cristiana en común.

El autor llama a Jesús "piedra viva y angular" y también a nosotros nos llama piedras vivas para la construcción de un edificio espiritual. Hay un dejo de crítica contra un templo material, pues los edificios siempre rivalizan en belleza y riqueza, a cual más; pero la principal crítica es la falta de ese aliento o espíritu que da a toda religión su sentido profundo, y que a menudo la torna espiritual. Había ya desde antes del tiempo apostólico muchas críticas a la materialidad de los templos. Allí había ceremonias solemnes y apabullantes, comercio, intereses, pero no se captaba el espíritu religioso. En este mismo sentido se había expresado Jesús con la samaritana: "Dios es Espíritu y los que lo adoran, lo deben adorar en espíritu y verdad" (Juan 4:24).

Jesús ejerció su sacerdocio supremo y eterno muriendo y resucitando, así también nosotros formamos un sacerdocio santo, un pueblo sacerdotal (Ex 19:4), inaugurado en el bautismo. Como Jesús con su pascua ofreció su sacrificio capaz de salvarnos a

Es una felicitación que hay que hacer extensiva a la asamblea.

Dichosos, pues, **ustedes**, los que han **creído**.
En cambio, para aquellos que se **negaron** a **creer**,
vale lo que dice la **Escritura**:
*La **piedra** que **rechazaron** los **constructores***
*ha **llegado** a ser la **piedra angular**,*
*y **también tropiezo** y roca de **escándalo**.*
Tropiezan en ella los que **no creen** en la **palabra**,
y en **esto** se cumple un **designio de Dios**.

La congregación debe identificarse completamente con estas frases. Son la dignidad más grande que nos viene del bautismo.

Ustedes, por el contrario, son ***estirpe elegida***,
*sacerdocio **real**, nación **consagrada a Dios***
*y **pueblo** de su **propiedad**,*
para que **proclamen** las obras **maravillosas**
de **aquél** que los **llamó** de las tinieblas a **su luz admirable**.

EVANGELIO Juan 14:1–12

Lectura del santo Evangelio según san Juan

Esta es una lectura que no es muy fácil de seguir. Hay que darle las pausas y tonos que la puntuación va requiriendo.

En **aquel** tiempo, **Jesús** dijo a sus discípulos: "**No pierdan** la paz.
Si **creen** en **Dios**, crean **también** en **mí**.
En la **casa** de mi **Padre** hay **muchas habitaciones**.
Si no fuera **así**, yo se lo habría **dicho** a **ustedes**,
porque voy a **prepararles** un **lugar**.
Cuando me **vaya** y les **prepare** un **sitio**,
volveré y los **llevaré** conmigo,
para que donde **yo** esté, estén **también ustedes**.
Y **ya saben** el camino para **llegar** al **lugar** a donde **voy**".

El diálogo es de discípulo a maestro. Las respuestas exigen mucha atención, y descubren quién es Jesús para todos los creyentes.

Entonces **Tomás** le dijo: "Señor, **no sabemos** a dónde vas,
¿cómo podemos **saber** el camino?"
Jesús le respondió: "**Yo** soy el **camino**, la **verdad** y la **vida**.
Nadie va al Padre si no es **por mí**.
Si **ustedes** me conocen a **mí**, conocen **también** a mi **Padre**.
Ya **desde ahora** lo **conocen** y lo han **visto**".

todos, así los cristianos somos capaces de elevar a Dios sacrificios espirituales, que unimos al sacrificio fontal de Jesús.

Al resucitar Jesús de entre los muertos, ha fundamentado nuestra fe. Nosotros los cristianos demostramos en la vida la eficacia de la resurrección de Jesús, transformando nuestra vida y la de todo el mundo. Los que no creen, hacen en ellos ineficaz la resurrección de Jesús. Su condena mayor está en no participar en esa transformación total, que es y será nuestra resurrección.

Es cierto que todas estas imágenes a muchos de nuestros cristianos les parecen palabras vacías de sentido, no sienten su eficacia. No les dicen nada. Por esto el que las lee o predica, tiene que hacer un esfuerzo por trasladarlas al lenguaje y comprensión moderna. Habría que intentar el camino, buscando equivalencias que pueden provenir del campo de la vitalidad, de la producción, del éxito, de la victoria como hoy se siente y expresa, inyectando la sabia del mensaje evangélico. Si no, esas imágenes antiguas no dicen nada y la palabra no entra al corazón cristiano de hoy.

EVANGELIO La lectura de hoy nos entrega un trozo de las despedidas del Mesías en san Juan (Jn 13–17).

Jesús advierte a sus discípulos que se vienen cosas tremendas que les perturbarán el corazón. la más tremenda es la partida del propio Jesús: los eventos de su paso al Padre (ver Juan 13:1). El modo de irse es escandaloso y perturbador, pero busca algo mejor: prepararles un lugar en la casa del Padre. Lo único que aquieta al discípulo es la certeza de la reunificación definitiva con su Maestro. Esta fe vencerá cualquier adversidad. Paradójicamente, la fortaleza de la fe

El discurso de Jesús es extenso. Distingue los momentos que implica; uno está centrado en el ver, otro en el hablar y otro en el hacer. La lectura ha de marcar esas sutiles variaciones.

Le dijo **Felipe**: "Señor, **muéstranos** al Padre y **eso** nos **basta**".
Jesús le replicó:
"Felipe, **tanto tiempo** hace que estoy **con ustedes**,
¿y **todavía** no me **conoces**?
Quien me ha **visto a mí**, ha **visto** al **Padre**.
¿Entonces **por qué** dices: 'Muéstranos al **Padre**'?
¿O **no crees** que **yo** estoy en el **Padre** y que el **Padre** está en **mí**?
Las **palabras** que **yo** les digo, **no** las digo por mi **propia** cuenta.
Es el **Padre**, que **permanece** en mí, **quien hace** las obras.
Créanme: yo estoy en el **Padre** y el **Padre** está en **mí**.
Si no me dan **fe** a **mí**, créanlo por las **obras**.
Yo les **aseguro**:
el que **crea** en mí, **hará** las obras que **hago yo**
y las hará **aún mayores**,
porque **yo me voy** al **Padre**".

le viene de la misma partida de Jesús, que es como su abono y sustancia. Sin la partida de Jesús, la fe de sus seguidores será siempre endeble, insustancial. El ausentarse de Jesús es tan necesario como que sin esa partida no puede haber fe.

La reunificación del grupo sólo se dará "en Jesús", el que ha revelado a Dios, y sólo sucederá mediante la partida, su muerte. Si Jesús dice que es "el camino, la verdad y la vida" se entiende que quien busca a Dios deberá mirar a Jesús. Si para Israel la Ley es el acceso y garantía de vida perdurable, Jesús se revela tal para su discípulo.

El que busca la vida debe decidir el camino que le lleve allí, sin equivocarse; ese camino es Jesús, muerto y resucitado. Ése es el Jesús real y actual. La verdad, en términos de san Juan, es la fidelidad de Dios hacia los hombres, y en la historia de Jesús ha quedado manifiesta. Esa historia desemboca en el enaltecimiento de Jesús. Por esto, para el creyente, Jesús enaltecido es todo: camino, verdad y vida. En él todos se congregan.

A Felipe le falta desarrollar su percepción visual. Ver, en el evangelio de Juan, va más allá de los sentidos para alcanzar la percepción espiritual. Esta perspicacia se desarrolla analizando y meditando las palabras y las obras de Jesús; sólo así se mira que están en coherencia plena con la revelación de Dios. Tal es el camino para ver al Padre en Jesús que capacita al discípulo para hacer "las obras mayores". Ese extra les viene del Paráclito, que es el aporte de "la partida" de Jesús. Por esto, la condición de los discípulos tras la partida de Jesús es mejor que antes, porque podrán ver y hacer obras mayores. Pero la miopía de Felipe la seguimos padeciendo.

VI DOMINGO DE PASCUA

I LECTURA Hechos 8:5–8, 14–17

Lectura del libro de los Hechos de los Apóstoles

El relato de la evangelización de Samaria muestra que la fe en Cristo es para todos. Con espíritu abierto y alegre, haz esta proclamación.

En **aquellos** días,
Felipe bajó a la ciudad de **Samaria** y **predicaba** allí a **Cristo**.
La **multitud** escuchaba con **atención** lo que decía **Felipe**,
porque habían **oído hablar** de los **milagros** que hacía
y los estaban **viendo**:
de **muchos** poseídos **salían** los espíritus **inmundos**,
lanzando **gritos**,
y muchos **paralíticos** y **lisiados** quedaban **curados**.
Esto despertó **gran alegría** en aquella ciudad.

Haz énfasis en las referencias al Espíritu Santo; él es el motor del Evangelio de la salvación.

Cuando los **apóstoles** que estaban en **Jerusalén**
se **enteraron** de que **Samaria** había **recibido** la **palabra de Dios**,
enviaron allá a **Pedro** y a **Juan**.
Éstos, al llegar, **oraron** por los que se habían **convertido**,
para que **recibieran** al Espíritu Santo,
porque **aún** no lo habían **recibido**
y solamente habían sido **bautizados**
en el **nombre** del Señor **Jesús**.
Entonces **Pedro** y **Juan impusieron** las **manos** sobre ellos,
y ellos **recibieron** al Espíritu Santo.

I LECTURA En la lectura de hoy, se hace concreto el mandato dado por el Señor de "ser sus testigos en Jerusalén, Judea y Samaría y hasta el confín del mundo". El diácono Felipe bajó a Samaría. El episodio de Samaría era interesante por muchos puntos de vista. En primer lugar, no había buena relación entre judíos y samaritanos. La querella de la interpretación de la Escritura estaba muy en la base. Pero el Señor había dado la orden de predicar el evangelio a todos. Sólo esperaban los discípulos la ocasión y ésta les vino con la persecución de que fueron objeto. El Espíritu Santo muchas veces ha empleado la persecución para llevar a miembros de su Iglesia a lugares que de otra forma no hubieran ido. Fue el caso en Samaría.

En Samaría se repitió lo que había pasado con Jesús, la gente lo escuchaba con respeto y se admiraba de los milagros.

Había necesidad de la aprobación de los apóstoles, por eso la comunidad de Jerusalén envió a Pedro y Juan como vínculos de comunión fraterna.

Los que habían aceptado la predicación de Felipe, habían recibido el bautismo. Los apóstoles les participaron del don del Espíritu Santo, lo que sería la confirmación en el Espíritu.

II LECTURA El tiempo pascual es una invitación a dar testimonio. La segunda lectura de hoy nos ofrece una síntesis clara del significado, del contenido y de la fuerza impulsora del testimonio.

Esta fuerza del testimonio viene de la adoración: "Adoren a Cristo como Señor de sus corazones". El corazón sigue siendo el centro de las decisiones. Por lo cual, al ponernos delante de Cristo, salta la pobreza radical nuestra, por ser humanos y

Para meditar.

SALMO RESPONSORIAL Salmo 65:1–3a, 4–5, 6–7a, 16 y 20

R. Aclamen al Señor, tierra entera.

Aclamen al Señor tierra entera; toquen en honor de su nombre, canten himnos a su gloria. Digan a Dios: "Qué temibles son tus obras". R.

Que se postre ante ti la tierra entera, que toquen en tu honor, que toquen para tu nombre. Vengan a ver las obras de Dios, sus temibles proezas en favor de los hombres. R.

Transformó el mar en tierra firme, a pie atravesaron el río. Alegrémonos con Dios, que con su poder gobierna eternamente. R.

Fieles de Dios, vengan a escuchar; les contaré lo que ha hecho conmigo. Bendito sea Dios que no rechazó mi súplica, ni me retiró su favor. R.

II LECTURA 1 Pedro 3:15–18

Lectura de la primera carta del apóstol san Pedro

En un solo parágrafo, este fragmento exhorta a una vida íntegra de fe en Cristo. Haz conciencia de tu propio testimonio y proclama con toda humildad la lectura.

Hermanos:
Veneren en sus corazones a **Cristo**, el **Señor**,
dispuestos **siempre** a dar, al que las **pidiere**,
las razones de la **esperanza** de **ustedes**.
Pero **háganlo** con **sencillez** y **respeto**
y estando en **paz** con su **conciencia**.
Así quedarán **avergonzados** los que **denigran**
la conducta **cristiana** de **ustedes**,
pues **mejor** es **padecer** haciendo el **bien**,
si **tal** es la **voluntad de Dios**,
que **padecer** haciendo el **mal**.

Aquí aparece el núcleo de la fe cristiana. Anúncialo con cierto atrevimiento, con valentía plena.

Porque **también Cristo** murió, **una sola vez** y para **siempre**,
por los **pecados** de los **hombres**:
él, el **justo**, por **nosotros**, los **injustos**, para **llevarnos** a **Dios**;
murió en su **cuerpo** y **resucitó glorificado**.

pecadores, y naturalmente nos inclinamos ante el Señor para invocar el perdón y la liberación. Armado con ese perdón, el cristiano se lanzará donde quiera que se encuentre y con quien se tope, a hablar y recomendar con entusiasmo a ese Señor, que le hizo ser lo que es.

Además, esta fuerza del testimonio proviene del ejemplo de Cristo: "Porque Cristo murió una vez por nuestros pecados". Los testigos auténticos son los que dicen lo que han aprendido de Jesús, que hacen lo que ha hecho Jesús. Así, por medio de estos testigos, se mantiene en vida el testimonio que Jesús ha dado durante su vida y así se hace manifiesta la continuidad entre el Jesús de la historia y el Jesús de la fe.

La fuerza misteriosa del testimonio proviene de la fe, compañera de la esperanza que nos da la fuerza necesaria en la adversidad y contratiempo. Esta esperanza no es fruto de nuestro ánimo o valentía, sino que es un regalo que el Señor infunde en el cristiano. Se trata de la "esperanza que no engaña, porque el amor de Dios ha sido derramado en nuestro corazón por el don del Espíritu Santo" (Rom 5:5).

Como cristianos nos debemos lanzar a proponer lo que en el cristianismo es "nuevo" con relación a otras propuestas de salvación. Y esto será creíble si lo acompañamos haciéndolo visible en nuestra vida.

EVANGELIO Hoy seguimos escuchando la despedida de Jesús de su grupo de amigos. El trauma de la partida de Jesús es tan grave que puede anular la fe de los discípulos, haciéndola insignificante. A alentar al grupo vendrá "otro Paráclito".

El primer Consolador es Jesús, el segundo el Espíritu de verdad; ambos son en-

EVANGELIO Juan 14:15–21

Lectura del santo Evangelio según san Juan

Identifica los momentos distintos de la lectura. Procura darle un tono distintivo a cada uno de ellos.

En **aquel** tiempo, **Jesús** dijo a sus **discípulos**:
"Si me aman, **cumplirán** mis **mandamientos**;
yo le **rogaré** al Padre
y **él** les enviará **otro Consolador** que esté **siempre** con **ustedes**,
el Espíritu de **verdad**.
El **mundo** no puede **recibirlo**, porque **no** lo ve **ni lo conoce**;
ustedes, en cambio, **sí** lo conocen,
porque habita **entre ustedes** y estará **en ustedes**.

Este párrafo explica la ausencia de Jesús. Pronuncia con toda seguridad esas palabras.

No los dejaré **desamparados**, sino que **volveré** a **ustedes**.
Dentro de **poco**, el mundo **no me verá más**,
pero ustedes **sí** me verán,
porque yo **permanezco** vivo y **ustedes también** vivirán.
En **aquel** día **entenderán** que **yo** estoy en mi **Padre**,
ustedes en **mí** y **yo** en **ustedes**.

El que **acepta** mis **mandamientos** y los **cumple, ése** me **ama**.
Al que me **ama** a **mí**, lo **amará** mi **Padre**,
yo también lo **amaré** y me **manifestaré** a él".

viados sucesivamente por el Padre. Si el primero se tiene que ir, el segundo permanecerá para siempre con los discípulos. Este enviado será el guardián del vínculo entre el discípulo y Jesús. Tres características podemos resaltar en este vínculo que hará eficiente la fe en Jesús.

Sé es fiel a Jesús sólo amando. El mandamiento preciso consiste en amar a los demás al estilo de Jesús: entregando la vida. En esa entrega única se basa toda relación entre los discípulos. El amor discipular es como una reproducción del amor de Jesús por el compañero o compañera de fe. El discípulo deja de amar con su amor propio para amar con el amor de Cristo.

La segunda nota es la del saber ver. El incrédulo es incapaz de ver y de recibir tanto a Jesús como al Espíritu de verdad. Ver equivale a comprender la coherencia entre las Escrituras y la historia de Jesús. El discípulo es alguien que explora continuamente las Sagradas letras y las coteja con lo que conoce de Jesús. Una fe que indaga, explora y estudia la divina Palabra no puede sino ser eficiente.

La tercera nota es la vida nueva que corrobora la unidad entre Jesús y el Padre. Esa vida nueva es la que el propio discípulo experimenta de ver al Resucitado, de reconocerlo viviente y operante en la comunidad, palpable en el amor recíproco que los discípulos se profesan. Esta vida nueva afirma la unidad discipular con Jesús, pues su dinamismo le viene de la fidelidad a la palabra y a la historia de Jesús.

Esas notas hay que verificarlas en toda comunidad de fe. Todos podemos abonar en alguno de estos renglones, porque hemos recibido el Espíritu.

ASCENSIÓN DEL SEÑOR

I LECTURA Hechos 1:1–11

El relato de la Ascensión de Jesús encabeza la narración sobre la Iglesia. Comparte desde tu propia debilidad la seguridad de que Jesucristo vive.

Lectura del libro de los Hechos de los Apóstoles

En mi **primer** libro, querido **Teófilo**,
escribí acerca de **todo** lo que Jesús **hizo** y **enseñó**,
hasta el día en que **ascendió** al **cielo**,
después de dar sus **instrucciones**,
por medio del **Espíritu Santo**, a los **apóstoles** que había **elegido**.
A **ellos** se les **apareció** después de la **pasión**,
les dio **numerosas pruebas** de que estaba **vivo**
y durante **cuarenta días** se dejó ver por ellos y les **habló**
del **Reino de Dios**.

Las instrucciones son precisas y deben resonar hasta la promesa del Espíritu. Este es el punto que la asamblea debe contemplar por un momento.

Un día, estando con ellos a la mesa, **les mandó**:
"**No se alejen** de Jerusalén.
Aguarden **aquí** a que se **cumpla** la **promesa** de mi **Padre**,
de la que ya les he **hablado**:
Juan **bautizó** con **agua**;
dentro de pocos días **ustedes** serán **bautizados**
con el **Espíritu Santo**".

Los ahí **reunidos** le **preguntaban**:
"Señor, ¿**ahora** sí vas a **restablecer** la **soberanía** de **Israel**?"

I LECTURA En los primeros versos (Hch 1:1–2) el autor evoca el contenido de su primer libro. Menciona a los protagonistas principales: Jesús, los apóstoles y el Espíritu Santo. A los apóstoles les incumbe enseñar; al Espíritu Santo alentar interiormente la labor apostólica y a Jesús, ser el objeto de la predicación apostólica y el centro de la vida de los fieles.

El autor hace una vista de conjunto sobre la actividad del Señor después de su resurrección; reproduce dos de sus discursos, que subrayan la acción que el Espíritu ejercerá sobre los apóstoles. Fue un tiempo largo, aunque el número de cuarenta días tiene un sentido simbólico, que indica completez. Este tiempo fue después objeto de muchas especulaciones, sobre presuntas revelaciones exclusivas del Señor a sus apóstoles, que habrían quedado en secreto; secreto del que pretendían haber participado varios herejes.

La descripción de la Ascensión insiste más en la manera como se separó Jesús definitivamente de los suyos, que sobre la glorificación misma del Señor. Jesús se elevó hacia el cielo, fuera de la vista de sus apóstoles y fuera de este mundo, como alguien que se va a un país lejano. Hay una discreta alusión a la glorificación de Jesús, al mencionar la nube, que acompaña a las teofanías. Pero la nube tiene por función separar al Señor de la vista de los apóstoles. Se abre una nueva etapa de salvación, un nuevo modo de presencia de Dios. Los hombres vestidos de blanco, anuncian que volverá el Señor, cuando llegue la época definitiva. Mientras tanto, no es el momento de estar mirando al cielo, habrá que ponerse a ejercer su misión.

¿Cuál es el significado de la ascensión? Es el paso del tiempo de Jesús al tiempo del

Jesús les contestó:
"A **ustedes** no les toca **conocer** el **tiempo** y la **hora**
que el **Padre** ha **determinado** con su **autoridad**;
pero cuando el **Espíritu Santo** descienda sobre **ustedes**,
los **llenará** de **fortaleza** y serán mis **testigos** en **Jerusalén**,
en **toda** Judea, en Samaria y **hasta** los **últimos rincones**
de la **tierra**".

Pronuncia con entusiasmo de fe las frases que conciernen al Espíritu Santo.

Dicho **esto**, se fue **elevando** a la **vista** de ellos,
hasta que una **nube** lo **ocultó** a sus **ojos**.
Mientras miraban **fijamente** al cielo, **viéndolo alejarse**,
se les presentaron **dos hombres vestidos de blanco**,
que les **dijeron**:
"Galileos, **¿qué hacen allí parados**, mirando al **cielo**?
Ese mismo **Jesús** que los ha **dejado** para **subir** al **cielo**,
volverá como lo han visto **alejarse**".

Para meditar.

SALMO RESPONSORIAL Salmo 46:2–3, 6–7, 8–9

R. Dios asciende entre aclamaciones, el Señor, al son de trompetas.

Pueblos todos batan palmas, aclamen a Dios con gritos de júbilo; porque el Señor es sublime y terrible, emperador de toda la tierra. R.

Dios asciende entre aclamaciones, el Señor, al son de trompetas; toquen para Dios, toquen, toquen para nuestro Rey, toquen. R.

Porque Dios es el rey del mundo; toquen con maestría. Dios reina sobre las naciones, Dios se sienta en su trono sagrado. R.

testimonio de la Iglesia. En esta época en la que estamos, los apóstoles serán los testigos privilegiados y los depositarios de la palabra. De ellos depende el anuncio del reino. Son testigos de la resurrección en toda la tierra. La Iglesia debe tener la urgencia de testimoniar. Debemos resistir a la tentación de añorar estérilmente el pasado o de aventurarnos a una contemplación quimérica del futuro. Ahora no se puede uno más unir directamente a Cristo sino por mediación de los apóstoles, ellos son fundamentos para la fe de la Iglesia.

II LECTURA El Apóstol da gracias por dos motivos, que son dos aspectos de la vida cristiana: la fe en el Señor Jesús y el amor dentro de la comunidad de los hermanos. Al final aparece la esperanza como un fruto de una sabiduría, de una revelación. La sabiduría para el judío Pablo, era la Ley, el conocimiento de la voluntad de Dios, expresada en la práctica de los mandamientos. Ya desde hacía tiempo el Deuteronomio había expresado que ningún pueblo de la tierra era tan sabio como Israel, porque tenía la Ley. Por su comportamiento, siguiendo esta Ley, se había hecho notar por las naciones. Por haberla seguido al pie de la letra, Pablo había perseguido a la Iglesia de Dios. Al encontrar a Cristo, Pablo reflexionó sobre la sabiduría de Dios, que es la palabra de Dios convertida en hombre, en Jesucristo glorificado por el poder de Dios. No hay más que una revelación, la que se produjo en Cristo.

Esta sabiduría es la que Pablo pide para sus comunidades. Pablo se refiere, al hablar de esa revelación, al suceso que debe ser la base de nuestra confianza. Este conocimiento de Dios supone la fe y el amor. El conocimiento de Dios no es un saber abstracto, es

II LECTURA Efesios 1:17–23

Lectura de la carta del apóstol san Pablo a los efesios

Estos tres párrafos son profundos; prepáralos tomando a la comunidad en tu oración y presentándola al Señor con profunda reverencia.

Hermanos:
Pido al **Dios** de nuestro Señor **Jesucristo**, el **Padre** de la gloria,
que les **conceda** espíritu de **sabiduría**
y de **reflexión** para **conocerlo**.

Le **pido** que les **ilumine** la **mente**
para que **comprendan** cuál es la **esperanza**
que les da su **llamamiento**,
cuán **gloriosa** y **rica** es la **herencia**
que **Dios** da a los que son **suyos**
y cuál la **extraordinaria grandeza**
de su **poder** para con **nosotros**,
los que **confiamos** en él,
por la **eficacia** de su **fuerza poderosa**.

Es el centro de la Buena Nueva. Con vigor anuncia la fuerza de Dios actuando en favor de sus fieles.

Con **esta** fuerza **resucitó** a **Cristo** de entre los **muertos**
y lo hizo sentar **a su derecha** en el cielo,
por encima de **todos** los ángeles, **principados**,
potestades, virtudes y **dominaciones**,
y por encima de **cualquier** persona,
no sólo del mundo **actual** sino **también** del **futuro**.

Todo lo puso bajo sus **pies**
y a **él mismo** lo constituyó **cabeza suprema** de la **Iglesia**,
que es su **cuerpo**,
y la **plenitud** del que lo consuma **todo en todo**.

una experiencia de fe y de amor, una comunión con él, que unifica a la persona en todos los actos de su vida. Por el bautismo el corazón del hombre, de donde salen las decisiones, ha sido cambiado. El hombre se ha convertido en luz. Hay un camino en que se desarrollará este conocimiento, por el cual pide Pablo para su comunidad.

El hombre, al recibir la Buena Noticia, se lanza a permitir y cooperar a que se desarrolle en él la creación nueva. Hay necesidad de recoger esa palabra de Ascensión que nos jala al futuro, que para nosotros los cristianos es la esperanza. Es lo mismo que hablar de nuestra divinización, estar siempre con el Encarnado, porque la carne se ha convertido y permanecerá siempre, "punto cardinal de la salvación".

EVANGELIO San Mateo no describe la ascensión de Jesús al cielo; en cambio, busca revivir en sus lectores el significado de la reunión entre el Resucitado y sus discípulos en Galilea. Destacamos tres coordenadas que tienen que ver con la vida cristiana o discipular.

La primera coordenada es la de la autoridad mesiánica. La resurrección, le ha significado a Jesús el señorío universal. Cuando el evangelio habla de "cielo y tierra" abarca el todo. La única autoridad sobre todas las cosas es la de Dios, único Señor de cielo y tierra. Lo reconocemos en el Padre nuestro, cada día. Además, el cuadro del evangelio de hoy, jala la memoria a la tercera tentación, cuando Satanás llevó a Jesús a un monte muy alto y le ofreció los reinos del mundo y su gloria, a condición de ponerse a su servicio (ver Mt 4:1). Entonces Jesús zanjó todo al decidir servir a Dios exclusivamente. Su fidelidad inquebrantable acabó por llevarle por un camino doloroso,

EVANGELIO Mateo 28:16–20

Este relato es breve pero fundamental para la vida de la Iglesia. Cobra conciencia de tu misión como enviado de Cristo resucitado, y cumple tu tarea con alegría.

La encomienda es familiar, pero no dejes que caiga en la rutina. Vigoriza tu voz y con entusiasmo contagia a la asamblea con el espíritu del Resucitado.

Lectura del santo Evangelio según san Mateo

En **aquel** tiempo,
los **once discípulos** se fueron a **Galilea**
y subieron al **monte** en el que Jesús los había **citado**.
Al ver a **Jesús**, se **postraron**, aunque **algunos titubeaban**.

Entonces, **Jesús** se **acercó** a ellos y les **dijo**:
"Me ha sido dado **todo poder** en el **cielo** y en la **tierra**.
Vayan, pues, y **enseñen** a **todas las naciones**,
bautizándolas en el nombre del **Padre** y del **Hijo**
y del **Espíritu Santo**,
y **enseñándolas** a cumplir **todo** cuanto yo les he **mandado**;
y **sepan** que yo **estaré** con ustedes **todos los días**,
hasta el **fin** del **mundo**".

hasta ser ajusticiado en la cruz, avergonzado y humillado. Ahora, Dios valida a Jesús como su enviado, resucitándolo y dándole la autoridad universal que Dios otorga, nunca Satán.

La segunda coordenada es la discipular. El anuncio de la resurrección de Jesús incluía la reunión del grupo de discípulos que se habían dispersado en Getsemaní (ver 26:56 y 28:7). Ahora, el Resucitado congrega a sus discípulos para hacerlos mensajeros de su evangelio a todas las naciones. Ellos harán patente la autoridad universal del Mesías de dos modos. Primero, bautizando en nombre de la Trinidad. Al bautismo, lo sabemos bien, precedía un camino de preparación que consistía en conocer las Escrituras, pero que se probaba en las obras de caridad. Sólo cuando alguien mostraba amar a los pobres, enfermos y desamparados, y conocer la Ley de Dios, podía acceder al bautismo.

El segundo modo de hacer efectivo el señorío de Jesús es enseñando lo que él ha mandado. No se trata de fundar academias o escuelas, sino de enseñar acompañando, no dictando. Aquí, la Iglesia ha reconocido siempre su compromiso ineludible de dar testimonio del Evangelio de Jesucristo.

Por último, la garantía de la perpetua presencia del Mesías es la misma que Dios les daba a sus profetas al ser enviados para una misión tan difícil que podía costarles la vida misma, como en el caso de Jeremías.

La lectura de este día nos hace recobrar la conciencia discipular ante la ardua tarea de evangelizar en el nombre del Señor Jesús.

VII DOMINGO DE PASCUA

La asamblea debe reconocer la presencia del Resucitado en las acciones de sus miembros. Coloca el acento en las líneas finales de la lectura.

I LECTURA Hechos 1:12–14

Lectura del libro de los Hechos de los Apóstoles

Después de la **ascensión de Jesús** a los cielos,
los **apóstoles** regresaron a **Jerusalén**
desde el **monte** de los **Olivos**,
que **dista** de la ciudad lo que **se permite** caminar en **sábado.**
Cuando **llegaron** a la ciudad, **subieron** al **piso alto** de la casa
donde se alojaban, **Pedro** y **Juan**, **Santiago** y **Andrés**,
Felipe y **Tomás**, **Bartolomé** y **Mateo**, **Santiago**
(el hijo de **Alfeo**),
Simón el **cananeo** y **Judas**, el hijo de **Santiago.**
Todos ellos perseveraban **unánimes** en la **oración**,
junto con **María**, la **madre** de **Jesús**,
con los **parientes** de Jesús y **algunas mujeres.**

Para meditar.

SALMO RESPONSORIAL Salmo 26:1, 4, 7–8b

R. Espero gozar de la dicha del Señor en el país de la vida.

El Señor es mi luz y mi salvación, ¿a quién temeré? El Señor es la defensa de mi vida, ¿quién me hará temblar? R.

Una cosa pido al Señor, eso buscaré: habitar en la casa del Señor por los días de mi vida; gozar de la dulzura del Señor contemplando su templo. R.

Escúchame, Señor, que te llamo; ten piedad, respóndeme. Oigo en mi corazón: "Busquen mi rostro". R.

I LECTURA Esta lectura primera está enmarcada en unos pequeños sumarios que Lucas construyó para darnos una mirada de conjunto sobre la situación de la comunidad primera. Este sumario o viñeta presenta la forma y crecimiento de la iglesia de Jerusalén. Está unida esta descripción con el relato anterior que contó la ascensión del Señor, y con lo que sigue, la elección de Matías.

Regresó el grupo apostólico del monte, a una distancia de 900 metros del lugar donde se alojaba en Jerusalén. Habitaba este grupo en un segundo piso, tal vez en el mismo lugar de la última cena. Se ponen algunos datos necesarios para la venida del Espíritu Santo. Se enumeran los miembros del pequeño grupo: los Doce y las mujeres, entre las que sobresale la Virgen María.

Jerusalén es la ciudad donde se tuvieron los actos más importantes de la vida de Jesús. Aquí terminó Jesús su vida mortal, resucitando, y de aquí continuará el Cristo resucitado: la Iglesia. Como al principio del evangelio está María, así al principio de la Iglesia Lucas coloca también a María. María acompañó a su hijo como creyente y así acompañará a la Iglesia en su largo camino hasta que el Señor vuelva.

En ese segundo piso se formó el núcleo de la Iglesia, que ya tenía sus marcas fundamentales: el grupo de los Doce, con Pedro a la cabeza, más el grupo de discípulos y discípulas, con la madre del Señor, todos en oración, porque es fundamental la unión con Dios. Este es el modelo de la Iglesia de todos los tiempos que proviene de la institución llevada a cabo por Jesús en su vida terrenal y que será confirmada por la efusión del Espíritu Santo.

Con energía y gusto pronuncia esta breve lectura. Contagia tu fe a la asamblea con tu lenguaje verbal. Avanza decidida y reverentemente hacia el ambón. No te olvides del saludo reverente al altar.

II LECTURA 1 Pedro 4:13–16

Lectura de la primera carta del apóstol san Pedro

Queridos hermanos:
Alégrense de compartir **ahora** los padecimientos de **Cristo**,
para que, cuando se **manifieste** su **gloria**,
el **júbilo** de **ustedes** sea **desbordante**.
Si los **injurian** por el **nombre** de **Cristo**, ténganse por **dichosos**,
porque la **fuerza** y la **gloria** del **Espíritu de Dios**
descansa sobre ustedes.
Pero que **ninguno de ustedes** tenga que **sufrir** por **criminal**, **ladrón**,
malhechor,
o **simplemente** por **entrometido**.
En cambio, si sufre por ser **cristiano**,
que le dé **gracias** a Dios por llevar **ese nombre**.

EVANGELIO Juan 17:1–11a

Distingue bien los momentos de la oración. La oración cambia el foco del Padre a Jesús y al grupo de discípulos. En ese grupo debe verse la asamblea en intensa cercanía con Dios y con Jesús. No disipes la atmósfera de intimidad que ella provoca.

Lectura del santo Evangelio según san Juan

En **aquel** tiempo, Jesús **levantó** los ojos al cielo y **dijo**:
"Padre, **ha llegado la hora**.
Glorifica a tu **Hijo**, para que tu Hijo **también** te **glorifique**,
y por el **poder** que le diste sobre **toda** la humanidad,
dé la **vida eterna** a cuantos le has **confiado**.
La vida eterna **consiste** en que te **conozcan** a ti,
único Dios **verdadero**,
y a **Jesucristo**, a quien tú has **enviado**.

Yo te he **glorificado** sobre la tierra,
llevando a cabo la obra que me **encomendaste**.
Ahora, Padre, **glorifícame** en ti con la **gloria** que tenía,
antes de que el mundo **existiera**.

II LECTURA Con 4:12 empieza la última parte de la primera carta de Pedro, que tiene como núcleo hablar de la persecución que padecen los cristianos. A los cristianos no se les acusa de ser cristianos. El nombre cristiano apareció por primera vez en Antioquía (Hch 11:26). Detrás está la persecución de Domiciano. Domiciano había forzado el culto al César, para fortalecer el poder central del Imperio romano. Los cristianos rechazaban dar culto al César, porque se oponía a esto su fe en el Señor Jesús. Esto hacia que a los ojos de Domiciano fueran vistos los cristianos como criminales, pues se oponían a Roma.

El autor de la carta petrina intenta fundamentar teológicamente esta persecución a los cristianos a quienes escribe. Afirma el autor que el sufrimiento es esencial para la vida cristiana, porque pone a prueba la fe y en lugar de tristeza deben llenarse de alegría. Además, esta persecución a los ojos de la justicia pagana, no está motivada por algunos crímenes. Esta persecución les permite seguir los pasos de Cristo. Él nos dejó como sistema para encarar la vida actual, enfrentar el sufrimiento por amor a los demás. Tomar la cruz y seguir al Maestro es un signo de autenticidad para todo cristiano. Sólo así nos encaminamos a la resurrección.

¿Qué está detrás de los que persiguen? Está la incapacidad de aceptar al otro que es distinto. No se acepta, pues, la diversidad y alteridad. Se quiere que los demás sean como uno. Por esto el mandato único es amar al prójimo, es decir al que no soy yo.

Hoy siguen siendo perseguidos muchos cristianos y la causa es la misma: ser cristianos.

He **manifestado** tu **nombre**
a los hombres que **tú tomaste** del mundo y **me diste**.
Eran **tuyos** y **tú** me los **diste**.
Ellos han **cumplido** tu **palabra**
y **ahora** conocen que **todo** lo que me has dado **viene de ti**,
porque **yo** les he **comunicado** las palabras que **tú** me **diste**;
ellos las han **recibido**
y **ahora** reconocen que **yo salí de ti**
y **creen** que **tú** me has **enviado**.

Procura que los presentes se sientan vivos en la oración de Jesús. Tú mismo involúcrate en la oración y déjate transformar por la fuerza del Resucitado.

Te pido por **ellos**;
no te pido por el **mundo**,
sino por **éstos**, que **tú me diste**, porque son **tuyos**.
Todo lo mío es **tuyo** y **todo lo tuyo** es **mío**.
Yo he sido **glorificado** en ellos.
Ya no estaré **más** en el **mundo**,
pues **voy a ti**; pero ellos **se quedan** en el **mundo**".

EVANGELIO Los discursos de despedida de Jesús cierran con una solemne plegaria dirigida al Padre. Esta oración explica los eventos de la partida de Jesús: son eventos de gloria, de honor recíproco entre Padre e Hijo. Igualmente, la oración apuntala la fe discipular, indicando la distancia respecto a los que no creen en Jesús, y solicita la unidad a todo el grupo. Esto último, la unidad, es uno de los motivos más salientes de esta oración.

La primera parte de la lectura de hoy expone la unidad entre Jesús y su Padre; están unidos en la gloria. La gloria de Dios se traduce para el Hijo en la soberanía recibida para hacer vivir a todos los seres humanos. La gloria es el estado natural del Hijo de Dios. En la historia de Jesús, esa gloria se notaba en las señales que realizaba, y la retoma con la resurrección, es decir, con la vida nueva que le compete sólo a Dios; la resurrección confirma la fidelidad de Jesús, lo instituye soberano universal. Nadie, absolutamente nadie se exime de ser vivificado. La autoridad de Jesús es de la vida, y uno la obtiene creyendo en su nombre. Por su parte, el Hijo ha completado el gran proyecto de revelar al Padre con su radical fidelidad, que resplandece de modo eminente en la entrega de su vida en cruz. Padre e Hijo se dan gloria recíprocamente.

El segundo momento enfoca a los discípulos. El grupo es también espacio de unidad entre Padre e Hijo; lo comparten, por así decir; es de ambos. El grupo ha recibido la revelación de Jesús, la atesora, y al hacerlo reconoce la unidad entre Dios y su enviado. Ese reconocimiento es lo que conocemos como creer.

Por último, Jesús nota la separación entre el mundo incrédulo y los creyentes en Jesús. La conciencia de éstos se ha de manifestar en la unidad fraterna. Sin esta comunión de fe que se expresa en la práctica de muchas maneras, no habrá modo de que el mundo cambie de parecer.

VIGILIA DE PENTECOSTÉS

I LECTURA Génesis 11:1–9

Lectura del libro del Génesis

Muestra interés propio desde las primeras líneas. Extiende la voz en las frases de la unidad de la humanidad.

En **aquel** tiempo, **toda** la tierra tenía **una sola lengua**
y unas **mismas** palabras.
Al **emigrar** los hombres desde el **oriente**,
encontraron una **llanura** en la región de **Sinaar**
y **ahí** se **establecieron**.

Entonces se dijeron **unos a otros**:
"**Vamos** a fabricar **ladrillos** y a **cocerlos**".
Utilizaron, pues, **ladrillos** en vez de **piedra**,
y **asfalto** en vez de **mezcla**.
Luego dijeron:
"**Construyamos** una **ciudad**
y una **torre** que llegue **hasta el cielo** para hacernos **famosos**,
antes de **dispersarnos** por la **tierra**".

La presencia del Señor marca un nuevo momento en la historia. Recita las líneas con viveza.

El Señor **bajó** a ver la **ciudad**
y la **torre** que los **hombres** estaban **construyendo** y **se dijo**:
"Son **un solo pueblo** y hablan **una sola lengua**.
Si ya empezaron **esta obra**,
en adelante **ningún** proyecto les parecerá **imposible**.
Vayamos, pues, y **confundamos** su lengua,
para que **no se entiendan** unos con otros".

Génesis. Esta lectura es la imagen opuesta al relato de Pentecostés. Se quiere dar una explicación de la diferencia de lenguas y de la disensión de la humanidad. El nombre de Babel, que en babilonio significa "las pilastras de Dios", no pudo dar origen a esta narración. Más bien los semitas pudieron pretender que el nombre de Babel provenía de *balal*, que significa confundir. En esta ciudad se edificó un *zigurat* de 91.5 metros, el "Etemenanki", como testimonio de gran veneración a Dios, conteniendo el templo de Marduc, llamado "Esagil". Los que no conocían el objetivo de la torre, consideraron que esa obra no estaba acabada y la interpretaron como una manifestación del poder humano fallido. Se guardaron dos versiones acerca de este edificio. La primera contaba que los hombres construyeron la torre para hacerse un nombre y la otra, para evitar dispersarse.

El núcleo de relato es Babel: dispersión. Así caracterizaría el autor a la humanidad. La dispersión de la humanidad por toda la tierra aparece como una secuencia de su continuo engreimiento. Mientras más se alejan espacialmente los hombres, más se alejan entre sí; se dispersan. Esta lejanía o alienación se expresa en la diversidad de las lenguas. Los hombres no se entienden entre sí y se causan destrozos y penas sin número. La Organización de las Naciones Unidas quiere, en parte, buscar esa unidad humana, donde la diferencia de lenguas no sea un obstáculo para la convivencia humana, sino un beneficio. Con Abraham Dios va a empezar un acercamiento, que Jesús traerá sobre la tierra con la confianza en su padre Dios y su obediencia.

Éxodo. En los versos 3b–8 está la propuesta de la elección de Dios a Israel y la aceptación de esta elección por parte del

El resultado de la confusión está a la vista. Baja la velocidad conforme te acerques al final de la lectura.

Entonces el **Señor** los **dispersó** por **toda** la tierra
y dejaron de **construir** su **ciudad**;
por eso, la ciudad se llamó **Babel**,
porque ahí **confundió** el **Señor** la **lengua** de **todos** los **hombres**
y desde ahí los **dispersó** por la **superficie** de la **tierra**.

O bien:

I LECTURA Éxodo 19:3–8a, 16–20b

Lectura del libro del Éxodo

Las primeras líneas despiertan el interés de la lectura que describe el marco de la alianza en el Sinaí. La expectativa permea todo el relato.

En **aquellos** días, **Moisés** subió al monte **Sinaí**
para **hablar** con **Dios**. El **Señor** lo **llamó**
desde el **monte** y le **dijo**:
"**Esto** dirás a la casa de Jacob, **esto** anunciarás
a los **hijos de Israel**:

'**Ustedes** han visto cómo **castigué** a los **egipcios**
y **de qué manera** los he **levantado** a **ustedes** sobre
alas de **águila**
y los he **traído** a mí.
Ahora bien, si **escuchan** mi **voz** y **guardan** mi **alianza**,
serán mi **especial tesoro** entre **todos** los pueblos,
aunque **toda** la tierra es **mía**.
Ustedes serán para mí un **reino de sacerdotes**
y una **nación consagrada**'.
Éstas son las **palabras** que has de decir a los **hijos de Israel**".

La convocación alcanza también a los presentes en la asamblea.

Moisés convocó **entonces** a los **ancianos** del pueblo
y les expuso **todo** lo que el **Señor** le había **mandado**.
Todo el pueblo, a una, **respondió**:
"**Haremos** cuanto ha dicho el **Señor**".

pueblo. En los versos 3–8 está en dos variantes la aparición de Dios en el monte Sinaí. Al leer la Iglesia este acontecimiento del Sinaí en la fiesta de Pentecostés, está viendo una continuidad entre los dos sucesos. La revelación de Dios al hombre no consiste en una doctrina, sino en un encuentro entre Dios y el ser humano, encuentro que se dio en la historia.

Dios tomó un pueblo y lo llamó para proponerle su elección. Tomó a un hombre y después a varios, en sus circunstancias concretas de esclavitud, les quitó sus planes y les propuso el suyo. Para esto los lanzó a una peregrinación a donde los esperaba Dios. Fue en el monte Sinaí. Aquí se comprometió con ellos a caminar juntos. El pueblo no pudo ser fiel y Dios les prometió en un futuro indefinido hacer una alianza eterna. De este encuentro definitivo nos habla el texto de la venida del Espíritu Santo, quien vino a convertir esa alianza hecha en el anterior encuentro, en una definitiva y completa.

El Espíritu dará al pueblo lo que éste había descubierto en su caminar centenario con Dios. Poco a poco fue descubriendo la debilidad fundamental que aquejaba a todo su ser, que le impedía adquirir esa santidad, indispensable para estar en la presencia de Dios. La Ley de la alianza le indicaba caminos, pero no le daba la fuerza necesaria para recorrerlos. Por esto Dios mando a su Espíritu quien llevará al pueblo a la revelación total y le dará fuerzas para adquirir esa santidad divina.

Ezequiel. Con una expresión muy hebrea, señala el autor que Dios tuvo contacto con el profeta, es decir, le provocó un éxtasis en el cual va a tener la famosa visión de los huesos secos que están en un gran valle. Desde hace tiempo se ha querido situar

Enfatiza la frase tocante al tercer día, que es el de la manifestación de Dios. Procura pronunciar esa frase de modo que la asamblea la asocie con la Pascua del Señor.

Al rayar el **alba** del **tercer día**, hubo **truenos** y **relámpagos**;
una **densa** nube **cubrió** el **monte**
y se **escuchó** un **fragoroso** resonar de **trompetas**.
Esto hizo **temblar** al pueblo, que estaba en el **campamento**.
Moisés hizo **salir** al **pueblo** para ir al **encuentro** de **Dios**;
pero la gente **se detuvo** al pie del **monte**.
Todo el monte Sinaí **humeaba**,
porque el **Señor** había **descendido** sobre él en medio del **fuego**.
Salía **humo** como de un **horno**
y **todo** el monte **retemblaba** con **violencia**.
El **sonido** de las **trompetas** se hacía **cada vez más fuerte**.
Moisés hablaba y **Dios** le respondía con **truenos**.
El Señor **bajó** a la **cumbre** del **monte**
y le dijo a **Moisés** que **subiera**.

O bien:

I LECTURA Ezequiel 37:1–14

Lectura del libro del profeta Ezequiel

La lectura describe una especie de arrebato. La visión profética ocurre en ese nivel un tanto surrealista. El montón de huesos humanos es un elemento preponderante.

En **aquellos** días, la mano del **Señor** se posó **sobre mí**,
y su **espíritu** me **trasladó**
y me **colocó** en medio de un campo **lleno de huesos**.
Me hizo **dar vuelta** en torno a **ellos**.
Había una **cantidad innumerable** de **huesos**
sobre la **superficie** del **campo**
y estaban **completamente secos**.

El diálogo debe despertar el interés de la asamblea.

Entonces el **Señor** me **preguntó**:
"**Hijo de hombre**, ¿**podrán** acaso **revivir estos huesos**?"
Yo respondí: "Señor, **tú** lo sabes".
Él me dijo: "**Habla** en mi nombre a **estos huesos** y **diles**:
'Huesos secos, **escuchen** la **palabra del Señor**.
Esto dice el **Señor Dios** a **estos huesos**:

este valle entre el templo y el monte de los Olivos, donde según Zacarías (14:4–5), tendrá lugar el juicio final. Los huesos secos que ve el profeta desperdigados por el suelo, ofrecen una imagen desoladora. La muerte ha acabado con todo. No hay ningún sobreviviente que los pueda enterrar. El profeta es invitado no sólo a ver, sino a acercarse y rodear el lugar donde están estos huesos.

El Señor le dirige la palabra, que es irónica. Está claro el triunfo de la muerte. La respuesta del profeta indica la impotencia humana ante la muerte. El Señor le manda que, por medio de su palabra, reavive a estos huesos. Describe Ezequiel la reanimación en dos tiempos: primero, el cuerpo y luego el espíritu que infundirá la vida.

Luego viene lo principal. La interpretación. Ésta parte de las quejas de los exiliados. El pueblo ha resentido la caída de Jerusalén como una condena a muerte sin dejar ninguna esperanza. El mensaje de Dios a través del profeta irá en el sentido de lo que pasó con los huesos: Dios hará revivir a su pueblo. Se trata de una vuelta al país y entonces reencontrará el pueblo su relación con Dios.

Esta escena de los huesos tiene su significado más profundo en la efusión del Espíritu Santo, que hará que se forme el nuevo pueblo de Dios, aglutinando en su seno miembros de todas partes del mundo.

Joel. En medio de una liturgia de lamentación explota Joel con este texto anunciando la efusión del Espíritu sobre todos. Rompe el particularismo judío para concentrar su mirada sobre todo el mundo. Es cierto que el mundo nuestro moderno no entiende ni el lenguaje ni el significado de espíritu. Está tan ocupado con las cosas, que está terminando por cosificarse. Pero

He aquí que yo les **infundiré** el **espíritu** y **revivirán**.
Les **pondré** nervios, **haré** que les **brote carne**,
la **cubriré** de piel, les **infundiré** el **espíritu** y **revivirán**.
Entonces reconocerán **ustedes** que **yo soy** el Señor'".

Yo **pronuncié** en nombre del Señor las **palabras**
que **él** me había **ordenado**,
y mientras hablaba, se oyó un **gran estrépito**,
se produjo un **terremoto** y los **huesos** se **juntaron** unos con otros.

La descripción ha de ser tan dramática como vigorosa. Se trata de una auténtica recreación.

Y **vi** cómo les iban saliendo **nervios** y **carne**
y cómo se **cubrían** de **piel**; pero **no** tenían **espíritu**.
Entonces me dijo el **Señor**:
"**Hijo de hombre**, habla en mi **nombre** al **espíritu** y **dile**:
'**Esto** dice el Señor: **Ven**, espíritu, desde los **cuatro vientos**
y **sopla** sobre **estos muertos**, para que **vuelvan** a la **vida**'".

Yo **hablé** en nombre del **Señor**, como **él** me había **ordenado**.
Vino sobre ellos el espíritu, **revivieron** y **se pusieron de pie**.
Era una **multitud innumerable**.
El Señor me dijo: "**Hijo de hombre**:
Estos huesos son **toda** la casa de **Israel**, que ha **dicho**:
'**Nuestros huesos** están **secos**; pereció **nuestra esperanza**
y estamos **destrozados**'.

En la explicación de la visión, nadie puede sentirse excluido. Haz contacto visual habiendo pronunciado "toda la casa de Israel".

Por eso, habla en **mi nombre** y **diles**:
'**Esto** dice el **Señor**: Pueblo mío, **yo mismo** abriré sus **sepulcros**,
los **haré salir** de ellos
y los **conduciré** de nuevo a la tierra de **Israel**.
Cuando **abra** sus sepulcros y los **saque** de ellos, **pueblo mío**,
ustedes dirán que **yo soy** el Señor.
Entonces les **infundiré** mi **espíritu**,
los **estableceré** en su **tierra**
y **sabrán** que **yo**, el **Señor**, lo **dije** y lo **cumplí**'".

O bien:

para nosotros los cristianos, el Espíritu nos llama desde la profundidad del olvido o del desinterés, para que abramos nuestro ser y dejemos que nos transforme su fuerza.

Empieza este oráculo tripartito anunciando que viene una nueva época. Generalmente la novedad trae cambios. A menudo son para bien. Así lo anuncia el profeta aquí. El profeta espera la acción de Dios para pronto. Este espíritu es lo que mueve a una persona. Es como el viento, que mueve. En la creación el espíritu de Dios dio la vida y al alejarse el espíritu, la creatura muere.

El Señor enviará a su pueblo, que está muerto, este espíritu que lo hará vivir de nuevo. Esta derrama del Espíritu está en unión con las funciones espirituales y religiosas del pueblo. Con este espíritu el pueblo se allegará a Dios, lo buscará y Dios se dejará encontrar.

El Espíritu vendrá sobre todos. Esta gracia de Dios es irresistible, poderosa e implacable, dando un cambio completo a los pensamientos humanos y al orden de las cosas. Pero el hombre debe estar dispuesto a esta recepción. Hoy tenemos una tarea muy concreta: convencer al hombre de hoy que va por la superficie a que sepa mirar las cosas por dentro y descubra esa fuerza que es la que cambia todo y que se llama Espíritu.

Romanos. Este capítulo 8 da una visión completa de la vida cristiana. En el centro está la certeza de que Dios está de parte del hombre, manifestada en el envío de Jesús el Cristo. Pero todos los que formamos la creación, estamos marcados todavía con el sufrimiento. Pablo habla del gemido de la creación, que todavía no ha llegado a su finalidad. Esto no llevaría al pesimismo. Todos

I LECTURA Joel 3:1–5

Lectura del libro del profeta Joel

Esta promesa debe despertar esperanza en todos los corazones. Llénate de deseo por el Espíritu de Dios.

Esto dice el **Señor Dios**:
"**Derramaré** mi espíritu sobre **todos**;
profetizarán sus **hijos** y sus **hijas**,
sus **ancianos** soñarán **sueños**
y sus **jóvenes** verán **visiones**.
También sobre mis **siervos** y mis **siervas**
derramaré mi **espíritu** en aquellos días.

Enfatiza las acciones cósmicas del Señor. Plasma la admiración en tu voz.

Haré prodigios en el **cielo** y en la **tierra**:
sangre, fuego, columnas de **humo**.
El **sol** se **oscurecerá**,
la **luna** se pondrá **color** de **sangre**,
antes de que **llegue** el **día grande** y **terrible** del Señor.

Cuando **invoquen** el nombre del Señor **se salvarán**,
porque **en el monte Sión** y en Jerusalén **quedará un grupo**,
como lo ha **prometido** el **Señor**
a los **sobrevivientes** que ha **elegido**".

Para meditar.

SALMO RESPONSORIAL Salmo 103:1–2a, 24, 35c, 27–28, 29bc–30

R. Envía tu Espíritu, Señor, y repuebla la faz de la tierra.
***O bien:* Aleluya.**

Bendice, alma mía, al Señor: / ¡Dios mío, qué grande eres! / Te vistes de belleza y majestad, / la luz te envuelve como un manto. R.
Cuántas son tus obras, Señor, / y todas las hiciste con sabiduría; / la tierra está llena de tus criaturas. / ¡Bendice, alma mía, al Señor! R.
Todas ellas aguardan / a que les eches comida a su tiempo: / se la echas, y la atrapan; / abres tus manos, y se sacian de bienes. R.
Les retiras el aliento, y expiran / y vuelven a ser polvo; / envías tu aliento, y los creas, / y renuevas la faz de la tierra. R.

deseamos que llegue ya el nuevo mundo. Pero este deseo se cumplirá.

De acuerdo a la Escritura, Pablo espera la renovación del mundo, el cambio definitivo de la entera creación. Esto Pablo lo expresa en dos imágenes: la adquisición de la completa filiación y la liberación de la inconsistencia del cuerpo. La esperanza no consiste en liberarnos del mundo, sino que éste sea transformado por Cristo. Somos hijos de Dios, pero Pablo y con él todos nosotros, esperamos la manifestación o la expansión completa de esa filiación. Ya tenemos algo firme, pero todavía vivimos en la esperanza, en la confianza de que se hará visible y tangible esta promesa. Ya Jesús había dicho durante su vida mortal, que el Espíritu vendría para defendernos de las dificultades que sufrimos en este mundo y que nos llevaría a la verdad total.

Tenemos el futuro delante y sin éste futuro, no podríamos vivir. Nuestra existencia sería como antes de recibir el lavado del bautismo: angustiosa y triste; pero la esperanza recibida con la fe, nos va preparando a ese cumplimiento que vendrá en el día querido por Dios. Esto, en lugar de desanimarnos, nos empuja a trabajar y esforzarnos tratando de ser siempre mejores.

EVANGELIO La breve lectura del evangelio nos sitúa en el último día de la solemnidad de las Chozas o de la Cosecha. Aunque en su origen serían dos festividades diferentes, se nota en los nombres, aparecen fundidas en una. Era una fiesta que celebraba la alianza de Dios con su pueblo, reviviendo en cierto sentido la marcha por el desierto, cuando Dios protegía a su pueblo con una columna de nube que los resguardaba del sol durante el día,

II LECTURA Romanos 8:22–27

Lectura de la carta del apóstol san Pablo a los romanos

Proclama esta lectura convencido de que la creación sufre dolores de parto, aguardando la redención. No te precipites al frasear. Es importante que te apoyes en la puntuación para que la asamblea pueda seguir el raciocinio de Pablo.

Hermanos:
Sabemos que la **creación entera** gime hasta el **presente**
y **sufre dolores** de parto;
y **no sólo** ella, sino **también nosotros**,
los que poseemos las **primicias del Espíritu**,
gemimos **interiormente**,
anhelando que se realice **plenamente**
nuestra condición de **hijos de Dios**,
la **redención** de **nuestro cuerpo**.

Es central a la fe cristiana esta tensión entre la realidad y lo que esperamos. Con todo convencimiento haz contacto visual con la congregación.

Porque **ya** es **nuestra** la **salvación**,
pero su **plenitud** es **todavía** objeto de **esperanza**.
Esperar lo que **ya** se posee **no** es tener **esperanza**,
porque, ¿**cómo** se puede **esperar** lo que ya se **posee**?
En cambio, si **esperamos** algo que **todavía** no poseemos,
tenemos que **esperarlo** con **paciencia**.

Anuncia estas líneas con plena conciencia de hermanarnos por el don recibido en el bautismo.

El **Espíritu** nos ayuda en **nuestra debilidad**,
porque **nosotros** no sabemos **pedir** lo que nos **conviene**;
pero el **Espíritu mismo** intercede por **nosotros**
con **gemidos** que no pueden **expresarse** con **palabras**.
Y **Dios**, que conoce **profundamente** los **corazones**,
sabe lo que el Espíritu **quiere decir**,
porque el **Espíritu** ruega **conforme** a la voluntad de **Dios**,
por los que le **pertenecen**.

pero les daba luz y calor de noche. Pero en la tradición era también la fiesta de la "recuperación" de Isaac, el hijo prometido, cuando Abraham lo rescató al día séptimo. El agua estaba asociada al Espíritu, a tenor de Isaías 12:2s.

Para celebrar las Tiendas, los fieles construían fuera de su casa unos como tejabanes hechos con ramas de frutales y palmeras, y se ponían a vivir allí por una semana. Eran días de fiesta, de muchas alegrías, de baile en los atrios del templo y de mucha luz. Se festejaba por la cosecha, y porque en ella el Mesías se habría de manifestar, según lo anuncia el profeta Zacarías. Un rasgo propio de esta festividad era la bajada diaria a la fuente del Gijón para sacar agua y llevarla en procesión hasta el templo para hacer la libación sobre el altar. Así se pedía a Dios lluvia y prosperidad para los campos, al tiempo que se ritualizaban las profecías de Ezequiel, aquellas del torrente de aguas caudalosas que surge del altar y vivifica todo a su paso por el Cedrón, hasta llegar al Mar Muerto. Por las noches, unas gigantescas lámparas iluminaban desde el templo las calles de la ciudad; en los atrios los hombres bailaban y prorrumpían en gritos de júbilo al son de la música. Toda esta imaginería acuática y de luz está presente en los escasos versos del evangelio de hoy.

En el día más solemne de todos, el último, Jesús grita invitando a creer en él, ma-

EVANGELIO Juan 7:37–39

Lectura del santo Evangelio según san Juan

Con vigor y prestancia proclama este breve evangelio como un llamado a acudir al Señor sin demora. Urge y apremia con tu lenguaje corporal también.

El **último** día de la **fiesta**, que era el **más solemne**,
exclamó Jesús en **voz alta**:
"El que tenga **sed**, que **venga a mí**; y **beba**, aquel que **cree en mí**.
Como dice la **Escritura**:
*Del **corazón** del que **cree** en mí **brotarán** ríos de **agua viva**".*

Al decir **esto**, se refería al **Espíritu Santo**
que habían de **recibir** los que **creyeran** en él,
pues **aún** no había **venido** el **Espíritu**,
porque **Jesús** no había sido **glorificado**.

nantial de agua que salta hasta la vida eterna. El evangelista especifica que esa agua a beber es el Espíritu de Cristo glorificado; con esta recepción la promesa mesiánica se verá cumplida. La fuente de la salvación es Jesús, y el seguidor debe recrearse en su historia, en lo que hizo y enseñó, revelándonos quién es Dios. Él es la fuente de nuestras alegrías. Hay que alegrarnos siempre.

4 DE JUNIO DE 2017

DOMINGO DE PENTECOSTÉS, MISA DEL DÍA

I LECTURA Hechos 2:1–11

Lectura del libro de los Hechos de los Apóstoles

Describe, narra, dale color, sabor y cierto dramatismo a la segunda oración de la lectura. Proclama con entusiasmo en el corazón y con fuego interior.

El día de Pentecostés, **todos** los discípulos
estaban **reunidos** en un **mismo** lugar.
De repente se oyó un **gran ruido** que venía del **cielo**,
como cuando sopla un **viento fuerte**,
que **resonó** por **toda** la casa donde **se encontraban**.
Entonces aparecieron **lenguas de fuego**,
que se distribuyeron y se posaron **sobre ellos**;
se llenaron **todos** del **Espíritu Santo**
y **empezaron** a hablar en **otros idiomas**,
según el **Espíritu** los inducía a **expresarse**.

Esta parte hazla con menos celeridad.

En **esos** días había en **Jerusalén** judíos **devotos**,
venidos de **todas** partes del mundo.
Al oír el **ruido**, acudieron **en masa** y quedaron **desconcertados**,
porque **cada uno** los oía **hablar** en su **propio idioma**.

Dale viveza a este parágrafo que habla de la sorpresa en todos.

Atónitos y **llenos de admiración**, preguntaban:
"¿No son galileos **todos estos** que están **hablando**?
¿**Cómo**, pues, los oímos hablar en **nuestra lengua nativa**?
Entre nosotros hay **medos, partos** y **elamitas**;
otros vivimos en **Mesopotamia, Judea, Capadocia**,
en el **Ponto** y en **Asia**, en **Frigia** y en **Panfilia**,
en **Egipto** o en la zona de **Libia** que limita con **Cirene**.

I LECTURA La venida del Espíritu Santo está relacionada con la fiesta judía de Pentecostés. Según una leyenda, al dar Dios la Ley, fue escuchada en setenta lenguas, de manera que cada pueblo la recibió en su propia lengua.

En Pentecostés vino el Espíritu Santo y se manifestó de una manera externa. El acontecimiento está descrito con la ayuda de imágenes tomadas del Antiguo Testamento, para expresar lo que en sí es inimaginable e inefable.

Se oyó un rumor como viento, pero no era viento; lenguas de fuego, pero no lo eran. Este lenguaje indica que se trata más de signos, casi símbolos, que de objetos precisos que manifiestan algo misterioso. El significado se da: "Se llenaron todos del Espíritu Santo". En una de sus manifestaciones, dice el texto, "empezaron a hablar en lengua extranjeras, según el Espíritu les permitía expresarse". Para Lucas el hablar en lenguas se interpreta como un hablar profético, de modo que pueden entenderse los que hablan lenguas diferentes. Pentecostés es representado por Lucas como antídoto de Babel, lugar de confusión e incomprensión.

II LECTURA Pablo va respondiendo preguntas de la comunidad. En concreto, aquí responde al fenómeno extático de hablar en lenguas, que ocasionaría desórdenes en las asambleas. Pablo norma esto echando mano de varios criterios. Un criterio es la santa doctrina. El que tiene al Espíritu Santo no puede blasfemar a Jesús. Otro criterio es reconocer el origen trinitario de los carismas y su destino comunitario. Los carismas deben conducir a la adoración del Padre que, por medio del Hijo en el Espíritu Santo, nos participa de las riquezas divinas. No queda sino agradecer a Dios por

Baja la velocidad conforme te acercas al final de la lectura.

Algunos somos visitantes, venidos de **Roma**, judíos y prosélitos;
también hay **cretenses** y **árabes**.
Y **sin embargo**,
cada quien los oye hablar de las **maravillas** de **Dios**
en su **propia lengua**".

Para meditar.

SALMO RESPONSORIAL Salmo 103:1ab y 24ac, 29bc–30, 31 y 34

R. Envía tu Espíritu, Señor, y renueva la faz de la tierra.

Bendice, alma mía, al Señor, ¡Dios mío, qué grande eres! Cuántas son tus obras, Señor; la tierra está llena de tus criaturas. R.

Les retiras el aliento, y expiran, y vuelven a ser polvo; envías tu aliento, y los creas, y renuevas la faz de la tierra. R.

Gloria a Dios para siempre, goce el Señor con sus obras, que le sea agradable mi poema, y yo me alegraré con el Señor. R.

II LECTURA 1 Corintios 12:3b–7, 12–13

Lectura de la primera carta del apóstol san Pablo a los corintios

Hermanos:

Distingue bien los párrafos. El primero sustenta a los restantes.

Nadie puede llamar a Jesús "**Señor**",
si no es **bajo** la **acción** del **Espíritu Santo**.

Hay diferentes **dones**, pero el **Espíritu** es el **mismo**.
Hay diferentes **servicios**, pero el **Señor** es el **mismo**.
Hay diferentes **actividades**, pero **Dios**,
que hace **todo en todos**, es el **mismo**.
En **cada uno** se manifiesta el **Espíritu** para el **bien común**.

Nota los "porque" con que inician las dos oraciones finales; trata de hilar bien ambos momentos del mismo pensamiento.

Porque **así** como el **cuerpo** es **uno** y tiene **muchos miembros**
y **todos** ellos, a pesar de ser **muchos**, forman **un solo cuerpo**,
así **también** es **Cristo**.
Porque **todos nosotros**, seamos **judíos** o **no judíos**,
esclavos o **libres**, hemos sido **bautizados** en un **mismo** Espíritu
para formar **un solo cuerpo**,
y a **todos** se nos ha dado a **beber** del **mismo Espíritu**.

los carismas, no hay que destruirlos; habrá que ejercitarlos para adoración de Dios y bien de los demás.

Otro criterio es el de la analogía del cuerpo. Por cuerpo entiende Pablo una serie de partes que tienen su principio unificador. Cristo, en su persona, es el principio unificador de los diversos y complementarios carismas que el Espíritu regala a algunos de los miembros de la comunidad. Cristo es pues el principio unificador de cada creyente, por lo mismo, de su vida y actividad. Y también es Cristo el que unifica a la muchedumbre de cristianos en su cuerpo que es la Iglesia.

Pablo era un buen pastor y como pastor sabía que las acciones obedecen a un concepto e idea que se tiene de la Trinidad y de la Iglesia. Por esto siempre procede así en el cuidado pastoral con las comunidades que fundó, sus iglesias.

EVANGELIO La certeza de que Jesús resucitó debió irse adentrando en cada discípulo, para volverlo enviado fiel y legítimo, como el mismo Jesús, enviado del Padre.

En este evangelio encontramos varias marcas contrastantes, que hablan de la ruptura y de la continuidad que porta la nueva comunidad de creyentes o discípulos. Primeramente, el grupo tiene miedo a las autoridades religiosas, llamadas "judíos" por el evangelista. A pesar de su miedo, el grupo no renuncia a reunirse: hay algo más fuerte que jala al encuentro; no se dice qué. Tampoco se informa del lugar ni de lo que hacen allí, ni quién convocó. Hasta entonces sólo María Magdalena se ha encontrado con el Resucitado, y pudo promover la reunión. Quizá los reunidos sólo comparten su miedo, en "ausencia del Señor". Allí, él se les aparece y les cambia el miedo en alegría. No

EVANGELIO Juan 20:19–23

Lectura del santo Evangelio según san Juan

Disponte a describir vivamente este cuadro maravilloso.

Al **anochecer** del día de la **resurrección**,
estando **cerradas** las puertas de la **casa**
donde se hallaban los **discípulos**,
por **miedo** a los judíos,
se presentó **Jesús** en **medio** de ellos y les **dijo**:
"La **paz** esté con **ustedes**".
Dicho esto, les mostró las **manos** y el **costado**.

Procura que tu tono de voz y lenguaje corporal transmitan paz. Con entusiasmo pronuncia el momento de la recepción del Espíritu.

Cuando los **discípulos** vieron al **Señor**, se llenaron de **alegría**.
De nuevo les dijo **Jesús**:
"La **paz** esté con **ustedes**.
Como el **Padre** me ha enviado, **así también** los envío **yo**".

Después de decir esto, **sopló** sobre ellos y les **dijo**:
"**Reciban** al Espíritu Santo.
A los que les **perdonen** los **pecados**, les **quedarán perdonados**;
y a los que **no se los perdonen**, les **quedarán sin perdonar**".

por encontrarse les cambia el ánimo, sino por ver a su Señor en medio de ellos. La reunión no es de club social, sino de "visionarios".

Otro contraste relevante es el del saludo de paz de Jesús con el gesto de mostrar al grupo sus manos y costado. La paz y las señales de la batalla final. La paz y la cruz son disímbolas, porque el Imperio romano usaba la crucifixión para pacificar sus territorios. La paz es lo contrario al miedo; significa serenidad y apertura, no defensa, ni siquiera autodefensa. Las manos y el costado mostrados remiten a la crucifixión. Pero el Resucitado no promueve venganzas, ni reprocha, ni busca envalentonar a sus discípulos. El Crucificado inaugura una vía nueva, inaudita, que la comunidad ha de recorrer: pacificar con las marcas de la cruz.

La tercera marca del grupo es la reconciliación y el perdón. La mera presencia de Jesús en medio de ellos obra la reconciliación. El grupo lo había abandonado y traicionado, no sólo Judas o Pedro. Todos. Al mostrar las manos y el costado, Jesús no afirma la historia, pero la transforma, y entonces brota la alegría. La alegría del grupo es el fruto más preciado del reencuentro y de la reconciliación. Sin resurrección, el grupo de Jesús habría quedado en uno de cobardes y traidores. Pero el mismo Espíritu que anima al Cristo es el que la comunidad reunida recibe para perdonar o retener.

Se nos invita a ser Iglesia con visión, no sólo con misión, que tenga las marcas de la cruz que reconcilia y produce alegría y paz. Sin esto, no habremos recibido todavía al Espíritu Santo.

SANTÍSIMA TRINIDAD

I LECTURA Éxodo 34:4b–6, 8–9

Lectura del libro del Éxodo

El párrafo describe dos acciones concurrentes. Procura que la asamblea perciba esto.

En **aquellos** días,
Moisés subió de **madrugada** al monte **Sinaí**,
llevando en la mano las **dos tablas de piedra**,
como le había mandado el **Señor**.
El Señor **descendió** en una **nube** y se le hizo **presente**.

Moisés pronunció **entonces** el **nombre del Señor**,
y el **Señor**, pasando delante de él, **proclamó**:

Dale serenidad y firmeza a la declaración de Dios. Desgrana los adjetivos con tono afable.

"**Yo soy** el Señor, el **Señor Dios**,
compasivo y **clemente, paciente, misericordioso** y **fiel**".

Las palabras de Moisés son una auténtica oración de súplica.

Al instante, Moisés **se postró** en tierra y **lo adoró**, diciendo:
"Si **de veras** he hallado **gracia** a tus **ojos**,
dígnate venir **ahora** con **nosotros**,
aunque **este pueblo** sea de **cabeza dura**;
perdona nuestras **iniquidades** y **pecados**,
y **tómanos** como cosa **tuya**".

Para meditar.

SALMO RESPONSORIAL Daniel 3:52, 53, 54, 55, 56

R. Cantado y exaltado eternamente.

Bendito seas, Señor, Dios de nuestros padres, bendito sea tu santo y glorioso nombre. R.

Bendito seas en el templo de tu santa gloria. R.

Bendito seas en el trono de tu reino. R.

Bendito seas tú, que sondeas los abismos, que te sientas sobre querubines. R.

Bendito seas en el firmamento del cielo. R.

I LECTURA Dios revela a Moisés qué clase de Dios es. Israel ha tenido siempre ante su vista este episodio y lo ha oído y releído, dejando en la lectura marcas de sus tiempos.

Moisés subió solo al monte del Señor, llevando las dos tablas de la Ley, ya no eran las originales hechas por Dios. Con todo, Dios pondría sobre ellas lo que va a ser la guía para su pueblo.

El Señor bajó de la nube y pasó a donde estaba Moisés. Éste pronunció el nombre del Señor. El Señor es un Dios compasivo y clemente. Él busca la comunión con los hombres. Una relación íntima como la de una madre con su hijo, pero en grado mayor. A él le pertenece ser bondadoso y misericordioso. Este par de predicados se concretizan más en la siguiente formulación: el Señor es paciente, solidario y fiel o leal.

La descripción invita al encuentro, que se hará más visible en Jesús y se manifestará también en la llegada del Espíritu Santo. Esta fe trinitaria es el fundamento y guía para nuestras vidas; el uno y múltiple, que debe hacerse realidad en nuestra vida.

II LECTURA En el otoño del año 55 Pablo se fue a Macedonia desde donde escribió la Segunda carta a los Corintios. El encabezado tiene cuatro partes: una exhortación, una afirmación, una fórmula de saludo y una bendición.

La exhortación de Pablo refiere a cinco puntos: alegría, perfeccionamiento, ánimo, armonía y paz. La comunidad debe dejar crecer en su seno la alegría, señal de la esperanza en la salvación. Es una alegría fundada en el Señor.

Como signo de la hermandad y armonía está el saludo litúrgico del beso santo.

II LECTURA 2 Corintios 13:11–13

Lectura de la segunda carta del apóstol san Pablo a los corintios

La lectura es breve, no hay que alargarla innecesariamente. Dale las pausas marcadas claramente en la distribución del texto.

Hermanos:
Estén **alegres**, trabajen por su **perfección**,
anímense mutuamente, vivan en **paz** y **armonía**.
Y el **Dios** del amor y de la paz **estará con ustedes**.

Salúdense los unos a los otros con el **saludo de paz**.

Los saludan **todos** los fieles.

Pronuncia esta fórmula como lo que es, de despedida.

La **gracia** de nuestro Señor **Jesucristo**,
el **amor** del **Padre** y la **comunión** del **Espíritu Santo**
estén **siempre** con **ustedes**.

EVANGELIO Juan 3:16–18

Lectura del santo Evangelio según san Juan

La brevedad se agradece. Estas palabras condensan el evangelio; pronúncialas con auténtico espíritu misionero.

"**Tanto amó** Dios al mundo, que le **entregó** a su **Hijo único**,
para que **todo** el que **crea** en él no **perezca**,
sino que tenga la **vida eterna**.
Porque Dios **no envió** a su **Hijo** para **condenar** al mundo,
sino para que el mundo **se salvara por él**.
El que **cree** en él **no será condenado**;
pero el que no cree **ya está condenado**,
por **no haber creído** en el **Hijo único de Dios**".

Finalmente Pablo señala la acción salvífica de Dios en tres dimensiones, propias de las tres divinas personas. El Padre, el Hijo y el Espíritu Santo. No está todavía asentada la doctrina dogmática de la Trinidad, que se expresará en los siglos siguientes. Esta fórmula empezó en la liturgia. En el envío del Hijo y del Espíritu Santo se dio Dios mismo al mundo. Se encuentra así la unidad y la pluralidad en la Trinidad.

EVANGELIO La conversación entre Jesús y Nicodemos está motivada por las señales que Jesús hace por la pascua (ver Jn 2:21), es decir, que dan el sentido de un paso, de un cambio de situación total. A lo que dejan entender estas palabras, el mundo está encaminado a perecer, salvo que acepte la oferta de Dios.

En el evangelio de san Juan, el mundo es la humanidad sin Dios, regida por sus propios criterios. Incluso excluido por el mundo, Dios no lo abandona a su suerte. Más bien, hace lo impensable: le entrega a su Hijo único para que tenga acceso a la verdadera vida. Esta es la locura del amor de Dios por su creatura. La palabra "entrega" juega con un doble sentido. Donación y traición. Sabemos que al dar, Dios mismo se da, y que la expresión extrema de esta donación es el Hijo que terminó en cruz, entregado. Esa donación y entrega del Hijo, es lo que afirma el creer para la vida.

La Santísima Trinidad es Dios mismo, en lo que percibimos del Padre, Hijo y Espíritu Santo. Lo conocemos así por lo que nos manifiesta: su donación de amor. No está lejos de nosotros; al contrario, se nos ha dado y se nos sigue dando. Miremos la cruz para movernos a creer en sus dones de amor. La muerte es negar el don del amor de Dios.

SANTÍSIMO CUERPO Y SANGRE DE CRISTO

I LECTURA Deuteronomio 8:2–3, 14b–16a

Lectura del libro del Deuteronomio

La memoria es el guía para la fe. Habla a la asamblea como si Moisés mismo la invitara a la reflexión.

En **aquel** tiempo, **habló Moisés** al **pueblo** y le **dijo**:
"**Recuerda** el **camino** que el Señor, **tu Dios**,
te ha hecho **recorrer** estos **cuarenta años** por el **desierto**,
para **afligirte**, para ponerte a **prueba**
y **conocer** si ibas a guardar sus **mandamientos** o **no**.

Él te afligió, haciéndote pasar **hambre**,
y después **te alimentó** con el **maná**,
que **ni tú ni tus padres** conocían,
para **enseñarte** que **no sólo** de pan **vive** el **hombre**,
sino **también** de **toda** palabra que **sale** de la boca de **Dios**.

Esta advertencia debe ahondar en la congregación; háblale como una madre lo haría con su hija.

No sea que **te olvides** del Señor, **tu Dios**,
que **te sacó** de **Egipto** y de la **esclavitud**;
que te hizo **recorrer** aquel **desierto inmenso** y **terrible**,
lleno de **serpientes** y **alacranes**;
que en una **tierra árida** hizo **brotar** para **ti**
agua de la **roca más dura**,
y que **te alimentó** en el **desierto** con un **maná**
que **no** conocían **tus padres**".

I LECTURA Esta lectura consta de dos breves trozos del Deuteronomio que hacen presente el maná con que Dios alimentó a su pueblo. Este episodio se encuentra en la primera sección del libro, donde viene una serie de advertencias para que se guarde la exclusiva adoración al Señor.

El presente y el pasado están enfrente del lector. El presente extrae su significado del pasado. La situación de relativa bonanza que entonces poseía Israel, es confrontada con el pasado, en que Dios conducía a su pueblo por el desierto. Esta estadía viene a ser como ejemplo o modelo.

El bienestar en el que se miraba el pueblo se convierte en una gran tentación: olvidar el pasado. Debe la generación actual descubrir los valores que van más allá de una comida, de una autoafirmación, de un estar lleno de cosas. La amistad con Dios pide una necesaria valoración de lo que es uno ante él y, más todavía, de lo que busca uno al dejar que él conduzca la vida. O como Jesus decía, ¿qué es "lo único necesario"?

Para Israel el desierto es el tiempo de crisis. Tiene enfrente una disyuntiva. O se decide por Dios o no. En la prueba sale a flote lo que hay dentro del hombre. En situación de una grave necesidad, en la más extrema, como es la de la misma subsistencia, la que se representa como hambre, no debe olvidar el cristiano la única salida, la que el Señor ofrece. Ante el Señor, el hombre decide su suerte: vida o muerte. Así se prepara el discurso del Pan de vida en Juan.

II LECTURA Miembros de la comunidad de Corinto habían preguntado a Pablo sobre la licitud o no de comer la carne que había sido ofrecida a los ídolos.

Para meditar.

SALMO RESPONSORIAL Salmo 147:12–13, 14–15, 19–20

R. Glorifica al Señor, Jerusalén.

Glorifica al Señor, Jerusalén; alaba a tu Dios, Sión, que ha reforzado los cerrojos de tus puertas y ha bendecido a tus hijos dentro de ti. R.

Ha puesto paz en tus fronteras, te sacia con flor de harina; él envía su mensaje a la tierra y su palabra corre veloz. R.

Anuncia su palabra a Jacob, sus decretos y mandatos a Israel; con ninguna nación obró así, ni les dio a conocer sus mandatos. R.

II LECTURA 1 Corintios 10:16–17

Lectura de la primera carta del apóstol san Pablo a los corintios

Con toda reverencia, pronuncia claramente estas líneas que expresan la convicción de fe de toda la asamblea.

Hermanos:
El **cáliz de la bendición** con el que **damos gracias**,
¿**no nos une** a **Cristo** por medio de su **sangre**?
Y el **pan** que partimos, ¿**no nos une** a **Cristo** por medio de su **cuerpo**?
El **pan** es **uno**, y así **nosotros**, aunque somos **muchos**,
formamos **un solo cuerpo**,
porque **todos** comemos del **mismo** pan.

Pablo había respondido que los ídolos son nada, y que por lo tanto se podría comer esa carne, pero no se debería hacer porque expresaría comunión con los ídolos. Además, el principio de la caridad impide comer de esas ofrendas, por los débiles en la fe.

En estos versos habla Pablo a los fuertes en la fe, a quienes advierte con el ejemplo de la generación del desierto. La consecuencia es de que "quien piense estar firme, vea, no vaya a caer" (v. 12).

Aquí les recuerda lo que significa la eucaristía: al tomar el pan y el cáliz, los cristianos participan en la sangre y el cuerpo de Cristo. El que bebe el cáliz de bendición, une su suerte a la del Señor, y su existencia cambia.

Al comer el pan, adquieren los cristianos no sólo una unión con el Señor, sino también con los otros cristianos. Los que comulgan se convierten en un cuerpo. El cuerpo de la Iglesia es un organismo vivo con muchos miembros, que tienen su propia tarea. Por lo cual esta participación en la eucaristía excluye una conducta que esté contra el hombre y el Señor.

El carácter comunitario de la eucaristía se nos ha ido perdiendo. Al haber aumentado el número de los que comulgan, ve uno que no ha aumentado la influencia cristiana en la comunidad. Se ha perdido el sentido social que tiene el comulgar, el ser con el Señor uno, una unidad que se debe manifestar en la caridad efectiva de ayuda a los demás.

EVANGELIO Esta lectura viene del discurso que deriva del milagro de alimentar a una multitud, y luego de cruzar de noche el mar de Tiberíades. El discurso revela la identidad profunda de Jesús como el alimento de la era mesiánica. Esto

EVANGELIO Juan 6:51–58

Lectura del santo Evangelio según san Juan

El argumento de este evangelio no es fácil de seguir; procura marcar las pausas de los parágrafos, sobre todo después del primero.

En **aquel** tiempo, **Jesús** dijo a los **judíos**:
"**Yo soy** el pan vivo que ha **bajado** del cielo;
el que **coma** de este pan **vivirá** para **siempre**.
Y el **pan** que **yo** les voy a dar
es mi **carne** para que el **mundo** tenga **vida**".

Entonces los **judíos** se pusieron a **discutir** entre sí:
"¿**Cómo** puede **éste** darnos a **comer** su **carne**?"

Las palabras deben sonar firmes y contundentes: "les aseguro…".

Jesús les dijo:
"Yo les **aseguro**:
Si **no comen** la carne del **Hijo del hombre** y **no beben** su sangre,
no podrán tener **vida** en **ustedes**.
El que **come** mi **carne** y **bebe** mi **sangre**,
tiene **vida eterna** y yo lo **resucitaré** el **último día**.

Mi **carne** es **verdadera comida**
y mi **sangre** es **verdadera bebida**.
El que **come** mi **carne** y **bebe** mi **sangre**,
permanece en mí y **yo** en **él**.
Como el **Padre**, que me ha **enviado**,
posee la **vida** y yo vivo **por él**,
así también el que me come **vivirá por mí**.

Termina la exposición con toda certeza. Es importante que la frase final resuene en todos los oídos.

Éste es el **pan** que ha **bajado** del **cielo**;
no es como el **maná** que comieron **sus padres**, pues **murieron**.
El que **come** de este pan **vivirá** para **siempre**".

topa con la resistencia de los oyentes, que conocen bien los orígenes de Jesús. Pero Jesús, en vez de retractarse, replica con afirmaciones más escandalosas que los creyentes entienden en clave eucarística.

La primera afirmación es que el pan a comer es la carne de Jesús dada para vida del mundo. Esto repugna no sólo a los judíos, sino a griegos y romanos: comer carne humana. El primer sentido, sin embargo, es el sapiencial, no el literal. Comer es un modo de asimilar algo y de hacerlo propio. A esto refieren las expresiones de "comerse un libro" o de sentarse al "banquete de la sabiduría", usuales en la Biblia. A este punto hay que añadir que no es la Ley del Señor, como en los escritos de sabiduría, lo que Jesús pone sobre la mesa, sino su carne.

La carne de Jesús es su humanidad completa, verdad capital de la fe cristiana; la encarnación de la Palabra de Dios en Jesús de Nazaret. Si pide comer su carne, Jesús primero pide que reflexionemos y asimilemos la realidad y las consecuencias de su humanidad. Es muy fácil desencarnar a Jesús, poniendo el acento en su dimensión celestial o divina. Pero la carne de Jesús es un reclamo, y da un paso más.

Al comer la carne se aumenta beber la sangre. También aquí el sentido primero es sapiencial; comer y beber hacen un auténtico banquete. Pero ahora se habla de la humanidad de Jesús violentada. La referencia a la crucifixión es clara, así como sus beneficios: la resurrección escatológica.

La eucaristía que celebramos amarra tanto lo encarnacional como lo sacrificial del Verbo de Dios, que nos da vida nueva. Para esto nos reunimos, para permanecer en él y él en nosotros.

XII DOMINGO ORDINARIO

I LECTURA Jeremías 20:10-13

Lectura del libro del profeta Jeremías

El relato obliga a identificarse con el profeta acosado. Cada línea de este parágrafo marca eso. Procura que tu tono de voz no sea tan firme y decidido.

En aquel tiempo, dijo Jeremías:
"Yo oía el **cuchicheo de la gente** que decía:
'Denunciemos a Jeremías,
denunciemos al profeta del terror'.
Todos los que eran mis amigos **espiaban** mis pasos,
esperaban que **tropezara** y me cayera, diciendo:
'Si se **tropieza** y se cae, lo venceremos
y podremos vengarnos de él'.

Con suavidad y firmeza ve aumentando el volumen de tu voz. La segunda oración del párrafo es una plegaria que hay que decir sin tonos menores.

Pero el Señor, guerrero poderoso, **está a mi lado;**
por eso mis perseguidores **caerán** por tierra
y **no podrán** conmigo;
quedarán avergonzados de su **fracaso**
y su **ignominia** será eterna e inolvidable.
Señor de los ejércitos, que **pones a prueba** al justo
y **conoces** lo más profundo de los corazones,
haz que **yo vea** tu venganza contra ellos,
porque **a ti** he encomendado mi causa.

Invita a la asamblea a la alabanza con las palabras de Jeremías. El tono debe ser de entusiasmo.

Canten y alaben al Señor,
porque él **ha salvado** la vida de su pobre
de la mano de los malvados".

I LECTURA El pasaje viene de las "Confesiones de Jeremías", que son lamentaciones del profeta por las dificultades enormes que le venían por anunciar la palabra de Dios. Al llamarlo, Dios le había advertido que sufriría mucho, pero que no lo dejaría a su suerte, estaría con él.

Jeremías habría de ser signo vivo de las calamidades que anunciaría. Por eso el Señor le prohibió casarse para que simbolizara en su persona las calamidades que vendrían sobre el pueblo; no valía la pena tener hijos, dada la calamidad que vendría. Además, por su mensaje tan duro contra el pueblo, sus amistades se alejaron de él y anduvo solitario. A la tristeza de su vida personal se añadió el fracaso de su predicación y la hostilidad de su misma familia.

La esperanza que testimonia en el v. 11 se justifica. El Señor está con él. Su causa se identifica con la de Dios. La breve oración del v. 12 se encuentra en 11:20 a propósito de la conjuración de Anatot, su pueblo, donde lo quisieron matar. En esta situación llega el profeta a la hipérbole patética, a la maldición para sus enemigos, que son los de Dios.

Nuestra oración profética se termina invitando a alabar al Señor de los pobres. Los deseos vengadores del profeta están dichos en vistas a hacer triunfar la justicia de Dios, que se ve comprometido en su causa personal. Seguro de su victoria, canta a aquel que se la va a dar y por esto el Señor será siempre la esperanza del pobre.

Jeremías es una figura evocadora de Cristo, de la Iglesia y de los cristianos. Hacer el bien va a traer la enemistad del mundo, porque éste tiene intereses contrarios a los del Reino de Dios.

SALMO RESPONSORIAL Salmo 69 (68):8–10, 14 y 17, 33–35

R. (14c) Que me escuche tu gran bondad, Señor.

Por ti he aguantado afrentas,
la vergüenza cubrió mi rostro.
Soy un extraño para mis hermanos,
un extranjero para los hijos de mi madre,
porque me devora el celo de tu templo,
y las afrentas con que te afrentan caen sobre mí. R.

Pero mi oración se dirige a ti,
Dios mío, el día de tu favor;
que me escuche tu gran bondad,
que tu fidelidad me ayude:
respóndeme, Señor, con la bondad de tu gracia;
por tu gran compasión, vuélvete hacia mí. R.

Mírenlo, los humildes, y alégrense,
busquen al Señor, y revivirá vuestro corazón.
Que el Señor escucha a sus pobres,
no desprecia a sus cautivos.
Alábenlo el cielo y la tierra,
las aguas y cuanto bulle en ellas. R.

II LECTURA Romanos 5:12-15

Lectura de la carta del apóstol san Pablo a los romanos

Hermanos:
Así como por **un solo hombre** entró el pecado en el mundo
y por el pecado **entró la muerte**,
así la muerte **pasó a todos** los hombres,
porque todos pecaron.

Antes de la ley de Moisés **ya existía pecado** en el mundo
y, si bien es cierto que el pecado no se castiga cuando no hay ley,
sin embargo, **la muerte reinó** desde Adán hasta Moisés,
aun sobre aquellos que no pecaron como pecó Adán,
cuando desobedeció un mandato directo de Dios.
Por lo demás, Adán **era figura** de Cristo, el que había de venir.

Ahora bien, el don de Dios **supera con mucho** al delito.
Pues si por el delito de un solo hombre **todos fueron castigados** con la muerte,
por el don de **un solo hombre**, Jesucristo,
se ha desbordado sobre todos la abundancia de la vida
y la gracia de Dios.

II LECTURA San Pablo ha descrito abundantemente en los capítulos precedentes la antítesis de la universalidad del pecado, fruto de la impotencia de la ley y de la universalidad de la salvación por la fe en el misterio de Jesucristo. Ahora está por recapitular resumiendo esas dos economías opuestas en dos hombres, que son los que las representan: Adán y Jesucristo.

Empieza esbozando la figura de Adán, pero se interrumpe. La oposición vale sólo poniendo en paralelo ambas figuras. No basta oponerlos porque la sobreabundancia de la gracia de Dios en Jesucristo es incontable, frente al pecado del hombre y sus consecuencias. Cuanto más, sería la expresión al comparar a Adán y la humanidad que representa, con Jesucristo y la humanidad nueva.

Pablo retoma la historia del pecado, pero la remonta a su origen. Por su desobediencia, Adán, el ser hombre, ha liberado al pecado y la muerte, fuerzas personificadas del mal, detrás de las cuales se suponen poderes espirituales malos. Esas fuerzas liberadas han atacado a todos los hombres y de alguna forma la humanidad ha ratificado su malicia y el mal se ha apoderado de todos sin excepción, *porque todos pecaron*.

Ahora bien, Jesucristo se ha opuesto con su gracia. Jesucristo por su obediencia al Padre ha liberado a la humanidad del pecado y de la muerte. En eso la acción de Jesucristo ha sobreabundado y ha sido más grande que el pecado. La tragedia de la existencia humana ha sido ampliamente superada por la gracia. Por la gracia dada por Jesucristo nace una humanidad nueva; una multitud en paz con Dios, que aguarda la revelación plena de la salvación.

EVANGELIO Mateo 10:26-33

Lectura del santo Evangelio según san Mateo

Como dando seguridad, con voz serena y confiada, proclama estas palabras del Señor.

En aquel tiempo, Jesús dijo a sus apóstoles:
"**No teman** a los hombres. No hay nada oculto que no llegue a **descubrirse**;
no hay nada secreto que no llegue a **saberse**.
Lo que les digo de noche, repítanlo **en pleno día**,
y lo que les digo al oído, pregónenlo **desde las azoteas**.

No tengan miedo a los que matan el cuerpo, pero no pueden matar el alma.
Teman, más bien, a quien puede arrojar al lugar de castigo el alma y el cuerpo.

La interrogación debe sonar tal; eleva la voz tanto al comienzo como al final de la misma.

¿No es verdad que **se venden** dos pajarillos por una moneda?
Sin embargo, ni uno solo de ellos cae por tierra **si no lo permite** el Padre.

Esta parte difiere un tanto del tema principal. Confiérele un acento menos cálido.

En cuanto a ustedes, hasta los **cabellos de su cabeza** están contados.
Por lo tanto, **no tengan miedo,**
porque ustedes valen mucho más que **todos los pájaros** del mundo.

A quien **me reconozca** delante de los hombres,
yo también **lo reconoceré** ante mi Padre, que está en los cielos;
pero al que **me niegue** delante de los hombres,
yo también **lo negaré** ante mi Padre, que está en los cielos".

EVANGELIO La lectura sale del discurso de envío (Mt 10), en el que Jesús instruye a sus enviados para llevar el mensaje del Reino a "las ovejas descarriadas de la Casa de Israel" (ver Mt 10:6).

La lectura se organiza en torno a tres pronunciamientos dobles sobre no tener miedo, y a otro sobre confesar a Jesús.

Jesús insiste en vencer el miedo. Esto deja entrever que hay circunstancias adversas que rodean a la comunidad cristiana, que aunque no podemos precisarlas, debieron ser abrumadoras. Jesús empuja a sus apóstoles y enviados a evangelizar continuamente, con toda valentía y al precio de la vida, si es necesario. No solicita él un precio que no haya pagado antes, por la Buena Noticia de que Dios, en su Hijo, ha venido a rescatar a los pobres, a las viudas, a los huérfanos, en una palabra, a todos los necesitados de salvación. Pero, ¿por qué habría de levantar animadversión el Evangelio del Reino? Porque el Evangelio del Reino trastoca los intereses de muchos que quieren que las cosas sigan igual. El enviado por Jesús debe abrir muy bien los ojos para descubrir los sistemas de esclavitud y de opresión que extravían en el pecado a "las ovejas perdidas". A los agentes del pecado, no hay que tenerles miedo.

A la confesión pública de la fe, Jesús le pone como un sello o marca decisiva de lo último. El apóstol sabe que Jesús está junto a su Padre y que intercede por él. Así, el apóstol o enviado asegura su futuro celestial anunciando íntegro el Evangelio del Reino. No olvidemos que tergiversarlo es también negarlo. Por eso, la vocación de la Iglesia consiste en mirar siempre el Evangelio del Señor Jesús, para nunca traicionarlo.

XIII DOMINGO ORDINARIO

I LECTURA 2 Reyes 4:8-11, 14-16a

Lectura del segundo libro de los Reyes

El relato es pintoresco y de corte popular. No le quites ese matiz y no hagas énfasis que le quiten agilidad a tu lectura.

Un día pasaba Eliseo por la ciudad de Sunem
y una mujer distinguida lo invitó con insistencia **a comer** en su casa.
Desde entonces, siempre que Eliseo pasaba por ahí, iba a comer a su casa.
En una ocasión, ella le dijo a su marido:
"Yo sé que **este hombre**, que con tanta frecuencia nos visita, es un **hombre de Dios**.
Vamos a construirle en los altos una pequeña habitación.
Le pondremos allí una cama, una mesa, una silla y una lámpara,
para que se quede allí, cuando venga a visitarnos".

Mantén la velocidad de la lectura. Simplemente procura que se distingan las partes discursivas de las narrativas.

Así se hizo y cuando Eliseo regresó a Sunem,
subió a la habitación y se recostó en la cama.
Entonces le dijo a su criado: "¿**Qué podemos hacer** por esta mujer?"
El criado le dijo: "Mira, **no tiene hijos** y su marido ya es un anciano".
Entonces dijo Eliseo: "**Llámala**".
El criado **la llamó** y ella, al llegar, se detuvo en la puerta.
Eliseo le dijo:

Nota que la lectura termina con una promesa. Pronúnciala con absoluta certeza.

"El año que viene, por estas mismas fechas, **tendrás un hijo** en tus brazos".

I LECTURA Nuestra lectura habla de la actividad del profeta con la gente del pueblo. Estas acciones se contaban entre el pueblo antes de ser recogidas por un compositor. En nuestro episodio se trata de la ayuda del profeta a una mujer estéril, para que tenga un hijo.

El profeta pasó una vez por Sunán, que era la capital de una ciudad cananea. Se encontró con una mujer rica que lo invitó a comer a su casa. Más delante lo propuso a su marido y este aceptó construir para el profeta Eliseo un cuarto en el segundo piso, para que se alejara el profeta cuando pasara por allí. Se manifiesta la mujer como hospitalaria. Invitó al profeta simplemente ejerciendo el privilegio de los ricos que consistía en alimentar a los pobres, en particular a un "hombre de Dios". La mujer se dio cuenta de esta santidad de Eliseo y por esto le tiene en un lugar aparte.

Eliseo quiso recompensar a la mujer por su favor. Su siervo Guejazi, más cercano con el pueblo, le comunicó que la mujer no tenía hijos. Se entiende que la mujer sufría por esto. Eliseo la mandó llamar. Ésta se quedó en la puerta, pues consideraba a Eliseo como un hombre santo. Eliseo le prometió que tendría un hijo al año siguiente. Ella mostró dudas, pero al año siguiente se alegró por el nacimiento de su hijo. El Señor premió la bondad, expresada en hospitalidad hacia el profeta como hombre de Dios.

La liturgia nos coloca ante una mujer rica y sensata, además de piadosa. Se dio cuenta de la santidad de Eliseo, no le importunó. El episodio muestra que Dios se ocupa también de la elite del pueblo. Su riqueza y cultura no impide la efusión de la gracia. Marta tiene también muchas cosas en común con la mujer de Sunán.

SALMO RESPONSORIAL Salmo 89 (88): 2–3, 16–17, 18–19

R. (2a) Cantaré eternamente las misericordias del Señor.

Cantaré eternamente las misericordias del Señor,
anunciaré tu fidelidad por todas las edades.
Porque dije: "Tu misericordia es un edificio eterno,
más que el cielo has afianzado tu fidelidad". R.

Dichoso el pueblo que sabe aclamarte:
caminará, oh Señor, a la luz de tu rostro;
tu nombre es su gozo cada día,
tu justicia es su orgullo. R.

Porque tú eres su honor y su fuerza,
y con tu favor realzas nuestro poder.
Porque el Señor es nuestro escudo,
y el Santo de Israel nuestro rey. R.

II LECTURA Romanos 6:3-4, 8-11

Lectura de la carta del apóstol san Pablo a los romanos

Predominan las palabras de totalidad. Dales relevancia para que la conciencia del bautismo hermane a la asamblea en su fe.

Hermanos:
Todos los que hemos sido incorporados a Cristo Jesús
por medio del bautismo, **hemos sido incorporados a él**,
en su muerte.
En efecto, por el bautismo **fuimos sepultados** con él en su muerte,
para que, así como Cristo resucitó de entre los muertos por la gloria del Padre,
así también nosotros llevemos **una vida nueva**.

Es una especie de consecuencia la que expresa el Apóstol. Enfatiza las frases de vida y de muerte.

Por lo tanto, si hemos muerto con Cristo,
estamos seguros de que también viviremos con él;
pues sabemos que Cristo,
una vez resucitado de entre los muertos, **ya nunca morirá**.
La muerte ya no tiene dominio sobre él,
porque al morir, murió al pecado **de una vez para siempre**;
y al resucitar, vive **ahora para Dios**.
Lo mismo ustedes,
considérense muertos al pecado y **vivos para Dios**
en Cristo Jesús, Señor nuestro.

II LECTURA Pablo ve hacia atrás el bautismo y hacia adelante, la vida cristiana. El cristiano ha adquirido una responsabilidad con el bautismo. Éste es el inicio de la vida y de la comunión con Jesucristo. El cristiano debe liberarse completamente del pasado pecador. Pablo emplea la imagen del bautismo, un pasar de la muerte del pecado y salir a la vida. Por lo tanto se trata de acabar completamente con el pecado.

Por el bautismo entramos ya en una sepultura. Lo pasado de nuestro pecado se acabó, está sepultado o ahogado. Ahora, al resucitar, tenemos una vida nueva por delante. Esa vida nueva, que es un don, es también nuestra tarea. Es una vida en compañía con Cristo.

Esta vida con Cristo inaugura una vida futura. La fe se presenta aquí como esperanza en una vida futura, que consiste en participar de los bienes escatológicos en el presente. La muerte no tiene ningún poder sobre Jesús. El cristiano fue arrancado del poder de la muerte con Cristo.

Todo lo que Pablo dijo sobre la muerte y resurrección de Jesús tiene como objetivo la vida de los cristianos. Esto funda la libertad del cristiano del pecado. Jesús vive para Dios. Por nuestra comunión con Jesús, también la nuestra es una vida para Dios.

Con lo anterior Pablo nos da una comprensión cristiana de nuestra existencia. Nuestra participación en la vida de Jesús es participación de la vida divina, donde, desde luego, tenemos la liberación del dominio del pecado y nos orientamos a una vida nueva donde el amor de Dios pasa por el servicio a los hermanos. Este amor a Dios se debe demostrar todos los días.

EVANGELIO En la parte conclusiva de las enseñanzas a sus enviados o apóstoles, Jesús les encarga proclamar el

EVANGELIO Mateo 10:37-42

Lectura del santo Evangelio según san Mateo

Los párrafos son breves, pero hay un hilo que los une. Nota los pronombres que refieren a Cristo y subráyalos con tu tono de voz.

En aquel tiempo, Jesús dijo a sus apóstoles:
El que ama a su padre o a su madre **más que a mí**,
no es digno de mí;
el que ama a su hijo o a su hija **más que a mí**, no es digno de mí;
y el que no **toma su cruz** y me sigue, no es digno de mí.

El que salve su vida la **perderá** y el que la pierda por mí,
la **salvará.**

Haz contacto visual con la asamblea al decir "ustedes". Cada cristiano es un enviado de Cristo.
Alarga la última línea, la de la promesa de la recompensa.

Quien los recibe a ustedes **me recibe** a mí;
y quien **me recibe** a mí, recibe al que me ha enviado.

El que **recibe** a un profeta por ser profeta, recibirá recompensa
de profeta;
el que **recibe** a un justo por ser justo, recibirá recompensa
de justo.

Quien **diere**, aunque no sea más que un vaso de agua fría
a uno de estos pequeños, **por ser discípulo mío**,
yo les aseguro que **no perderá** su recompensa".

Evangelio, acompañándolo de prodigios y de la gratuidad de los dones de Dios (Mt 10:7–11). La lectura de hoy tiene dos partes. La primera habla del valor que representa unirse a Jesús, hacerse discípulo (10:37–39), y la segunda de la recompensa para el que hospeda a los enviados (10:40–42).

Hacerse discípulo de Jesús se equipara a los levitas de la antigua alianza. En la bendición de Moisés a los hijos de Leví (Dt 33:8–11), resalta su celo por la alianza, y les vale ser consagrados al culto o servicio sacerdotal. Cuando el pueblo se había entregado a la idolatría del becerro de oro, a la orden de Moisés, Leví "purificó" al pueblo; hizo valer ("amó más") la fidelidad a la alianza con Dios sobre los propios lazos de sangre (ver Ex 32:25–29). En la nueva alianza, seguir a Jesús es el culto nuevo, tan valioso como esa consagración sacerdotal. Sólo que seguir a Jesús se hace con la cruz, no con la espada. El marco de estas enseñanzas es el de la alianza nueva en la sangre de Cristo, en quien el discípulo encuentra la vida.

La segunda parte refiere a los discípulos sedentarios, o sea, aquéllos que reciben y hospedan a los cristianos itinerantes. Al recibir a los evangelizadores, que son profetas y justos, hospedan no sólo al enviado, sino a la comunidad formada por Jesús y por Dios. Por eso, la recompensa será desmedida, como sucedió con la comida de la mujer de Sarepta (1 Re 17:9–24) y la de Sunén (2 Re 4:9–37). Pero Jesús va más lejos cuando habla ya no de albergar sino apenas de aliviar la sed de "uno de estos pequeños, por ser discípulos". La recompensa no puede ser sino gozar del agua de la vida, imagen de Dios mismo (ver Ap 22:1).

Jesús nos pide responder dónde están nuestras fidelidades y qué hacemos con los que no cuentan.

XIV DOMINGO ORDINARIO

I LECTURA Zacarías 9:9–10

Lectura del libro del profeta Zacarías

Este anuncio del profeta debe provocar júbilo a la asamblea. Tú mismo acoge esta noticia en tu corazón como preparación a esta proclamación.

Esto dice el **Señor**:
"**Alégrate** sobremanera, hija de **Sión**;
da gritos de **júbilo**, hija de **Jerusalén**;
mira a **tu rey** que viene a ti,
justo y **victorioso**,
humilde y **montado** en un **burrito**.

El deseo de la paz une a todos los miembros de la asamblea litúrgica; siéntete solidario con ellos.

Él hará **desaparecer** de la tierra de Efraín los **carros de guerra**
y de **Jerusalén**, los **caballos de combate**.
Romperá el arco del **guerrero**
y **anunciará** la **paz** a las **naciones**.
Su **poder** se extenderá de **mar** a **mar**
y desde el **gran río** hasta los **últimos rincones** de la **tierra**".

Para meditar.

SALMO RESPONSORIAL Salmo 144:1–2, 8–9, 10–11, 13cd–14

R. Te ensalzaré, Dios mío, mi rey, bendeciré tu nombre por siempre jamás.

Te ensalzaré, Dios mío, mi rey, bendeciré tu nombre por siempre jamás. Día tras día te bendeciré y alabaré tu nombre por siempre jamás. R.

El Señor es clemente y misericordioso, lento a la cólera y rico en piedad; el Señor es bueno con todos, es cariñoso con todas sus criaturas. R.

Que todas las criaturas te den gracias, Señor. Que te bendigan tus fieles, que proclamen la gloria de tu reino, que hablen de tus hazañas. R.

El Señor es fiel a sus palabras, bondadoso en todas sus acciones. El Señor sostiene a los que van a caer, endereza a los que ya se doblan. R.

I LECTURA En dos versos del profeta el autor nos da un fuerte mensaje: prepara la imagen de la entrada de Jesús a Jerusalén. El texto de Zacarías se encuentra en la segunda parte de su libro. En el v. 13 se habla claramente de Grecia, lo que supone el siglo IV a. C., cuando Alejandro Magno conquistó el Oriente.

El pueblo de Dios estaba en peligro en esos momentos. Existían entre el pueblo dos esperanzas que llamamos mesiánicas. Una parte del pueblo, tal vez la mayoría, esperaba la ayuda de Dios encarnada en un jefe político, un descendiente de David que por las armas liberaría a su pueblo y lo pondría sobre todos los pueblos. La otra esperanza mesiánica se deja ver en nuestro texto. Esta comprensión mesiánica era compartida por varios grupos del pueblo. Se esperaba un enviado de Dios, que habría de traer la paz y salvación a Israel, pero no con las armas. De aquí la descripción de su entrada pacífica a la ciudad de Jerusalén.

Como el texto anuncia la venida de ese rey pacifico, entonces se puede pensar que estas palabras están pronunciadas por un heraldo. Se le anuncia a la hija de Sión y a Jerusalén la alegría. Este enviado de Dios, es llamado rey, pero no tiene ninguna de las características propias de un rey de entonces. La imagen es talmente contraria. Es un personaje que traerá la salvación siguiendo la corriente que había inaugurado el Siervo del Señor. El texto es claro: la función de ese envido es anunciar la salvación. Jesús le dirá a Pilatos que su función consiste en ser testigo de la verdad. "Cualquiera que es de la verdad, escucha mi voz" (Jn 18:37).

II LECTURA En este capítulo Pablo habla de la vida espiritual como opuesta a la vida carnal. Los términos

No te olvides de hacer la pausa después de enunciar la procedencia de la lectura y antes del saludo, para que la asamblea dirija su atención hacia el ambón.

II LECTURA Romanos 8:9, 11–13

Lectura de la carta del apóstol san Pablo a los romanos

Hermanos:
Ustedes no viven conforme al **desorden egoísta** del **hombre**,
sino conforme al **Espíritu**, puesto que el Espíritu de **Dios** habita **verdaderamente** en **ustedes**.
Quien **no** tiene el **Espíritu de Cristo**, no es **de Cristo**.
Si el Espíritu del **Padre**,
que resucitó a **Jesús** de entre los muertos, **habita** en **ustedes**,
entonces el **Padre**, que **resucitó** a Jesús de entre los **muertos**,
también les dará vida a sus **cuerpos mortales**,
por obra de su **Espíritu**, que habita en **ustedes**.

Pablo saca la conclusión de su argumentación. Procura que las tres líneas finales de la lectura sobresalgan por su firmeza.

Por lo tanto, **hermanos**,
no estamos sujetos al **desorden egoísta** del **hombre**,
para hacer de **ese** desorden nuestra **regla de conducta**.
Pues si **ustedes** viven de **ese** modo, **ciertamente** serán **destruidos**.
Por el **contrario**, si con la **ayuda** del Espíritu **destruyen** sus **malas acciones**,
entonces **vivirán**.

EVANGELIO Mateo 11:25–30

Lectura del santo Evangelio según san Mateo

Pocas oraciones de Jesús se nos han conservado en los evangelios. Recita estas líneas con verdadero entusiasmo y piedad.

En **aquel** tiempo, **Jesús** exclamó:
"¡Te doy gracias, Padre, **Señor** del cielo y de la tierra,
porque has **escondido estas cosas** a los **sabios** y **entendidos**, y las has **revelado** a la gente **sencilla**!
Gracias, Padre, porque **así** te ha parecido **bien**.

"carne" y "espíritu" tienen un sentido antropológico-teológico para describir la vida cristiana. La vida cristiana ha sido inaugurada por el bautismo y depende totalmente de Dios. La palabra carne en un sentido negativo, significa pecado, muerte, desgracia, enemistad contra Dios. Contra esto está la palabra espíritu, que habita en los cristianos. El Espíritu es una fuerza y se encuentra en la vida de los que por su fe tienen su esperanza en los bienes salvíficos.

Por doquier en nuestro mundo se encuentra el deseo de vivir, de aumentar la vida en todos los sentidos y direcciones. Ante la enfermedad se inventan nuevos métodos y medicinas que ofrecen salud y extender la vida por algunos años más. Pero al mismo tiempo sentimos que el terror y la muerte se extienden por todos lados y nos sentimos a cada instante amenazados.

Al abrirnos al disfrute de la vida, debemos dejar entrar la experiencia de vivir según el espíritu. No es otra cosa que la experiencia de la participación en la suerte de Jesús, al que Jesús ha sacado de la muerte y llevado a una vida imperecedera. En este sentido al hombre se le abre un nuevo horizonte en su vida, porque su muerte, que no podrá nunca evitar, trae nueva vida, una vida de acuerdo al espíritu significa tomar la realidad completa de la vida, que incluye la muerte, pero en vistas de la acción de Dios en Jesús. Esta esperanza no se queda sólo en un ir hacia el más allá, sino en vivir aquí, con ese espíritu de libertad y bondad.

EVANGELIO La alabanza jubilosa de Jesús en el evangelio de hoy, es un auténtico grito de alegría ante los resultados de la proclamación del Reino. Apenas antes, con tonos de severo profetismo, Jesús ha recriminado a las ciudades

Esta expansión teológica debe hacer sentir privilegiados a los que la escuchan.

El Padre ha puesto **todas** las cosas en **mis manos.**
Nadie conoce al **Hijo** sino el **Padre**;
nadie conoce al **Padre** sino el **Hijo**
y **aquel** a quien el **Hijo** se lo quiera **revelar**.

Comunica estas líneas, persuadido ya por la invitación de Jesús, pues tú bien sabes de lo que habla el Maestro.

Vengan a mí, **todos** los que están **fatigados**
y **agobiados** por la carga
y yo los aliviare'.
Tomen mi yugo sobre **ustedes** y **aprendan** de mí,
que soy **manso** y **humilde de corazón**,
y encontrarán **descanso**,
porque **mi yugo** es **suave** y **mi carga, ligera**".

impenitentes por no haber acogido la Buena Noticia del reinado (ver Mt 11:24). El trozo de hoy proclama la dinámica interna del Reino de Dios: una alegría incontenible. El gusto de Jesús es contagioso, porque deja ver su propia experiencia del Evangelio.

Salta a la vista las cinco menciones del Padre en labios de Jesús. Miremos sólo las primeras dos, dirigidas como alabanza exultante a Dios. Él es el Señor del universo; cielo y tierra son los dos términos para decir que nada se escapa a su dominio. En ese señorío se ajusta bien la revelación del Hijo.

El conocimiento de Dios aportado por Jesús no consiste en sofisticadas doctrinas o altas especulaciones apropiadas para mentes privilegiadas. Tampoco consiste en "iniciar en los misterios divinos", como hacían muchas religiones griegas, romanas y asirias que introducían a los fieles en un mundo nebuloso y oscuro de sensaciones y acertijos a descubrir para poder cumplir algún deseo divino y complacer al dios respectivo. La revelación de Jesús no es así. Anota Jesús que lo que él revela de Dios es para gente llana y de corazón sencillo; nada de rebuscamientos. De allí el júbilo.

La relación que el Evangelio de Jesús establece entre Dios y sus fieles, es para descanso y regocijo de éstos; nada de yugos pesados, de letra chiquita y de rebuscamientos para agobiar a los hijos de Dios. Entonces se pierde la alegría. El Evangelio nos pide que transformemos la alegría de conocer a Dios en mansedumbre y humildad, como Jesús.

XV DOMINGO ORDINARIO

I LECTURA Isaías 55:10–11

Esta lectura tiene la fuerza de la poesía; apóyate en las negrillas para su proclamación.

Lectura del libro del profeta Isaías

Esto dice el **Señor**:
"Como **bajan** del cielo la **lluvia** y la **nieve**
y no **vuelven** allá, sino **después** de **empapar** la tierra,
de **fecundarla** y hacerla **germinar**,
a fin de que dé **semilla** para **sembrar** y **pan** para **comer**,
así será la **palabra** que **sale** de mi boca:
no volverá a mí sin **resultado**,
sino que **hará** mi **voluntad**
y **cumplirá** su **misión**".

Para meditar.

SALMO RESPONSORIAL Salmo 64:10abcd, 10e–11, 12–13, 14

R. La semilla cayó en tierra buena y dio fruto.

Tú cuidas de la tierra, la riegas y la enriqueces sin medida; la acequia de Dios va llena de agua, preparas los trigales. R.

Tú preparas la tierra de esta forma: riegas los surcos, igualas los terrones, tu llovizna los deja mullidos, bendices sus brotes. R.

Coronas el año con tus bienes, tus carriles rezuman abundancia; rezuman los pastos del páramo, y las colinas se orlan de alegría. R.

Las praderas se cubren de rebaños, y los valles se visten de mieses que aclaman y cantan. R.

I LECTURA Este texto forma el final del libro de la Consolación, adscrito al segundo Isaías. El fondo histórico se encuentra en el exilio babilónico, cuyo fin se anuncia.

Después de haber invitado a comer y beber, símbolos del mensaje profético, se anuncia el premio: la vida y alianza eterna. La vida prometida es la amistad eterna con Dios, que se da gratuitamente. Esto es seguro y estable. Caminar y escuchar representan la actividad humana en su globalidad. Los exiliados, es una promesa, no sólo regresarán a su patria, sino que recibirán una gran responsabilidad. La nueva relación de alianza con el Señor les habilitará para una misión. Su encomienda será de ser testigos de Dios ante los pueblos, de su alianza con Dios. El hombre debe emprender un camino de conversión, abandonando los caminos y pensamientos malos y volver al Señor que está dispuesto a acogerlo benignamente.

Todo esto le puede parecer imposible al hombre, porque éste se encierra en sus fuerzas y éstas no dan, como la experiencia del exilio le está mostrando. Las promesas del Señor parecen utópicas al hombre y no ve el realismo de los anuncios del profeta. Pero el profeta considera que los proyectos de Dios son inmensamente superiores a los cálculos humanos. Dios mismo es garantía de que las palabras dichas por él, se cumplirán. Los exiliados regresarán y Jerusalén será reconstruida.

Así como el mundo existe como producto de la palabra de Dios, así también los acontecimientos. La palabra de Dios es su acción operativa en la historia, él obra por medio de su palabra. La historia del pueblo es la prueba de que esa palabra divina se cumple.

II LECTURA Romanos 8:18–23

Lectura de la carta del apóstol san Pablo a los romanos

La esperanza alienta en toda la lectura. Tu tono de voz debe también ser animoso y esperanzador. No olvides las técnicas de respiración.

Hermanos:
Considero que los **sufrimientos** de **esta vida**
no se pueden **comparar** con la **gloria**
que **un día** se manifestará en **nosotros**;
porque **toda** la creación **espera**, con **seguridad** e **impaciencia**,
la **revelación** de esa **gloria** de los **hijos de Dios**.

La creación está **ahora sometida** al **desorden**,
no por su **querer**, sino por **voluntad** de **aquel** que la **sometió**.

Esta línea enuncia una convicción de toda la asamblea.

Pero dándole al **mismo tiempo** esta **esperanza**:
que también **ella misma** va a ser **liberada**
de la **esclavitud** de la **corrupción**,
para **compartir** la gloriosa **libertad** de los **hijos de Dios**.

El Espíritu es lo que nos mueve al futuro. Anuncia estas líneas con profunda convicción.

Sabemos, **en efecto**,
que la **creación entera gime** hasta el **presente**
y **sufre dolores** de parto;
y **no sólo** ella, sino **también nosotros**,
los que **poseemos** las primicias del **Espíritu**,
gemimos **interiormente**,
anhelando que se realice **plenamente** nuestra condición
de **hijos de Dios**,
la **redención** de **nuestro cuerpo**.

EVANGELIO Mateo 13:1–23

Lectura del santo Evangelio según san Mateo

San Mateo presenta a Jesús como auténtico maestro de sabiduría. La narración debe guardar ese tono didáctico, de alguien que ilustra realidades profundas con imágenes simples y familiares.

Un día salió **Jesús** de la casa donde **se hospedaba**
y **se sentó** a la orilla del **mar**.

Ahora el profeta pone el ejemplo de algo natural: el agua que cae no se pierde, sino se convierte en fruto vegetal o vuelve como rocío de la mañana. Así la palabra de Dios fecunda al hombre y éste responde con la aceptación o el rechazo. Pero la palabra es eficaz de una u otra forma. Depende del hombre que esa eficacia se exprese en frutos de bendición o salvación o, desgraciadamente, en juicios de condenación. Pero la palabra de Dios no obra mágicamente. Actúa como palabra, se debe entender y, algo muy importante, exige una respuesta.

II LECTURA Los versos anteriores hablaban de la participación del cristiano en los sufrimientos y en la gloria de Cristo. Ahora aborda el tema del sufrimiento y lo relaciona con la esperanza de la gloria que nos espera a los cristianos. Es un hecho que continuamos experimentando el sufrimiento y la muerte. Pablo no sólo retoma el tema del sufrimiento, sino que dice que precisamente a través de él, tenemos participación en la muerte y resurrección de Cristo. En todos estos gemidos, Pablo subraya la consistencia de la gloria, no obstante lo paradójico que parezca. Los sufrimientos están en función de la participación de la gloria futura. La gloria es la presencia plena de Dios, ya activo en la historia nuestra.

Pablo habla de la creación que está en espera. Toda la creación en su sentido cosmológico, participa del destino de la humanidad tanto en el bien como en el mal. Escenifica Pablo la creación y la ve como si estuviera en esclavitud y desea ser liberada. El Apóstol va a la apocalíptica para expresar la condición de toda la creación que espera, como si fuera una persona, el momento salvífico. Al desarrollar este argumento, Pablo tiene en mente a Génesis 3:19 y 5:29: la mal-

Se reunió en torno suyo **tanta gente**,
que él se vio **obligado** a subir a una **barca**, donde **se sentó**,
mientras la **gente permanecía** en la **orilla**.
Entonces Jesús les habló de **muchas cosas** en **parábolas** y les dijo:

La parábola tiene rasgos sorprendentes desde el principio. Las frases tienen como foco los granos; las frases cortas y breves deben ser dichas con cierta celeridad.

"**Una vez** salió un **sembrador** a **sembrar**,
y al ir arrojando la **semilla**,
unos granos cayeron a lo largo del **camino**;
vinieron los **pájaros** y se los **comieron**.
Otros granos cayeron en **terreno pedregoso**, que tenía **poca** tierra;
ahí **germinaron pronto**, porque la tierra no era **gruesa**;
pero cuando **subió el sol**, los **brotes** se **marchitaron**,
y como no tenían **raíces**, se **secaron**.
Otros cayeron entre **espinos**, y cuando los **espinos crecieron**,
sofocaron las **plantitas**.
Otros granos cayeron en **tierra buena** y dieron **fruto**:
unos, **ciento por uno**; otros, **sesenta**; y otros, **treinta**.
El que tenga **oídos**, que **oiga**".

La consulta de los discípulos crea una atmósfera diferente. Aquí se asienta una revelación que hay que presentar sin celeridad. Reconoce en la asamblea a los discípulos del Señor.

Después se le **acercaron** sus **discípulos** y le **preguntaron**:
"¿**Por qué** les hablas en **parábolas**?"
Él les **respondió**:
"A **ustedes** se les ha **concedido**
conocer los **misterios del Reino** de los cielos,
pero a **ellos no**.
Al que **tiene**, se le **dará más** y nadará en la **abundancia**;
pero al que **tiene poco**, aun **eso poco** se le **quitará**.
Por eso les hablo en **parábolas**,
porque **viendo no ven** y **oyendo no oyen** ni **entienden**.

En ellos se cumple **aquella profecía** de **Isaías** que dice:
Oirán *una y otra vez y* ***no entenderán****;*
mirarán *y* ***volverán*** *a mirar, pero* ***no verán****;*
porque ***este pueblo*** *ha* ***endurecido*** *su* ***corazón****,*
ha ***cerrado sus ojos*** *y* ***tapado sus oídos****,*
con el ***fin*** *de* ***no ver*** *con los* ***ojos****,*
ni oír *con los* ***oídos****, ni* ***comprender*** *con el* ***corazón****.*
Porque ***no quieren convertirse*** *ni que* ***yo los salve****.*

dición de la tierra a causa de Adán. Dios ha sometido a la creación a la vanidad, pero ahora ella "nutre la esperanza de que será liberada de la esclavitud para entrar en la libertad de la gloria de los hijos de Dios". También será redimida la creación y recobrará su estado primigenio. La humanidad ha reducido a la noble creación al "caos y corrupción". También está esperando la creación la liberación del hombre, que redundará en la liberación de su propia corrupción. Y ya liberada la creación, podrá participar de una restauración mayor.

Nuestra lectura se refiere al Evangelio por medio de la imagen agrícola empleada por Mateo. A veces parece que no habrá fruto por las dificultades de la siembre y la maduración; así pasa con nosotros y con la creación. La esperanza genera la perseverancia que resulta fundamental en la relación paradójica entre los sufrimientos presentes y la participación en la gloria futura.

EVANGELIO La parábola del sembrador y su explicación representan una apretada evaluación de lo que significa el quehacer de Jesús, su misión, y el de sus discípulos, la Iglesia de cada generación. Jesús anuncia el Reino también en parábolas o comparaciones simples para que cada cual saque sus deducciones. Son raras las veces que una explicación acompaña a la parábola, como aquí, aunque de momento nos atenemos sólo a la comparación.

San Mateo, al echar mano de las palabras proféticas de Isaías, coloca el proyecto del Reino, sus inicios, desarrollos y realización, en el amplio marco del designio salvífico de Dios para su pueblo. Por eso lo explica como "un misterio revelado" o descubierto a los discípulos y a las personas

La frase de "Pero, dichosos ustedes" señala un cambio en el enfoque. Haz contacto visual con la asamblea.

Pero, **dichosos ustedes**, porque **sus ojos ven** y **sus oídos oyen.**
Yo les **aseguro** que **muchos profetas** y **muchos justos**
desearon ver lo que **ustedes** ven y no lo **vieron**
y **oír** lo que **ustedes** oyen y no lo **oyeron**.

Escuchen, pues, **ustedes** lo que **significa** la parábola
del **sembrador**.

A **todo** hombre que **oye** la palabra del **Reino** y **no** la **entiende**,
le llega el **diablo** y le **arrebata** lo **sembrado** en su **corazón**.
Esto es lo que **significan** los **granos que cayeron**
a lo largo del **camino**.

Lo sembrado sobre **terrero pedregoso** significa
al que **oye la palabra** y la acepta **inmediatamente** con **alegría**;
pero, como es **inconstante**, no la deja **echar raíces**,
y **apenas** le viene una **tribulación** o una **persecución**
por **causa** de la palabra, **sucumbe**.

Quizá este párrafo, el del terreno pedregoso, sea con el que mejor se identifique la mayoría de la asamblea. Haz una pausa al final del mismo.

Lo sembrado entre los **espinos** representa a **aquel**
que **oye la palabra**,
pero las **preocupaciones** de la vida y la **seducción**
de las **riquezas** la **sofocan**
y queda **sin fruto**.

Las líneas finales dilas pausada y claramente. Deben despertar el deseo interior en los escuchas para producir frutos para el Reino.

En cambio, lo sembrado en **tierra buena**
representa a quienes **oyen la palabra**,
la **entienden** y dan **fruto**:
unos, el **ciento por uno**; otros, el **sesenta**; y otros, el **treinta**".

Forma breve: Mateo 13:1–9

involucradas en hacer realidad el Evangelio. La evangelización tiene sentido y fructifica sólo en ese amplio horizonte de la salvación que Dios oferta a sus fieles, y en ellos a la humanidad entera, no en términos de mercadotecnia. Pero esa salvación ocurre en el mundo laboral cotidiano, como la siembra del campesino. Jesús enseña que el Reino no es algo foráneo a nuestra realidad o que escape a ella; más bien en ella brota, se nutre y fructifica.

Jesucristo es el Evangelio, la palabra sembrada. Todos lo reciben, pero no todos lo acogen de manera que le permitan echar raíces. Junto al éxito está el triple fracaso. ¿Por qué sucede esto? Se dan explicaciones, pero se inculca que la siembra corre gran riesgo de perderse en la esterilidad. Por el contrario, cuando es bien acogida produce lo inimaginable; un grano puede multiplicarse ¡hasta por cien! La palabra acogida tiene esa fantástica virtud: producir lo impensable.

San Mateo, sin embargo, no subraya tanto el maravilloso rendimiento de la semilla cuanto el hecho mismo de su productividad: el Evangelio tiene que dar fruto. A esto insta a sus escuchas. No cada grano produce cien. De hecho, al mencionar la producción lo hace en forma decreciente. Así cada lector o escucha que haya recibido la palabra del Reino debe sentirse interpelado a producir algo, que por mínimo que sea, treinta, será algo admirable.

El entero quehacer de Jesús con el que el Reino de Dios ha irrumpido en la historia humana, no parece haber cambiado el estado de cosas reinante. La opresión sigue vigente y la violencia apabulla a su paso. El que atesora el evangelio, el auténtico discípulo de Jesús, sabe bien cuál es la diferencia. Esa semilla le ha cambiado la vida, se la ha vuelto productiva. Así es como la salvación de Dios transforma lo más cotidiano en algo nunca visto.

XVI DOMINGO ORDINARIO

I LECTURA Sabiduría 12:13, 16–19

Esta lectura es una auténtica profesión de fe. Con vigor y convicción preséntala a la asamblea.

Lectura del libro de la Sabiduría

No hay más Dios que **tú**, Señor, que **cuidas** de **todas** las cosas.
No hay **nadie** a quien tengas que **rendirle cuentas**
de la **justicia** de tus **sentencias**.
Tu **poder** es el **fundamento** de tu **justicia**,
y por ser el **Señor de todos**,
eres **misericordioso** con **todos**.

Tú **muestras tu fuerza**
a los que **dudan** de tu **poder soberano**
y **castigas** a quienes, **conociéndolo**, te **desafían**.
Siendo **tú** el **dueño** de la **fuerza**,
juzgas con **misericordia** y nos **gobiernas** con **delicadeza**,
porque **tienes** el **poder** y lo **usas** cuando **quieres**.

En este párrafo la asamblea se puede identificar perfectamente; baja la velocidad de la lectura, pero sin arrastrarla.

Con **todo esto** has **enseñado** a tu **pueblo**
que el **justo** debe ser **humano**,
y has **llenado** a tus **hijos** de una **dulce esperanza**,
ya que al **pecador** le das **tiempo** para que se **arrepienta**.

I LECTURA El libro de la Sabiduría contiene una reflexión profunda sobre la manera de ser y vivir del hebreo ante la manera de pensar y vivir a la griega.

Israel se preguntó muchas veces por qué no intervenía Dios inmediatamente, cuando el pueblo sufría desgracias. En toda la historia de Dios con su pueblo, se manifiesta el Señor como indulgente y misericordioso. La fuerza de Dios nunca aparece en condenar, sino en perdonar. Dios se comporta así con el cananeo o extranjero para darle oportunidad de convertirse de su conducta. Esta paciencia a su vez, es una invitación al pueblo elegido a que haga otro tanto, a que se comporte con paciencia y compasión con todos los hombres. Hay en esos momentos de influencia griega, una sociedad más abierta, que puede entender bien la tradición hebrea.

Meditando en las plagas de Egipto, el autor hace una pequeña digresión en el sentido de los castigos de Dios y de su pedagogía. ¿Por qué Dios permite tanta maldad en los hombres perversos y no les manda la muerte? El texto bíblico responde que Dios ha obrado con moderación hacia Egipto (11:15—12:2) no por debilidad, sino por conmiseración. La fuerza está en favor de la indulgencia y de la justicia. La misericordia es superior a la justicia. Dios se ha mostrado con nosotros como misericordioso, porque si hubiera sido justo, no habría habido redención.

La justicia de los impíos tiene como norma la "fuerza", que es una cara de la violencia. Dios en cambio perdona a todos porque siendo poderoso, sobre todo es bueno. Su misericordia no borra ni empaña su poder ni su justicia. Ésta se manifestará cuando alguien no cree en su perfección o su poder, siendo duro de corazón. Así obró en el caso

Para meditar.

SALMO RESPONSORIAL Salmo 85:5–6, 9–10, 15–16a

R. Tú, Señor, eres bueno y clemente.

Tú, Señor, eres bueno y clemente, rico en misericordia con los que te invocan. Señor, escucha mi oración, atiende a la voz de mi súplica. R.

Todos los pueblos vendrán a postrarse en tu presencia, Señor, bendecirán tu nombre: "Grande eres tú y haces maravillas; tú eres el único Dios". R.

Pero tú, Señor, Dios clemente y misericordioso, lento a la cólera, rico en piedad y leal, mírame, ten compasión de mí. R.

II LECTURA Romanos 8:26–27

La lectura consta de un solo parágrafo, aunque tiene dos momentos. Procura que el hilo del raciocinio no se pierda.

Lectura de la carta del apóstol san Pablo a los romanos

Hermanos:
El **Espíritu** nos **ayuda** en **nuestra debilidad**,
porque nosotros **no sabemos pedir** lo que nos **conviene**;
pero el **Espíritu mismo intercede** por **nosotros**
con **gemidos** que no pueden **expresarse** con **palabras**.
Y **Dios**, que conoce **profundamente** los **corazones**,
sabe lo que el Espíritu **quiere decir**,
porque el **Espíritu ruega** conforme a la **voluntad de Dios**,
por los que le **pertenecen**.

EVANGELIO Mateo 13:24–43

La lectura es algo extensa. Comienza por distinguir cada sección y decide el ritmo y tono mejor para cada una de ellas.

Lectura del santo Evangelio según san Mateo

En **aquel** tiempo, **Jesús** propuso **esta parábola** a la **muchedumbre**:
"El **Reino de los cielos** se parece a un **hombre**
que **sembró buena semilla** en su **campo**;
pero mientras los **trabajadores dormían**,
llegó un enemigo del dueño,
sembró cizaña entre el **trigo** y se **marchó**.
Cuando **crecieron** las **plantas** y se empezaba a **formar** la **espiga**,
apareció **también** la **cizaña**.

del faraón, que no vio el dedo de Dios en las maravillas mediadas por Moisés.

En el discurso de la magnanimidad del Señor al castigar a los egipcios y cananeos, se alude a una doble conclusión, que muestra al justo mansedumbre, bondad, compasión y también a los mismos enemigos. No necesita el judío ir a la sabiduría griega, por muy respetable que sea, sino tiene desde su origen la sabiduría en la Ley o Escritura. Ésta le dice cuál debe ser su comportamiento con los extranjeros y con su pueblo.

II LECTURA Pablo ya ha recordado a los cristianos que mientras estamos en vida, tenemos el peligro de seguir la seducción de la carne. A esto alude con la expresión de "nuestra debilidad". Con el giro "de este modo", une lo anterior con la oración del Espíritu por los creyentes (8:26–27).

Con la palabra debilidad Pablo entiende debilidad humana. No sabemos orar como se debe, El Espíritu viene a ayudar a nuestra debilidad humana. Ya sabemos que los caminos de nuestra naturaleza no son los caminos de Dios. Por esto viene el Espíritu a ayudarnos para que tomemos el camino de Dios. Además, esta debilidad humana lleva a rechazar la relación vital con Dios y se caracteriza por la injusticia, fuente de todos los pecados. Por esto la caridad, signo del hombre espiritual, es inaccesible al hombre "carnal". Mientras estamos con vida seguimos con esa debilidad fundamental. De aquí la necesidad del Espíritu.

El Espíritu viene a tomar nuestra situación en sus manos. Para esto es indispensable que el creyente esté abierto. Debe renunciar a la carne, a lo que lo empuja a no aceptar las exigencias divinas. No olvidemos,

Entonces los **trabajadores** fueron a decirle al **amo**:
'**Señor**, ¿qué no sembraste **buena semilla** en tu campo?
¿De dónde, **pues**, salió esta **cizaña**?'
El amo les respondió: 'De **seguro** lo hizo un **enemigo mío**'.
Ellos le dijeron: '¿**Quieres** que vayamos a **arrancarla**?'
Pero él les **contestó**:
'**No**. No sea que al **arrancar** la **cizaña**, arranquen **también** el **trigo**.
Dejen que **crezcan juntos** hasta el tiempo de la **cosecha**
y, cuando **llegue** la cosecha, **diré** a los **segadores**:
Arranquen primero la **cizaña** y **átenla** en gavillas para **quemarla**;
y **luego almacenen** el **trigo** en mi **granero**'".

Coloca acento de auténtica extrañeza al pronunciar las preguntas de los trabajadores, pero sin melodrama ni exageración. Deja que la línea final de este párrafo dure en la atmósfera.

Luego les propuso esta **otra parábola**:
"El **Reino de los cielos** es **semejante** a la **semilla de mostaza**
que un hombre **siembra** en un **huerto**.
Ciertamente es la **más pequeña** de **todas** las semillas,
pero cuando **crece**, llega a ser **más grande** que las **hortalizas**
y **se convierte** en un **arbusto**,
de manera que los **pájaros vienen** y **hacen su nido** en las **ramas**".

Esta parábola es tan breve como sorprendente. Procura alargar las frases en las últimas dos líneas.

Les dijo **también otra** parábola:
"El **Reino de los cielos** se parece a un **poco de levadura**
que tomó una **mujer**
y la **mezcló** con tres medidas de **harina**,
y **toda** la masa acabó por **fermentar**".

Jesús decía a la muchedumbre **todas estas cosas** con **parábolas**,
y **sin** parábolas **nada** les decía,
para que se **cumpliera** lo que dijo el **profeta**:
Abriré mi boca *y les hablaré con* ***parábolas****;*
anunciaré *lo que estaba* ***oculto*** *desde la creación del* ***mundo****.*

Esta aparición del narrador da razón del proceder de Jesús. Permite que la asamblea note la distancia entre el mundo narrado y el mundo del narrador.

Luego despidió a la **multitud** y se fue a su **casa**.
Entonces se le **acercaron** sus **discípulos** y le dijeron:
"**Explícanos** la **parábola** de la **cizaña sembrada** en el **campo**".

Se retoma el hilo del relato, pero la atmósfera será familiar, íntima.

aunque recibimos la filiación divina, estamos tentados a volver al estado carnal. Pertenece al Espíritu hacernos comprender el plan de Dios en nosotros y ayudarnos a llevarlo a cabo. Lo hace ante todo por la oración que caracteriza su obrar. Como no sabemos cómo rezar, el Espíritu lo hace por nosotros. La oración debe hacerse en conformidad con el plan que tiene Dios para nosotros. El Espíritu viene en ayuda de nuestra debilidad uniéndose con nosotros; con gemidos inenarrables reza por nosotros y, finalmente, intercede por los santos.

Esto de los *gemidos*, es una expresión para indicar un lenguaje divino. La palabra *gemidos*, hace alusión a la oración imperfecta de los cristianos. El objetivo y fin de nuestra oración, que no podemos formular y toca al misterio de Dios, lo lleva a cabo el Espíritu Santo de una manera divina. Asume el Espírito nuestra oración, la purifica y la traduce en lenguaje celeste. La salvación de los creyentes, empezada y todavía no terminada, un día llegará a término por el Espíritu Santo en esta redención definitiva que abarcará toda la persona.

EVANGELIO El capítulo trece agrupa una serie redonda de enseñanzas parabólicas. La parábola del sembrador abre toda esta sección porque busca que los escuchas se examinen frente al Evangelio. Le siguen tres parábolas que entre sí, no parecen tener mucho en común, y que son las que corresponden a nuestra lectura dominical: la de la cizaña en el trigo, la de la semilla de mostaza y la de la levadura. Luego viene una especie de pausa, cuando ya en casa, Jesús explica la comparación de la cizaña a sus discípulos. Enseguida viene otro triplete de parábolas como de buena suerte: la del

La explicación la conoce bien la asamblea, pero vence la tentación de decirla aceleradamente.

Jesús les contestó:
"El **sembrador** de la **buena semilla** es el **Hijo del hombre**,
el **campo** es el **mundo**,
la **buena semilla** son los **ciudadanos** del **Reino**,
la **cizaña** son los **partidarios** del **maligno**,
el **enemigo** que la **siembra** es el **diablo**,
el tiempo de la **cosecha** es el **fin del mundo**,
y los **segadores** son los **ángeles**.

Este parágrafo expone el drama final. Debes sentirte involucrado también al anunciar la suerte definitiva de los malvados y de los justos.

Y **así** como **recogen** la **cizaña** y la **queman** en el **fuego**,
así sucederá en el **fin del mundo**:
el **Hijo del hombre** enviará a sus **ángeles**
para que **arranquen** de su **Reino**
a **todos** los que inducen a **otros** al **pecado**
y a **todos** los **malvados**,
y los **arrojen** en el **horno encendido**.
Allí será el **llanto** y la **desesperación**.
Entonces los **justos brillarán** como el **sol** en el **Reino** de su **Padre**.
El que tenga **oídos**, que **oiga**".

Forma breve: Mateo 13:24–30

tesoro escondido, la perla fina y la de la red de pescar. Las enseñanzas se redondean con una comparación que se ha visto como un ejemplo del propio proceder de Mateo: el escriba del reino.

La parábola de la cizaña con el trigo es exclusiva de Mateo, quien sólo resalta un aspecto de la enseñanza, sin exprimir todas las implicaciones. Deja en la sombra, por ejemplo, el nombre del enemigo que daña la siembra y hasta el motivo de la disputa con el señor de la casa. La cizaña, conocida también como viraga, espantapájaros o buélago entre sus muchos nombres, es una planta muy parecida al trigo, pero cuyo grano puede ser tóxico debido a un hongo que le crece por dentro. La mezcla de ambos granos en la molienda podría ser fatal. En la parábola, sin embargo, sorprende la reacción del señor ante el mal que su enemigo le causa.

Al daño no responde el señor como lo esperaban sus esclavos, sino con una paciencia que mira al futuro, el "tiempo de la cosecha" que los cristianos identifican con el juicio de Cristo. Entonces los cosechadores, no sus esclavos, pues son especialmente hábiles para ello, actuarán conforme a sus órdenes. A la separación de buenos y malos le sigue la destrucción de los malvados y la premiación de los justos. Entre tanto, el Evangelio debe seguir expandiéndose.

Los fieles cristianos se siguen preguntando por qué Dios deja a los malos crecer junto a los buenos. Peor aún, por qué no pone remedio a la corrupción de su campo, la comunidad de fe, su Iglesia, pues los malos dañan a los buenos. La parábola enseña, sin embargo, que el juicio es inevitable, y que no hay que reaccionar ni con precipitación ni con violencia ante la corrupción, sino con una prudencia tan oportuna como profesional.

XVII DOMINGO ORDINARIO

I LECTURA 1 Reyes 3:5–13

La fina línea que divide el sueño de la realidad se traspasa en este diálogo entre Dios y Salomón. Marca las palabras que la indican, para que la asamblea no se confunda.

Lectura del primer libro de los Reyes

En **aquellos** días, el **Señor** se le **apareció** al rey **Salomón**
en **sueños** y le **dijo**:
"Salomón, **pídeme** lo que **quieras**, y yo **te lo daré**".

La relación histórica de Salomón pasa rápidamente de su padre a él mismo. Identifica las frases que muestran la humildad del rey y su petición. Alarga las frases de su petición, en el último tercio del párrafo.

Salomón le respondió:
"**Señor**, tú trataste con **misericordia** a tu siervo **David**, mi **padre**,
porque **se portó** contigo con **lealtad**,
con **justicia** y **rectitud de corazón**.
Más aún, también **ahora** lo **sigues** tratando con **misericordia**,
porque has hecho que un **hijo suyo** lo **suceda** en el **trono**.
Sí, tú quisiste, **Señor** y **Dios mío**, que **yo**, tu **siervo**,
sucediera en el **trono** a mi padre, **David**.
Pero yo no soy **más** que un **muchacho** y **no sé** cómo actuar.
Soy tu **siervo** y me encuentro **perdido**
en medio de este **pueblo tuyo**,
tan numeroso, que es **imposible** contarlo.
Por eso te **pido** que me concedas **sabiduría de corazón**,
para que **sepa gobernar** a tu **pueblo**
y **distinguir** entre el **bien** y el **mal**.
Pues sin ella, ¿**quién** será **capaz** de **gobernar**
a este **pueblo tuyo tan grande**?"

La respuesta de Dios es muy generosa y magnánima. Las líneas finales encierran algo inesperado; conserva ese efecto. Pausa antes de las tres últimas líneas.

Al **Señor** le agradó que **Salomón** le hubiera pedido **sabiduría**
y le **dijo**:

I LECTURA Salomón ha pasado a la humanidad como el prototipo del hombre sabio. En la antigüedad se consideraba a la sabiduría como el éxito en la vida, en cualquier campo en que uno se ocupara. Este capítulo del libro de los Reyes y el siguiente tiene como objetivo alabar a Salomón por su sabiduría.

En concreto, antes de empezar a reinar Salomón fue a consultar a Dios en el santuario que se consideraba legítimo, el santuario de Mizpá. El rey en un éxtasis, que el autor considera como visión, hay una comunicación entre Dios y Salomón. Dios empieza preguntando a Salomón qué don desea de él. La respuesta de Salomón toma la forma de una oración, donde recuerda los beneficios que Dios ha hecho a su padre David y el que Dios le haya concedido sucederlo en su trono, en lugar de su hermano Adonías. Ahora le pide algo importante: capacidad para gobernar un pueblo tan numeroso. Le pide el doble don de saberse comportar como dependiente de Dios en todo y, al mismo tiempo, saber ejercer el poder dado por Dios; tener, pues, un corazón que sepa oír. Es decir, un conocimiento y una consciencia recta para irse por el bien y no por el mal. Dice su incapacidad con una expresión hebrea, "no sé salir ni entrar", o sea, aquello que en la guerra se llama estrategia para aprovechar el momento oportuno para una cosa u otra. Pero, sobre todo, saber "escuchar", es fundamental en todo aquel que gobierna. Aquí en concreto está visualizado el juzgar, algo que el ejemplo siguiente va a ejemplificar.

Dios le concedió esto y, como algo añadido, riqueza y fama como nadie la ha tenido. Algo que deberíamos imitar: la humildad y la prudencia.

"Por haberme pedido **esto**, y no una **larga vida**, ni **riquezas**,
ni la **muerte** de tus **enemigos**, sino **sabiduría** para **gobernar**,
yo te concedo lo que me has **pedido**.
Te doy un **corazón sabio** y **prudente**,
como no lo ha habido antes, **ni lo habrá** después de ti.
Te voy a conceder, **además**, lo que no me has **pedido**:
tanta gloria y **riqueza**, que **no habrá rey** que se pueda
comparar **contigo**".

Para meditar.

SALMO RESPONSORIAL Salmo 118:57 y 72, 76–77, 127–128, 129–130

R. Cuánto amo tu voluntad, Señor.

Mi porción es el Señor, he resuelto guardar tus palabras. Más estimo yo los preceptos de tu boca, que miles de monedas de oro y plata. R.

Que tu voluntad me consuele, según la promesa hecha a tu siervo; cuando me alcance tu compasión, viviré, y mis delicias serán tu voluntad. R.

Yo amo tus mandatos, más que el oro purísimo; por eso aprecio tus decretos, y detesto el camino de la mentira. R.

Tus preceptos son admirables, por eso los guarda mi alma; la explicación de tus palabras ilumina, da inteligencia a los ignorantes. R.

II LECTURA Romanos 8:28–30

Lectura de la carta del apóstol san Pablo a los romanos

Las líneas de este párrafo son muy poderosas, y deben despertar en la asamblea la certeza de que hablan de ella.

Hermanos:
Ya sabemos que **todo** contribuye para **bien**
de los que **aman** a **Dios**,
de **aquellos** que han sido **llamados** por él,
según su **designio salvador**.

Desgrana con firmeza cada línea. La asamblea es el pueblo justificado por Dios.

En efecto, a quienes conoce **de antemano**,
los **predestina** para que reproduzcan **en sí mismos**
la **imagen** de su propio **Hijo**,
a fin de que él sea el **primogénito** entre **muchos hermanos**.
A quienes **predestina**, los **llama**;
a quienes **llama**, los **justifica**;
y a quienes **justifica**, los **glorifica**.

II LECTURA La paradoja cristiana entre sufrimiento y gloria, lleva al Apóstol a que diseñe el plan de Dios, la revelación de la voluntad divina que tiene para los que aman a Dios.

Pablo recurre a un conocimiento general de la fe. Dios obra para el bien del hombre en todo, aún en el sufrimiento. "Todas las cosas cooperan para el bien de los que le aman". El diseño de Dios está delineado en cinco fases en forma ascensional. Se parte del conocimiento de antemano, a la predestinación, a la llamada, a la justificación y a la glorificación. Antes de la creación el Señor Dios nos conoció. Es decir, nos amó. La predestinación está unida siempre a Jesucristo. El objetivo de Dios es conformarnos a la imagen de su Hijo. No se trata de la cuestión de la doble predestinación al bien y el mal. La conformación a la imagen de Cristo, consiste en la participación en su muerte y en su resurrección. La participación en los sufrimientos de Cristo es el camino para participar de su filiación, que ya está incluida en nuestra predestinación.

Jesucristo no es el Unigénito, sino se convierte en el Primogénito entre muchos hermanos a través del don de su Espíritu. Al ser llamados por Dios, fuimos elegidos a participar de la comunión con su Hijo. La justificación nos vino por medio de Jesucristo, no por las obras de la ley. La finalidad de lo anterior es la glorificación. Una glorificación que no se queda en lo externo, en lo espectacular, en lo pasajero. Un acercamiento sería la perfección en todos sus aspectos. En ésta no están excluidos, sino integrados los sufrimientos de esta vida.

EVANGELIO En su enseñanza parabólica, pero ya en la intimidad de la casa, Jesús pronuncia las parábolas del cre-

EVANGELIO Mateo 13:44–52

Lectura del santo Evangelio según san Mateo

La parábola inicial es muy breve pero atrae la atención de la asamblea. Consigue que la lectura ulterior penda con naturalidad de esa primera.

En **aquel** tiempo, **Jesús** dijo a sus **discípulos:**
"El **Reino de los cielos** se parece a un **tesoro** en un **campo.**
El que lo **encuentra** lo **vuelve** a **esconder**
y, **lleno de alegría**, va y **vende** cuanto tiene
y **compra** aquel campo.

El **Reino de los cielos** se parece **también** a un **comerciante**
en **perlas finas**
que, al **encontrar** una perla **muy valiosa**, va y **vende** cuanto tiene
y la **compra**.

Identifica el punto del cambio en la parábola; distingue también la conclusión o consecuencia que los escuchas deben guardar en mente.

También se parece el **Reino de los cielos** a la **red**
que los **pescadores** echan en el **mar**
y recoge **toda clase** de peces.
Cuando se **llena** la **red**,
los **pescadores** la **sacan** a la playa y **se sientan**
a **escoger** los **pescados**;
ponen los **buenos** en **canastos** y **tiran** los **malos**.
Lo mismo sucederá al **final** de los **tiempos:**
vendrán los ángeles, **separarán** a los **malos** de los **buenos**
y los **arrojarán** al **horno encendido**.
Allí será el **llanto** y la **desesperación**.

Las palabras de Jesús buscan despertar la curiosidad de la asamblea; son como un acertijo.

¿Han **entendido todo esto**?"
Ellos le contestaron: "**Sí**".
Entonces él les dijo:
"Por eso, **todo escriba** instruido en las cosas del **Reino**
de los cielos
es **semejante** al **padre de familia**,
que va **sacando** de su tesoro **cosas nuevas** y **cosas antiguas**".

Forma breve: Mateo 13:44–46

cimiento del reino, a las que sigue un triplete de comparaciones que sirven como de balance a la suerte terrible de los malvados en el juicio. La última parábola del triplete, la de la red echada al mar, retoma el motivo del discernimiento y del juicio, el eje del capítulo, en tanto que las otras dos que escuchamos este domingo, las del tesoro y la de la perla, tratan del significado del Reino en la vida del discípulo.

La comparación del tesoro escondido en el campo tiene dos rasgos prominentes: el sigilo y la alegría. El sigilo es lo contrario al alboroto. El hombre que encuentra aquel tesoro escondido obra sigilosamente, lo vuelve a esconder, y actúa calladamente hasta hacerse con él. En el imaginario de la parábola, se trata quizá de un jornalero común y corriente. No dispone de riquezas para hacerse del campo, sino que vende "todo lo que tiene". A los ojos de los demás aquello debía parecer una locura, o al menos algo intrigante. ¿Qué pudo haber vendido aquel hombre? La parábola no da detalles, pero en aquel régimen socioeconómico el "todo cuanto tiene" incluiría a las personas de su propia casa. Esto sería algo escandaloso para ciertos oyentes, y el relato lo evita, subrayando, en cambio, la causa de ese loco proceder: la alegría.

La alegría es esa sensación positiva de dicha y bienestar que experimenta la persona cuando consigue algo que ha deseado o le representa un bien. El bien mayor que un discípulo puede desear es Jesucristo.

San Mateo impulsa a sus oyentes, a los de entonces y a los de hoy, a entregarse con sigilosa pasión al Evangelio. Pero esa entrega debe ser tan sigilosa como alegre. Una vida sin alegría no vale la pena, por muy 'cristiana' que parezca. En resumen, y como el papa Francisco nos ha recordado, sin alegría no hay Evangelio.

6 DE AGOSTO DE 2017

LA TRANSFIGURACIÓN DEL SEÑOR

I LECTURA Daniel 7:9–10, 13–14

Lectura del libro del profeta Daniel

La visión es muy sugestiva. Ten cuidado en remarcar la primera línea que especifica que se trata de un sueño. Hay marcada admiración del vidente por lo que contempla.

Yo, Daniel, tuve **una visión** nocturna:
vi que colocaban unos tronos y un anciano se sentó.
Su vestido era **blanco** como la nieve,
y sus cabellos, **blancos** como lana.
Su trono, **llamas de fuego**, con ruedas encendidas.
Un **río de fuego** brotaba delante de él.
Miles y miles lo servían, millones y millones estaban a sus órdenes.
Comenzó el juicio y **se abrieron** los libros.

Hay un crescendo en el movimiento de este párrafo, que llega al clímax con la recepción de la autoridad. Poco a poco ve dándole volumen a tu voz hasta esas líneas.

Yo seguí contemplando en **mi visión nocturna**
y **vi a alguien** semejante a un hijo de hombre,
que **venía** entre las nubes del cielo.
Avanzó hacia el anciano de muchos siglos
y fue introducido a su presencia.
Entonces **recibió** la soberanía, la gloria y el reino.
Y **todos** los pueblos y naciones de todas las lenguas lo servían.
Su poder **nunca se acabará**, porque es un poder eterno,
y su reino **jamás** será destruido.

I LECTURA El texto de Isaías alude de alguna manera al evangelio de hoy por medio de las palabras pan, comer, gratuidad y abundancia. Pan y agua son los elementos fundamentales para el ser humano, bastan para mantenerlo en existencia. Hay también alusión a la travesía de Israel por el desierto; el pueblo se alimentó de pan y agua. Dios intervino varias veces para proporcionales estos dos elementos. En el fondo, es una alusión a la parquedad, a una vida modesta.

El texto profético prepara mediante la imagen de una invitación a un banquete, un significado más metafórico que real. Se está refiriendo a los bienes más altos, los espirituales y gratuitos, pues no se necesita dinero para comprarlos. Ya de alguna manera resuena el Deuteronomio.

El profeta se pone el vestido de un vendedor ambulante como había en su tiempo. Este comerciante no vende fábulas o ilusiones, sino que es un mensajero bueno y verdadero que invita a gozar de los frutos de la justicia y de la paz. Está ofreciendo los bienes fundamentales que toda sociedad ambiciona.

El agua y pan pertenecen al alimento del primer éxodo. Ahora se promete beber la leche que escurrirá de la tierra prometida y el vino de la misma tierra. Estos alimentos son signos de la magnificencia, abundancia y de la alegría.

Los bienes que necesitamos para nuestra sobrevivencia son pocos. Es cierto que trabajamos también para otros bienes que no son estrictamente necesarios, más aún, son signos de vicios o de la soberbia, de querer ser más que los demás. La modestia es una de las cualidades fundamentales del hijo de Dios.

SALMO RESPONSORIAL Salmo 97 (96):1–2, 5–6, 9

R. (1a y 9a) El Señor reina, altísimo sobre toda la tierra.

El Señor reina, la tierra goza,
se alegran las islas innumerables.
Tiniebla y nube lo rodea,
justicia y derecho sostienen su trono. R.

Los montes se derriten como cera
ante el dueño de toda la tierra;
los cielos pregonan su justicia,
y todos los pueblos contemplan su gloria. R.

Porque tú eres, Señor,
Altísimo sobre toda la tierra,
encumbrado sobre todos los dioses. R.

II LECTURA 2 Pedro 1:16–19

Lectura de la segunda carta del apóstol san Pedro

Como si se tratara de una viva memoria, procura darle viveza a este párrafo.

Hermanos:
Cuando les anunciamos **la venida gloriosa** y llena de poder
de nuestro Señor Jesucristo,
no lo hicimos fundados en fábulas hechas con astucia,
sino **por haberlo visto** con nuestros propios ojos en toda
su grandeza.
En efecto, Dios **lo llenó** de gloria y honor,
cuando la sublime voz del Padre **resonó sobre él**, diciendo:
"Este es mi Hijo amado, **en quien yo** me complazco".
Y **nosotros escuchamos** esta voz, venida del cielo,
mientras **estábamos con** el Señor en el monte santo.

Acorde a esta parte, llena tu voz de vigor y esperanza.

Tenemos también la **firmísima palabra** de los profetas,
a la que con toda razón
ustedes consideran como una **lámpara que ilumina** en
la oscuridad,
hasta que despunte el día
y **el lucero de la mañana** amanezca en los corazones de ustedes.

II LECTURA Hay cierta unión con el evangelio mediante la expresión "hambre". El amor de Dios sacia todos los deseos profundos de la vida humana. Es cierto que, desgraciadamente, los amores superficiales son los que continuamente nos están jalando y éstos se quedan muy lejos de Dios, dado que van en la dirección de apropiarnos de las personas o de las cosas. El amor de Dios tiene la tendencia contraria: la de dar, de darse.

Desde el v. 35 se detiene en el amor de Cristo para acabar con el de Dios en Cristo. Ninguno de los grandes y variados peligros que hay en la vida humana pueden hacer que el cristiano olvide el amor que Cristo ha manifestado muriendo y resucitando por nosotros. Habla Pablo del amor de Cristo por nosotros que, creo, casi nunca lo entendemos o lo explicamos, quedándonos en la sensiblería de un amor platónico o sentimental. La imagen que emplea la Escritura para este amor casi siempre es el amor del esposo con la esposa. Cita un verso del Salmo 44, donde afirma que las tribulaciones son una característica del pueblo de Dios en todos los tiempos, no un signo del abandono de Dios, sino de su amor. Nos da el apóstol un elenco de las varias dificultades que podrían ocasionar una separación del amor de Cristo. Escoge siete grandes enemigos que podrían poner en crisis la relación con Cristo.

Frente a tales situaciones, sale triunfante el amor de Cristo y de Dios. Este amor resiste toda clase de distancias y vence aun a la muerte. El apóstol, concluye afirmando la imposibilidad de la separación del amor de Dios y de Cristo de los cristianos.

EVANGELIO Mateo 17:1–9

Lectura del santo Evangelio según san Mateo

El relato es una magnífica visión del Cristo, aunque brevísima. Fíjate en esas dos líneas fulgurantes de su majestad, y alárgalas. Luego aviva el diálogo.

En aquel tiempo,
Jesús **tomó consigo** a Pedro, a Santiago y a Juan, el hermano de éste,
y los hizo subir **a solas con él** a un monte elevado.
Ahí se transfiguró **en su presencia**:
su rostro se puso resplandeciente **como el sol**
y sus vestiduras se volvieron blancas **como la nieve**.
De pronto aparecieron ante ellos Moisés y Elías, **conversando con** Jesús.

A las palabras de Pedro ponles particular entusiasmo. Es la forma de participar de esa gloria que han contemplado.

Entonces Pedro le dijo a Jesús: "Señor, ¡qué bueno sería **quedarnos aquí!**
Si quieres, **haremos aquí** tres chozas,
una para ti, otra para Moisés y otra para Elías".

La visión se completa con las palabras celestes. Enfatízalas con toda claridad. Como preparación a esta lectura, tómalas para vocalizarlas como si fueran un mantra o lema que puedes repetir para concentración espiritual.

Cuando aún estaba hablando, una nube luminosa **los cubrió**
y de ella salió **una voz** que decía:
"**Este** es mi Hijo muy amado,
en quien tengo puestas mis complacencias, escúchenlo".
Al oír esto, los discípulos cayeron rostro en tierra, llenos de un gran temor.
Jesús **se acercó** a ellos, los tocó y les dijo:
"Levántense y no teman".
Alzando entonces los ojos, **ya no vieron a nadie** más que a Jesús.

Es fundamental esta orden de Jesús. Pronúnciala con toda naturalidad.

Mientras bajaban del monte, Jesús **les ordenó**:
"No le cuenten **a nadie** lo que han visto,
hasta que el Hijo del hombre **haya resucitado de** entre los muertos".

EVANGELIO El episodio de la multiplicación de panes y peces para alimentar a más de cinco mil personas viene en el Evangelio de san Mateo, apenas tras referir el asesinato de Juan el Bautista a manos del rey Herodes Antipas, en el marco de un banquete pantagruélico en su palacio. Es claro que hay una deliberada intención de contrastar los episodios. La decapitación del profeta Juan es una amenaza evidente para Jesús, quien se retira de nuevo (ver Mt 12:15), a un lugar solitario.

En la descripción del episodio resuenan las tentaciones (Mt 4) cuando el Tentador puso a prueba el proyecto mesiánico con asuntos tan centrales a la vida humana como lo es el pan, la protección divina y la autoridad universal del Hijo de Dios. Acá, sin embargo, a Jesús le aguarda no el Tentador, sino una multitud necesitada, en la que el proyecto del Reino toma cuerpo, gracias a que nace de la compasión del Mesías. Él sana a sus enfermos y brinda a todos un banquete espléndido, para recrear la comunión del Reino de Dios. La comilona de Herodes a sus vasallos, no sólo es excluyente, sino que les afianza la complicidad en el crimen y en la vida licenciosa.

Las acciones y gestos de Jesús al multiplicar los panes y los peces anticipan los eucarísticos (ver Mt 26:29), pues de hecho la Eucaristía es como el culmen de todo el quehacer mesiánico. La Eucaristía es, por antonomasia, la prenda del banquete celeste, donde todos, sin excepción, podrán departir con Jesús a la mesa. Se trata, por tanto, de un banquete que sella la alianza por la justicia y que nos impulsa a trabajar en esa dirección. El "denles ustedes de comer" es el compromiso por el Reino de Dios, tanto para la Iglesia como para cada persona bautizada.

XIX DOMINGO ORDINARIO

I LECTURA 1 Reyes 19:9a, 11–13a

Lectura del primer libro de los Reyes

Visualízate como testigo de lo narrado en la montaña del Horeb. Prepárate espiritualmente para presentar esta lectura, reflexionando en la presencia amable y silenciosa de Dios en tu propia vida.

Al llegar al **monte de Dios**, el **Horeb**,
el profeta **Elías** entró en una **cueva** y **permaneció allí**.
El **Señor** le dijo: "**Sal** de la **cueva** y **quédate** en el **monte**
para ver al **Señor**, porque el Señor va a **pasar**".

Haz que en tu voz resople el ímpetu del viento. Aumenta ligeramente tu tono de voz y la velocidad de la lectura en esta parte.

Así lo hizo **Elías**, y al acercarse el **Señor**,
vino **primero** un **viento** huracanado,
que **partía las montañas** y **resquebrajaba las rocas**;
pero el Señor **no estaba** en el viento.
Se produjo **después** un **terremoto**;
pero el Señor **no estaba** en el terremoto.
Luego vino un **fuego**; pero el Señor **no estaba** en el fuego.

Amaina tu velocidad. Trata de modular tu voz como brisa suave. Alarga las frases para que la brisa llegue a todos.

Después del **fuego** se escuchó el **murmullo** de una **brisa suave**.
Al oírlo, **Elías** se **cubrió** el **rostro** con el **manto**
y **salió** a la **entrada** de la **cueva**.

Para meditar.

SALMO RESPONSORIAL Salmo 84:9ab y 10, 11–12, 13–14

R. Muéstranos, Señor, tu misericordia y danos tu salvación.

Voy a escuchar lo que dice el Señor. Dios anuncia la paz a su pueblo y a sus amigos. La salvación está ya cerca de sus fieles, y la gloria habitará en nuestra tierra. R.

La misericordia y la fidelidad se encuentran, la justicia y la paz se besan; la fidelidad brota de la tierra, y la justicia mira desde el cielo. R.

El Señor nos dará la lluvia y nuestra tierra dará su fruto. La justicia marchará ante él, la salvación seguirá sus pasos. R.

I LECTURA La primera lectura está tomada del encuentro del profeta Elías con Dios en el Horeb. El profeta había sido perseguido por la reina Jezabel, quien había introducido el culto de Baal al reino del norte. La reina favorecería además del culto al Señor Dios de Israel, también el culto a otros dioses, en concreto al de Tiro. Esto trajo la lucha de Elías, por mandato divino, contra este culto, defendiendo el culto exclusivo del Dios de Israel en el reino de Israel. Al final, la cabeza de Elías estaba en peligro y por esto el profeta andaba huyendo y fue a parar al desierto de Berseba.

El ángel del Señor lo alimentó para que tuviera fuerzas y fue a dar al monte del Señor. Entró en la caverna para pasar allí la noche, la misma donde había entrado Moisés. Es un regreso al origen de la alianza. El Señor le pregunta, "¿Qué haces aquí Elías?". Esta pregunta, es de reproche y de ánimo. Elías le responde que lo han perseguido por ser fiel a Dios y que no queda sino él de los adoradores fieles al Señor. En el fondo, Elías se siente derrotado. A veces nos pasa lo mismo, cuando nos entristecemos por el abandono en que vemos todo lo que se refiere a Dios: vocaciones, asistencia a misa, indiferencia religiosa, etc. En el fondo somos los únicos fieles.

El Señor le pide mantenerse en la presencia del Señor. Ningún proyecto ni nada. Debemos ponernos en las manos de Dios. Antes que mandar al profeta a grandes acciones que están representadas por el viento, fuego y tempestad, conduce Dios a Elías a la dulzura, a la familiaridad íntima con Dios. Una lección para no olvidar.

II LECTURA En esta parte de la carta, Pablo se enfrenta con el problema de la infidelidad de Israel. Pablo

II LECTURA Romanos 9:1–5

Lectura de la carta del apóstol san Pablo a los romanos

Estas palabras son vigorosas. Pablo descubre su voluntad a sus oyentes. No titubees en ningún momento.

Hermanos:
Les **hablo** con **toda verdad** en Cristo; **no miento.**
Mi **conciencia** me **atestigua**, con la **luz** del **Espíritu Santo**,
que tengo una **infinita tristeza** y un **dolor incesante**
tortura mi **corazón.**

Hasta **aceptaría** verme **separado** de Cristo,
si **esto** fuera para **bien** de mis **hermanos**,
los de **mi raza** y de **mi sangre**,
los **israelitas**, a quienes pertenecen la **adopción filial**,
la **gloria**, la **alianza**, la **ley**, el **culto** y las **promesas**.

Al llegar a esta parte, enfatiza las frases que refieren a Cristo.

Ellos son **descendientes** de los **patriarcas**;
y de su **raza**, según la **carne**, nació **Cristo**,
el cual está **por encima de todo**
y es **Dios bendito** por los siglos de los siglos. **Amén.**

EVANGELIO Mateo 14:22–33

Lectura del santo Evangelio según san Mateo

Prepárate a esta lectura uniéndote al espíritu de Jesús en oración. Coloca a la asamblea en las manos de Dios, y pídele que te moldee para que su palabra llegue a todos.

En **aquel** tiempo, inmediatamente **después** de la **multiplicación** de los **panes**,
Jesús hizo que sus discípulos **subieran** a la **barca**
y se dirigieran a la **otra orilla**, mientras él **despedía** a la **gente**.
Después de despedirla, **subió** al monte **a solas** para **orar**.
Llegada la **noche**, estaba él **solo** allí.

Recorre la primera línea con lentitud, luego acelera tu velocidad de lectura.

Entre tanto, la barca iba **ya muy lejos** de la costa,
y las **olas** la **sacudían**,
porque el **viento** era **contrario**.
A la madrugada, **Jesús** fue **hacia** ellos, caminando **sobre** el agua.

manifiesta un gran dolor por su pueblo. No es sólo el misterio y la situación de Israel, sino la fidelidad o la credibilidad de la palabra de Dios.

Abre la sección con un solemne juramento para confirmar la consistencia divina que está por referir. Pablo advierte una gran tristeza. Ya había dicho que nada lo podía separar de Cristo. Pero ahora dice que estaría dispuesto a separarse del amor de Cristo, con tal de que su pueblo fuera fiel a Jesús. Es, desde luego, una hipérbole.

La revelación del amor de Cristo por Pablo y su pertenencia al pueblo hebreo provoca una herida, dada su ligación a Cristo.

Esta tristeza se agudiza al recordar los privilegios de Israel que no han sido revocados. En la cima de los privilegios se encuentra la identidad de los israelitas como pueblo santo y elegido por Dios. La lista de los dones dados por Dios a Israel comienza con la filiación. Israel es presentado como hijo de Dios en muchos textos del Antiguo Testamento. Esta filiación tiene una correspondencia de parte de Israel: su obediencia filial. La segunda es la presencia del Señor en el éxodo de Egipto, en la travesía del mar, en el desierto y en el templo de Jerusalén. El tercer privilegio es la alianza; el cuarto es el don de la ley; el quinto es el culto donde se manifiesta la gloria de Dios. La lista de privilegios se cierra con las promesas. Todo esto provoca una oración para los israelitas: la palabra de Dios no fallará y el Apóstol espera la salvación de su pueblo.

EVANGELIO El prodigio de la multiplicación de los panes y la milagrosa travesía de las aguas forman un conjunto que tiene innegables ecos de los

Pon un tono de sorpresa en esta escena. El cuadro siguiente también está lleno de drama.

Los **discípulos**, al verlo andar **sobre** el agua,
se **espantaron** y **decían**:
"¡Es un **fantasma**!"
Y daban **gritos de terror**.
Pero **Jesús** les dijo **enseguida**:
"**Tranquilícense** y **no teman**. Soy **yo**".

Entonces le dijo **Pedro**:
"**Señor**, si eres tú, **mándame ir a ti** caminando sobre el agua".
Jesús le contestó: "**Ven**".
Pedro **bajó** de la **barca** y comenzó a **caminar** sobre el agua
hacia Jesús;
pero al sentir la **fuerza del viento**, le **entró miedo**,
comenzó a **hundirse** y **gritó**: "¡**Sálvame**, Señor!"
Inmediatamente Jesús le **tendió la mano**, lo **sostuvo** y le **dijo**:
"Hombre de **poca fe**, ¿por qué **dudaste**?"

Prepara la salida de la lectura. La última frase es la que ha de pegarse a la memoria de los escuchas. Esta frase deberá repercutir en el credo y otras partes de la celebración.

En cuanto **subieron** a la **barca**, el **viento** se **calmó**.
Los que estaban en la barca **se postraron** ante Jesús, **diciendo**:
"**Verdaderamente** tú eres el **Hijo de Dios**".

eventos del Éxodo, cuando Dios liberó a los hebreos de la esclavitud de Egipto para hacerlos pueblo suyo; los hizo cruzar el Mar Rojo y los alimentó en el desierto. Con esos prodigios les mostró el camino a la libertad y a la dignidad, comandados por Moisés.

La milagrosa travesía del lago es la manifestación a los discípulos de la identidad profunda de Jesús. Después de orar a solas en el monte, como Moisés (ver Ex 32:30s.), Jesús les deja ver a sus discípulos su dominio absoluto sobre las fuerzas hostiles del mar (ver Job 9:8), lo que sólo Dios tiene. Cuando ellos con penosa dificultad no habían conseguido llegar a la otra orilla porque el viento les era contrario, Jesús camina sobre las olas. Esta epifanía de la divinidad de Jesús tiene innegable sabor eclesial, por lo sucedido con Pedro.

La barca discipular puede figurar la Iglesia bajo el liderazgo petrino. Ante las adversidades y contrariedades, Pedro mismo titubea y aunque confía en la palabra del Señor, siente no encontrar firmeza a sus pasos. Pedro no consigue salvarse a sí mismo. Surge entonces el grito de auxilio que todo creyente en las horas de angustia lanza a Jesús: "¡Sálvame, Señor!". Este es el reconocimiento más claro de la humana debilidad, y de que por nosotros mismos no logramos gran cosa. La fe que salva comienza por caer de rodillas ante el Hijo de Dios, pues ese es el método mejor para acercarse al único Señor.

ASUNCIÓN DE LA VIRGEN MARÍA, VIGILIA

I LECTURA 1 Crónicas 15:3–4, 15–16; 16:1–2

Lectura del primer libro de las Crónicas

Dale viveza a esta narración. Visualiza cómo se organiza cada movimiento.

En aquellos días,
David **congregó** en Jerusalén a **todos** los israelitas,
para **trasladar** el arca de la alianza
al lugar que le **había preparado.**
Reunió también a los hijos de Aarón y a los levitas.
Éstos **cargaron** en hombros los travesaños
sobre los cuales estaba **colocada** el arca de la **alianza**,
tal como lo **había mandado** Moisés, por orden del Señor.

David **ordenó** a los jefes de los levitas
que entre los de su tribu
nombraran **cantores** para que entonaran cantos festivos,
acompañados de arpas, cítaras y platillos.

La escena reviste solemnidad y reverencia. Procura que la asamblea aprecie esta liturgia del Antiguo Testamento.

Introdujeron, pues, **el arca de la alianza**
y **la instalaron** en el centro de la tienda
que David le había **preparado.**
Ofrecieron a Dios holocaustos y **sacrificios** de comunión,
y cuando David **terminó** de ofrecerlos,
bendijo al pueblo **en nombre** del Señor.

I LECTURA Los libros de las Crónicas fueron escritos para justificar la restauración sacerdotal y la comunidad del templo. Retoman material que había tomado el autor de los libros de Samuel y Reyes. Tal vez también se inspiraron en los libros de Samuel que existían cuando se compuso esa obra cronística. Del primer libro de las Crónicas toma la liturgia de hoy para hablarnos de la asunción de la Virgen María, en las vísperas de su fiesta.

El signo que toma para referirse de una manera simbólica a María, es el arca de la alianza. La existencia del arca hunde sus orígenes en el origen del pueblo en el Sinaí. El Señor Dios le encomienda a Moisés la fabricación de este objeto, que servirá para guardar allí las tablas de la Ley, símbolo de la alianza que estableció Dios con el grupo que había salido de Egipto. El arca es testigo de esta alianza y se considera como un signo de la presencia divina entre el grupo de salvados. Poco a poco va a insistirse más en esta presencia y protección divina simbolizada en el arca de la alianza.

El texto de hoy nos cuenta la conducción del arca a Jerusalén. Esta conducción a Jerusalén va a ser el preludio de su estancia definitiva en el templo. La liturgia aplica esta presencia del Señor en el arca, a la Virgen María, significando el vientre de la madre que contiene al Hijo de Dios. Aquí está la grandeza de María, que los cristianos acuñarán en el concilio de Éfeso: María es la madre de Dios. Si es la madre de Dios, después de su muerte acompañó a su hijo al cielo en cuerpo y alma.

II LECTURA Todo este capítulo está dedicado por Pablo a la resurrección del Señor en sus distintos aspectos. En los versos anteriores ha hablado Pablo de

Para meditar.

SALMO RESPONSORIAL Salmo 131:6–7, 9–10, 13–14

R. Levántate, Señor, ven a tu mansión; ven con el arca de tu poder.

Oímos que estaba en Efratá, / la encontramos en el Soto de Jaar: / entremos en su morada, / postrémonos ante el estrado de sus pies. R.

Que tus sacerdotes se vistan de gala, / que tus fieles vitoreen. / Por amor a tu siervo David, / no niegues audiencia a tu Ungido. R.

Porque el Señor ha elegido a Sión, / ha deseado vivir en ella: / "Ésta es mi mansión por siempre; / aquí viviré porque lo deseo". R.

II LECTURA 1 Corintios 15:54b–57

Lectura de la primera carta del apóstol san Pablo a los corintios

Importa subrayar lo novedoso que se apoya en la resurrección de Cristo. Haz las preguntas como interrogaciones y déjalas con una pausa entre una y otra. Luego prosigue con toda contundencia hasta el final.

Hermanos:
Cuando nuestro ser corruptible y mortal
se revista de incorruptibilidad e inmortalidad,
entonces **se cumplirá** la palabra de la Escritura:
*La muerte ha sido **aniquilada** por la victoria.*
*¿**Dónde está**, muerte, tu victoria?*
*¿**Dónde está**, muerte, tu aguijón?*
El aguijón de la muerte **es el pecado**
y la fuerza del pecado **es la ley.**
Gracias a Dios, que nos ha dado **la victoria**
por nuestro Señor **Jesucristo.**

que los hombres que estén vivos cuando venga el Señor al final de los tiempos, no morirán, sino que primero serán transformados. Ahora emplea dos antítesis paralelas, seguidas de apoyos de las Sagradas Escrituras. No habla de resurrección ni de transfiguración, emplea mejor una expresión neutra: revestir la incorruptibilidad o inmortalidad. Quiere poner en evidencia lo que estos dos hechos gloriosos tienen en común. La victoria sobre la muerte y la corrupción. Al hablar de revestir, quiere sugerir la idea de una nueva existencia corporal, que tendrá su relación con la anterior.

Habla de nuestra existencia corruptible y mortal. Cita enseguida a Isaías parcialmente (35:14). Después se va con Oseas (13:14), citándolo de una manera genérica. El v. 56 añade la interpretación teológica del aguijón que es el pecado. El pecado según Pablo es el arma de la muerte, la que inyecta a los hombres el veneno que los corrompe y los somete a su dominio. En todo caso, el pecado los desvía de Dios, que es la fuente de cualquier clase de vida. La expresión del v. 56 recuerda un poco lo dicho por el Apóstol en Rom 7:25a. Sólo que aquí la expresión de Pablo está muy abigarrada. Pero sin duda se refiere a que el pecado toma fuerza cuando aparece la ley.

Esta lectura se quiere referir a la Asunción de la Virgen María, que ha sido revestida, sin duda de incorruptibilidad e inmortalidad después de su muerte. Es lo que celebrará mañana la Iglesia en su fiesta.

EVANGELIO Jesús recién ha iniciado su peregrinaje a Jerusalén (ver Lc 9:51) y ya ha comenzado a experimentar recia oposición de parte de algunas gentes, pero principalmente de los líderes fariseos y escribas; a su entender, los exorcismos

Con auténtico entusiasmo recita este breve evangelio. Prepárate a proclamarlo meditando en lo que tú le gritarías a Jesús. Con ese entusiasmo interno proclama esta lectura.

EVANGELIO Lucas 11:27–28

Lectura del santo Evangelio según san Lucas

En aquel tiempo, mientras Jesús hablaba **a la multitud,**
una mujer del pueblo, **gritando,** le dijo:
"¡**Dichosa** la mujer que te llevó en su **seno**
y cuyos pechos te **amamantaron**!"
Pero Jesús le **respondió**:
"Dichosos **todavía más** los que escuchan la **palabra de Dios**
y la ponen **en práctica**".

que el Profeta de Galilea realiza se deben a su vínculo con Satanás, y no a que sea un enviado de Dios para salvar a su pueblo. Esa oposición es apenas el preludio de lo que habrá de suceder en la capital de la nación. Pero al paso del Peregrino y su grupo de discípulos, también surgen simpatizantes y gente que se les une con entusiasmo, como la voz de esa mujer que el evangelio nos regala este día, gritando jubilosas alabanzas. Esto sintoniza bien con el ambiente jubiloso que crea la salvación entre el pueblo de Dios en el evangelio de san Lucas. Esta alegría es debida al Espíritu Santo activo en medio del pueblo de Dios.

Podemos notar un claro contraste entre la oposición de los sabios y entendidos y la mujer del pueblo, sin mucha instrucción ni erudición en asuntos de teología. Ella, por ser del pueblo, mira los beneficios que Jesús les representa, y no tiene duda de su procedencia. Ella alaba a su madre, María, por su fertilidad y por haberlo amamantado. La fertilidad era la gracia más estimada entre las mujeres del pueblo de Dios. De ese pueblo es María, como Jesús. Y la lucha contra Satanás y su imperio la lleva a cabo todo el pueblo, que la aprende desde la cuna misma.

Jesús, sin embargo, reorienta la alabanza dirigida a su propia madre hacia todos los receptores eficientes de la palabra de Dios. Escuchar y hacer conforme a la palabra recibida, es lo que es digno de alabanza. Hay un desplazamiento de atención: de la fertilidad del vientre a la fecundidad de la palabra santa entre sus fieles.

En la fiesta de la Asunción, la Iglesia celebrará la gracia de haber preservado de la corrupción corporal a la Madre de Nuestro Señor. Gracias a su fertilidad, el Fruto bendito de su vientre, luchamos alegres contra Satanás, seguros del triunfo pleno, del que ella ya es partícipe. Con su intercesión cuenta toda la Iglesia.

ASUNCIÓN DE LA VIRGEN MARÍA

I LECTURA Apocalipsis 11:19a; 12:1–6a, 10ab

Lectura del libro del Apocalipsis del apóstol san Juan

La visión es grandiosa; toma en cuenta sus distintos movimientos. Los párrafos te ayudarán a darle el acento adecuado en las líneas.

Se **abrió** el templo de Dios en el cielo
y **dentro de él** se vio el arca **de la alianza.**
Apareció entonces en el cielo una figura **prodigiosa:**
una mujer **envuelta** por el sol,
con la luna **bajo sus pies**
y con una **corona** de doce estrellas en **la cabeza.**
Estaba encinta y a punto de **dar a luz**
y **gemía** con los dolores del parto.

Este movimiento debe ser rápido. Imprime velocidad a tu lectura.

Pero **apareció** también en el cielo **otra figura:**
un **enorme** dragón, color de fuego,
con **siete** cabezas y **diez** cuernos,
y una corona **en cada una** de sus siete cabezas.
Con su cola **barrió** la tercera parte de las estrellas del cielo
y las **arrojó** sobre la tierra.
Después se detuvo **delante de la mujer** que iba a dar a luz,
para **devorar** a su hijo, en cuanto éste **naciera.**
La mujer dio a luz **un hijo varón,**
destinado a **gobernar** todas las naciones con cetro **de hierro;**
y su hijo **fue llevado** hasta Dios y hasta su trono.

Estas líneas finales del parágrafo forman el punto culminante de la visión. Alarga las frases como si fuera el final de la lectura.

Y la mujer huyó **al desierto,**
a un lugar **preparado** por Dios.

I LECTURA La lectura nos pone frente a una primera visión de la que habla en 11:19. "Fue vista", se entiende, por Dios. Dios da la comprensión de un misterio. El arca de la alianza fue quemada, cuando fue destruido el templo por los babilonios en el año 587 a. C. Aquella arca era un signo de la presencia protectora de Dios en medio de su pueblo, y también memorial del éxodo.

Entre los judíos corría la opinión de que el arca había sido puesta a salvo por Dios en el cielo, para regresarla cuando se tuviera la renovación de la alianza en el futuro, cuando vinieran los tiempos nuevos. Era uno de los signos de la venida del Mesías.

En el capítulo 12 aparece otro signo. Una mujer tiene la luna bajo sus pies; por tanto, está en una postura elevada. Su vestido es el sol. Según Génesis 1:4 estos dos astros sirven para normar el calendario, necesario para fijar las fiestas litúrgicas. Las doce estrellas que la coronan, recuerdan los meses del año y las doce tribus de Israel. Esta mujer es el pueblo mesiánico de todos los tiempos que celebra su fiesta más importante, la de su fecundidad. Va a dar a luz a su hijo, que es el Mesías. La interpretación mariana de este signo data de hace varias centurias. Ve en esta imagen, en la hija de Sión, a la Virgen María que da a luz a Jesús, principio de los nuevos tiempos.

Aparece otro signo, el dragón, que está frente a la mujer y quiere comerse el fruto de la mujer. El recién nacido es un hombre, al que le es entregada una insignia mesiánica, el cetro de fierro (ver Sal 2:9). El niño es arrebatado hacia donde está Dios y hacia su trono. Se identifica como el Cordero, que participa del trono de Dios y de su realeza. La mujer es conducida al desierto, recuerdo de purificación, preludio de una nueva alianza.

Haz resonar con vigor la voz celeste.

Entonces **oí** en el cielo una **voz poderosa**, que decía:
"Ha sonado la hora **de la victoria** de nuestro Dios,
de su dominio y **de su reinado,**
y del poder **de su Mesías**".

Para meditar.

SALMO RESPONSORIAL Salmo 10bc, 11, 12ab, 16

R. De pie, a tu derecha está la reina, enjoyada con oro de Ofir.

Hijas de reyes salen a tu encuentro. De pie a tu derecha está la reina, / enjoyada con oro de Ofir. R.

Escucha, hija, mira: inclina el oído, / olvida tu pueblo y la casa paterna. Prendado está el rey de tu belleza: / póstrate ante él, que él es tu señor. R.

Las traen entre alegría y algazara, / van entrando en el palacio real. R.

II LECTURA 1 Corintios 15:20–27

Lectura de la primera carta del apóstol san Pablo a los corintios

Los tres párrafos de esta lectura forman una sola unidad. El raciocinio de Pablo no es fácil de seguir, por lo que el fraseo y la entonación de las palabras son clave para que la asamblea no se sienta perdida.

Hermanos:
Cristo **resucitó,** y resucitó como la **primicia** de todos los muertos.
Porque si **por un hombre** vino la muerte,
también por un hombre
vendrá **la resurrección de los muertos.**

En efecto, así como en Adán **todos mueren,**
así en Cristo todos **volverán a la vida;**
pero cada uno **en su orden: primero Cristo,** como primicia;
después, a la hora de **su advenimiento,** los que **son de Cristo.**

Esta parte formula las consecuencias últimas de la resurrección. Dirige tu mirada más allá del horizonte de la asamblea.

Enseguida será la **consumación,**
cuando Cristo entregue el Reino **a su Padre,**
después de haber **aniquilado** todos los poderes **del mal.**
Porque él tiene **que reinar**
hasta que el Padre ponga **bajo sus** pies a **todos** sus enemigos.
El **último** de los enemigos en ser aniquilado, será **la muerte,**
porque **todo** lo ha sometido Dios **bajo los pies** de Cristo.

Después del combate entre Miguel y el dragón, se oye una doxología. Estas palabras pueden ser puestas en boca de María. Canta con su asunción al cielo, la victoria de Dios sobre el dragón y la salvación completada por su hijo.

II LECTURA Todo el capítulo 15 está dedicado a la resurrección. En los primeros versos Pablo repite una de las formulaciones más antiguas de fe sobre la resurrección, para enfrentar después las opiniones de algunos corintios que estaban perplejos o la negaban. Afirma categóricamente que Cristo resucitó y que es el fundamento de nuestra fe, porque en caso contrario sería vana nuestra fe (vv. 12–14). Si no hubiera resucitado Jesús, no habría sido sino un gran hombre, recordado por su enseñanza y milagros.

Cristo es la "primicia". El término proviene del lenguaje agrícola y cultual e implica que la resurrección de Cristo no es un caso aislado, sino el inicio de un proceso que abarcará a todos los que están adormecidos en la muerte. Cristo es también causa de resurrección.

Pablo trae a cuento el caso de Adán, para contraponerlo a Cristo. Por Adán entró la muerte; por Cristo, la vida. Esta vida eterna nos es dada como arras en el bautismo. La venida final de Jesús, al manifestar definitivamente su vida y su victoria, será el momento en el que los que le pertenecen recibirán la vida. La última meta será la entrega del reino de parte de Jesús al Padre. Más que la sucesión temporal, se afirma la sucesión y reciprocidad entre Padre e Hijo. Venciendo a la muerte, Jesús elimina todo enemigo para inaugurar el reino eterno del Padre. La última misión de Jesús es la des-

EVANGELIO Lucas 1:39–56

Lectura del santo Evangelio según san Lucas

La asamblea conoce bastante bien este relato, por lo que hay que imprimirle agilidad y seguridad a cada línea de la lectura.

En aquellos días,
María se encaminó **presurosa**
a un pueblo de las montañas de Judea,
y **entrando** en la casa de Zacarías, saludó **a Isabel.**
En cuanto ésta **oyó** el saludo de María, la creatura **saltó** en su seno.

Este cántico debe contagiar la emoción de la asamblea.

Entonces Isabel **quedó llena** del Espíritu Santo,
y levantando la voz, **exclamó:**
"¡**Bendita** tú entre las mujeres y bendito **el fruto** de tu vientre!
¿Quién **soy yo** para que la madre **de mi Señor** venga a verme?
Apenas llegó tu saludo **a mis oídos,**
el niño saltó **de gozo** en mi seno.
Dichosa tú, que has creído,
porque **se cumplirá** cuanto te **fue anunciado** de parte del Señor".

La respuesta también es exultante. Recita con entusiasmo las palabras de María.

Entonces dijo **María**:
"Mi alma **glorifica** al Señor
y mi espíritu se ***llena de júbilo*** *en Dios, mi salvador,*
porque ***puso*** *sus ojos en la humildad* ***de su esclava***.

Desde ahora me llamarán **dichosa** todas las generaciones,
porque ha hecho en mí **grandes cosas** el que **todo** lo puede.
Santo *es su nombre*
y su misericordia llega ***de generación en generación***
a los que lo temen.

Estas líneas sobre el poder de Dios han de ser dichas con fuerza.

Ha hecho sentir **el poder** de su brazo:
dispersó a los de corazón **altanero,**
destronó *a los potentados*
y ***exaltó*** *a los humildes.*
A los hambrientos ***los colmó*** *de bienes*
y a los ricos **los despidió** sin nada.

trucción de la muerte. La muerte es el último enemigo, pues es el más nocivo. Aludiendo a los salmos 8 y 110, Pablo presenta la realeza de Jesús como instrumental para inaugurar el reino indiscutido del Padre; cada cual participará en esta victoria de acuerdo a su orden. María, por estar más íntimamente unida a Cristo, como madre y como discípula, ya ha recibido su plena participación de la vida con su hijo resucitado. Su asunción al cielo es un signo de la realidad de la resurrección, es la garantía de que la nueva vida inaugurada por Jesús, ya ha dado otro fruto maduro. Ese fruto es María, quien es nuestra intercesora ante su Hijo.

EVANGELIO San Lucas retrata el encuentro de dos mujeres que participan en el designio de la salvación: María y su pariente Isabel. En este encuentro familiar brota como algo natural la alegría. Esa alegría todos la hemos sentido cuando algún familiar nos visita, o cuando vamos a la casa de alguien de la parentela. Pero en el encuentro de estas mujeres hay algo más; se produce un derramadero del Espíritu.

Con el saludo de María, el Espíritu se desborda sobre el bebé que Isabel lleva en su seno. Como que el Espíritu le entra por los oídos. La anciana no puede contenerse y estalla en voces proféticas de alabanza. Bendice a María por su inesperado embarazo, por su maternidad celestial. El Espíritu confirma la certeza de la salvación: Dios cumplirá lo anunciado. Isabel se ha dejado llevar por el Espíritu, y ese mismo Espíritu impulsa a María a glorificar a Dios por lo que está haciendo con ellas; los anuncios divinos no son puras palabras. Ellas creen en lo que Dios anuncia, porque lo cumple. Percibir lo que

Esta parte recapitula la obra de Dios. Marca las palabras de la memoria divina, como lo señalan las negrillas.

Acordándose *de su misericordia,*
vino ***en ayuda*** *de Israel, su siervo,*
como lo había prometido **a nuestros padres,**
a Abraham y a su descendencia **para siempre"**.

María permaneció **con Isabel** unos tres meses
y luego **regresó** a su casa.

Dios hace es fruto de su Espíritu; él crea en sus fieles la conciencia espiritual.

El mismo Espíritu se derrama por los labios de María. Ella pronuncia una alabanza como la de Ana cuando fue a entregar a Samuel, su hijo, al servicio de la casa de Dios (1 Sam 2:1–10). Entonces como ahora, Dios hace proezas con los pobres y humildes. Ellos sostienen el proyecto de la salvación de Dios en la historia humana. Es lo que el Espíritu lleva a reconocer.

El primer rasgo que resalta María en su cántico profético es que Dios es su redentor. Dios salva a los que no pueden salvarse por sí mismos, a los que no tienen presencia ni fuerza propia, los sin voz ni voto. En ésos que no cuentan para el mundo, se posa la mirada de Dios. Ellos se benefician de su revolución misericordiosa que abaja a los poderosos y exalta a los menesterosos. Él lo puede todo y viene a rescatar a su pueblo.

El Espíritu hace ver que todo cuanto hace Dios es por su santidad; él es santo. Esta santidad tiene menos que ver con lo intocable o inalcanzable que con lo delicado de la justicia y equidad. El Nombre santo no tolera abusos ni injusticia; no soporta que el corazón humano se engría y apabulle a los pobres; no aguanta que haya hambrientos y gente entristecida. La santidad de Dios es la que mueve su brazo fuerte. Es su santidad la que María ensalza ante todos los creyentes, para que se acojan a ella.

Las palabras proféticas de María y las de Isabel son una efusión del Espíritu de Dios. Ellas anticipan ya la salvación de Dios, que la Iglesia celebra en cada generación. Ese mismo Espíritu nos llama a encontrar a los hermanos para recrear la alegría y engrandecer continuamente al Señor.

XX DOMINGO ORDINARIO

I LECTURA Isaías 56:1, 6–7

Lectura del libro del profeta Isaías

La voz del profeta debe sonar poderosa y exigente en el recinto de la asamblea. No es un consejo sino un imperativo lo que Dios habla por voz de su profeta.

Esto dice el **Señor**:
"**Velen** por los **derechos** de los demás,
practiquen la **justicia**,
porque **mi salvación** está a punto de **llegar**
y **mi justicia** a punto de **manifestarse**.

Este párrafo anuncia una inclusividad sin precedentes. La apertura requiere valentía y confianza.

A los **extranjeros** que se han adherido al **Señor**
para **servirlo**, **amarlo** y darle **culto**,
a los que **guardan el sábado** sin profanarlo
y se mantienen **fieles** a mi **alianza**,
los **conduciré** a mi **monte santo**
y los **llenaré** de **alegría** en mi **casa** de **oración**.
Sus **holocaustos** y **sacrificios** serán **gratos** en mi **altar**,
porque mi casa será **casa de oración**
para **todos** los pueblos".

Para meditar.

SALMO RESPONSORIAL Salmo 66:2–3, 5, 6 y 8

R. ¡Oh Dios, que te alaben los pueblos, que todos los pueblos te alaben!

El Señor tenga piedad y nos bendiga, ilumine su rostro sobre nosotros: conozca la tierra tus caminos, todos los pueblos tu salvación. R.

Que canten de alegría las naciones, porque riges la tierra con justicia, riges los pueblos con rectitud y gobiernas las naciones de la tierra. R.

¡Oh Dios, que te alaben los pueblos, que todos los pueblos te alaben! Que Dios nos bendiga; que le teman hasta los confines del orbe. R.

I LECTURA Cuando ya habían regresado muchos exiliados y el templo estaba reconstruido, surgió el problema de cómo reiniciar una nueva vida. Entonces, el profeta anuncia que se preparen para recibir lo más ambicionado por el pueblo. Se instaurará la justicia. Lo nuevo consiste en la integración de dos categorías de personas siempre excluidas: el extranjero y el eunuco. Ellas son destinatarias de la buena noticia.

Hay una simplificación. Para poder formar parte del pueblo elegido se requiere observar el sábado. Esto es rarísimo, dado el ambiente excluyente en que se movía la comunidad entonces. Basta recordar lo expresado en los libros de Esdras-Nehemías. Pablo irá más lejos; lo importante es creer en el que Dios envió.

En la mente del pueblo de la alianza, el israelita se injerta en la comunidad por medio de la generación. En sus descendientes se continúa su presencia y su nombre. Están excluidos como impuros los extranjeros y los eunucos. El extranjero no podrá participar en el culto y el eunuco no podrá dar nuevos miembros a la comunidad.

En la parte final, se afirma que el extranjero, que observa el sábado como signo de la alianza, participará en la vida comunitaria y litúrgica plenamente.

Hay un orden nuevo. El templo es punto de reunificación de la familia humana. El templo se vuelve casa de oración abierta a todos los pueblos. Jesús irá más lejos.

II LECTURA Después de hablar Pablo del rechazo a Jesús de una parte del pueblo judío, trata de este rechazo: su carácter provisional y temporal. El rechazo de Israel se acomoda en los planos salvíficos

II LECTURA Romanos 11:13–15, 29–32

Lectura de la carta del apóstol san Pablo a los romanos

La exposición no es fácil de seguir, por eso conviene apoyarse en la puntuación y delimitar cada frase para darle el tono que cada una demanda.

Hermanos:
Tengo **algo** que decirles a **ustedes**, los que **no son** judíos,
y **trato** de desempeñar lo **mejor posible** este **ministerio.**
Pero esto lo hago **también** para ver si **provoco**
los **celos** de los de mi **raza**
y logro **salvar** a **algunos** de ellos.
Pues, si su **rechazo** ha sido **reconciliación** para el **mundo,**
¿**qué** no será su **reintegración**, sino **resurrección**
de entre los **muertos**?
Porque Dios **no se arrepiente** de sus **dones** ni de su **elección.**

Así como ustedes **antes** eran **rebeldes** contra Dios
y **ahora** han alcanzado su **misericordia** con ocasión
de la **rebeldía** de los judíos,
en la **misma** forma, los **judíos**, que **ahora** son los rebeldes
y que **fueron** la ocasión de que **ustedes alcanzaran**
la **misericordia** de Dios, **también ellos** la **alcanzarán.**
En efecto, Dios ha **permitido** que **todos cayéramos**
en la **rebeldía**,
para **manifestarnos** a **todos** su **misericordia.**

La última oración debe ser pronunciada con firmeza. Espera en el ambón la respuesta de la asamblea, luego retírate.

EVANGELIO Mateo 15:21–28

Lectura del santo Evangelio según san Mateo

Prepara esta lectura haciendo memoria de las múltiples razas o etnias que acuden a la asamblea dominical. Ora por todos los miembros de la Iglesia.

En **aquel** tiempo, **Jesús** se retiró a la comarca de **Tiro** y **Sidón.**
Entonces una **mujer cananea** le salió al **encuentro**
y se puso a **gritar**:
"**Señor**, hijo de David, **ten compasión** de mí.
Mi hija está **terriblemente atormentada** por un **demonio**".

de Dios, por tres motivos: que la salvación llegara a los paganos; provocar el celo israelita y, así, mover a Israel a participar en la salvación, como signo del paso de la muerte a la vida.

Los lectores eran los cristianos de Roma, en su mayoría de origen pagano. Pablo siendo el Apóstol de los gentiles, les pide que no se ensoberbezcan por su privilegio. Ellos han pasado a la vida, gracias a la fe en Jesús; participan en la herencia destinada a Israel. De alguna manera, Israel ha participado también. Pablo, cristiano, se siente pleno miembro del pueblo judío, "mi carne". Y aunque Pablo predica a los paganos, tiene la esperanza de provocar en los hebreos envidia por el destino de los paganos. El rechazo de Israel a la oferta de Dios, ha causado que se extendiera la reconciliación con Dios a toda la humanidad y aún más, a toda la creación.

Pablo se ayuda con el ejemplo de las ramas del olivo rústico, arrancadas de su tronco natural para ser injertadas en un olivo bien cultivado. La vida que ahora los paganos cristianos reciben, se debe a la savia que fluye del olivo bueno. Si el olivo está como imagen de los que creen en Cristo, cuya raíz es Abraham, un pagano que vino a ser padre de los creyentes, no se puede hablar de pertenencia sólo con base en la raza. Los cristianos que vienen del paganismo y el "resto", forman el único pueblo de Dios, pues los hermana la misma fe. La conversión en masa de los hebreos será para los cristianos de origen pagano, una gran alegría y gozo.

La actual desobediencia de Israel no es permanente, cederá a la misericordia de Dios con Israel. La misericordia mostrada a los paganos, es base para afirmar la misericordia que manifestará Dios a Israel.

Jesús no le contestó **una sola palabra**;
pero los **discípulos** se **acercaron** y le **rogaban**:
"**Atiéndela**, porque viene **gritando** detrás de **nosotros**".
Él les **contestó**:
"Yo no he sido **enviado** sino a las **ovejas descarriadas**
de la casa de **Israel**".

Dale un tono definitivo a esta respuesta de Jesús.

Ella **se acercó** entonces a **Jesús**, y **postrada** ante él, le **dijo**:
"¡Señor, **ayúdame**!"
Él le **respondió**:
"No está bien **quitarles** el **pan** a los **hijos** para **echárselo**
a los **perritos**".
Pero ella **replicó**:
"Es **cierto**, Señor;
pero **también** los **perritos** se comen las **migajas**
que **caen** de la mesa de sus **amos**".
Entonces **Jesús** le respondió:
"**Mujer**, ¡qué **grande** es tu **fe**!
Que se **cumpla** lo que **deseas**".
Y en **aquel mismo instante** quedó **curada** su **hija**.

Las palabras de la cananea consiguen la salud de su hija. Dales ese tono de atrevida tenacidad que nace de quien se ha visto en extrema necesidad y más no puede perder.

EVANGELIO Tiro y Sidón eran ciudades costeras con pésima reputación entre los judíos. Al paganismo hay que añadir que los cananeos practicaban cultos naturistas y eran tenidos por depravados y haber invertido el orden natural del Creador (ver Ez 28). Jesús, sin embargo, quizá ande en "busca de a las ovejas descarriadas de Israel". Entonces, una cananea le sale al encuentro.

Sorprende un tanto que la mujer se dirija a Jesús como "Hijo de David". Ella reconoce que el reino está latente y patente. Pero igualmente evoca a Salomón, el hijo de David, quien era célebre por su conocimiento y capacidad para alejar demonios. De hecho, la anónima cananea implora repetidamente la compasión salomónica en favor de su hija, atormentada terriblemente por un demonio. Sus súplicas hallan eco en los discípulos de Jesús, que intervienen en su favor; pero Jesús se resiste y se escuda en la cómoda teología de la elección.

El rudo rechazo de Jesús a la madre suplicante, es el que un piadoso judío esperaría. Israel era el pueblo elegido por Dios, y en función de él estaban los demás pueblos. La mujer reconoce esto, pero no queda sometida al rechazo, sino que le hace ver a Jesús que "los perritos" —"perros", llamaban los judíos a los paganos— también tienen derecho al sustento en la casa de los hijos. Esto le basta, porque derrumba la resistencia teológica de Jesús y obtiene el favor para su hija.

La fe no se detiene en reparos teológicos, porque toca el nervio de la vida. Aquella mujer es un ejemplo de fe para todos nosotros. Si no superamos los obstáculos que salen al paso, es porque no tenemos fe. Contemplemos a esa madre cananea para alcanzar toda curación.

XXI DOMINGO ORDINARIO

I LECTURA Isaías 22:19–23

Lectura del libro del profeta Isaías

La lectura tiene dos partes. Proclama la primera con cierta severidad y la segunda con tono esperanzado.

Esto dice el **Señor** a Sebná, **mayordomo** de **palacio**:
"**Te echaré** de tu **puesto**
y **te destituiré** de tu **cargo**.
Aquel mismo día **llamaré** a mi **siervo**, a **Eleacín**, el hijo de **Elcías**;
le **vestiré** tu túnica,
le **ceñiré** tu banda
y le **traspasaré** tus poderes.

Afirma el fraseo con serenidad y certeza. La línea final debe tener acento ascensional, no decaído.

Será un **padre** para los habitantes de **Jerusalén** y para la **casa** de **Judá**.
Pondré la llave del palacio de **David** sobre su **hombro**.
Lo que **él** abra, **nadie** lo cerrará;
lo que **él** cierre, **nadie** lo abrirá.
Lo **fijaré** como un **clavo** en **muro firme**
y será un **trono de gloria** para la casa de su **padre**".

SALMO RESPONSORIAL Salmo 137:1a y 1c–2ab, 2cd–3, 6 y 8bc

Para meditar.

R. Señor, tu misericordia es eterna, no abandones la obra de tus manos.

Te doy gracias, Señor, de todo corazón; delante de los ángeles tañeré para ti. Me postraré hacia tu santuario, daré gracias a tu nombre. R.

Por tu misericordia y tu lealtad, porque tu promesa supera a tu fama. Cuando te invoqué me escuchaste, acreciste el valor en mi alma. R.

El Señor es sublime, se fija en el humilde y de lejos conoce al soberbio. Señor, tu misericordia es eterna, no abandones la obra de tus manos. R.

I LECTURA Es uno de los pocos oráculos que encontramos en la Biblia, dirigidos a un individuo. El argumento es sobre un problema que existió en la administración en el reino de Judá. La administración bajo el mando del ministro Sebna era mala y no quedaba otra solución que el cambio. Este oráculo del profeta Isaías pertenece al reinado del rey Ezequías.

Durante finales del siglo VII a. C. la situación internacional era muy complicada. La potencia del momento, Asiria, era una amenaza continua y muy peligrosa para la subsistencia de los pequeños reinos del occidente, entre los cuales estaba el reino de Judá.

La palabra de Dios por medio de Isaías, se dirige a Sebna, el ministro principal del gobierno del rey judío. El profeta lo acusó de dispendio. Hoy diríamos, de corrupción, mal endémico de todas las administraciones humanas. El profeta le anuncia por su dispendio injusto, el castigo del exilio y en su inmediato futuro, el despido de su puesto. En su lugar se va a llamar a otra persona, a Eliacín, hijo de Jelcías. Éste tomará la investidura del oficio cesado. Será para el pueblo y para la casa real un padre, lo cual nos avisa que no se trató de un simple funcionario. En la ceremonia se le impuso en el hombro la llave de la casa de David. Es un signo del poder de decisión que tendrá en el reino. En sus decisiones será responsable sólo ante el rey. Dará solidez al país con un gobierno sabio y providente. El clavo es la piola que asegura la tienda al suelo. Este cargo honrará también a la familia de Eliacín. Este cargo y los signos con que va acompañado, sirven para entender el sentido que Jesús quiere dar a entender, al decir a Pedro palabras semejantes.

II LECTURA Romanos 11:33–36

Lectura de la carta del apóstol san Pablo a los romanos

Pronuncia las exclamaciones como tales y haz lo mismo con las interrogaciones.

¡Qué **inmensa** y **rica** es la **sabiduría** y la **ciencia** de **Dios**!
¡Qué **impenetrables** son sus **designios** e **incomprensibles**
sus **caminos**!
*¿**Quién** ha conocido **jamás** el pensamiento del Señor*
*o ha llegado a ser su **consejero**?*
*¿**Quién** ha podido darle algo primero, para que **Dios** se lo tenga*
*que **pagar**?*

El tono de alabanza debe ser ascendente. Procura no debilitar el fraseo final.

En efecto, **todo** proviene de **Dios**,
todo ha sido hecho **por él** y **todo** está orientado **hacia él**.
A él la **gloria** por los **siglos** de los siglos. **Amén**.

EVANGELIO Mateo 16:13–20

Lectura del santo Evangelio según san Mateo

La pregunta de Jesús debe sentirse como planteada también a la asamblea, como para que ésta se fije en lo que otros dicen de Jesús. Es necesario darle viveza a la interrogación.

En **aquel** tiempo, cuando llegó **Jesús** a la región
de **Cesarea de Filipo**,
hizo **esta pregunta** a sus **discípulos**:
"¿**Quién** dice la **gente** que es el **Hijo del hombre**?"
Ellos le **respondieron**:
"**Unos** dicen que eres **Juan el Bautista**; otros, **que Elías**;
otros, que **Jeremías** o alguno de los **profetas**".

La atención se vuelca sobre el círculo inmediato de seguidores. Es importante que cada miembro de la comunidad se sienta aludido.

Luego les preguntó: "Y ustedes, ¿**quién** dicen que **soy yo**?"
Simón Pedro tomó la palabra y **le dijo**:
"Tú eres el **Mesías**, el **Hijo** de Dios **vivo**".

Jesús le dijo **entonces**:
"¡**Dichoso tú, Simón**, hijo de Juan,
porque **esto** no te lo ha revelado **ningún** hombre,
sino mi **Padre**, que está en los **cielos**!

II LECTURA Esta lectura representa la invocación fiel con que Pablo cierra la sección dedicada a la cuestión judía y, en general, a toda la sección que había empezado en 1:18.

Este himno está compuesto de tres partes: la profundidad de los juicios y caminos de Dios; preguntas sapienciales y conclusión doxológica. El número tres se encuentra en las tres partes como medio estilístico y de contenido. Hay una profundidad en el designio de Dios donde el hombre no puede bucear. Retoma el Apóstol a Isaías 40:13, haciéndose tres preguntas retóricas de las que se espera una respuesta negativa. Estas preguntas denotan por una parte el deseo humano de conocer el pensamiento de Dios y, por otra, la imposibilidad humana de alcanzarlo. Dios no está obligado a dar cuenta de sus planes salvíficos que otorga al hombre. Todo esto tiene origen en la bondad y gracia divina. Para Pablo es del todo evidente que los dones de Dios son del todo gratuitos.

Todo lo hecho y operado por Dios tiene como repuesta una amplia doxología. Vuelve al misterio de la salvación. Las prerrogativas de Israel y la llamada a los paganos, son una decisión de Dios. El hombre no debe tomar su suerte orgullosamente en sus manos. "A él (solo) la gloria por los siglos de los siglos. Amén" (v. 36).

La petición de Jesús de parecernos a los niños, trae consigo algo muy importante: un niño tiene confianza en el otro niño, sin ningún prejuicio. Un niño se admira de todo. Nosotros los mayores hemos perdido este candor y este sentido de admiración que hay en un niño. Dejar que el prójimo y la creación entre sencillamente dentro de mí. Así puedo participar de esta gloria de Dios y darla sólo a Dios.

Con toda firmeza anuncia estas líneas que transmiten la función de Pedro en la comunidad eclesial.

Y yo te digo **a ti** que **tú** eres **Pedro**
y sobre **esta piedra** edificaré **mi Iglesia**.
Los **poderes del infierno** no **prevalecerán** sobre ella.
Yo te daré las **llaves del Reino** de los cielos;
todo lo que **ates** en la tierra **quedará atado** en el cielo,
y **todo** lo que **desates** en la tierra **quedará desatado** en el cielo".

Con firmeza dale voz a esta orden de sigilo.

Y les **ordenó** a sus **discípulos** que **no dijeran** a **nadie**
que **él** era el **Mesías**.

EVANGELIO En el relato de hoy tenemos dos retratos de Jesús y uno del Portavoz de los discípulos, Pedro. La primera imagen la proporcionan los de fuera del círculo de seguidores; ellos miran en Jesús a un profeta. Lo identifican con otros reputados enviados divinos, tan valerosos que no escatimaron su vida por la causa de Dios. Ellos están en la memoria popular porque comunicaron la palabra de Dios y denunciaron a los poderosos sus abusos y atropellos; esto les valió ser perseguidos y hasta ejecutados. Jesús es como uno de ellos.

El segundo retrato de Jesús lo hacen los discípulos. Pedro traza la imagen discipular de Jesús. Lo que dice, por las palabras mismas de Jesús, no es resultado del conocimiento humano, sino de una revelación celeste. Llama poderosamente la atención el trazo que califica al Mesías: "el Hijo de Dios vivo". Imposible que un fiel israelita no considerara a Dios "vivo". Dios es la fuente de la vida y aquí se declara abiertamente. Por eso cabe pensar que ese Mesías retratado por los discípulos debe su existencia filial, de Hijo, al Dios único. Él es quien legitima a su Mesías, Jesús, resucitándolo. Sólo entonces tiene sentido confesar la fe.

El retrato discipular lo hace Jesús, como reacción a la fe discipular. A la fe en el Cristo vivo corresponde la bienaventuranza, a la que Jesús hace seguir una promesa eclesial; ésta mira a hacer prevalecer la vida de Dios sobre los poderes infernales de la muerte. El atar y el desatar van en idéntica dirección. La revelación recibida del Padre celestial es el bastión de la vida que la Iglesia edificada por Jesús está llamada a propagar a todas las gentes. En consonancia con esto, decimos que es la fe en el Dios de la vida lo que sostiene y da sentido a la existencia de la Iglesia de Jesús, día tras día.

XXII DOMINGO ORDINARIO

I LECTURA Jeremías 20:7–9

Se trata de una confesión. El profeta desnuda su alma afligida ante el Señor. El tono de la lectura debe ser confidencial, no de denuncia ni de represalia.

Lectura del libro del profeta Jeremías

Me sedujiste, Señor, y **me dejé seducir**;
fuiste **más** fuerte que **yo** y me **venciste**.
He sido el **hazmerreír** de **todos**;
día tras día se **burlan** de mí.
Desde que **comencé** a **hablar**,
he tenido que **anunciar** a gritos **violencia** y **destrucción**.
Por anunciar la **palabra del Señor**,
me he convertido en **objeto de oprobio** y de burla **todo el día**.
He **llegado** a decirme: "**Ya no me acordaré** del Señor
ni hablaré más en su **nombre**".
Pero **había en mí** como un **fuego ardiente**, encerrado
en mis **huesos**;
yo me esforzaba por contenerlo y **no podía**.

SALMO RESPONSORIAL Salmo 62:2, 3–4, 5–6, 8–9

Para meditar.

R. Mi alma está sedienta de ti, Señor, Dios mío.

Oh Dios, tú eres mi Dios, por ti madrugo, mi alma está sedienta de ti; mi carne tiene ansia de ti, como tierra reseca, agostada, sin agua. R.

¡Cómo te contemplaba en el santuario viendo tu fuerza y tu gloria! Tu gracia vale más que la vida, te alabarán mis labios. R.

Toda mi vida te bendeciré y alzaré las manos invocándote. Me saciaré como de enjundia y de manteca y mis labios te alabarán jubilosos. R.

Porque fuiste mi auxilio, y a la sombra de tus alas canto con júbilo, mi alma está unida a ti, y tu diestra me sostiene. R.

I LECTURA El libro del profeta Jeremías transmite palabras del profeta, relatos de su actividad y unas narraciones posteriores de tinte doctrinal. Entre las palabras u oráculos del profeta, hay unas lamentaciones en las que se queja ante Dios de su situación y le pide su ayuda. De allí viene la primera lectura.

Con su queja, salen los sentimientos más profundos del profeta. Reacciona ante su encomienda y las consecuencias de ser la voz de Dios. Jeremías está muy seguro de su llamada al oficio de profeta, lo tiene muy metido en su mente y en su corazón, tan convencido está que ese recuerdo lo mortifica y a veces lo desespera.

La vocación de Jeremías había sido difícil. ¡Vaya si sabía él lo difícil de su misión! Hasta se sentía indigno, por su edad y por su falta de representatividad. El Señor lo había animado y le había prometido que nadie podría contra él. Pero la realidad parecía contradecir la promesa divina. Quiere dejar su encomienda, pero al mismo tiempo se siente lleno de una palabra que no logra contener más; la tiene que decir.

El profeta tiene a veces la impresión de que la palabra que él anunciaba, no se cumplía, y sí la de sus enemigos. Entender y comprender a Dios es difícil, mas no imposible. Es un camino profético que pasa por la cruz. Dios siempre va delante y no siempre vemos sus pasos. Por esto debemos confiar en su palabra que conduce por lo imposible a lo posible, de la sombra a la luz.

II LECTURA Pablo da una serie de normas éticas. Inicia con un exhorto amplio sobre la conducta cristiana. Se une lo kerigmático con lo ético. El Apóstol invoca la misericordia de Dios. Recurre al

II LECTURA Romanos 12:1–2

Lectura de la carta del apóstol san Pablo a los romanos

El párrafo de esta lectura es extenso, pero observa sus partes, localiza el verbo o frase principal, para que calcules cómo hacerla resaltar sobre las demás.

Hermanos:
Por la **misericordia** que **Dios** les ha **manifestado**,
los **exhorto** a que se ofrezcan **ustedes mismos**
como una **ofrenda viva**, **santa** y **agradable** a **Dios**,
porque en **esto** consiste el **verdadero culto**.
No se dejen **transformar** por los **criterios de este mundo**,
sino **dejen** que una **nueva manera de pensar**
los transforme **internamente**,
para que sepan distinguir **cuál** es la voluntad de **Dios**,
es decir, lo que es **bueno**, lo que le **agrada**, lo **perfecto**.

Esta breve línea relanza las dos finales. Línea tras línea alarga la lectura.

EVANGELIO Mateo 16:21–27

Lectura del santo Evangelio según san Mateo

Lo que anuncia Jesús no es algo grato, ni la reacción de Pedro la que Jesús espera. El escándalo está aquí agazapado. El párrafo proclámalo con todo de cierta admiración y hasta incredulidad.

En **aquel** tiempo,
comenzó **Jesús** a anunciar a sus **discípulos** que tenía que **ir a Jerusalén**
para **padecer** allí **mucho** de parte de los **ancianos**,
de los **sumos sacerdotes** y de los **escribas**;
que tenía que ser **condenado a muerte** y **resucitar al tercer día**.

Acelera un poco tu lectura, para que la reprimenda de Pedro sea mejor captada.

Pedro se lo llevó **aparte** y trató de **disuadirlo**, diciéndole:
"**No** lo permita Dios, **Señor**.
Eso no te puede suceder a **ti**".
Pero **Jesús se volvió** a Pedro y le **dijo**:
"¡**Apártate** de mí, **Satanás**, y no **intentes** hacerme
tropezar en mi **camino**,
porque **tu modo** de pensar **no es** el de **Dios**,
sino **el** de los **hombres**!"

lenguaje cultual. Insta a ofrecer los cuerpos como un sacrificio agradable a Dios.

La moral es la respuesta del hombre a la misericordia de Dios en Jesús, instrumento de expiación. Él se sacrificó por el pecado y en esto se manifestó como cordero pascual. El culto liga la mente con la conducta. Por falta de esa unidad, los profetas denunciaron el culto sin correspondencia con el corazón.

Pablo califica al culto como lógico, es decir, racional al pretender que en la mente del creyente se lleva a cabo la conversión, motivada por captar la acción misericordiosa de Dios. Esta transformación de la mente es cualificada, ya que representa el discernimiento de la voluntad de Dios, como algo que es bueno, agradable y perfecto. Perfecto es un adjetivo que se le adjudica al cristiano que ha alcanzado la maduración en la fe y en el amor.

Confesar a Cristo muerto y resucitado significa haber renovado totalmente la vida, es haber renunciado al engaño de la riqueza y de toda forma de mal, es enfrascarse en el servicio humilde de las acciones simples de cada día en favor de los que tenemos más cerca. Este es el culto espiritual al que alude Pablo. Este culto no es pues una simple hermandad, sino una profunda inserción en el ser humano que, desde lo más íntimo, se relaciona con el otro hermano y, sobre todo, con Dios.

EVANGELIO La lectura de hoy sigue a la confesión discipular del domingo pasado, y señala una etapa nueva en la narración de san Mateo, porque Jesús abiertamente comienza a hablar de su destino último en Jerusalén: su pasión, muerte y resurrección. Es la fase ignominiosa, el sufrimiento del Mesías, lo que provoca la reacción reprensiva de Pedro, a quien un

Estos dos párrafos del final van unidos. Procura hacer contacto visual con la asamblea entre una oración gramatical y otra; los puntos te ayudarán a distinguirlas.

Luego Jesús dijo a sus **discípulos**:
"El que quiera **venir conmigo**, que **renuncie** a **sí mismo**,
que **tome su cruz** y **me siga**.
Pues el que **quiera salvar** su vida, **la perderá**;
pero el que **pierda su vida** por mí, **la encontrará**.
¿De **qué** le sirve a uno **ganar** el **mundo entero**, si **pierde** su **vida**?
¿Y **qué** podrá dar uno a **cambio** para **recobrarla**?

Porque el **Hijo del hombre** ha de **venir** rodeado de la **gloria**
de su **Padre**,
en **compañía** de sus **ángeles**,
y entonces le dará a **cada uno** lo que **merecen** sus **obras**".

par de líneas antes Jesús designó piedra para edificar su Iglesia; esa piedra se ha vuelto de tropiezo en este episodio.

Jesús despliega ante los discípulos dos modos de pensar: el de Dios y el de los hombres. La manera humana de pensar no concibe un mesianismo que transite por el dolor y la muerte, a manos de las respetadas autoridades o líderes del pueblo. ¡Peor vergüenza no hay! Si Dios tiene un proyecto de salvación para su pueblo, ¿cómo es que lo va a llevar a cabo sin consentimiento de las legítimas autoridades? Son ellas el fiel de la balanza. Por eso, lo que habla Jesús es descabellado; pero es el modo de pensar de Dios. En consecuencia, la ruta del discípulo no puede ser otra que la de su Maestro, crucificado y resucitado. Jesús no cae en la tentación satánica de abandonar los modos de Dios para abrazar los humanos. Él rechaza la tentación y obliga a que sus seguidores adopten una resolución respecto a la cruz y el modo de alcanzar la vida.

Jesús dice que la manera de que su discípulo gane la vida es perdiéndola por él. Perder la vida, Jesús lo estipula en tres momentos: negarse a sí mismo, tomar su cruz y seguirlo. La autonegación implica, por el contexto, dejar los modos humanos de pensar y adoptar los de Dios y su Mesías. La cruz de Cristo es irremplazable, pero el seguidor tiene su cruz personal; tomarla indica la voluntad de sobreponerse al sufrimiento y arrostrar la muerte, con tal de hacer realidad el Reino de Dios entre los humanos. Seguir a Jesús significa mantenerse aprendiendo de él, en una relación tal que vaya modelando el corazón discipular a imagen y semejanza del corazón de Cristo. Allí está la vida a ganar.

XXIII DOMINGO ORDINARIO

I LECTURA Ezequiel 33:7–9

Lectura del libro del profeta Ezequiel

Haz contacto visual con la asamblea en la primera línea de la lectura. Puedes incluso pronunciarla de memoria. Pero sin un tono retador o altanero, más bien de humilde serenidad.

Esto dice el **Señor**:
"A ti, **hijo** de hombre, te he constituido **centinela**
para la **casa** de **Israel**.
Cuando **escuches** una **palabra** de mi **boca**,
tú se la **comunicarás** de mi **parte**.

Si yo pronuncio **sentencia de muerte** contra un **hombre**,
porque es **malvado**,
y tú no lo **amonestas** para que **se aparte** del **mal camino**,
el malvado **morirá** por su **culpa**,
pero yo te pediré **a ti** cuentas de su **vida**.

El contraste con el párrafo previo es notorio. Apóyate en las negrillas para que la asamblea se sienta depositaria de esa responsabilidad de velar unos por otros.

En cambio, si **tú** lo **amonestas**
para que **deje** su **mal camino** y él **no lo deja**,
morirá por su **culpa**,
pero tú habrás **salvado** tu **vida**".

Para meditar.

SALMO RESPONSORIAL Salmo 94:1–2, 6–7, 8–9

R. Ojalá escuchen hoy su voz: "No endurezcan su corazón".

Vengan, aclamemos al Señor, demos vítores a la Roca que nos salva; entremos a su presencia dándole gracias, aclamándolo con cantos. R.

Entren, postrémonos por tierra, bendiciendo al Señor, creador nuestro. Porque él es nuestro Dios y nosotros su pueblo, el rebaño que él guía. R.

Ojalá escuchen hoy su voz: "No endurezcan el corazón como en Meribá, como el día de Masá en el desierto, cuando los padres de ustedes me pusieron a prueba y me tentaron, aunque habían visto mis obras". R.

I LECTURA El texto presenta a Ezequiel como centinela de su pueblo. Ser centinela era un oficio muy importante en al Antiguo Oriente, pues los medios de comunicación y seguridad eran muy endebles.

Un profeta es la boca de Dios. Después de la toma de Jerusalén, el profeta se entiende como un centinela. El enemigo del que Ezequiel tiene que advertir, no es un pueblo o nación extranjera, sino el mismo Dios. El peligro es caer en el juicio de Dios. El profeta, centinela, debe avisar y prevenir al pueblo amenazado.

Al mismo tiempo, Dios es bueno y misericordioso ya que "no quiere la muerte del pecador, sino que se convierta y viva". Por esto, Dios pone su centinela que recuerde al pueblo la justicia y fidelidad al Señor. La palabra del profeta dividirá y separará a los que oyen de los que disienten.

El oráculo de Ezequiel fue motivado por la invasión de Nabucodonosor, ya que la avanzada del enemigo significaba vida o muerte. El centinela es responsable de la seguridad de la ciudad: anuncia la amenaza y, de no hacerlo, será responsable de su caída. Es la imagen del profeta. Ejecutando su oficio, el profeta se salvará y salvará a los demás.

Debe anunciar Ezequiel a un individuo para que se convierta a tiempo; le advierte que está en peligro. El profeta sólo debe ser fiel en advertir, en llamar la atención del peligro que se avecina. Después, la responsabilidad es del individuo amonestado.

II LECTURA Pablo ha hablado de los deberes hacia la autoridad humana (impuestos, respeto, honor), ahora amplía su horizonte y enuncia lo que un cristiano debe a todos los seres huma-

II LECTURA Romanos 13:8–10

Lectura de la carta del apóstol san Pablo a los romanos

Este fragmento no ofrece muchas dificultades para su comprensión. Dado que se trata de un trozo argumentativo, fíjate en las frases causales o que sustenten otras afirmaciones; ésas son las que hay que enfatizar.

Hermanos:
No tengan con nadie **otra deuda** que la del **amor mutuo**,
porque el que **ama** al **prójimo**, ha **cumplido** ya **toda la ley**.
En efecto, los **mandamientos** que **ordenan**:
"**No** cometerás adulterio, **no** robarás,
no matarás, **no** darás **falso** testimonio, **no** codiciarás"
y **todos** los **otros**, se **resumen** en **éste**:
"**Amarás a tu prójimo** como a **ti mismo**",
pues quien **ama** a su **prójimo** no le causa **daño** a **nadie**.
Así pues, cumplir **perfectamente** la ley **consiste** en **amar**.

EVANGELIO Mateo 18:15–20

Lectura del santo Evangelio según san Mateo

Las orientaciones dadas por Jesús deben ser dichas con serenidad y en tono de exhortación, más que de un mandato.

En **aquel** tiempo, **Jesús** dijo a sus **discípulos**:
"Si tu **hermano** comete un **pecado**,
ve y amonéstalo **a solas**.
Si **te escucha**, habrás **salvado** a tu **hermano**.
Si **no te hace caso**, hazte **acompañar** de **una** o **dos personas**,
para que **todo** lo que se diga **conste** por **boca**
de **dos** o **tres testigos**.
Pero si **ni así** te hace caso, **díselo** a la **comunidad**;
y si **ni** a la **comunidad** le hace **caso**,
apártate de él como de un **pagano** o de un **publicano**.

La afirmación de Jesús es categórica; hazla con firmeza en tu voz.

Yo les **aseguro** que **todo** lo que **aten** en la tierra
quedará atado en el cielo,
y **todo** lo que **desaten** en la tierra
quedará desatado en el cielo.

nos, en especial a los componentes de la misma comunidad.

Para Pablo el que ama al prójimo ya cumplió con la Ley. Después de afirmar el amor recíproco, aduce el Apóstol referencias a los mandatos sociales del Decálogo, rematando, como lo dijo Jesús, en que todos los mandamientos se reducen en *amar al prójimo como a ti mismo*.

Habló antes el autor de una deuda, lo que estaría contra la ley del amor, que no exige reglas ni mandatos. El amor desinteresado del que habla Pablo, se caracteriza por su gratuidad, es decir, por lo que está más lejos del deber o de la obligación. Así subraya la importancia y el papel del amor en la vida cristiana.

El deber del amor mutuo no se refiere a personas con el mismo gusto o interés, sino que abraza a todos, a los que piensan y tienen otros intereses laborales o sociales en la vida. Los mandatos son una indicación para el amor mutuo. Si el cristiano llegó a esto, no necesita que se lo recuerden.

EVANGELIO En el capítulo 18 de su evangelio, san Mateo tiene enfrente graves problemas que aquejan a la comunidad cristiana, y da orientaciones para solventarlos.

Dos son los asuntos principales. Primero, hay hermanos que menosprecian a los pequeños, a los que no figuran, a los que no tienen voz propia ni prestancia ante los demás. Esto es un asunto tan serio que lleva al segundo: las relaciones de fraternidad cristiana están deterioradas. Así las cosas, la comunidad cristiana no puede sostenerse, queda diluida en un club o grupo social más del entorno.

Lo escuchado contiene tres puntos bien definidos: cómo proceder con un hermano

Similar a la anterior, esta certeza pronúnciala haciendo contacto visual con la asamblea.

Yo les **asegura también,** que si dos de **ustedes**
se ponen de acuerdo para **pedir** algo, **sea** lo que fuere,
mi **Padre celestial** se lo **concederá**;
pues donde **dos o tres** se reúnen en **mi nombre**,
ahí estoy yo **en medio de ellos**".

pecador, el principio disciplinario sobre atar y desatar, y la oración en común.

Los cristianos, al parecer, viven todavía en ambiente judío. El caso del hermano pecador es un ejemplo de corrección, que puede ir hasta la exclusión, como si fuera un proceso judicial, y que conoce bien la tradición judía (ver Lev 19:19; Dt 19:15; 1 Cor 5:2). Se pertenece a la comunidad por decisión propia. San Mateo no especifica aquí cuál sea el pecado en cuestión. Se entiende que puede ser algo perceptible (público) a otros miembros de la iglesia o comunidad, aunque no necesariamente, pues todo pecado lesiona a la comunidad; tal consenso es judío y cristiano. Quien persiste en el pecado, incluso tras oír a la entera comunidad, no tiene allí más cabida. Porque si alguno no se atiene a los mandamientos de Dios, no puede ser considerado seguidor de Jesús.

Atar y desatar compete a la comunidad discipular. Es competencia de gran responsabilidad, pues tiene el aval de Dios mismo. La reunión discipular tiene la autoridad para decidir sobre la pertenencia de sus miembros. Pero esta decisión debe pasar por la unanimidad comunitaria hecha oración.

La oración alcanza eficacia celestial en la medida en la que los hermanos de la comunidad se ponen de acuerdo, oran en común. Esto es lo que funda la comunidad cristiana, su espíritu fraterno. No es el vínculo humano lo que la sostiene, sino la unión en Cristo de los hermanos. Es Jesús mismo el que ora en su Iglesia, su comunidad de discípuos.

XXIV DOMINGO ORDINARIO

I LECTURA Eclesiástico (Sirácide) 27:30—28:7

Lectura del libro del Eclesiástico o Sirácide

Nota que el pensamiento avanza con frases pareadas. Sostén ese ritmo en la medida de lo posible. Marca tus pausas para respirar donde las necesites.

Cosas abominables son el rencor y la cólera;
sin embargo, **el pecador** se aferra a ellas.
El Señor se vengará del vengativo
y llevará rigurosa cuenta de sus pecados.

Perdona la ofensa a tu prójimo,
y así, **cuando pidas** perdón, se te perdonarán tus pecados.
Si un hombre le **guarda rencor** a otro,
¿le **puede acaso** pedir la salud al Señor?

Otro bloque lo forman las frases que cierran con interrogaciones. Márcalo bien para que la asamblea no se confunda.

El que **no tiene** compasión de un semejante,
¿**cómo pide** perdón de sus pecados?
Cuando el hombre que **guarda rencor**
pide a Dios el perdón de sus pecados,
¿hallará **quien interceda** por él?

Piensa **en tu fin** y deja de odiar,
piensa en **la corrupción** del sepulcro
y **guarda** los mandamientos.

El último párrafo es sustancial. Pronúncialo con el mismo sentido del paralelismo entre las frases, pero baja la velocidad conforme avanzas al punto final.

Ten presentes los mandamientos
y **no guardes** rencor a tu prójimo.
Recuerda la alianza del Altísimo
y **pasa por alto** las ofensas.

I LECTURA Todas las religiones tienen que ocuparse de la ira, del enojo y de la venganza. Tratan estos pecados cada una a su manera, porque estas reacciones aparecen continuamente en el comportamiento humano. El Sirácide, bebiendo en la antigua tradición hebrea y, como él dice, cosechando de su propia experiencia, ve en el perdón al prójimo una manera de mejorarse uno y de mejorar la relación con los demás. Supera así la ley del talión (Lev 24:10), y anticipa elementos del discurso del monte.

La venganza pertenece a Dios, y el autor exhorta a controlar la cólera y la lengua, a evitar las riñas y a perdonar las ofensas del prójimo. Si no nos comportamos así, el Señor no perdonará nuestros pecados, ni escuchará nuestra plegaria. El rencor interrumpe el diálogo con Dios.

La razón que se esgrime para perdonar, es la necesidad que tenemos de ser perdonados por Dios. Para eso se requiere ir forjando un corazón misericordioso. La insistencia del perdón de las ofensas es motivada por una serie de razones: no puedes esperar el perdón divino, si tú no lo das al prójimo. Pensar en la muerte, el fin de la vida, le ayudará al hombre a buscar la reconciliación. Más todavía, observar los mandamientos, significa perdonar al prójimo, ya que expresamente lo mandó el Señor.

El Sirácide abre el abanico del perdón no sólo a los del propio pueblo, sino a todos los hombres. Ya está la puerta entreabierta para esa apertura final que dará el Señor Jesús con su perdón de setenta veces siete.

II LECTURA En esta parte de la carta, vienen las exhortaciones conclusivas. Pablo habla de cosas concretas, ya

SALMO RESPONSORIAL Salmo 103 (102):1–2, 3–4, 9–10, 11–12

R. (8) El Señor es compasivo y misericordioso

El Señor es compasivo y misericordioso
lento a la ira y rico en clemencia.
Bendice, alma mía, al Señor,
y todo mi ser a su santo nombre.
Bendice, alma mía, al Señor,
y no olvides sus beneficios. R.

El perdona todas tus culpas
y cura todas tus enfermedades;
el rescata tu vida de la fosa,
y te colma de gracia y de ternura. R.

No está siempre acusando
ni guarda rencor perpetuo.
No nos trata como merecen nuestros pecados
ni nos paga según nuestras culpas. R.

Como se levanta el cielo sobre la tierra,
se levanta su bondad sobre sus fieles;
como dista el oriente del ocaso,
así aleja de nosotros nuestros delitos. R.

II LECTURA Romanos 14:7-9

Lectura de la carta del apóstol san Pablo a los romanos

La lectura transmite la certeza de la fe bautismal. Con voz cálida y segura pronuncia cada una de estas líneas. La última del párrafo es la línea que apoya a todas las demás.

Hermanos:
Ninguno de nosotros vive para sí mismo,
ni muere para sí mismo.
Si vivimos, para el Señor vivimos;
y si morimos, para el Señor morimos.
Por lo tanto,
ya sea que estemos vivos o que hayamos muerto,
somos del Señor.
Porque Cristo murió y resucitó para ser Señor
de vivos y muertos.

disertó sobre los temas teológicos de la salvación y del misterio del Señor Jesús. Ahora habla de la relación que debe haber entre los fuertes y los débiles en la fe. Sabe que en una comunidad como la romana hay gente con más capacidad de reflexión. Con todo, recomienda fijarse en los débiles en la fe. Junto al problema de los alimentos está la cuestión del calendario. En el fondo de todo esto está la relación con la práctica judía que deriva de la tradición oral de la Ley mosaica. Las diferencias de la comunidad se deben a esta relación con esta práctica legal, no por la cuestión étnica. Aquí no entra para nada el problema entre judeocristianos y pagano-cristianos. Por esto Pablo va de la recepción a los débiles (14:1–13) al escándalo por su fe (14:14–23). Como es natural, Pablo invita a los fuertes en la fe a que acojan a sus hermanos débiles, y a todos, a que se acepten.

Todos ellos, cristianos romanos, viven y mueren para el Señor porque le pertenecen. No pueden todos ellos vivir o morir para sí, sino para el que "les ha amado y entregado por ellos". Si esto vale para la vida o muerte, mucho más vale para cuestiones del todo secundarias como son las relativas a los alimentos o al calendario. El cristiano, llamado a participar en la redención por la fe y el bautismo, tendrá parte un día en la gloria del mismo Cristo resucitado. Hoy como entonces, para afrontar los problemas que tenemos en las distintas comunidades cristianas, habrá que seguir el método de Pablo: partir y poner en el centro nuestra relación con Cristo.

EVANGELIO El episodio de hoy es continuación de lo escuchado la semana pasada; el perdón pertenece a la vida comunitaria, a vivir con otras personas.

EVANGELIO Mateo 18:21-35

Lectura del santo Evangelio según san Mateo

La pregunta de Pedro puede denotar cierto cansancio, pero tras un comienzo lento, aviva la lectura de la parábola.

En aquel tiempo, Pedro se acercó a Jesús y le preguntó:
"Si mi hermano **me ofende**, ¿cuántas veces tengo que perdonarlo?
¿Hasta siete veces?"
Jesús le contestó: "No sólo hasta siete, **sino hasta** setenta
veces siete".

Entonces Jesús les dijo:
"El Reino de los cielos es semejante a un rey
que **quiso ajustar cuentas** con sus servidores.
El primero que le presentaron le debía muchos talentos.
Como **no tenía con qué** pagar,
el señor mandó que lo vendieran a él, a su mujer, a sus hijos
y todas sus posesiones, **para saldar** la deuda.
El servidor, arrojándose a sus pies, le suplicaba, diciendo:
'**Ten paciencia** conmigo y te lo pagaré todo'.
El rey **tuvo lástima** de aquel servidor, lo soltó y hasta le perdonó la
deuda.

Marca los cambios de velocidad entre los trozos que reportan diálogos y los del discurso indirecto; en estos casos, procura incrementar la velocidad.

Pero, apenas había salido aquel servidor,
se encontró con uno de sus compañeros, que le debía **poco dinero.**
Entonces lo agarró por el cuello y casi lo estrangulaba,
mientras le decía: '**Págame** lo que me debes'.
El compañero se le arrodilló y le rogaba:
'**Ten paciencia** conmigo y te lo pagaré todo'.
Pero el otro **no quiso** escucharlo,
sino que fue y lo metió en la cárcel **hasta que le pagara**
la deuda.

Al ver lo ocurrido, sus compañeros se llenaron de **indignación**
y fueron a contar al rey lo sucedido.
Entonces el señor lo llamó y le dijo:
'Siervo malvado. **Te perdoné** toda aquella deuda porque me lo
suplicaste.

Es allí, en el trato con los demás, donde sobran modos de ofender y de sentirse ofendido. La enseñanza de Jesús viene, cuando Pedro pregunta si hay que perdonar siempre. Siete es el número de la perfección; siete ofensas son todas las ofensas. Por otro lado, el número hace pensar en una relación constante, diaria. Pero Jesús responde algo inesperado. Su multiplicación trae a la memoria el dicho del intratable Lámec (Gen 4:24), que tasaba su honor infinitamente más alto que el del mismo Caín, a quien el Creador garantizó una retribución séptuple (Gen 4:15). El perdón entre los hermanos de la comunidad cristiana debe ser como el de Dios: sin tasa ni medida.

La parábola, en tres cuadros, pone en escena a un rey ajustando cuentas a sus siervos. Se entiende que se habla de Dios y de los humanos. El primer esclavo le debe una cantidad exorbitante: diez mil talentos. Se calcula que entre Judea y Galilea sumaban unos doscientos talentos en impuestos. Un talento equivaldría a unos diez mil denarios, y un esclavo de buena calidad podría valer hasta unos dos mil denarios. De cualquier manera, la deuda de la parábola es fantástica, simplemente imposible de pagar. Así está el hombre frente a Dios, en deuda impagable. Ni con todos sus haberes puede el hombre cubrir su adeudo. Por eso, sólo le queda suplicar, arrodillado, aplazar el pago con una promesa. El lector sabe que la promesa "te lo pagaré todo" es mentirosa. Sin embargo, el señor de la parábola se compadece y perdona la inmensa deuda sin más.

El cuadro segundo repite deliberadamente el primero, pero con papeles significativamente modificados. El endeudado es ahora un compañero, y el mismo que fue perdonado es ahora el acreedor; la deuda es de cien denarios, cantidad ridícula

¿No debías tú también haber **tenido compasión** de tu compañero,
como yo **tuve compasión** de ti?'
Y el señor, encolerizado, lo entregó a **los verdugos**
para que no lo soltaran **hasta que pagara** lo que debía.

El reproche debe sonar duro, casi con ira. Haz una pausa triple al término de este párrafo.

Pues **lo mismo hará** mi Padre celestial con ustedes,
si cada cual **no perdona de corazón** a su hermano".

comparada con la anterior. El deudor reacciona de la misma manera, sólo que su promesa está llena de realismo. Esta vez, sin embargo, el ya perdonado "no quiso", y hace todo para recobrar su dinero. Entonces da un vuelco la historia, cuando sus propios compañeros esclavos denuncian ante el señor lo sucedido, en el cuadro tercero.

Dios nos perdona de corazón cuando le suplicamos, y lo mismo espera que hagamos entre nosotros, unos con otros, para recuperar la fraternidad. Sólo así se supera el círculo justiciero. Es lo que rezamos en el Padrenuestro, y es lo que tiene que distinguirnos en este mundo.

XXV DOMINGO ORDINARIO

I LECTURA Isaías 55:6–9

Es clave la primera palabra de este párrafo, "busquen". Imprime verdadera urgencia desde la primea línea, pero tu tono de voz debe ser suave.

Lectura del libro del profeta Isaías

Busquen al Señor mientras lo pueden **encontrar**,
invóquenlo mientras está **cerca**;
que el **malvado** abandone su **camino**, y el **criminal**, sus **planes**;
que **regrese** al Señor, y **él** tendrá **piedad**;
a nuestro **Dios**, que es **rico en perdón**.

Nota que cambia el sujeto que habla. Marca bien la fórmula profética de "dice el Señor".

Mis pensamientos **no** son los pensamientos de **ustedes**,
sus caminos **no** son **mis** caminos, dice el **Señor**.
Porque **así** como **aventajan** los **cielos** a la **tierra**,
así aventajan **mis caminos** a los de **ustedes**
y **mis pensamientos** a **sus pensamientos**.

Para meditar.

SALMO RESPONSORIAL Salmo 144:2–3, 8–9, 17–18

R. Cerca está el Señor de los que lo invocan.

Día tras día te bendeciré y alabaré tu nombre por siempre jamás. Grande es el Señor y merece toda alabanza, es incalculable su grandeza. R.

El Señor es clemente y misericordioso, lento a la cólera y rico en piedad; el Señor es bueno con todos, es cariñoso con todas sus criaturas. R.

El Señor es justo en todos sus caminos, es bondadoso en todas sus acciones; cerca está el Señor de los que lo invocan, de los que lo invocan sinceramente. R.

I LECTURA Los versos escogidos por la liturgia para hoy, forman, junto con los de la salida de Babilonia (Is 55:13), el final de la profecía del Segundo Isaías. El anuncio del regreso de Babilonia a su patria, no fue recibido con fe y entusiasmo por los desterrados. Unos, desconfiados y pesimistas, no se hacían a la idea de que un rey pagano fuera el artífice de su liberación. Otros no veían cambio por ningún lado; "más de lo mismo". Peor aún, algunos ya estaban instalados y no veían más futuro que en Babilonia y en las grandes ciudades de esa parte del imperio. Con todo, había un pequeño grupo que vivía ansioso, esperando que en cualquier momento llegara la liberación y cierta venganza contra los que les habían causado esa gran desgracia.

El profeta invita a corregir estos pensamientos y cálculos. Suenan las famosas palabras: "Mis planes no son sus planes, sus caminos no son mis caminos… Como el cielo está sobre la tierra, mis caminos están sobre los suyos". Los caminos, los planes de Dios son insondables. Nosotros vemos la superficie de las cosas, el Señor ve desde dentro. Como le dijo a Samuel, que el profeta veía las apariencias, no el interior de las personas. Desde que no tenemos en nuestras manos el origen de nuestra existencia y, menos, el final, no podemos saber lo que haremos, y lo que vendrá. El Señor domina como dice el salmo, desde la salida del sol hasta el ocaso.

El regreso a la tierra de Dios era más que una victoria o un premio, sería ante todo una vuelta de ellos a Dios. Más que un suceso político, era religioso, que tomaba su significado en esa "búsqueda de Dios", que es la que recomienda el profeta.

II LECTURA En esta carta, Pablo nos permite introducirnos un poco

II LECTURA Filipenses 1:20c–24, 27a

Lectura de la carta del apóstol san Pablo a los filipenses

Pablo deja ver su interioridad. Prepárate espiritualmente acercándote a Pablo para adherirte a Cristo. Desde esa adhesión ofrece tu servicio de proclamador de la palabra.

Hermanos:
Ya sea por mi vida, **ya sea** por mi muerte,
Cristo será **glorificado** en **mí**.
Porque **para mí**, la **vida** es **Cristo**, y la **muerte**, una **ganancia**.
Pero si el **continuar** viviendo en **este mundo**
me permite trabajar **todavía** con **fruto**, no **sabría** yo **qué** elegir.

La disyuntiva de Pablo ha de quedar clara a la asamblea. Déjate guiar por los signos de la puntuación y las pausas que demanda.

Me hacen fuerza **ambas cosas**:
por una parte, el **deseo de morir** y **estar con Cristo**,
lo cual, **ciertamente**, es con **mucho lo mejor**;
y **por la otra**, el de **permanecer en vida**,
porque **esto** es **necesario** para el **bien** de **ustedes**.
Por lo que a **ustedes** toca, **lleven** una **vida digna** del **Evangelio** de **Cristo**.

EVANGELIO Mateo 20:1–16

Lectura del santo Evangelio según san Mateo

Esta lectura está cargada de detalles que atrapan la atención de las personas, pero lo fundamental son las notas temporales.

En **aquel** tiempo, **Jesús** dijo a sus discípulos **esta parábola**:
"El **Reino de los cielos** es **semejante** a un **propietario**
que, al amanecer, salió a **contratar trabajadores** para su **viña**.
Después de **quedar** con ellos en pagarles un **denario** por día,
los **mandó** a su **viña**.
Salió **otra vez** a media mañana,
vio a **unos** que estaban **ociosos** en la **plaza** y les **dijo**:
'Vayan **también ustedes** a mi **viña** y les **pagaré**
lo que sea **justo**'.
Salió de nuevo a **medio día** y a **media tarde** e hizo **lo mismo**.

en su vida espiritual. Él como algunos obreros de la parábola del Señor, ha llegado tarde a trabajar y ha experimentado que la salvación "no depende de la voluntad ni de los esfuerzos del hombre, sino de Dios, que emplea misericordia" (Rom 9:16). Probablemente se encontraba en Éfeso en prisión a causa del Evangelio y está pronto a dar testimonio de su fe. Su fe es fuerte y coherente.

Pablo sabe que los filipenses son de buen corazón aunque tienen carencias en la formación. Por lo cual, al escribirles con el corazón abierto, les informa sobre su situación jurídica: siente que lo pueden condenar pronto y, por lo tanto, morirá. Para él, les dice, morir es ganancia. Ante la disyuntiva de vivir o morir, Pablo escogería la segunda para estar ya con el Señor, pero siente que deberá vivir para completar a los filipenses la formación cristiana. Es decir, Pablo está dispuesto a seguir la voluntad de Dios.

La vida de Pablo está centrada en Cristo. Por esto, estando en cadenas por el evangelio, considera a esto gracia y participación en los sufrimientos de Cristo, para conformarse a su muerte. Para Pablo estar con Cristo, es estar con los otros, sobre todo, estar con los filipenses para completar su formación cristiana.

Buscar y encontrar a Cristo para Pablo es la razón de vivir. Trabajar significa para Pablo gastar su vida al servicio del evangelio. No importa ser el primero o el último en la viña del Señor, sino ser llamado a la vida divina, que consiste en estar con Cristo sin ningún riesgo de perderlo.

EVANGELIO Esta parábola del Reino es una auténtica ventana al mundo bíblico del siglo primero, pues refleja mucho del cotidiano desempleo y del sistema laboral y social, pero para atender a la voz de Dios, hoy vamos ayudarnos con el hilo de la misma narración que se distribuye en

La pregunta debe sonar con verdadera extrañeza.

Por último, salió **también** al caer la **tarde**
y encontró **todavía otros** que estaban en la **plaza** y les **dijo**:
'¿**Por qué** han estado aquí **todo** el día **sin trabajar**?'
Ellos le respondieron: 'Porque **nadie** nos ha **contratado**'.
Él les dijo: 'Vayan **también ustedes** a mi **viña**'.

Viene un vuelco en la narración. Señala con tu tono de voz el reproche inesperado de los que protestan.

Al atardecer, el **dueño de la viña** le dijo a su **administrador**:
'**Llama** a los **trabajadores** y **págales su jornal**,
comenzando por los **últimos** hasta que llegues a los **primeros**'.
Se **acercaron**, pues, los que habían llegado al **caer la tarde**
y **recibieron** un denario **cada uno**.

Cuando les llegó su turno **a los primeros**,
creyeron que **recibirían más**;
pero **también ellos** recibieron un denario **cada uno**.
Al recibirlo, **comenzaron** a **reclamarle** al **propietario**, diciéndole:
'**Ésos** que llegaron **al último** sólo trabajaron **una hora**,
y **sin embargo**, les pagas **lo mismo** que a **nosotros**,
que **soportamos** el **peso** del **día** y del **calor**'.

Pero él respondió a **uno de ellos**:
'**Amigo**, yo no te hago **ninguna injusticia**.
¿**Acaso** no quedamos en que te pagaría **un denario**?
Toma, pues, **lo tuyo** y vete.
Yo quiero darle al que llegó al último **lo mismo** que **a ti**.
¿**Qué** no puedo hacer con **lo mío** lo que **yo quiero**?
¿O vas a tenerme **rencor** porque **yo soy bueno**?'

El par de líneas debe sonar contundente.

De **igual** manera, los **últimos** serán los **primeros**,
y los **primeros**, los **últimos**".

dos momentos. El primero es más amplio, y hasta repetitivo, pero muestra la trama en lo que dice el propietario que pagará a los que va reclutando. A los primeros acuerda pagarles un denario a los de media mañana, "lo que sea justo" a los del mediodía y "lo mismo" a los de media tarde; ya nada se dice de lo que pagará al último grupo, el del caer la tarde. El segundo momento es el de la paga. A todos les paga lo mismo, pero comienza pagando a los últimos. Entonces surge la protesta de los que trabajaron desde temprano (¡once horas!), debido al proceder desequilibrado del propietario de la viña. Ellos deberían recibir más, a su entender, porque padecieron más. Sin embargo, la respuesta del dueño es contundente.

Con la parábola, Jesús explica que el Reino de Dios es algo tan sorprendente como diferente a nuestros modos de pensar y de obrar. El Reino es inesperadamente equitativo. Se trata de una equidad en la que los últimos se miran beneficiados pero de tal manera que los primeros no quedan perjudicados. Esto rebasa con mucho nuestros ideales de méritos y compensación, que siempre son limitados. Por el contrario, la equidad del Reino de Dios se basa en su pura bondad, que es inconmensurable. En esta bondad, los últimos, es decir, aquellos que no tienen nombre, los que son pura estadística negativa en los discursos políticos y religiosos, gozan de la preferencia divina.

Si estamos ante la liberalidad de Dios, ante su bondad suma, ¿cabe algún resentimiento, de nuestra parte? La puya de la parábola es la silente invitación a estar alegres por y con los favorecidos, los tenidos por "últimos". Este es el camino que la Iglesia está llamada recorrer y a poner en práctica, pues tiene que ser anuncio creíble del Reino de Dios.

XXVI DOMINGO ORDINARIO

I LECTURA Ezequiel 18:25–28

Lectura del libro del profeta Ezequiel

Estos reclamos deben sonar serenos, llenos de sabiduría. No eleves la voz en tono acusador. Mantente ecuánime.

Esto dice el **Señor**: "Si **ustedes** dicen:
'No es **justo** el proceder del Señor', **escucha**, casa de **Israel:**
¿Conque es **injusto** mi proceder?
¿No es **más bien** el proceder de **ustedes** el **injusto**?

Fíjate cómo está organizado el parágrafo. Dale mayor fuerza a la línea final.

Cuando el justo **se aparta** de su **justicia,**
comete la **maldad** y **muere**;
muere por la maldad que **cometió.**
Cuando el pecador **se arrepiente** del **mal** que hizo
y practica la **rectitud** y la justicia, **él mismo salva** su vida.
Si **recapacita** y **se aparta** de los **delitos cometidos,**
ciertamente vivirá y **no morirá**".

Para meditar.

SALMO RESPONSORIAL Salmo 24:4–5, 6–7, 8–9

R. Recuerda, Señor, que tu misericordia es eterna.

Señor, enséñame tus caminos, instrúyeme en tus sendas, haz que camine con lealtad; enséñame, porque tú eres mi Dios y Salvador, y todo el día te estoy esperando. R.

Recuerda, Señor, que tu ternura y tu misericordia son eternas; no te acuerdes de los pecados ni de las maldades de mi juventud; acuérdate de mí con misericordia, por tu bondad, Señor. R.

El Señor es bueno y es recto, y enseña el camino a los pecadores; hace caminar a los humildes con rectitud, enseña su camino a los humildes. R.

I LECTURA El pueblo hebreo desde sus inicios ha cultivado en primer lugar una responsabilidad colectiva. Para el profeta, en cambio, la salvación de un individuo no depende ni de sus antepasados (Ez (18:2–4), ni de sus parientes cercanos (18:8) ni tampoco de su pasado (18:23). Lo que cuenta es la disposición del corazón. Dejar el mal y adherirse al bien es la forma de vivir como miembros del pueblo de Dios.

El texto se ocupa de la conversión del impío (18:23): si se aparta del mal y practica la justicia, vivirá por el bien hecho. En cambio, si el justo peca, estará lejos de Dios; para nada le sirvió lo hecho antes. El texto rechaza la tendencia a una orientación legalista, poniéndose a contar lo hecho y no hecho, como si se tratara de un comercio. Esta postura meritoria y comercial relacionada con Dios, es rechazada, subrayando en cambio la disponibilidad en el momento actual de cumplir con la voluntad de Dios. El impío confía en la benevolencia divina, cuando se orienta hacia el bien. La palabra profética resuena como una advertencia al justo para no sentirse seguro y caiga en la indolencia, ya que esto termina por darle una falsa seguridad y alejarse de Dios.

Esta posibilidad que ofrece el Señor al que fue infiel, provoca extrañamente en los desterrados crítica y desaprobación, pues ellos están fijos en el principio de la culpa hereditaria. El profeta rechaza esa lógica hereditaria y afirma: "La persona que peque, morirá". El profeta llama a los exiliados a que se arrepientan, que dejen de soñar en lo pasado: el Señor los está llamando a conversión. Lo que divide a un justo de un injusto, es la elección a la vida o a la muerte. Es una elección moral libre.

II LECTURA Filipenses 2:1–11

Lectura de la carta del apóstol san Pablo a los filipenses

Nota las frases condicionales y luego las consecutivas. Identifica la frase principal, de modo que le puedas dar el tono y el aire adecuados a la hora de la lectura.

Hermanos:
Si **alguna fuerza** tiene una **advertencia** en nombre de **Cristo**,
si **de algo** sirve una **exhortación** nacida del **amor**,
si **nos une** el mismo **Espíritu** y si ustedes **me profesan**
un afecto **entrañable**, llénenme de **alegría** teniendo
todos una **misma manera** de **pensar**,
un **mismo** amor, unas **mismas** aspiraciones y **una sola** alma.
Nada hagan por espíritu de **rivalidad** ni **presunción**;
antes bien, por **humildad**,
cada uno considere **a los demás** como **superiores** a sí mismo
y **no busque** su **propio interés**, sino **el** del **prójimo**.
Tengan los **mismos** sentimientos que tuvo **Cristo Jesús**.

La segunda oración del párrafo funda lo que todos conocen. Recita esta parte como una auténtica meditación orante.

Cristo, siendo Dios,
no consideró que debía **aferrarse**
a las prerrogativas de su **condición divina**,
sino que, **por el contrario**, **se anonadó** a sí mismo,
tomando la **condición** de **siervo**,
y se hizo **semejante** a los **hombres**.
Así, hecho **uno** de ellos, **se humilló** a sí mismo
y por obediencia **aceptó** incluso la muerte,
y una **muerte de cruz**.

El pensamiento inicia el movimiento ascendente. Logra con tu voz algo parecido al encumbramiento de Cristo. La última frase hazla con mayor vigor que las previas.

Por eso Dios lo **exaltó** sobre **todas** las cosas
y le **otorgó** el **nombre** que está sobre **todo nombre**,
para que, al **nombre de Jesús, todos** doblen la rodilla
en el **cielo**, en la **tierra** y en los **abismos**,
y **todos** reconozcan **públicamente** que **Jesucristo** es el **Señor**,
para **gloria** de **Dios Padre**.

Forma breve: Filipenses 2:1–5

II LECTURA Después de hablar Pablo de su situación personal, pasa a inculcar ciertas virtudes fundamentales para la comunidad. Es una comunidad pobre, fundada por veteranos de guerra, donde las envidias y discusiones estaban a la orden del día. Pablo recomienda la concordia fundada en la humildad.

Hay dos partes. Una consiste en una exhortación a un mismo sentir y querer. La comunidad no está forjada por ritos y costumbres. Ni la cohesión la dan los programas o disposiciones. Pablo recomienda para esto, su fe y relación vital con Cristo. Hay una comunión, pero debe haber una aspiración hacia algo más. Para esto le sirve un himno cristiano que no sabemos de dónde lo haya tomado Pablo.

El himno cristológico es la segunda parte, que funda las primeras exhortaciones. Como el Apóstol sabe que detrás de muchas acciones y posturas de algunos se encuentra el egoísmo e interés malsano, insiste en el remedio: la humildad, el amor desinteresado por los demás. Para esto les invita a que tengan los mismos sentimientos de Cristo Jesús, retratado en ese himno bellísimo como modelo de renuncia y de extremo amor.

Jesús "no hizo alarde de ser igual a Dios". Es decir, Jesús en su vida terrena no se comportó como Dios y Señor de los hombres, sino como siervo, despojado de toda dignidad, autoridad o poder. Toda su vida estuvo dedicada al servicio de los demás. Una expresión muy atrevida y que nos dice todo: "Se vació de sí". Esto debe llevar a los cristianos a no pretender ningún mérito o cualidad ante el servicio. Su obediencia lo llevó hasta la muerte y resurrección. Es el camino para la comunidad.

EVANGELIO Mateo 21:28–32

Lectura del santo Evangelio según san Mateo

La parábola es simple y clara. Los destinatarios de la misma deben quedar muy bien identificados por la asamblea.

En **aquel** tiempo,
Jesús dijo a los **sumos sacerdotes** y a los **ancianos** del pueblo:
"¿Qué opinan de **esto**?
Un **hombre** que tenía **dos hijos** fue a ver al **primero** y **le ordenó**:
'**Hijo**, ve a trabajar **hoy** en la **viña**'.
Él le contestó: '**Ya voy**, señor', pero **no fue**.
El **padre** se dirigió al **segundo** y le dijo **lo mismo**.
Éste le respondió: '**No quiero ir**', pero **se arrepintió** y **fue**.
¿**Cuál** de los **dos** hizo la **voluntad del padre**?"
Ellos le respondieron: "El **segundo**".

Este párrafo debe sonar muy fuerte y hasta con cierto tono de reto. La denuncia de Jesús es contundente.

Entonces **Jesús** les dijo:
"Yo les **aseguro** que los **publicanos** y las **prostitutas**
se les han **adelantado** en el **camino** del **Reino de Dios**.
Porque **vino** a ustedes **Juan**, predicó el camino de la **justicia**
y **no le creyeron**;
en cambio, los **publicanos** y las prostitutas, **sí** le creyeron;
ustedes, **ni siquiera** después de haber visto,
se han arrepentido **ni han creído** en él".

EVANGELIO Con esta parábola inician tres relatos parabólicos que son la respuesta de Jesús a los líderes judíos cuando cuestionan su autoridad por haber expulsado a los comerciantes del templo. En su respuesta, Jesús se da a conocer como el hijo, el último enviado de Dios, a cuya fiesta están todos invitados, al mismo tiempo que marca la creciente distancia respecto a los piadosos líderes judíos que dicen cumplir la voluntad de Dios.

La parábola de los dos hijos versa sobre la verdadera obediencia filial. En la estructura familiar y social, la obediencia era tan indispensable como incuestionable. En la cultura judía, por ejemplo, el cuarto precepto de la ley pertenece a la tabla de los deberes con Dios. La obediente sumisión de los hijos se nota al dirigirse a su padre como "señor". Algo similar ha quedado plasmada en no pocas familias nuestras, donde los padres gozan de autoridad inapelable. Socialmente hablando, el primer hijo se conduce ante el padre con toda propiedad, aunque no cumple con lo solicitado. Por el contrario, el segundo hijo hace lo menos esperado: desobedece, aunque termina haciendo lo que quiere su padre.

Tras su negación, el hijo segundo se entristeció (el texto traduce "se arrepintió"); es una vergüenza personal, íntima, no un comportamiento social. Esta congoja abre el camino de la justicia, que es el punto de la parábola.

En el seno de la comunidad de Mateo escasea la fraternidad cristiana; allí hay gente buena, que hace lo correcto socialmente, y otra que no. El punto es la compunción para ponerse a cumplir la voluntad de Dios Padre. Eso que ha ocurrido con publicanos y prostitutas, es lo que Dios espera de nosotros. A los que se tienen por ejemplares, en cambio, nada los conmueve. ¿No nos sucederá algo parecido?

XXVII DOMINGO ORDINARIO

I LECTURA Isaías 5:1–7

Lectura del libro del profeta Isaías

El poema describe el mundo rural, agrícola, de Palestina, pero sus imágenes son muy comprensibles a todos. Busca el ritmo para que las líneas suenen acordes y no rotas o sin ilación entre sí.

Voy a **cantar**, en **nombre** de mi **amado**,
una **canción** a su **viña**.
Mi amado **tenía** una **viña**
en una **ladera fértil**.
Removió la tierra, **quitó** las piedras
y **plantó** en ella **vides selectas**;
edificó en medio una **torre**
y **excavó** un **lagar**.
Él **esperaba** que su **viña** diera **buenas uvas**,
pero la viña dio **uvas agrias**.

Ahora bien, habitantes de **Jerusalén**
y gente de **Judá**, yo les **ruego**,
sean **jueces** entre mi **viña** y **yo**.
¿**Qué más** pude hacer por mi **viña**,
que yo **no lo hiciera**?
¿**Por qué** cuando yo **esperaba** que diera **uvas buenas**,
las dio **agrias**?

Al canto de amor suceden las líneas de venganza airada. Tu tono de voz debe ser un tanto cortante, nada amable.

Ahora voy a darles a **conocer** lo que **haré** con mi **viña**;
le **quitaré** su **cerca** y será **destrozada**.
Derribaré su **tapia** y será **pisoteada**.
La **convertiré** en un erial,
nadie la podará **ni** le quitará los **cardos**,
crecerán en ella los **abrojos** y las **espinas**,
mandaré a las **nubes** que **no lluevan** sobre ella.

I LECTURA El canto de la viña es uno de los más bellos poemas de la Biblia. La vid es uno de los arbustos más preciados. Su fruto, la uva, sirve como alimento en su estado seco y fresco y, después, como la base del vino que, como dice la Biblia, "alegra el corazón del hombre". No en vano se le componían canciones amorosas y de otros géneros. Aquí estamos ante una canción amorosa.

Un canto así puede ofrecer varios niveles de significado. Puede referirse al dueño que puso todo su empeño en que la viña, bien plantada y regada, diera fruto, pero nada produjo. O tal vez, el compositor quiso expresar el fracaso de la vida tras muchos afanes y empeños. Puede también tener sentido amoroso. El autor, por todos los medios, buscó correspondencia amorosa a su cortejo, regalos y súplicas, mas cosechó el desaire. Finalmente, y parece que este es el sentido del profeta, se trata de un proceso de Dios con relación a Israel que, como a mujer, la cortejó con la alianza y con promesas, y topó con rechazo y desprecio.

El profeta describe primero el proceso de la construcción y cuidado con que cultivó la viña y el resultado del todo negativo a sus cuidados. Pasa enseguida a identificar Isaías a la viña con Israel-Judá (v. 7). Sin esperar respuesta, el cantor pasa a la amenaza: dejará la viña sin protección, ya no la cuidará, llamará a la lluvia para que no caiga sobre ella. Al final, el autor claramente se dirige a Israel: esperaba justicia y tuvo sangre derramada; esperaba rectitud y llegaron lamentos de opresión.

El canto interpreta la historia de Israel-Judá como expresión del amor de Dios, quien por diversos medios trató de que su pueblo fuera fiel al amor prometido en la alianza y se topó con pura infidelidad,

Las palabras explicativas han de conservar un tono sapiencial. No las digas con precipitación, sino con un tono de sentencia amenazante.

Pues bien, la **viña del Señor** de los ejércitos
es la casa de **Israel**,
y los hombres de **Judá** son su plantación **preferida**.
El Señor **esperaba** de ellos que obraran **rectamente**
y ellos, **en cambio**, cometieron **iniquidades**;
él esperaba **justicia**
y **sólo** se oyen **reclamaciones**.

Para meditar.

SALMO RESPONSORIAL Salmo 79:9 y 12, 13–14, 15–16, 19–20

R. La viña del Señor es el pueblo de Israel.

Sacaste, Señor, una vid de Egipto, expulsaste a los gentiles, y la trasplantaste. Extendió sus sarmientos hasta el mar y sus brotes hasta el Gran Río. R.

¿Por qué has derribado su cerca, para que la saqueen los viandantes, la pisoteen los jabalíes y se la coman las alimañas? R.

Dios de los Ejércitos, vuélvete, mira desde el cielo, fíjate, ven a visitar tu viña, la cepa que tu diestra plantó y que tú hiciste vigorosa. R.

No nos alejaremos de ti; danos vida, para que invoquemos tu nombre. Señor Dios de los Ejércitos, restáuranos, que brille tu rostro y nos salve. R.

II LECTURA Filipenses 4:6–9

Lectura de la carta del apóstol san Pablo a los filipenses

Los párrafos son breves y buscan infundir paz en los cristianos. Con sosiego anda las líneas primeras.

Hermanos:
No se inquieten **por nada**;
más bien presenten en **toda ocasión** sus peticiones a **Dios**
en la **oración** y la **súplica**,
llenos de **gratitud**.
Y que la **paz de Dios**, que sobrepasa **toda** inteligencia,
custodie sus **corazones** y sus **pensamientos** en **Cristo Jesús**.

Establece contacto visual con la asamblea después de la palabra "hermanos".

Por lo demás, **hermanos**, aprecien **todo** lo que es **verdadero**
y **noble**,
cuanto hay de **justo** y **puro**, **todo** lo que es **amable** y **honroso**,
todo lo que sea **virtud** y merezca **elogio**.

expresada en los pecados fundamentales. Así, el castigo será una última forma de llamar la atención de Israel, para que vuelva a enamorarse del Señor.

Hay un evidente enlace con la página evangélica de hoy. El esfuerzo manifestado en el trabajo y preocupación por la viña, requiere ser correspondido con los frutos. Por desgracia, nunca llegan.

II LECTURA En la parte final de la carta, Pablo da a su comunidad que le ha sido siempre fiel una serie de consejos. Invita a los filipenses a confiarse totalmente en Dios siempre que les llegue el ansia por la vida, ya sea por las preocupaciones que todo individuo tiene por su trabajo, subsistencia o problemas familiares, ya sea por la angustia o miedo ante la enfermedad o la muerte.

Este abandonarse completamente en las manos de Dios se hace firme con la oración. Esta oración es agradecimiento por tantas cosas que el Señor ha dado a los filipenses. La oración de gratitud desembocará en pedir remedio a las necesidades por las que pasen, y de allí, les vendrá la paz. Habla de la paz en sentido bíblico que significa esa integridad que se adquiere cuando en el ser humano todo funciona bien. Tiene en vista Pablo que una unificación de mente, corazón y pensamiento, maduran proyectos y decisiones.

Pablo llega al final. Emplea un catálogo de valores éticos que en sí no son cristianos, pues pertenecen a los valores éticos humanos, cultivados especialmente en el ambiente helenista. Algunos de estos valores se encuentran ya en la traducción griega de la Biblia. Todo hombre es llamado en su conciencia a seguir estos valores. Parece que estos valores eran inculcados sobre

Pongan por obra cuanto han **aprendido** y **recibido** de mí,
todo lo que yo he **dicho** y me han **visto** hacer;
y el **Dios** de la **paz** estará con **ustedes**.

EVANGELIO Mateo 21:33–43

Lectura del santo Evangelio según san Mateo

En la parte inicial de la parábola adopta el tono natural de una narración impersonal.

En **aquel** tiempo,
Jesús dijo a los **sumos sacerdotes** y a los **ancianos** del pueblo
esta parábola:
"Había una vez un **propietario** que **plantó** un **viñedo**,
lo **rodeó** con una cerca, **cavó** un lagar en él,
construyó una **torre** para el **vigilante**
y luego lo **alquiló** a unos **viñadores** y **se fue** de viaje.

Llegado el **tiempo** de la **vendimia**,
envió a sus **criados** para pedir su parte de los
a los **viñadores**;
pero **éstos** se **apoderaron** de los **criados**,
golpearon a uno, **mataron** a otro y a **otro más** lo **apedrearon**.
Envió de nuevo a **otros criados**,
en **mayor número** que los **primeros**,
y los trataron del **mismo** modo.

Llega lo inesperado. La narración ha venido subiendo en dramatismo y violencia. Al describir las intenciones de los viñadores apresura la velocidad de la lectura.

Por último, les **mandó** a su **propio hijo**, pensando:
'A **mi hijo** lo **respetarán**'.
Pero cuando los viñadores **lo vieron**, se dijeron **unos a otros**:
'**Éste** es el **heredero**.
Vamos a **matarlo** y **nos quedaremos** con su **herencia**'.
Le **echaron** mano, lo **sacaron** del viñedo y lo **mataron**.

Ahora, **díganme**: cuando **vuelva el dueño** del viñedo,
¿**qué hará** con esos viñadores?"

todo por los estoicos. El cristiano con más razón debe aceptarlos y practicarlos. Son ocho las cualidades o valores que Pablo recomienda a sus discípulos: lo verdadero, noble, justo, puro, amable, loable, virtuoso y valioso. Todo esto y, sobre todo, los valores específicos cristianos, los recibieron y aprendieron de Pablo. Además, Pablo realiza una unión entre lo que enseña y su persona. Los filipenses tienen la predicación y el ejemplo ofrecido por el mismo Apóstol.

EVANGELIO Al ser cuestionado por los administradores del templo sobre la autoridad para expulsar a los comerciantes, Jesús responde con tres parábolas: la de los dos hijos, la de los viñadores asesinos, y la de las bodas del hijo del rey. Con ellas, va quedando más claro cada vez que rechazar a los enviados divinos tiene por consecuencia verse excluido del Reino de Dios.

En el evangelio de hoy se distinguen tres momentos. La forma de iniciar la parábola evoca el pasaje de Isaías, estableciendo así, que la trama es la relación de Dios con su pueblo, Israel. No se enfoca en la viña misma, lugar, dimensiones, calidad, etc., sino en lo que el dueño de la viña hace. Su hacer deja ver que es recto y noble; hace todo bien; es emprendedor, conoce su materia y confía en las personas. Habiendo alistado la viña, el señor la entrega a unos arrendatarios y se va a otra tierra.

En el segundo momento de la parábola encontramos el reclamo de los frutos y la reacción de los arrendatarios. El dueño interactúa con los campesinos; si su bondad es incomprensible, la maldad de los trabajadores llega a la demencia total. Asesinan al heredero. En la escalada de violencia aupada por la codicia de los arrendatarios

Ellos le respondieron:
"**Dará muerte terrible** a esos **desalmados**
y **arrendará** el viñedo a **otros** viñadores,
que le **entreguen** los frutos **a su tiempo**".

El mundo de la parábola quedó atrás. La pregunta de Jesús debe sonar incisiva, como un reproche acusador.

Entonces **Jesús** les dijo:
"¿No han leído **nunca** en la **Escritura**:
La ***piedra*** *que* ***desecharon*** *los* ***constructores,***
es ***ahora*** *la piedra* ***angular.***
Esto *es* ***obra del Señor*** *y es un* ***prodigio admirable***?

Dale un tono lapidario, seco, a este par de líneas.

Por **esta** razón les digo a **ustedes**
que les **será quitado** el **Reino de Dios**
y se le **dará** a un pueblo que **produzca** sus **frutos**".

queda arruinada cualquier posibilidad de colaboración en la viña.

El juicio constituye el tercer momento. El Maestro hace que los sumos sacerdotes y los ancianos del pueblo se pronuncien, no sobre el destino de la viña, sino sobre el comportamiento del dueño de la viña al volver. Ellos olvidan la bondad insensata del señor aquél, y lo convierten en alguien justiciero: "dará muerte terrible a esos desalmados". "Por su boca muere el pez", dice el dicho.

Si esta parábola afirma a los líderes cristianos su identidad de trabajadores nuevos que deben producir frutos para el Señor, también confiesa la identidad del Hijo, el Mesías, piedra angular de la viña nueva, con la clave del milagro patente, su resurrección. Pero el foco termina cambiándose de los nuevos líderes a un pueblo o comunidad que produzca frutos. La responsabilidad de producir frutos se populariza, por así decir.

En este siglo XXI y en consonancia con los derechos humanos que la sociedad entera ha venido promoviendo, los arrendatarios de la Viña del Señor estamos obligados a dar los frutos debidos. Uno muy importante, y en el que poco énfasis se hace, es la transparencia administrativa y corresponsable. Los consejos parroquiales, diocesanos y nacionales deben exigirse a dar los frutos que el Señor espera, en consonancia con la bondad inagotable de su Señor, pero también con su venida judicial. Sin la conciencia de esta venida, la viña queda convertida en "cueva de ladrones".

XXVIII DOMINGO ORDINARIO

I LECTURA Isaías 25:6–10a

Lectura del libro del profeta Isaías

El banquete es una invitación a acercarse al Señor. Prepárate a participar de él, pues lo que ofrecerá es su palabra de vida, y tú eres comensal y servidor.

En **aquel** día, el **Señor** del universo
preparará sobre **este monte**
un **festín** con platillos **suculentos**
para **todos** los pueblos;
un **banquete** con vinos **exquisitos**
y manjares **sustanciosos**.
Él **arrancará** en este monte
el **velo** que **cubre** el **rostro** de **todos** los pueblos,
el **paño** que **oscurece** a **todas** las naciones.
Destruirá la **muerte** para **siempre**;
el Señor Dios **enjugará** las **lágrimas** de **todos** los rostros
y **borrará** de **toda** la tierra la **afrenta** de su **pueblo**.
Así lo ha dicho el **Señor**.

Identifica las frases gozosas y pronúncialas así, con gozo auténtico.

En **aquel** día se dirá:
"**Aquí** está **nuestro Dios**,
de quien **esperábamos** que nos **salvara**.
Alegrémonos y **gocemos** con la **salvación** que nos trae,
porque la **mano** del Señor **reposará** en **este monte**".

I LECTURA En esta parte, que pertenece a lo que se ha llamado el Apocalipsis de Isaías (cap. 27) el profeta anuncia una intervención futura en favor de todos los pueblos. Hay un juicio final que terminará con todos los reinos opresores de este mundo y se inaugurara el reino definitivo de Dios. En el capítulo anterior (24) se anuncia el juicio de Dios, del que sale inerme Jerusalén, que se convierte en el centro del nuevo reino divino. En 25:1–5 hay un himno que glorifica al Señor porque ha humillado a la ciudad enemiga, causante del pecado de orgullo. Los versos de nuestra lectura de hoy anuncian la salvación escatológica universal bajo el símbolo de un banquete real que se desarrolla en el monte Sión y que se tiene la victoria definitiva de la muerte. Los siguientes versos traen un himno de acción de gracias del pueblo salvado.

La lectura de hoy se puede dividir en dos partes (vv. 6–8 y 9–10a). La primera parte contiene un oráculo del profeta, que emplea la figura del banquete universal. Es decir, al final de los tiempos el Señor Dios invita a todos los pueblos a que disfruten la alegría definitiva que es manifiesta en vinos generosos y manjares suculentos. El banquete es un símbolo de la comunidad familiar, recuerda los beneficios divinos de que se nutre el hombre. La abundancia y exquisitez de los manjares significa la potencia y riqueza del que da y su buena voluntad. ¿Quiénes son estas naciones? Es una afirmación de la salvación universal. Es claro que en esta salvación tendrá un puesto privilegiado Israel, al estilo del Siervo del Señor.

Al final, Dios quitará el velo que cubría la cara. Tal vez se refiere al luto por el cual se cubría el oriental la cara. O también puede significar el hecho de cubrirse ante la presencia divina. Con esto, el profeta dice

Para meditar.

SALMO RESPONSORIAL Salmo 22:1–3a, 3b–4, 5, 6

R. Habitaré en la casa del Señor, por años sin término.

El Señor es mi pastor, nada me falta: en verdes praderas me hace recostar, me conduce hacia fuentes tranquilas y repara mis fuerzas. R.

Me guía por el sendero justo por el honor de su nombre. Aunque camine por cañadas oscuras, nada temo, porque tú vas conmigo: tu vara y tu cayado me sosiegan. R.

Preparas una mesa ante mí enfrente de mis enemigos; me unges la cabeza con perfume, y mi copa rebosa. R.

Tu bondad y tu misericordia me acompañan todos los días de mi vida, y habitaré en la casa del Señor por años sin término. R.

II LECTURA Filipenses 4:12–14, 19–20

Lectura de la carta del apóstol san Pablo a los filipenses

La clave de esta lectura está en que los oyentes perciban el secreto para vivir sin preocuparse ni vanagloriarse. Como Pablo, busca tu fortaleza en el Señor, y contagia a la asamblea con este anhelo.

Hermanos:
Yo sé lo que es **vivir** en **pobreza**
y **también** lo que es tener de **sobra**.
Estoy **acostumbrado** a **todo**:
lo mismo a comer bien que a pasar **hambre**;
lo mismo a la abundancia que a la **escasez**.
Todo lo puedo unido a **aquél** que me da **fuerza**.
Sin embargo, han hecho **ustedes** bien en **socorrerme**
cuando **me vi** en **dificultades**.

La doxología pronúnciala con verdadero entusiasmo.

Mi Dios, **por su parte**, con su **infinita riqueza**,
remediará con esplendidez **todas** las necesidades de **ustedes**,
por medio de **Cristo Jesús**.
Gloria a Dios, nuestro **Padre**, por los **siglos** de los siglos. **Amén**.

que al final se tendrá el paso de un conocimiento de Dios fragmentario a una visión directa de Dios. La muerte, el enemigo más terrible del hombre, desaparecerá. Y las lágrimas que acompañan a todo ser humano, se terminarán. Esto será efecto del rotundo afecto de Dios con los hombres. Y, algo importante, Israel retomará su puesto de mediación, que es el sentido profundo de su vocación: ser causa de bendición para todos los pueblos.

II LECTURA Esta parte de la carta, si no es que fue antes un trozo independiente, comunica Pablo noticias suyas a los filipenses por medio de Epafrodito, que había sido enviado por la comunidad para ayudarlo. No sabemos el lugar donde Pablo estaba prisionero. Pablo da gracias a la comunidad por la ayuda que le enviaron durante su estancia en la cárcel. Sabe que la comunidad de Tesalónica es una comunidad pobre y por esto con más énfasis les envía su agradecimiento. Pablo alude a su independencia, pero agradece el gesto de los filipenses, ya que le ayudaron para mantenerse en el servicio del evangelio.

Pablo habla de la "autosuficiencia", que era un ideal de la filosofía popular, pero no lo dice en este sentido, sino más bien se acerca a la tradición del sabio que "sabe contentarse" con los bienes indispensables dados por Dios (Prov 30:8). Lo cual Pablo enfatiza solemnemente con su famosa expresión: "Todo lo puedo en aquel que me da fuerzas". Pablo compara esta ayuda que le enviaron los filipenses por Epafrodito, con un verdadero acto cultual litúrgico.

Pablo desarrolla el papel pedagógico de su experiencia para que les sirva a los demás. El Apóstol tiene capacidad de vivir

EVANGELIO Mateo 22:1–14

Lectura del santo Evangelio según san Mateo

La lectura es prolongada pero nunca falta de interés. Procura hacerla con agilidad y prestancia, pero sin correr.

En **aquel** tiempo, volvió **Jesús** a hablar en **parábolas**
a los **sumos sacerdotes**
y a los **ancianos** del pueblo, diciendo:
"El **Reino de los cielos** es **semejante** a un **rey**
que preparó un **banquete de bodas** para **su hijo**.
Mandó a sus **criados** que **llamaran** a los **invitados**,
pero **éstos no quisieron ir**.

Envió **de nuevo** a **otros criados** que les dijeran:
'**Tengo preparado** el **banquete**;
he hecho **matar** mis **terneras** y los **otros animales gordos**;
todo está listo.
Vengan a la **boda**'.
Pero los **invitados** no hicieron **caso**.
Uno se fue a su campo, **otro** a su negocio
y **los demás** se les echaron **encima** a los **criados**,
los **insultaron** y los **mataron**.

Se da un cambio drástico de actitud en el relato. Denótalo también en la intensidad de tu voz.

Entonces el **rey** se **llenó** de **cólera**
y **mandó** sus **tropas**, que dieron **muerte** a **aquellos asesinos**
y **prendieron fuego** a la **ciudad**.

Luego les dijo a sus **criados**:
'La **boda** está **preparada**; pero los que habían sido **invitados**
no fueron **dignos**.
Salgan, pues, a los **cruces** de los **caminos**
y **conviden** al **banquete de bodas** a **todos** los que **encuentren**'.
Los criados **salieron** a los **caminos**
y **reunieron** a **todos** los que encontraron, **malos** y **buenos**,
y la **sala** del banquete **se llenó** de **convidados**.

en la condición de quien tiene bienes como del que no los tiene, es decir, Pablo puede vivir en la pobreza y en la abundancia. Con la antítesis Pablo expresa la paradoja cristiana que se inspira en la actitud de Cristo, humillado hasta la muerte, pero exaltado por Dios. En cualquier situación se puede hablar y predicar del Señor Jesús. Si habla el Apóstol de autosuficiencia es porque está fijamente anclado en su unión con Jesucristo.

Lo hecho por los filipenses redundará en favor de ellos, dada su intención y acción. Pablo deja que Dios colme las necesidades de esa comunidad que es pobre, pero que aprendió del Apóstol a dar. Tal vez por esto fue la única comunidad de la que el Apóstol aceptó recibir ayuda. Y no fue por orgullo, sino porque vio en esto realmente un desprendimiento por el evangelio. Algo que no percibió en otras comunidades de las que se negó a aceptar ayuda. La finalidad de esta acción de los filipenses lleva a Pablo a terminar con una gran doxología al Padre celestial.

EVANGELIO Con la parábola del evangelio de hoy, concluye Jesús la respuesta a los líderes del pueblo que preguntaron por su autoridad para expulsar a los comerciantes del templo. Las bodas del hijo del rey es una parábola que enseña algún aspecto del Reino; esta parábola, sin embargo, termina por desdoblarse. La parte primera deja en claro que la fiesta de bodas se tiene que celebrar, así sea con gente "indeseable".

Como en la parábola del domingo anterior, en ésta también se contrastan dos procederes; el del rey generoso y de fiesta, que urge a sus invitados a acudir a las bodas, porque todo está debidamente a punto, y el de los infames subalternos que

La reacción del rey es tan explosiva como drástica. Haz una breve pausa antes de la línea final.

Cuando el rey **entró** a **saludar** a los **convidados**
vio **entre ellos** a un **hombre que no iba vestido**
con **traje de fiesta** y le **preguntó**:
'**Amigo**, ¿cómo has **entrado** aquí **sin traje de fiesta**?'
Aquel hombre se quedó **callado**.
Entonces el **rey** dijo a los **criados**:
'**Átenlo** de pies y manos y **arrójenlo fuera**, a las **tinieblas**.
Allí será el **llanto** y la **desesperación**.
Porque **muchos** son los **llamados** y **pocos** los **escogidos**'".

Forma breve: Mateo 22:1–10

lo rechazan, y que se muestran indignos de la fiesta. Peor aún, no sólo no quisieron ir, sino que a los mensajeros de la segunda embajada los maltratan y hasta asesinan, mientras que otros invitados prefieren su propio negocio, por lo que se excusan de participar en la fiesta. Este comportamiento inadmisible por ofensivo, les acarreará la muerte para sí y la ruina total para sus ciudades. ¿Qué sucedió? Lo inimaginable. Que aquel solícito rey que los apremiaba a venir a la fiesta de su hijo, trocó la deferencia en cólera justiciera contra ellos. Y, justo cuando sus invitados han quedado aniquilado y no hay modo honorable de celebrar las bodas, se desdobla el relato en el banquete de la fiesta.

El rey hace llenar la sala del banquete con gentes de los caminos, buenas y malas. Este es un motivo muy querido al evangelista, porque en el seno de su comunidad habría personas honorables y bien vistas que convivían con otras de menor consideración social. San Mateo no es partidario de pasar a todos por el harnero para dejar sólo a los buenos en la Iglesia. No ahora. Llegará el momento, cuando el rey salude a cada asistente, y el que no sea encontrado digno, sufra las consecuencias, sin opción a recuperarse.

La indiscriminada apertura al banquete que Dios prepara para todos los pueblos no significa "abaratar" el Reino, ni que para participar valga tan sólo el venir de los cruceros y caminos. Más bien aquí está justamente la buena noticia: quienes ni de lejos se imaginaron poder entrar a la sala de un banquete real, son los escogidos por Dios para celebrar las bodas mesiánicas de su Hijo. Esa es la vocación de la Iglesia.

XXIX DOMINGO ORDINARIO

I LECTURA Isaías 45:1, 4–6

Lectura del libro del profeta Isaías

Se trata de un oráculo de institución a un rey extranjero y nuevo. Esta novedad debe aflorar al enfatizar el nombre del rey.

Así habló el **Señor** a **Ciro**, su **ungido**,
a quien ha tomado **de la mano**
para **someter ante él** a las naciones
y **desbaratar** la **potencia** de los **reyes**,
para **abrir ante** él los portones
y que no quede **nada cerrado**:
"Por amor a **Jacob**, mi **siervo**, y a **Israel**, mi **escogido**,
te llamé por tu nombre y **te di** un título de **honor**,
aunque **tú no me conocieras**.

Con firme serenidad haz resonar las frases del Dios único. Alimenta tu espiritualidad con ellas.

Yo soy el Señor y **no hay** otro;
fuera de mí no hay Dios.
Te hago **poderoso**, aunque **tú no me conoces**,
para que **todos** sepan, de **oriente** a **occidente**,
que **no hay** otro Dios **fuera de mí**.
Yo soy el Señor y **no hay otro**".

Para meditar.

SALMO RESPONSORIAL Salmo 95:1 y 3, 4–5, 7–8, 9–10a y c

R. Aclamen la gloria y el poder del Señor.

Canten al Señor un cántico nuevo, canten al Señor, toda la tierra. Cuenten a los pueblos su gloria, sus maravillas a todas las naciones. R.

Porque es grande el Señor, y muy digno de alabanza, más temible que todos los dioses. Pues los dioses de los gentiles son apariencia, mientras que el Señor ha hecho el cielo. R.

Familias de los pueblos, aclamen al Señor, aclamen la gloria y el poder del Señor, aclamen la gloria del nombre del Señor, entren en sus atrios trayéndole ofrendas. R.

Póstrense ante el Señor en el atrio sagrado, tiemble en su presencia la tierra toda. Digan a los pueblos: "el Señor es rey", él gobierna a los pueblos rectamente. R.

I LECTURA Este oráculo de un profeta cuyo nombre permanece en lo ignoto, transmite la investidura real a Ciro el Grande, rey de Persia. Dios va a reconstruir a su pueblo, después de largos años de la invasión caldea a Judá y de la destrucción de Jerusalén, de su templo y del destierro de su clase dirigente. Ahora, por medio del profeta, revela a su pueblo cuál es el designio de salvación para Israel. Desde luego, el rey escogido, Ciro, no sabe de este plan. Las intenciones del rey persa son meramente humanas, de conquistar tierras y más tierras para beneficio de su país de origen y para su gloria. Pero detrás de todo esto está el Señor, Dios de Israel.

Sorprendidos estarían los oyentes directos del profeta, al oír que Dios se había escogido para realizar sus proyectos a un rey extranjero, que no adoraba al Dios de Israel. Pero Dios ha manifestado su libertad en todo lo que hace y sus designios y proyectos están del todo ocultos al hombre. Ciro es un instrumento en las manos de Dios. Recibió la investidura oficial, un nombre, un título y las insignias reales. En las palabras dirigidas a Ciro, afirma Dios su poderío y su unicidad. Nada ni nadie pude escaparse a su control. El objetivo de la acción divina no es político, como lo podría creer Ciro, sino religioso. El objetivo de todas esas conquistas de Ciro tienen un objetivo: el regreso de Israel del destierro y el acomodo del pueblo en un lugar seguro. Nuestra elección como cristianos nos lleva a sentirnos agradecidos a Dios y dispuestos a ejecutar el plan que él tiene para cada uno de nosotros. Aquí entra lo que el concilio pasado nos recomendaba de saber leer los signos de los tiempos.

II LECTURA 1 Tesalonicenses 1:1–5ab

Lectura de la primera carta del apóstol san Pablo a los tesalonicenses

Con calidez y amabilidad presenta los nombres de los apóstoles del Evangelio, como si ellos mismos estuvieran allí.

Pablo, Silvano y **Timoteo**
deseamos la **gracia** y la **paz** a la comunidad **cristiana**
de los **tesalonicenses**,
congregada por **Dios Padre** y por **Jesucristo**, el **Señor**.

En **todo** momento **damos gracias** a Dios por **ustedes**
y los tenemos **presentes** en **nuestras oraciones**.
Ante **Dios**, nuestro **Padre**,
recordamos **sin cesar** las obras que **manifiestan** la fe de **ustedes**,
los **trabajos fatigosos** que ha emprendido su **amor**
y la **perseverancia** que les da su **esperanza**
en **Jesucristo**, nuestro **Señor**.

Nota el lenguaje tan cálido de estas líneas.

Nunca perdemos de vista, **hermanos muy amados** de **Dios**,
que **él** es quien los ha **elegido**.
En efecto, nuestra **predicación** del **Evangelio** entre **ustedes**
no se llevó a cabo **sólo** con **palabras**,
sino **también** con la **fuerza** del **Espíritu Santo**,
que produjo en ustedes **abundantes** frutos.

EVANGELIO Mateo 22:15–21

Lectura del santo Evangelio según san Mateo

El episodio es breve pero tiene una fuerte carga dramática y emocional.

En **aquel** tiempo,
se reunieron los **fariseos** para ver la manera de **hacer caer**
a **Jesús**,
con **preguntas insidiosas**, en algo de que pudieran **acusarlo**.

Le **enviaron**, pues, a **algunos** de sus **secuaces**,
junto con **algunos** del partido de **Herodes**, para que le dijeran:

II LECTURA Esta primera carta a los tesalonicenses es la primera carta escrita por Pablo a su comunidad. Lo haría entre los años 50 y 51. Después de la salida brusca del Apóstol de esta ciudad, siente éste que su comunidad tiene todavía muchas deficiencias por falta de formación. Hay en el aire algunas preguntas que quedaron sueltas y que el Apóstol trata de contestar, para, de algún modo, completar lo que quedó trunco.

En la primera parte de esta carta (1:2–3:13) recuerda el Apóstol los inicios y desarrollo de esta comunidad. La tría de fe, amor y esperanza es el fundamento de toda existencia cristiana. La fe es la respuesta a una llamada de Dios al hombre. En el centro de esta fe está la unión con Jesucristo, crucificado y resucitado. Esta fe da la fuerza para llevar a cabo cualquier cosa. El amor es la parte interna de esa fe. No es un amor a alguien, sino el amor con que Cristo nos ama. Se revela auténtico en cuanto conduce a una nueva hermandad. La esperanza tiene sentido en la donación de Dios al hombre. Se apoya en una promesa. No es pues un optimismo superficial ni una paciencia estoica, pues se trata de una esperanza fundada en el cumplimiento en Jesús. Es una esperanza fundada.

Todo esto se hace evidente y transparente en la realidad de cada día. El cristiano participa del amor que Dios nos dio, traspasándolo en su quehacer diario a los demás, a los hermanos. No puede faltar una de las tres virtudes, porque haría que desaparecieran las otras dos.

Un efecto del amor de Dios es la elección. La elección es extendida por Pablo a toda la comunidad. Por esto los tesalonicenses, dice Pablo, son amados por Dios. Esta elección se manifiesta en la vida y conducta comunitaria, de lo cual se gloría Pablo ante las demás comunidades.

Con cierto dejo meloso en la voz, permite que la hipocresía de los protagonistas quede al descubierto ante la asamblea.

"**Maestro**, sabemos que eres **sincero** y enseñas con **verdad**
el **camino de Dios**,
y que **nada** te arredra, porque **no buscas** el favor de **nadie**.
Dinos, pues, **qué** piensas:
¿Es **lícito** o no **pagar** el **tributo** al **César**?"

Conociendo **Jesús** la **malicia** de sus intenciones, les **contestó**:
"**Hipócritas**, ¿por qué **tratan** de **sorprenderme**?
Enséñenme la moneda del **tributo**".
Ellos le presentaron una **moneda**.
Jesús les **preguntó**:
"¿De **quién** es **esta imagen** y **esta inscripción**?"
Le respondieron: "**Del César**".

Pronuncia la respuesta del Maestro con tono tajante pero lleno de serenidad.

Y **Jesús concluyó**:
"**Den**, pues, **al César** lo que es **del César**,
y **a Dios** lo que **es de Dios**".

EVANGELIO Los adversarios del Mesías se confabulan para entramparlo y poder deshacerse de él, legítimamente. El pago del impuesto al emperador era asunto muy espinoso, porque aprobarlo significaba consentir una autoridad extranjera y pagana sobre el pueblo de Dios; negarlo podía resultar incendiario pues era como llamar a una revolución contra Roma.

Desde la intervención de los romanos en Palestina, en el año 63 a. C., los lugareños habían tenido que pagar un pesado impuesto a los que habían sido sus tutores y protectores. Los tributos eran muy pesados para las familias palestinas; se calcula que un 80 por ciento del ingreso anual de una familia de 8–10 miembros se gastaba sólo en el pago de impuestos religiosos, locales e imperiales. Ya en el año 6 a. C. hubo una insurrección, que fue sofocada a sangre y fuego por las legiones imperiales. Para el tiempo de Jesús, el pago se hacía la moneda romana, el denario acuñado por Tiberio, y que era el impuesto por habitante. Jesús primero desenmascara a los mismos aprendices de los fariseos (no pago) y de los herodianos (pro pago), haciendo que le muestren la moneda imperial; luego él se pronuncia sobre el asunto.

Por sus palabras, Jesús deja claro que el César no es Dios, ni tiene estatus divino, como sustentaban la propaganda imperial y el culto exigido por Roma. La licitud de darle el tributo se basa en su dominio. Pero no es un dominio absoluto, como pretende la imagen y la inscripción de la moneda. De allí la oposición con Dios. ¿Cuáles son "las cosas de Dios"? Dios no tiene un dominio restringido, y Jesús no se refería ni al templo ni a la religión siquiera, sino a la totalidad de la vida. El camino de Dios que Jesús enseña pasa por la totalidad de la vida humana; esto es lo que todo discípulo de Jesús debe tener muy en claro.

XXX DOMINGO ORDINARIO

I LECTURA Éxodo 22:20–26

Lectura del libro del Éxodo

Deben resonar con firmeza estas ordenanzas de la Ley del Señor. Haz énfasis en las causas para el comportamiento requerido.

Esto dice el **Señor** a su **pueblo**:
"**No hagas** sufrir **ni oprimas** al **extranjero**,
porque **ustedes** fueron extranjeros en **Egipto**.
No explotes a las **viudas** ni a los **huérfanos**,
porque si los **explotas** y ellos **claman** a mí,
ciertamente oiré yo su **clamor**;
mi ira se **encenderá**, te **mataré** a espada,
tus **mujeres** quedarán **viudas** y tus **hijos, huérfanos**.

En tono similar al anterior proclama esta ley de la alianza con el pueblo de Dios.

Cuando **prestes dinero** a uno de mi **pueblo**,
al **pobre** que está **contigo**,
no te portes con él como **usurero**, cargándole **intereses**.

El párrafo tocante a los pobres procura despertar la compasión por el necesitado. Adopta la defensa de los más vulnerables.

Si **tomas** en prenda el **manto** de tu **prójimo**,
devuélveselo **antes** de que **se ponga el sol**,
porque no tiene otra cosa con qué **cubrirse**;
su **manto** es su **único** cobertor
y **si no** se lo devuelves, **¿cómo** va a **dormir**?
Cuando él **clame** a mí, **yo** lo escucharé,
porque soy **misericordioso**".

I LECTURA Los versos leídos hoy pertenecen al conocido Código de la Alianza (Ex 20:22–23:33). Este código, colocado después del Decálogo, no es una legislación distinta, sino la especificación práctica del Decálogo. En medio del mismo pueblo de Israel, había personas que se veían excluidas por la misma sociedad que las genera: la viuda, el huérfano y el extranjero. Este código es el más antiguo y muestra preocupación por los desvalidos.

La primera parte (vv. 20–23) contiene dos mandamientos. Uno refiere al extranjero, el otro, a la viuda y huérfano.

La segunda parte (v. 26) se ocupa del préstamo y las prendas. El extranjero tenía algunos privilegios dentro de la sociedad israelita, pero lo cercaban muchas carencias. La ley insiste en no oprimirlos y reconocerles algunos derechos. El Señor mismo es su defensor. Además de solidaridad, el mandato se apoya en el estatus de Israel como extranjero, pues dice un mandamiento que la tierra es de Dios y el israelita es un extranjero y huésped (Lev 24:23).

La viuda quedaba casi en el abandono. Sin la presencia del esposo que la protegía y le aseguraba su subsistencia, ella quedaba a la deriva junto con el huérfano. Dios llama a que no los exploten, de lo contrario, el abusivo se las verá con la ira divina.

Las normas de la segunda parte hablan del desprendimiento último que sufre el pobre: préstamo y prendas. La ley restringe al prestamista y al que recibe la prenda como garantía de pago. Al transgresor le advierte sobre la intervención de Dios, bajo la más poderosa razón: "Porque yo soy misericordioso" (v. 26).

II LECTURA Después de hablar del evento del Evangelio y del

Para meditar.

SALMO RESPONSORIAL Salmo 17:2–3a, 3bc–4, 47 y 51ab

R. Yo te amo, Señor, tú eres mi fortaleza.

Yo te amo, Señor, tú eres mi fortaleza, Señor, mi roca, mi alcázar, mi libertador. R.

Dios mío, peña mía, refugio mío, escudo mío, mi fuerza salvadora, mi baluarte. Invoco al Señor de mi alabanza y quedo libre de mis enemigos. R.

Viva el Señor, bendita sea mi Roca, sea ensalzado mi Dios y Salvador. Tú diste gran victoria a tu rey, tuviste misericordia de tu ungido. R.

II LECTURA 1 Tesalonicenses 1:5c–10

Lectura de la primera carta del apóstol san Pablo a los tesalonicenses

Con tono entrañable y afectuoso ve entregando cada línea de esta lectura a la asamblea.

Hermanos:
Bien saben **cómo** hemos actuado entre **ustedes** para su **bien.**
Ustedes, por su parte, se hicieron **imitadores** nuestros
y del **Señor**,
pues en medio de **muchas tribulaciones**
y con la **alegría** que da el **Espíritu Santo**,
han aceptado la palabra de Dios **en tal forma**,
que han llegado a ser **ejemplo** para **todos** los creyentes
de **Macedonia** y **Acaya**,
porque **de ustedes** partió y se ha **difundido** la **palabra**
del **Señor**:
y su **fe en Dios** ha llegado a ser **conocida**,
no sólo en **Macedonia** y **Acaya**, sino en **todas** partes;
de **tal manera**, que nosotros **ya no teníamos** necesidad
de decir **nada**.

testimonio suyo, Pablo pone los ojos de los mismos fieles en su propia conducta. Ellos se han convertido en imitadores de Cristo. Los cristianos están siguiendo a Cristo bajo la imagen del Siervo sufriente, por eso el sufrimiento y la gloria; la cruz y la resurrección. Este modo de seguimiento de los tesalonicenses ha sido un faro que ha irradiado a las provincias de Acaya y Macedonia, dos provincias europeas evangelizadas por Pablo. Pablo ha tocado el centro del mundo helenista.

La palabra de Dios, llevada por Pablo, ha creado una nueva situación y ahora va transformando la vida en todo lugar (v. 8). Esta palabra se ha convertido en fe. Esto recuerda la entrada evangelizadora de Pablo en Macedonia y la consecuente conversión de los tesalonicenses. Enseguida alude a la presentación condensada del contenido fundamental del kerigma primitivo.

Hubo primero un proceso de conversión de la idolatría a la adoración del verdadero Dios; en un segundo momento apareció la esperanza en la venida del Hijo, la resurrección de los muertos y la liberación de la ira. Esta Palabra produjo una nueva manera de ver las cosas, un comportamiento, es decir, una conducta.

Pablo indica cuál debe ser el proceso al aceptar la fe en Cristo Jesús. La fe lleva a convertir a quien la acepta, en modelo en la recepción de la palabra divina y en la paciencia en las tribulaciones de la vida. La profesión de fe no está separada de la imitación de Cristo para el fiel cristiano.

EVANGELIO El episodio de hoy clausura las cuestiones que los adversarios de Jerusalén le plantan al Mesías después de que expulsara a los

No te olvides de respirar propiamente y de sacar la voz desde la zona abdominal.

Porque **ellos mismos** cuentan de **qué** manera **tan favorable** nos acogieron **ustedes**
y cómo, **abandonando** los ídolos,
se convirtieron al Dios **vivo** y **verdadero** para **servirlo**,
esperando que venga desde el cielo su Hijo, **Jesús**,
a quien él **resucitó** de entre los **muertos**,
y es quien **nos libra** del castigo venidero.

EVANGELIO Mateo 22:34–40

Lectura del santo Evangelio según san Mateo

La lectura está distribuida en dos párrafos. Ten cuidado en elevar la voz hacia el final de la frase interrogativa.

En **aquel** tiempo, habiéndose enterado los **fariseos**
de que **Jesús** había dejado **callados** a los **saduceos**,
se acercaron a él.
Uno de ellos, que era **doctor de la ley**,
le preguntó para **ponerlo a prueba**:
"Maestro, ¿**cuál** es el mandamiento **más grande** de la **ley**?"

La sabiduría de Jesús debe notarse también en el tono de tu voz. Sin autoritarismo ni tono doctrinario, dirígete a la asamblea como hombre que ha abrazado la gran verdad que Jesús afirma.

Jesús le respondió:
"***Amarás al Señor****, tu Dios, con* ***todo tu corazón****,*
con ***toda tu alma*** *y con* ***toda tu mente****.*
Éste es el **más grande** y el **primero** de los mandamientos.
Y el segundo es **semejante** a éste:
Amarás *a tu* ***prójimo*** *como a* ***ti mismo****.*
En estos **dos mandamientos** se fundan **toda la ley** y los **profetas**".

comerciantes del templo. Primero fue la trampa sobre el impuesto, luego vino el asunto saduceo sobre la resurrección de los muertos, y ahora los fariseos, con uno de sus teólogos a la cabeza, vuelven a la carga con la jerarquía de los mandamientos.

San Mateo descubre que se trata de tentar a Jesús. La especulación judía había conseguido estipular 248 mandatos y 365 prohibiciones dados a Moisés, pero para funciones catequéticas a los prosélitos se les condensaban hasta en uno, el de Habacuc 2:4. Se trata de dar con el clavo del que penda una vida entera que agrade a Dios. Jesús nada inventa. Toma la práctica diaria de recitar dos veces el "Escucha Israel" del Deuteronomio (6:5), con la salvedad de que "con toda tu mente" suplanta al "con todos tus bienes". La referencia al primer mandamiento es innegable.

Con la referencia a Levítico (19:18), Jesús deja en claro que no es un clavo el que se necesita para agradar a Dios, sino dos. Ambos preceptos de amor son indisociables y estaban ya incluidos en la virtud de la piedad, o del temor de Dios o de la justicia, e incluso al hablar de filantropía o benevolencia. Esto estaba ampliamente divulgado, como se puede notar incluso en el himno al amor de Pablo (ver 1 Cor 13; pero también Gal 5:14 y Mt 7:12), aunque no en la formulación que Jesús hace.

Si todos los preceptos "cuelgan" de estos dos, significa no que queden abrogados o dejen de tener sentido, sino que esos preceptos si no están animados por el amor, son puro ruido, como anota Pablo. Y este canon o norma para los mandamientos debe regir toda la vida cristiana. Sin amar no hay vida cristiana. Y podemos amar a Dios y al prójimo "porque él nos amó primero" (1 Jn 4:10).

TODOS LOS SANTOS

I LECTURA Apocalipsis 7:2–4, 9–14

La visión es esplendorosa. Déjate sorprender por ella, y deja traslucir tu sorpresa ante la asamblea. Procura que las alabanzas y aclamaciones sean claras.

Alarga las frases de la primera oración, y los términos que refieran a esa totalidad de personas. Silabea bien la alabanza que pronuncia la multitud incontable.

Lectura del libro del Apocalipsis del apóstol san Juan

Yo, Juan, vi a un **ángel** que **venía** del oriente.
Traía consigo el **sello** del **Dios vivo** y gritaba con voz **poderosa**
a los **cuatro ángeles** encargados de hacer daño
a la tierra y al mar.
Les dijo: "¡**No hagan daño** a la tierra, ni al **mar**, ni a los **árboles**,
hasta que terminemos de **marcar** con el **sello**
la frente de los **servidores** de nuestro **Dios**!"
Y pude oír el **número** de los que habían sido **marcados**:
eran ciento **cuarenta** y **cuatro mil**,
procedentes de **todas** las **tribus** de Israel.

Vi luego una **muchedumbre** tan grande,
que **nadie** podía contarla.
Eran individuos de **todas** las **naciones** y **razas**,
de **todos los pueblos y lenguas**.
Todos estaban **de pie**, delante del **trono** y del **Cordero**;
iban **vestidos** con una túnica **blanca**;
llevaban **palmas** en las **manos** y **exclamaban**
con voz poderosa:
"La **salvación** viene de nuestro **Dios**,
que está **sentado** en el **trono**, y del **Cordero**".

I LECTURA La lectura primera es una parte del primer septenario del libro del Apocalipsis, el de los sellos. El texto habla de una liturgia que se tiene antes de que el Cordero abra el último sello. Antes ha hablado el autor del sello que se le pone a los elegidos. Son éstos ciento cuarenta y cuatro mil. Se ejecuta esta acción en una pausa de la que habla el v. 1.

Esta escena tiene un modelo en el Antiguo Testamento. En Ezequiel, capítulos 8–10, habla el profeta del abandono de la gloria divina del templo. Dios anuncia la punición que hará sobre los pecadores, pero antes manda que se marque a los que han sido fieles con una tau (Ez 9:4).

Juan retoma la escena y la adapta. El número acuñado por Juan, es la suma de doce grupos de doce mil. Cada tribu tiene doce mil. Este grupo es distinto de la multitud incalculable (7:9). Los números de los dos grupos son distintos y también el origen es diverso: los 144 mil provienen de las tribus completas de Israel, mientras que la multitud incontable proviene de la totalidad de todos los pueblos.

Es importante fijarse uno en los particulares simbólicos de la multitud: "Están de pie" y "delante del trono y del Cordero", es decir se encuentran en una relación personal con ellos, envueltos en vestidos, blanco; participan ya de la resurrección de Cristo. "Traen palmas en las manos". Participan con Cristo de la victoria sobre el mal y gozan de la plenitud de la vida. En los versos 11–12 se escucha un canto de adoración a Dios a quien le corresponde el homenaje universal.

Al final (vv. 13-14), de acuerdo al género apocalíptico, viene una pregunta que pide una aclaración. Responde uno de los ancianos: "Son los que han atravesado por la gran

Desde tu corazón únete a la alabanza celeste.

Y todos los **ángeles** que estaban alrededor del **trono**,
de los **ancianos** y de los **cuatro** seres **vivientes**,
cayeron rostro en tierra delante del trono
y **adoraron** a **Dios**, diciendo:
"**Amén**. La alabanza, la gloria, la sabiduría,
la acción de gracias, el **honor**, el poder y la **fuerza**,
se le **deben** para **siempre** a nuestro **Dios**".

Nota la cualificación de los mártires. Dale relevancia a la sangre derramada.

Entonces uno de los ancianos me preguntó:
"¿**Quiénes** son y de **dónde** han venido
los que llevan la **túnica blanca**?"
Yo le respondí:
"Señor mío, **tú** eres quien lo **sabe**".
Entonces él me **dijo**:
"Son los que han **pasado** por la gran **persecución**
y han **lavado y blanqueado** su **túnica**
con la sangre del **Cordero**".

Para meditar.

SALMO RESPONSORIAL Salmo 23:1–2, 3–4a, 5–6

R. Ésta es la clase de hombres que te buscan, Señor.

Del Señor es la tierra y cuanto la llena, / el orbe y todos sus habitantes: / Él la fundó sobre los mares, / él la afianzó sobre los ríos. R.

¿Quién puede subir al monte del Señor? / ¿Quién puede estar en el recinto sacro? /El hombre de manos inocentes / y puro de corazón, / que no confía en los ídolos. R.

Ése recibirá la bendición del Señor, / le hará justicia el Dios de salvación. / Éste es el grupo que busca al Señor, / que viene a tu presencia, Dios de Jacob. R.

tribulación". Del punto de vista cristiano se refiere la expresión a la pasión de Cristo, la tribulación por excelencia. Los que han seguido este ejemplo de Cristo y han sufrido el martirio, han convertido sus vestidos en blancura. Luego han podido estar ante el trono de Dios celebrando la salvación. Para la literatura juanea, la sangre de Cristo nos purifica de todo pecado. A través de estos testimonios que han dado estos cristianos, han recibido la salvación, participando de la resurrección de Cristo.

II LECTURA Es fundamental para la fe del cristiano, el don de la filiación divina. Esta realidad es decisiva para san Juan. En los inicios de su evangelio claramente afirma que la Palabra vino a los suyos y no lo recibieron; pero a los que lo aceptaron recibieron el gran don de ser hijos de Dios. Es la gran revelación y es lo que nos injerta a Jesús. Por esto compartimos su suerte.

La primera carta de Juan a su comunidad bordará también sobre la realidad de la filiación. Es el argumento fundamental que esgrime el autor para inculcar a los miembros de la comunidad a manifestar en su conducta lo que son: hijos de Dios.

Esta parte de la segunda lectura se abre con la exclamación entusiasta de que ser hijo es un don de Dios: "Que amor tan grande nos ha mostrado el Padre: que nos llamamos hijos de Dios y realmente lo somos". Esta participación de los cristianos en la filiación divina conduce también a la participación en su destino, que es el rechazo de parte del mundo: "Por esto el mundo no nos reconoce, porque no lo reconoce a él". No obstante, este rechazo pasa a un segundo lugar ante el hecho de ser hijos de

II LECTURA 1 Juan 3:1–3

Lectura de la primera carta del apóstol san Juan

El tono es el de un padre cariñoso que aconseja a sus hijos, encareciéndoles lo más importante para vivir bien.

Queridos hijos:
Miren cuánto **amor** nos ha tenido el **Padre**,
pues no sólo nos **llamamos** hijos de **Dios**, sino que lo **somos.**
Si el **mundo** no nos reconoce,
es porque **tampoco** lo ha **reconocido** a él.

Habla el hermano en la fe cristiana. Mantén el ritmo pausado y no te olvides de hacer contacto visual con la asamblea.

Hermanos **míos**,
ahora **somos hijos** de Dios,
pero aún **no** se ha **manifestado** cómo seremos al fin.
Y ya sabemos que, cuando él se **manifieste**,
vamos a ser **semejantes** a él,
porque lo **veremos** tal cual es.

Todo el que tenga **puesta** en Dios esta **esperanza**,
se **purifica** a sí **mismo** para ser tan puro como **él.**

EVANGELIO Mateo 5:1–12a

Lectura del santo Evangelio según san Mateo

Comienza la proclamación con prestancia, pero dándole sentido a cada frase.

Nota que las oraciones se arman con dos frases. La primera hazla con el ánimo que tienen los anuncios inesperados, la segunda ofreciendo la causa o razón de lo previo.

Al anunciar estas frases procura hacer contacto visual con la asamblea.

En aquel tiempo,
cuando Jesús vio a la **muchedumbre,**
subió al monte y se sentó.
Entonces se le acercaron sus **discípulos.**
Enseguida comenzó a **enseñarles**, hablándoles así:

"**Dichosos** los pobres de **espíritu**,
porque de ellos es el **Reino** de los **cielos**.
Dichosos los que **lloran**,
porque serán **consolados**.

Dios, aunque sea de manera oculta: "Queridos, ya somos hijos de Dios, pero todavía no se ha manifestado lo que seremos". No sabemos todavía lo que seremos. Hay una especie de velo. El texto acentúa el misterio. Cuando se manifieste la plenitud del Hijo de Dios en la gloria, entonces tendremos la manifestación de nuestra dignidad de hijos, participando de su gloria: "Sabemos que, cuando aparezca, seremos semejantes a él y lo veremos como él es".

La tensión en que estamos hacia el futuro salvífico está sostenida por la esperanza. Es el sentido del v. 3. No es algo que nos haga pasivos en esta vida. Estamos ya preparándonos, al asemejarnos cada día más a Cristo. Si sabemos que el Señor es justo y puro, entonces nuestra tarea cotidiana es ir trabajando en estos aspectos para irnos conformando a Jesús, superando todo lo que pueda abajarnos cometiendo el pecado. Hoy que la Iglesia celebra a los santos, nos está diciendo que son éstos los que se conformaron en su vida al modelo Jesús y ahora ya han adquirido esa semejanza prometida por él.

EVANGELIO Con esta enseñanza, Jesús da comienzo a su predicación del Reino en tierras galileas, y la dirige a sus discípulos, aunque una multitud lo rodea. Las bienaventuranzas son quizá la expresión más apretada del evangelio del Reino. Por la forma y el orden que san Mateo les ha dado, se pueden ver también algunos rasgos de su comunidad o grupo de lectores.

Las primeras cuatro bienaventuranzas mencionan a personas que padecen necesidad: los pobres, los que lloran, los que sufren y los necesitados de justicia. Ellos padecen carencias, y su condición es lo que les vale ser declarados "dichosos" por Jesús, porque Dios los va a satisfacer. Se

Dichosos los **sufridos**,
porque **heredarán** la **tierra**.
Dichosos los que tienen **hambre** y **sed** de **justicia**,
porque serán **saciados**.
Dichosos los **misericordiosos**,
porque **obtendrán misericordia**.
Dichosos los **limpios** de **corazón**,
porque **verán** a Dios.
Dichosos los que **trabajan** por la **paz**,
porque se les **llamará** hijos de **Dios**.
Dichosos los **perseguidos** por causa de la **justicia**,
porque de ellos es el **Reino** de los **cielos**.
Dichosos serán ustedes, cuando los **injurien**,
los **persigan** y **digan** cosas falsas de ustedes **por** causa **mía**.
Alégrense y salten de contento,
porque su **premio** será **grande** en los **cielos**".

entiende que el cumplimiento de la promesa es la causa de su felicidad. Este futuro, en el caso de la primera bienaventuranza, es presente. A los pobres les pertenece ya el Reino de los cielos. Mateo ha matizado la pobreza como "de espíritu", dando a entender que se trata de aquellos que no tienen más posesión que Dios. Son ellos los que tienen la capacidad de hacer visible a Dios. Ellos son nuestros evangelizadores, diríamos hoy. A partir de este anuncio los demás cobran su sentido.

La siguiente serie de cuatro proclama dichosas a personas que actúan con los mismos modos que tiene Dios de obrar: misericordioso, honesto, pacífico, justo. Con su actuar, estas personas extienden, por así decir, la presencia de Dios. Dios mismo actúa por ellas. No son distintas a los pobres de la serie anterior. Esto se nota porque ambas series están como en paralelo, gracias a la justicia reforzada y al Reino. Se abren y cierran con idénticas palabras: "... de ellos es el Reino de los cielos".

En la última de las bienaventuranzas, la novena, san Mateo visualiza directamente a sus oyentes. Ellos han estado pasando por situaciones de presión social debido a su confesión mesiánica. La causa de Jesús es la causa del Reino. Por eso, Mateo les pide poner las cosas en perspectiva de escatología, de la meta final. Deben pues, vivir regocijándose ya en su recompensa última. Sin esto, las dificultades que enfrenta su fe cristiana los harán claudicar. Deben considerarse, más bien, que ellas les modelan como "pobres de espíritu", sabedores de que Dios sólo satisface sus carencias. Por eso, nada de pesadumbres ni entristecerse, deben vivir alegres y soberanos, por ser auténticos hijos de Dios. Lo mismo ha ocurrido con el Pobre por antonomasia, Jesucristo.

TODOS LOS FIELES DIFUNTOS

I LECTURA Sabiduría 3:1–9

Lectura del libro de la Sabiduría

Las primeras dos líneas son una aseveración y afirmación contundentes. Comunica esto con plena convicción para atraer la atención de la asamblea.

Las almas de los justos están en las **manos** de Dios
y no los alcanzará **ningún tormento.**
Los insensatos **pensaban** que los justos habían muerto,
que su salida de este mundo era una **desgracia**
y su salida de entre nosotros, una completa **destrucción**.
Pero los justos están en **paz**.

Con reverencia refiere las frases que hablan de los justos que han muerto inesperadamente.

La gente **pensaba** que sus sufrimientos eran un **castigo**,
pero ellos esperaban **confiadamente** la inmortalidad.
Después de **breves** sufrimientos
recibirán una **abundante** recompensa,
pues Dios los puso a **prueba**
y los halló **dignos** de sí.
Los probó como **oro** en el crisol
y los aceptó como un holocausto **agradable**.

La certeza debe ser convincente. Avanza bajando el ritmo y la intensidad hasta salir de la lectura.

En el día del juicio **brillarán** los justos
como **chispas** que se propagan en un cañaveral.
Juzgarán a las naciones y **dominarán** a los pueblos,
y el Señor **reinará** eternamente sobre ellos.

Los que confían en el Señor comprenderán la verdad
y los que son **fieles** a su amor permanecerán a su lado,
porque **Dios ama** a sus elegidos y cuida de ellos.

Lecturas alternativas: Sab 4:7–15; Isa 25:6–9.

I LECTURA En los libros más recientes del Antiguo Testamento encontramos la afirmación de que los justos estarán con el Señor después de la muerte. Ya Job había puesto bajo tela de juicio que la muerte fuera el final absoluto de la vida, y en el siglo primero a. C. el libro de la Sabiduría afirma incluso la inmortalidad. Parece que la muerte de los mártires y la suerte de los que vivieron de acuerdo a la Ley, no podía terminar en la nada. Tiene sentido vivir en la justicia, pues los que han sido fieles a Dios, recibirán el premio de la vida definitiva con él.

El sufrimiento y la angustia, dice la Sabiduría, ha purificado el alma del justo de tal manera que al final de su vida, se encontrará con Dios en la eternidad. Se abre el abanico de la esperanza hacia Dios. La conducta del justo era inexplicable para los que piensan que lo que no se recoge aquí en la tierra, queda perdido para siempre. Los injustos no esperaban una cosecha después de esa vida. Por esto la vida del justo les parecía a los injustos una tontería, un absurdo, un sinsentido. Para el creyente, por el contrario, el sufrimiento prueba y purifica su fe. El sufrimiento fue para los justos una prueba que superaron ampliamente; es como un sacrificio que será aceptado al final de sus días. Hoy sigue ese texto, interpretado a la luz de la resurrección, invitando a aceptar el sufrimiento que conlleva el amor al prójimo y la práctica de la justicia en un mundo que no invita sino al vacío de todo.

II LECTURA En estos capítulos centrales de la carta, Pablo expone la suerte del que ha aceptado a Cristo, recibiendo el bautismo. Al aceptar el bautismo, el cristiano comparte la muerte del Señor. La inmersión en el agua, de una manera

Para meditar.

SALMO RESPONSORIAL Salmo 22:1–3a, 3b–4, 5, 6 *Salmos Alternativos:* Sal 25:6 y 7b, 17–18; 27:1, 4, 7, 8b, 9a, 13–14.

R. El Señor es mi pastor, nada me falta.

El Señor es mi pastor, nada me falta: / en verdes praderas me hace recostar, / me conduce hacia fuentes tranquilas / y repara mis fuerzas. R.

Aunque camine por cañadas oscuras, / nada temo, porque tú vas conmigo: / tu vara y tu cayado me sosiegan. R.

Preparas una mesa ante mí / enfrente de mis enemigos; / me unges la cabeza con perfume, / y mi copa rebosa. R.

Tu bondad y tu misericordia me acompañan todos los días de mi vida, / y habitaré en la casa del Señor / por años sin término. R.

II LECTURA Romanos 6:3–9

Lectura de la carta del apóstol san Pablo a los romanos

Las afirmaciones no son fáciles de seguir, pero la pregunta retórica inicial ayuda a espabilar al auditorio.

Hermanos:
Todos los que hemos sido
incorporados a **Cristo Jesús**
por medio del **bautismo**,
hemos sido **incorporados** a su **muerte**.
En efecto,
por el **bautismo** fuimos **sepultados** con él en su **muerte.**
para que, así como **Cristo resucitó** de entre los **muertos**
por la **gloria del Padre**,
así también nosotros llevemos una **vida nueva**.

Esfuérzate en vocalizar cada frase con toda propiedad. Esto ayuda a comprender mejor el argumento del Apóstol.

Porque, si hemos estado **íntimamente unidos** a él
por una **muerte semejante** a la **suya**,
también lo estaremos en su **resurrección**.
Sabemos que **nuestro viejo yo** fue **crucificado** con **Cristo**,
para que el **cuerpo del pecado** quedara **destruido**,
a fin de que **ya no sirvamos** al **pecado**,
pues el que ha **muerto** queda **libre** del **pecado**.

Por lo tanto,
si hemos **muerto en Cristo**,

plástica, está indicando la muerte del que se bautiza. El signo esconde la realidad. Verdaderamente nos unimos a Cristo en la muerte, para así participar de la resurrección. Morimos para vivir.

Los griegos y los romanos hablaban con frecuencia y tenían en su manera de pensar la creencia de que el alma era inmortal, pero no el cuerpo. Sabemos que a Pablo le fue mal en el Areópago, cuando sacó a relucir el asunto de la resurrección de la carne. Pablo hablará a los cristianos romanos de esa verdad; lo hace pensando que el pecado está amenazante en nuestra vida. Por eso el bautismo es el inicio de un proceso que desembocará en la resurrección plena.

La Iglesia toma este testimonio paulino y lo aplica en su liturgia para la conmemoración de los fieles difuntos. Esta fiesta es una ocasión para abrir con tacto y delicadeza los problemas fundamentales de la existencia humana. No se quiere pensar en la muerte, hoy en día. Se acepta, pero no se tiene en cuenta para la vida. Ya el tenerla en cuenta nos daría cierta sabiduría para vivir con más coherencia.

EVANGELIO La lectura está tomada del Per Deusto 8.107, s/b: discurso del pan de vida con el que Jesús explica el sentido de la señal de los panes y los peces con los que alimentó a la multitud, el día previo; en la indicación de Jesús de recoger los sobrantes, se reconoce el tema que aparece aquí transformado. Además, las palabras precisas de Jesús hallan eco también en la milagrosa travesía del lago que el grupo de discípulos experimentó, la noche cuando él vino a rescatarlos. Con esas escenas de fondo, el evangelista expone a Jesús

estamos **seguros** de que **también viviremos** con él;
pues **sabemos** que **Cristo** una vez **resucitado** de entre los **muertos**,
ya **nunca morirá**.
La **muerte ya no tiene dominio** sobre él porque al morir, murió al pecado de una vez para siempre;
y al resucitar, vive ahora para Dios.
Lo mismo ustedes, considérense muertos al pecado
y vivos para Dios en Cristo Jesús, Señor nuestro.

Lecturas alternativas: Rom 5:17–21; 8:14–23; 8:31b–35, 37–39; 14:7–9, 10c–12; 1Cor 15:20–28; 15:51–57; 2Cor 4:14-5:1; 5:1, 6–10; Flp 3:20–21; 1Tes 4:13–18; 2Tim 2:8–13.

EVANGELIO Juan 6:37–40

Lectura del santo Evangelio según san Juan

La acogida de Jesús debe mirarse reflejada en tu propia persona. Con apertura de espíritu y entusiasmo de creyente, anuncia este breve evangelio.

En **aquel** tiempo,
Jesús dijo a la **multitud**:
"**Todo aquel** que me da el **Padre** viene hacia **mí**;
y al que **viene** a mí **yo** no lo echaré **fuera**,
porque he **bajado** del **cielo**,
no para hacer **mi voluntad**,
sino la **voluntad** del que **me envió**.

Dale calidez a este párrafo que habla de la relación entre Padre e Hijo. Más que afirmaciones de teología son de vida compartida.

Y la **voluntad** del que **me envió**
es que **yo no pierda nada** de lo que **él** me ha **dado**,
sino que lo **resucite** en el **último día**.
La **voluntad** de mi Padre **consiste** en que **todo** el que vea al **Hijo** y **crea en él**,
tenga **vida eterna** y yo lo **resucitaré** en el **último día**".

Lecturas alternativas: Mt 5:1–12a; 11:25–30; 25:31–46; Lc 7:11–17; 23:44–46, 50, 52–53; 24:1–6a; 24:13–16, 28–35; Jn 5:24–29; 6:51–59; 11:17–27; 11:32–45; 14:1–6.

como el Pan bajado del cielo y Lugar de reunión "para que nada se pierda".

Lo primero a notar es la consonancia de voluntades, del Padre y del Hijo, en la salvación humana, o sea "para que nada se pierda". Los peregrinos han acudido en busca de Jesús, y éste a nadie rechazó. Se da una concurrencia para salvar; los que vienen a Jesús son un don del Padre al Hijo. El Hijo los recibe como don para darles vida eterna y resucitarlos. Aquí expresa san Juan cómo el creyente participa de la relación entre Padre e Hijo, con una tercera concurrencia: la del creyente. Creyendo, acudiendo a Jesús, contemplándolo bajado del cielo, es como el hombre se apropia la salvación; entonces aúna su voluntad de ser salvado con las voluntades del Padre y del Hijo.

Se da otro paso. La resurrección del creyente es la obra del Hijo, misma que se realiza al contemplarlo. Ver y creer en él produce la vida eterna para el que mira. San Juan está convencido de que mirar a Jesús, no puede sino causar la redención. En el Enaltecido, el humano puede percibir el amor de Dios que se derrama sobre todos, que se ofrece a todos, que incluye a todos, en el Hijo. A este Hijo ajusticiado, Dios lo enalteció para vida verdadera e inagotable.

Lo que celebra la Iglesia es la vida de Dios en todos los creyentes que ya han muerto y que contemplan al Padre y al Hijo. En la tierra, la Iglesia camina, con falencias y debilidades, hacia Jesús. No camina a ciegas, sino contemplándolo, bajado del cielo, es su Pan y su Lugar de comunión. Y en ese ir hacia él, ella misma se tiene que ir configurando a lo que contempla, purgándose; ésa es su vocación.

XXXI DOMINGO ORDINARIO

I LECTURA Malaquías 1:14—2:2, 8–10

Las palabras son severas. Dios trae a cuentas a los líderes de su pueblo. No exageres el tono ni lo impostes como de enojo.

Lectura del libro del profeta Malaquías

Yo soy el **rey soberano**, dice el Señor de los ejércitos;
mi nombre es temible entre las naciones.
Ahora les voy a dar a ustedes, sacerdotes, **estas advertencias**:
Si no me escuchan
y si no se proponen de corazón dar gloria a mi nombre,
yo mandaré contra ustedes la maldición".

Esto dice el Señor de los ejércitos:

"Ustedes se han **apartado del camino**,
han hecho tropezar a muchos en la ley;
han **anulado la alianza** que hice
con la tribu sacerdotal de Leví.
Por eso yo los hago despreciables y viles
ante todo el pueblo,
pues **no han seguido** mi camino
y han aplicado la ley **con parcialidad**".

Las preguntas son punzantes. No las amortigües ni les quites su filo.

¿Acaso no tenemos todos **un mismo** Padre?
¿No nos ha creado **un mismo** Dios?
¿Por qué, pues, **nos traicionamos** entre hermanos,
profanando así **la alianza** de nuestros padres?

I LECTURA El peligro para la autoridad es el servirse del mando y no servir a los miembros de la comunidad. El texto de Malaquías se dirige a los que tienen la responsabilidad de guiar, sacerdotes y levitas. Se aboca el profeta a las principales funciones de estos personajes, tan importantes entonces.

El profeta denuncia que los sacerdotes han reducido el culto a un ritualismo vacío, empleando el oficio para sus intereses y no para los del pueblo. El profeta nombra defectos concretos. No son fieles los sacerdotes a las tareas que tienen encomendadas, sobre todo al ofrecimiento de los sacrificios según las normas. En lugar de ofrecer lo mandado, ofrecen lo que no sirve. Ejecutan lo cultual con el moho de la rutina; no se dedican a la enseñanza de la Ley, con la consecuencia tan terrible como previsible de ignorar la voluntad de Dios. Esto deriva en la gran corrupción de la sociedad de Israel.

En el v. 10 se hablará del matrimonio mixto y de los repudios. A partir de la paternidad divina se esgrimen los deberes de los padres para con sus hijos y de éstos para sus progenitores. Los sacerdotes han traicionado sus deberes. Consistían principalmente en enseñar la Ley, ofrecer los sacrificios y bendecir al pueblo. En lugar de ser un signo de bendición, se han convertido en maldición. A estas obligaciones correspondían derechos. Dios les había dado, dentro del pueblo, una posición de privilegio, les garantizaba prosperidad y protección. El pueblo daba a los sacerdotes el diezmo. Pero fueron un escándalo para el pueblo y por esto romperá Dios el pacto con Leví.

II LECTURA San Pablo hace notar a los tesalonicenses que no se ha aprovechado de su condición de apóstol para

SALMO RESPONSORIAL Salmo 131 (130):1.2.3

R. Guarda mi alma en la paz, junto a ti, Señor.

Señor, mi corazón no es ambicioso,
ni mis ojos altaneros;
no pretendo grandezas
que superan mi capacidad. R.

Sino que acallo y modero mis deseos,
como un niño en brazos de su madre.
Como un niño que acaba de mamar
así está mi alma en mí. R.
Espere Israel en el Señor ahora y por sie
mpre. R.

II LECTURA 1 Tesalonicenses 2:7-9, 13

Lectura de la primera carta del apóstol san Pablo a los tesalonicenses

Con verdadero afecto y tono suave entrega las líneas del Apóstol a su comunidad.

Hermanos:
Cuando estuvimos entre ustedes,
los tratamos **con la misma** ternura
con la que una madre estrecha **en su regazo** a sus pequeños.
Tan grande es nuestro **afecto por ustedes**,
que hubiéramos querido entregarles, no solamente
el Evangelio de Dios,
sino también **nuestra propia vida**,
porque han llegado a sernos **sumamente queridos**.

Sin duda, hermanos, ustedes **se acuerdan** de nuestros
esfuerzos y fatigas,
pues, trabajando de día y de noche, a fin de **no ser una carga**
para nadie,
les hemos **predicado el Evangelio** de Dios.

Enfatiza las negrillas.

Ahora damos gracias a Dios continuamente,
porque al recibir ustedes **la palabra** que les hemos predicado,
la aceptaron, **no como** palabra humana, **sino como** lo que
realmente es:
palabra de Dios, que **sigue actuando** en ustedes, los creyentes.

exigir sus derechos, como hacen los oradores y maestros de la época. Pablo pasa a lo positivo. Habla de su bondad, como de madre. Su cariño para estos discípulos era tan grande que estaba en esos momentos dispuesto a dar su vida por ellos.

Hay detrás la figura de Moisés formando a la comunidad. Pablo hace ver el cuidado y esmero con que se dedicó a formar la comunidad de Tesalónica. El trabajo de Pablo y de sus cooperadores ha dado prueba concreta de su desinterés y afecto. No han tenido en su actividad jamás en cuenta sus intereses personales con miras de lucro, sino que han trabajado duramente día y noche para no depender económicamente ni ser gravosos a nadie.

Pasa en el v. 13 a dar gracias a Dios por cómo los tesalonicenses han recibido la "Palabra". Para Pablo, la fe es en primer lugar un regalo de Dios y no una actividad humana, aunque no niega el aspecto de la generosa respuesta en acciones. El Evangelio puede ser considerado palabra de Dios sólo cuando se concretiza en resultados. Quiere Pablo insistir en el aspecto secundario que tienen las palabras humanas empleadas por ellos, sin dejar de lado que lo importante es la naturaleza divina del mensaje. La palabra de Dios, eso dice nuestra fe, tiene fuerza creadora y renovadora.

EVANGELIO Jesús da orientaciones muy claras a sus seguidores, mediante una comparación. Los coloca frente al espejo de los escribas y fariseos, es decir, sus contrapartes judías. Hay que recordar que la comunidad de san Mateo vive en un medio judío mayoritariamente. Comienza Jesús por destacar el mal principal de los líderes que enseñan la ley de Moisés: no practican lo que dicen. Crean

EVANGELIO Mateo 23:1-12

Lectura del santo Evangelio según san Mateo

Las palabras son duras denuncias contra los líderes del pueblo. No aligeres el tono, ni minimices la denuncia de Jesús.

En aquel tiempo, Jesús dijo a las multitudes y a sus discípulos:
"En la cátedra de Moisés **se han sentado** los escribas y fariseos.
Hagan, pues, **todo lo que les digan**,
pero no imiten sus obras, porque dicen una cosa y **hacen otra**.
Hacen fardos muy pesados y difíciles de llevar
y los echan sobre las espaldas de los hombres,
pero ellos **ni con el dedo** los quieren mover.
Todo lo hacen para **que los vea** la gente.
Ensanchan las filacterias y las franjas del manto;
les agrada ocupar **los primeros lugares** en los banquetes
y los asientos de honor en las sinagogas;
les gusta que los saluden en las plazas y que la gente los llame 'maestros'.

Déjate guiar por la puntuación y sábete hermanado con la entera asamblea del pueblo de Dios.

Ustedes, **en cambio**, no dejen que los llamen 'maestros',
porque no tienen más que un Maestro y **todos ustedes** son hermanos.
A ningún hombre sobre la tierra lo llamen 'padre',
porque el Padre de ustedes **es sólo** el Padre celestial.
No se dejen llamar 'guías', porque el 'guía' de ustedes es solamente Cristo.
Que el mayor de **entre ustedes** sea su servidor,
porque el que se enaltece **seráhumillado**
y el que se humilla será **enaltecido**".

montañas de observancias, buenas y hasta virtuosas quizá, pero ellos no se comprometen a cumplirlas.

Jesús pasa a denunciar el exhibicionismo, hablando de las filacterias y de las orlas del manto. Las filacterias eran unas cajitas minúsculas que contenían fragmentos de la Ley, y que se amarraban al brazo o a la frente en cumplimiento a Éxodo 13:9, 16. Las orlas son unas tiras de tela blanca o azul que se cosían a las esquinas del manto (ver Mt 9:20; 14:36), y que hacían notorio el celo por la Ley. La admiración y el respeto del pueblo por sus líderes se hacía patente tanto en las sinagogas como en los banquetes y en las plazas, al saludarlos y tenerlos en buena consideración. Lo que Jesús reprueba es la autocomplacencia enfermiza de los líderes, pues el aprecio popular no les representa ningún compromiso ni solidaridad con el pueblo.

La segunda parte toca a los líderes cristianos. No han de tener títulos de honor ni académicos. Con esto se transparenta que entre los cristianos hay gentes dedicadas al estudio de las Escrituras y peritos en las enseñanzas y las historias del Cristo. Por esto es que Jesús prohíbe esas conductas obsequiosas entre sus seguidores, y les remarca la fraternidad común, el deberse al único Padre y la obediencia al Mesías.

Al reprobar Jesús la hipocresía, el exhibicionismo religioso y la autoexaltación, está señalando a sus seguidores de todos los tiempos el camino de verdad, igualdad y auténtica humildad, que él recorrió primero.

XXXII DOMINGO ORDINARIO

I LECTURA Sabiduría 6:12–16

Lectura del libro de la Sabiduría

La lectura tiene líneas poéticas que buscan atraer a los oyentes. Debes dominar la fraseología para que facilites la comprensión de la lectura.

Radiante e incorruptible es **la sabiduría**;
con facilidad la contemplan quienes **la aman**
y ella se deja encontrar por quienes **la buscan**
y se anticipa a darse a conocer a los que **la desean.**
El que **madruga por ella** no se fatigará,
porque **la hallará sentada** a su puerta.
Darle la primacía en los pensamientos
es **prudencia consumada**;
quien por ella se desvela
pronto se verá **libre de preocupaciones.**

Haz contacto visual con la asamblea en esta parte. No te olvides, sin embargo, que la atención debe estar en lo que dices, no en tu persona.

A los que son dignos de ella,
ella misma sale a buscarlos por los caminos;
se les aparece benévola
y colabora con ellos **en todos sus** proyectos.

SALMO RESPONSORIAL Salmo 63 (62):2, 3–4, 5–6, 7–8

R. (2b) Mi alma está sedienta de ti, Señor, Dios mío.

Oh Dios, tú eres mi Dios, por ti madrugo,
mi alma está sedienta de ti;
mi carne tiene ansia de ti,
como tierra reseca, agostada, sin agua. R.

¡Cómo te contemplaba en el santuario
viendo tu fuerza y tu gloria!
Tu gracia vale más que la vida,
te alabarán mis labios. R.

Toda mi vida te bendeciré
y alzaré las manos invocándote.
Me saciaré como de enjundia y de manteca,
y mis labios te alabarán jubilosos. R.

En el lecho me acuerdo de ti
y velando medito en ti,
porque fuiste mi auxilio,
y a la sombra de tus alas canto con júbilo. R.

I LECTURA El libro de la Sabiduría es el libro más reciente del Antiguo Testamento, escrito hacia el año 50 a. C., por un hebreo de Alejandría. La sabiduría se presenta a sí misma: es luminosa y eterna, por lo que es fácil de encontrar. Se la imagina el autor como algo útil, como un resplandor que penetra y permea todo. A veces se la presenta como una figura femenina que atrae al hombre. El hombre que se deja seducir y conducir por la sabiduría, se apropia de sus cualidades y se hace inmortal. Poseerla no es cosa de capacidad intelectual, sino de una decisión de la voluntad. Ella conduce a la inmortalidad, es decir, a Dios, si se observan sus mandatos.

El hombre busca la sabiduría, como ésta busca al hombre. La sabiduría es el centro y eje que conduce la vida del justo y del sabio. Por esto es importante la instrucción, el conocimiento de la vida, no como algo intelectual, sino algo eminentemente práctico. El que sigue la ruta de la sabiduría tiene garantía de llegar a puerto, porque posee la garantía de la incorruptibilidad. Esta incorruptibilidad excluye de la muerte eterna, reservada a los malvados. La sabiduría tiene el objectivo eminentemente práctico de discernir la voluntad de Dios en la vida de todos los días.

De alguna manera, la sabiduría ya está dentro del hombre, antes de que éste empiece a buscarla. Ella descubre el sentido profundo de la vida, la búsqueda de la felicidad. Llega una imagen: el que madruga para ir a buscarla, es sorprendido porque ella ya está "sentada a la puerta", esperándolo.

Ser sabio es reconocer que ya antes, otros han buscado la sabiduría. La sabiduría anda tras de aquellos que son dignos de ella (v. 16). Dios los empuja a que vaya con ahínco a su encuentro. Él ya espera.

II LECTURA 1 Tesalonicenses 4:13-18

Lectura del la primera carta del apóstol san Pablo a los tesalonicenses

No pierdas la oportunidad de frasear muy bien el núcleo de la Pascua de Jesús.

Hermanos:
No queremos que ignoren **lo que pasa** con los difuntos,
para que no vivan tristes, como los que no tienen esperanza.
Pues, si creemos que Jesús murió y resucitó,
de igual manera debemos creer que, a los que murieron en Jesús,
Dios los llevará con él.

Lo que les decimos, como palabra del Señor, es esto:
que nosotros, los que quedemos vivos para cuando venga el Señor,
no tendremos ninguna ventaja sobre los que ya murieron.

Esta representación tiene tintes apocalípticos y arrebatados. Déjate envolver por la imaginería para que le des los acentos que requiere esta especie de visión.

Cuando Dios mande que suenen las trompetas,
se oirá la voz de un arcángel y el Señor mismo bajará del cielo.
Entonces, los que murieron en Cristo resucitarán primero;
después nosotros, los que quedemos vivos,
seremos arrebatados, juntamente con ellos entre nubes, por el aire,
para ir al encuentro del Señor, y así estaremos siempre con él.

Consuélense, pues, unos a otros con estas palabras.

Lectura breve: 1 Tesalonicenses 4:13-14

II LECTURA Esta parte trata de la parusía, de la próxima venida del Señor. Parece que los tesalonicenses habían entendido mal esa parte de la predicación paulina y estaban temerosos de que sus parientes o amigos ya muertos, no participaran en la gran venida de Cristo.

Pablo les afirma que en la parusía, los que vivan de ninguna manera tendrán privilegios o precedencia sobre los cristianos que ya han muerto, porque en el momento en que vuelva el Señor, resucitarán los muertos y después, unidos en un único grupo, vivos y muertos serán arrebatados al cielo para estar por siempre con el Señor.

Aquí asistimos a una verdadera confesión de la muerte y resurrección de Jesús, sobre la que se basa nuestra muerte terrena, que nos unirá con el Señor. Es importante por lo mismo la unión con Cristo tanto en el tiempo presente como en el futuro. Nuestros muertos se han dormido en Cristo, pues así como por él han recibido la redención y salvación, recibirán la comunión plena con él. Sólo en relación con él, la muerte y la vida adquieren su sentido.

Al estilo de las teofanías del Antiguo Testamento y de la apocalíptica judía, Pablo presenta el drama conclusivo de la historia humana, en que Dios será el protagonista invisible y el Señor, el visible. Pablo trata de inserta la unión de los muertos con Cristo en la dimensión terrena y en la escatológica. Se vale del arrebato, para expresar que el final de la vida humana consiste en participar de la gloria del Resucitado. Por lo tanto, la comunidad debe crecer en la santidad, esperando la llegada del Señor.

EVANGELIO Mateo 25:1–13

Lectura del santo Evangelio según san Mateo

La parábola es breve y bella. No te precipites queriendo llegar al final. Distingue bien las fases de la narración e imagina un modo de subrayar lo sustancial en cada parte.

En aquel tiempo, Jesús dijo a sus discípulos esta parábola:
"El Reino de los cielos **es semejante a** diez jóvenes,
que tomando sus lámparas, salieron al encuentro del esposo.
Cinco de ellas **eran descuidadas** y cinco, **previsoras**.
Las descuidadas llevaron sus lámparas,
pero no llevaron aceite para llenarlas de nuevo;
las previsoras, **en cambio**,
llevaron cada una un frasco de aceite junto con su lámpara.
Como el esposo **tardaba**, les entró sueño a todas y se durmieron.

La llegada del esposo está llena de algarabía y sorpresa. Transparenta esto en tu proclamación.

A medianoche **se oyó un grito**:
'¡Ya viene el esposo! ¡Salgan a su encuentro!'
Se levantaron entonces **todas aquellas jóvenes**
y se pusieron a preparar sus lámparas,
y **las descuidadas** dijeron a las previsoras:
'Dennos un poco de su aceite, porque nuestras lámparas **se están apagando'**.
Las previsoras les contestaron:
'No, porque no va a alcanzar para ustedes y para nosotras.
Vayan mejor a donde lo venden y cómprenlo'.

Mientras aquéllas iban a comprarlo, **llegó el esposo**,
y las que estaban listas entraron con él al banquete de bodas
y **se cerró la puerta**.
Más tarde llegaron las otras jóvenes y dijeron: 'Señor, señor, ábrenos'.
Pero él les respondió: 'Yo les aseguro que **no las conozco'**.

La frase de rechazo tiene que sonar lapidaria, no amable. Su dureza debe dejar en claro que no hay remedio posible.

Estén pues, preparados, porque no saben ni el día ni la hora".

EVANGELIO La parusía o venida del Señor es una de las convicciones más arraigadas y pertenece al núcleo de nuestra fe, tal como lo refleja el Credo y otras formas rituales de la misma Eucaristía. Esa convicción irrenunciable nace de las propias palabras y acciones de Jesús.

La parábola de este domingo retrata lo que para muchos cristianos se había vuelto increíble: la segunda venida de Cristo.

Si los creyentes primeros aguardaban a su Señor con febril ansiedad, el paso de los años terminó por resfriarlos. San Mateo mira esto en su comunidad y quiere remediarlo. Olvidarse de la segunda venida de Cristo amenaza a la identidad del discípulo, pues lo deja sin orientación al futuro, de vivir mirando a su Señor, y lo priva de la urgencia ética que la fe exige a la caridad; sin esta tensión de futuro se está condenado a la mediocridad y a la tibieza moral y espiritual.

Dado que la venida del Señor no tiene fecha, hay que vivir aguardándola continuamente, y preparados. La comunidad eclesial debe proceder con toda sensatez, y aprovisionarse abundantemente del aceite de la caridad, como los Padres de la Iglesia entendieron. El ejercicio de la caridad es lo distintivo de la confesión cristiana, y lo que más nos configura a Cristo. De no ser por la caridad, el esposo no reconocerá a sus propios seguidores, que se quedarán sin participar del banquete mesiánico cuando la puerta sea cerrada.

XXXIII DOMINGO ORDINARIO

I LECTURA Proverbios 31:10–13, 19–20, 30–31

Lectura del libro de los Proverbios

Hay una admiración en las líneas que describen las virtudes. Deja que aflore esto en tu lectura.

Dichoso el hombre que encuentra una **mujer hacendosa**:
muy superior a las **perlas** es su **valor**.

Su marido **confía** en ella
y, con su **ayuda**, él **se enriquecerá**;
todos los días de su **vida**
le procurará **bienes** y **no males**.

Adquiere lana y lino
y los **trabaja** con sus **hábiles manos**.

Sabe manejar la **rueca** y con sus dedos **mueve** el huso;
abre sus manos al **pobre** y las **tiende** al **desvalido**.

Busca discretamente la mirada de la asamblea, como buscando su acuerdo también en esto.

Son **engañosos** los **encantos** y **vana** la **hermosura**;
merece **alabanza** la mujer que **teme al Señor**.

Es digna de **gozar** del fruto de sus **trabajos**
y de ser **alabada** por **todos**.

Para meditar.

SALMO RESPONSORIAL Salmo 127:1–2, 3, 4–5

R. Dichoso el que teme al Señor.

¡Dichoso el que teme al Señor, y sigue sus caminos! Comerás del fruto de tu trabajo, serás dichoso, te irá bien. R.

Tu mujer, como parra fecunda, en medio de tu casa; tus hijos, como renuevos de olivo, alrededor de tu mesa. R.

Ésta es la bendición del hombre que teme al Señor. Que el Señor te bendiga desde Sión, que veas la prosperidad de Jerusalén, todos los días de tu vida. R.

I LECTURA Como se trata este domingo de una espera laboriosa de la llegada del Señor, la liturgia fue a tomar del libro de los Proverbios, la imagen de la mujer hacendosa. En esa mujer se quiere ejemplificar la sabiduría. Un modelo compuesto de cantidad de dones que trae consigo buscar y encontrar la sabiduría en la vida.

Se ofrece el retrato de una persona industriosa, equilibrada y generosa, con un sentido de su deber y de una competencia admirable. Es sin duda una figura idealizada, pero no utópica. Es soñar, pero soñar despierto. No está completa la imagen, es cierto, falta el amor y la belleza, algo pertinente a la auténtica sabiduría. Esta presentación de la sabiduría insiste en el tema del trabajo, en la administración, la cordura, la generosidad y la religiosidad. Esta mujer se abre a la caridad hacia el pobre y el miserable.

Una mujer así es el símbolo de la sabiduría. Una mujer estupenda en la vida real es la imagen de la sabiduría y del verdadero sabio. La sabiduría, como la mujer del poema, es trabajadora, fiel a sus deberes, tiene éxito en la vida y es feliz, adquiere una competencia comercial y tiene una familia unida y bien provista y, sobre todo, tiene una excelente relación con Dios.

El elogio de la mujer perfecta se concluye aludiendo al temor del Señor, que se califica como más importante que la gracia y hermosura. Sería una mujer ideal como esposa. El valor más grande de esta mujer símbolo, es que respeta al Señor y sigue sus indicaciones. No es que el autor esté pensando en un modelo para los jóvenes casaderos. Seria trabajar en vano al componer esta imagen tan perfecta, que el joven no

II LECTURA 1 Tesalonicenses 5:1–6

Lectura de la primera carta del apóstol san Pablo a los tesalonicenses

No te olvides de frasear y respirar al ritmo que la puntuación va marcando.

Hermanos:
Por lo que se refiere al **tiempo** y a las **circunstancias**
de la **venida** del **Señor**,
no necesitan que les escribamos **nada**,
puesto que **ustedes** saben **perfectamente**
que el **día del Señor** llegará como un **ladrón** en la **noche**.
Cuando la **gente** esté diciendo:

Deja caer esta admiración como si fuera auténtica también hoy. La asamblea sabrá interpretarla bien.

"¡Qué **paz** y qué **seguridad** tenemos!",
de repente vendrá sobre ellos la **catástrofe**,
como **de repente** le vienen a la **mujer** encinta
los **dolores** del parto,
y **no** podrán **escapar**.

Pero a **ustedes**, **hermanos**, ese día **no** los tomará por **sorpresa**, como un **ladrón**,
porque ustedes **no viven** en **tinieblas**,
sino que son **hijos** de la **luz** y del **día**, no de la **noche**
y las **tinieblas**.

Con tono amable y voz serena pronuncia estas frases finales.

Por tanto, **no** vivamos **dormidos**, como los **malos**;
antes bien, mantengámonos **despiertos** y vivamos **sobriamente**.

podía jamás alcanzar. Es un símbolo y como símbolo debemos considerarlo. Es el trasvase de la sabiduría en cualidades que se consideran importantes, más aún, de primer a necesidad e importancia en la vida humana. Estas cualidades son prometidas al que sigue la sabiduría. Esto sí puede ser real. Seguir este camino sapiencial es seguir las indicciones divinas, que están claramente expresadas en la ley. No en balde a menudo se compra la Ley con la sabiduría. Dios da la fuerza, sólo se espera la colaboración humana.

II LECTURA Algunos miembros de la comunidad cristiana de Tesalónica rápidamente habían sacado conclusiones de la cercanía de la parusía. Por lo pronto, si estaba cerca el fin, no tenía sentido trabajar. Algunos tal vez ya creían ver algunos signos premonitorios del fin. Pablo escribe acerca de ese fin, haciendo aclaraciones importantes.

Les aclara de una manera cortés que no sabemos el día del Señor, ya que llegará, de acuerdo a la enseñanza de Jesús, como un ladrón, de improviso. Esto trae como consecuencia que en lugar de tomar una actitud de pasividad, se necesita lo contario: estar atento con una vigilancia. El día del Señor que para los incrédulos mantiene su aspecto amenazante, para los que creen se presenta con el fulgor de la plena luminosidad. No hay que vivir, por tanto, con ansia tras la búsqueda de una fecha precisa de la parusía, sino más bien prepararse adecuadamente para su llegada. Pablo no se preocupa de los tiempos de la venida del Señor, sino del cómo prepararse. Para esto manda a sus lectores a los rudimentos de la fe. Es

EVANGELIO Mateo 25:14–30

Lectura del santo Evangelio según san Mateo

La parábola consiste en una historia que dará un vuelco inesperado. En esta parte todo corre con normalidad. Adopta un ritmo ágil, pero con las pausas necesarias.

En **aquel** tiempo, **Jesús** dijo a sus discípulos **esta parábola**:
"El **Reino** de los cielos se parece **también** a un hombre
que iba a salir de viaje a **tierras lejanas**;
llamó a sus servidores de confianza y les encargó sus bienes.
A uno le dio **cinco** talentos; a otro, **dos**; y a un tercero, **uno**,
según la capacidad **de cada uno**, y luego se fue.

Denota cierta emoción por los empresarios exitosos y extrañeza con el timorato.

El que recibió **cinco** talentos fue **enseguida** a negociar con ellos y
ganó otros cinco.
El que recibió dos hizo **lo mismo** y ganó **otros dos**.
En cambio, el que recibió un talento **hizo** un hoyo en la tierra
y allí **escondió** el dinero de su señor.

Después de mucho tiempo **regresó** aquel hombre
y llamó a cuentas a sus servidores.

Debe haber un sentido de satisfacción en las escenas de este párrafo y del siguiente. Las felicitaciones deben sonar sinceras.

Se acercó el que había recibido **cinco** talentos
y le presentó **otros cinco**, diciendo:
'Señor, **cinco talentos** me dejaste;
aquí tienes otros cinco, que con ellos **he ganado**'.
Su señor le dijo:
'**Te felicito**, siervo **bueno y fiel**.
Puesto que has sido **fiel en** cosas de poco valor
te confiaré cosas de **mucho** valor.
Entra a tomar parte en **la alegría** de tu señor'.

Se acercó luego el que había recibido **dos talentos** y le dijo:
'**Señor**, **dos** talentos me dejaste; aquí tienes otros dos,
que con ellos **he ganado**'.
Su señor le dijo: '**Te felicito**, siervo **bueno y fiel**.
Puesto que has sido **fiel en** cosas de poco valor,
te confiaré cosas de **mucho** valor.
Entra a tomar parte en **la alegría** de tu señor'.

cierto que en los libros proféticos aparece el "Día del Señor", como un día de juicio; pero, momento, este juicio tendrá un color distinto de acuerdo al justo o al injusto. Para el malvado es un juicio en que le llegará el castigo; en cambio, para el justo será un día de alegría y de restauración.

Pablo, con todo, insiste en la sorpresa, mediante distintas imágenes. Todo esto trae a la mente lo inesperado de la venida. Así se funda la actitud de estar preparado continuamente y aquí van a encontrar los tesalonicenses una respuesta a su actitud de excitación en que andan, de chismorreo y de no tomar en serio la vida y aún dejar el trabajo.

Ahora pasa Pablo a animarlos. Ellos son hijos de la luz, no de la noche. Están inmersos en el mundo de la fe, de la esperanza y del amor. Están en buenas relaciones con Dios. Termina sacando conclusiones con el "por tanto" (v. 6). No durmamos, empleado en sentido metafórico, indica el sueño del flojo y estéril desempeño ante la exigencia de la fe. Dormir significa entrar en la despreocupación del flojo y del que no está atento a las necesidades propias y de los demás.

EVANGELIO Continúa a temática de la segunda venida de Cristo, su parusía. Con esta palabra griega se designa la llegada clamorosa a una ciudad de un victorioso funcionario público, el más prominente era el propio emperador. Los preparativos, por supuesto, requerían mucha preparación, pues las ciudades rivalizaban entre sí, pues de la calidad de la recepción podían pender las gracias y privilegios que alcanzaran sus ciudadanos. En la parusía, los enemigos eran ajusticiados y los amigos compensados. En las comunidades cristianas, estaba vivo el retorno del Mesías, para

El discurso del siervo timorato debe sonar convincente. La reacción del señor, en el párrafo siguiente, hay que leerla con un tono ligeramente elevado, pero no chillante.

Finalmente, se acercó el que había recibido **un talento** y le dijo:
'Señor, **yo sabía** que eres un hombre **duro**,
que **quieres** cosechar lo que **no has plantado**
y **recoger** lo que no has sembrado.
Por eso **tuve miedo** y fui a **esconder** tu millón bajo tierra.
Aquí tienes lo tuyo'.

El señor le respondió: 'Siervo **malo y perezoso**. **Sabías** que cosecho lo que no he plantado
y **recojo** lo que **no he sembrado**.
¿Por qué, entonces, no pusiste mi dinero **en el banco,**
para que a mi regreso lo recibiera yo **con intereses**?
Quítenle el talento y **dénselo** al que tiene **diez**.
Pues al que **tiene se le dará** y **le sobrará**;
pero al que tiene **poco**, se le quitará aun eso **poco** que tiene.

Aunque es parte del discurso del Señor, este par de líneas finales ocupan su propio lugar, separado del resto.

Y a este hombre inútil, échenlo fuera, **a las tinieblas**.
Allí será el llanto y la **desesperación**'".

Forma breve: Mateo 25:14–15, 19–21

inaugurar la plenitud del Reino de Dios, que se representaba también como un banquete.

San Mateo reúne tres parábolas para sacudir la conciencia aletargada de sus oyentes sobre la venida del Señor. Si esta venida se retrasa, no quiere decir que no ocurrirá, por eso hay que estar siempre preparados, porque la recompensa será insospechada para sus incondicionales; estos elementos avivan la trama de los relatos parabólicos. La parábola de hoy, la tercera de ellas, pone énfasis en la recompensa del futuro, para aquellos siervos que han trabajado y honrado la confianza que su señor ha depositado en ellos. A resaltar esto, ocurre también la figura del siervo malo y perezoso.

La situación en la comunidad era preocupante, dado que sus miembros, quizá más específicamente su liderazgo, habían perdido de vista la presencia del Señor y se habían vuelto timoratos y holgazanes. La parábola insta a que trabajen lo mínimo siquiera. Los talentos recibidos deben acicatear a crecer, a dar lo mejor de sí para honrar al Señor. Él recompensará con creces incluso el menor esfuerzo. Lo único inadmisible es el desinterés y la holgazanería en la comunidad de fe.

NUESTRO SEÑOR JESUCRISTO, REY DEL UNIVERSO

I LECTURA Ezequiel 34:11–12, 15–17

Lectura del libro del profeta Ezequiel

Adopta un tono de soberanía y tranquilidad, como de un Pastor consciente de su identidad y de su quehacer.

Esto **dice** el Señor Dios:
"Yo mismo iré a **buscar** a mis ovejas y **velaré** por ellas.
Así **como un pastor** vela por su rebaño
cuando las ovejas se **encuentran dispersas**,
así **velaré** yo por **mis** ovejas
e **iré** por **ellas** a todos los lugares por donde se **dispersaron**
un día de **niebla** y **oscuridad**.

Yo mismo **apacentaré** a mis ovejas, yo mismo **las haré** reposar,
dice el **Señor Dios**.
Buscaré a la **oveja perdida** y haré volver a la **descarriada**;
curaré a la herida, **robusteceré** a la débil,
y a la que está gorda y fuerte, **la cuidaré**.
Yo las **apacentaré** con justicia.

Estas palabras dirígelas a la asamblea litúrgica.

En cuanto a ti, **rebaño mío**,
he aquí que yo voy a juzgar entre **oveja y oveja**,
entre **carneros** y machos **cabríos**".

I LECTURA La imagen del pastor-rey domina la primera lectura y el evangelio de hoy. Este capítulo de Ezequiel presenta una invectiva contra los malos pastores; después al Señor como buen pastor y finalmente la figura de un pastor ideal.

Después de hablar de lo que hacen los malos pastores y de que el Señor los castigará, se concentra el profeta Ezequiel en el buen pastor, que es el Señor Dios. Como un auténtico pastor, el Señor Dios hará salir, unificará y pacerá a las ovejas. Es de alguna mana una velada alusión al éxodo, donde el Señor Dios ha guiado a Israel. En todo esto se ve el amor del Señor para su pueblo: Dios mismo, dice el profeta, irá a buscar a las ovejas perdidas, donde quiera que se encuentren. Las tomará y las llevará a pastos y a lugares seguros entre los montes de Israel y a lo largo de los riachuelos. Yendo al significado de las metáforas, el Señor instaurará una relación profunda personal con cada uno de los miembros del pueblo de Israel.

El Señor restaurará el orden perturbado por los malos e inútiles pastores de Israel. Hará una distinción entre ovejas y chivos. Pondrá a las ovejas un pastor de verdad. Bajo la guía del Señor Dios se firmará un pacto de paz, prometido tantas veces por los profetas. Para entonces las ovejas no tendrán nada que temer de los animales salvajes, dormirán seguras. No faltará la lluvia, ni los frutos de la tierra. El Señor habitará con las ovejas y las ovejas serán su pueblo.

Este capítulo es tomado por la liturgia porque tienen un sabor netamente mesiánico. Varias veces anunció el Señor Jesús que él sería el pastor de Israel. Sobresale el capítulo 10 de San Juan, donde parece haberse inspirado este capítulo de Ezequiel. Esta primera lectura sirve para introducir el

Para meditar.

SALMO RESPONSORIAL Salmo 22:1–2a, 2b–3, 5, 6

R. El Señor es mi pastor, nada me falta.

El Señor es mi pastor, nada me falta: en verdes praderas me hace recostar. R.

Me conduce hacia fuentes tranquilas y repara mis fuerzas. Me guía por el sendero justo por el honor de su nombre. R.

Preparas una mesa ante mí enfrente de mis enemigos; me unges la cabeza con perfume, y mi copa rebosa. R.

Tu bondad y tu misericordia me acompañan todos los días de mi vida, y habitaré en la casa del Señor por años sin término. R.

II LECTURA 1 Corintios 15:20–26, 28

Lectura de la primera carta del apóstol san Pablo a los corintios

El punto de partida es la resurrección de Cristo. Silabea con toda propiedad las primeras dos líneas de esa lectura. De ellas pende el resto.

Hermanos:
Cristo **resucitó**,
y resucitó como **la primicia** de todos los **muertos**.
Porque si por un **hombre** vino la **muerte**,
también por un **hombre**
vendrá la **resurrección de los muertos**.

En efecto, así como en **Adán** todos **mueren**,
así en **Cristo** todos volverán **a la vida**;
pero **cada uno** en su orden: **primero Cristo**, como primicia;
después, **a la hora** de su advenimiento, **los que son de Cristo**.

La mirada se tiende hasta el último momento de la historia. Con gozo y esperanza recita este párrafo fijándote en los mismos momentos que Pablo marca.

Enseguida será **la consumación**, cuando,
después de haber **aniquilado** todos los poderes del mal,
Cristo **entregue el Reino** a su Padre.
Porque **él** tiene que **reinar**
hasta que el **Padre** ponga bajo **sus pies**
a todos sus **enemigos**.
El **último** de los **enemigos** en ser aniquilado,
será **la muerte**.
Al **final**, cuando todo se le **haya sometido**,
Cristo mismo **se someterá al Padre**,
y así Dios **será todo** en todas las cosas.

tema del juicio de que habla el evangelio mateano, donde el pastor separará a los buenos y a los malos. Esta intervención de Dios tiene un carácter de discernimiento entre oveja y oveja (a la derecha y a la izquierda). Sólo serán admitidas en la grey del Señor las ovejas que hayan tenido un comportamiento adecuado, con rasgos suficientes para poder hablar de un comportamiento "social".

II LECTURA Como se tiene la carta de Pablo a los romanos como un auténtico tratado teológico, así la primera carta a los corintios es un tratado pastoral. En esa carta se encuentran respuestas a preguntas de la vida concreta de la comunidad y observaciones de Pablo sobre ciertos comportamientos que no van de acuerdo al evangelio predicado por él.

El capítulo 16 está dedicado a la resurrección del Señor y de los cristianos. Pablo empieza con una afirmación solemne acerca de la resurrección de Cristo. De aquí salen consecuencias. Sabe Pablo que algunos corintios no creen en la resurrección de los muertos, en concreto, pueden creer en la inmortalidad del alma, pero no en la resurrección de la carne, de los cuerpos. El componente mortal del hombre proviene de su naturaleza que es mortal en sí. Los corintios con facilidad podían creer en la inmortalidad del alma. Pablo argumenta no del alma, sino de todo el componente llamado hombre, de la persona humana. La razón de la resurrección del hombre está en que al ser injertado en Cristo por el bautismo, el hombre entero participa de la resurrección del Señor. En todo esto hay un paralelismo Adán-Cristo, donde sobresale el aspecto corporativo, propio del pensamiento semita.

En los versos 23–24 se desarrolla a partir de la resurrección de Cristo, una serie de

EVANGELIO Mateo 25:31–46

Ésta es quizá la parábola del Evangelio que plantea los retos mayores para los cristianos. Siéntete involucrado en ese drama del juicio final.

Lectura del santo Evangelio según san Mateo

En aquel tiempo, **Jesús** dijo a sus **discípulos**:
"Cuando **venga** el **Hijo del hombre**,
rodeado de su gloria, **acompañado** de todos sus **ángeles**,
se sentará en su trono **de gloria**.
Entonces serán **congregadas** ante él todas **las naciones**,
y él **apartará** a los unos de los **otros**,
como **aparta** el pastor a las **ovejas** de los **cabritos**,
y **pondrá** a las **ovejas** a su **derecha**
y a los **cabritos** a su **izquierda**.

Entonces dirá el rey a los de **su derecha**:
'**Vengan**, benditos de mi **Padre**;
tomen **posesión** del **Reino** preparado para ustedes
desde la **creación** del **mundo**;
porque estuve **hambriento** y me dieron de **comer**,
sediento y me dieron de **beber**,
era **forastero** y me **hospedaron**,
estuve **desnudo** y me **vistieron**,
enfermo y me **visitaron**,
encarcelado y fueron **a verme**'.
Los **justos** le **contestarán** entonces:

Las preguntas de los justos deben sonar convincentes y sinceras.

'Señor, **¿cuándo te vimos** hambriento y te dimos de comer,
sediento y te dimos de **beber**?
¿Cuándo te vimos de **forastero** y te **hospedamos**,
o **desnudo** y te **vestimos**?
¿Cuándo te vimos enfermo o encarcelado y **te fuimos a ver**?'
Y el rey les dirá:
'**Yo les aseguro** que, cuando lo **hicieron** con **el más insignificante** de mis hermanos, **conmigo** lo hicieron'.

sucesos que se extienden hasta la acción salvífica del cosmos. Es cierto que la famosa parusía causa problemas también a los corintios. Pablo presenta el final de la historia en tres etapas. Empieza con la resurrección de Jesús, seguirá su parusía con la resurrección de los cristianos muertos y luego se tendrá el final. Al final se tendrá la victoria completa de Cristo sobre las potencias hostiles, sobresaliendo la victoria sobre la muerte y la entrega de su reino a Dios Padre. Afirma la realeza del Padre y la destrucción de toda oposición. Ofrece el Apóstol una visión universal del proyecto de Dios sobre la humanidad, proyecto que el Hijo llevará a término.

Pedimos que "venga tu reino". Este reino consiste en una sociedad donde impere la justicia, para que las lanzas se conviertan en podaderas, y así aparezca la paz.

EVANGELIO La tercera parábola sobre la segunda venida del Hijo del Hombre es el punto culminante del Discurso escatológico en san Mateo. Las parábolas previas insinuaban un momento crítico, de juicio, ante un amo o rey que regresa, pero en ningún momento se habló de su carácter universal, como aquí aparece. Jesús es Rey universal, y a él le compete toda la justicia. La descripción de Mateo debe mover a los oyentes a prepararse a comparecer ante el Juez de cielos y tierra.

El juicio, la separación de las ovejas y de los cabritos, lo lleva a cabo el Rey en persona, con solemnidad impresionante, en silencio. No hay categorías de más distinción, ni liderazgos ni privilegios que hagan pensar en un trato diferenciado. Luego el Juez explica la razón de su decisión; la misericordia realizada o evitada en su propia persona del Rey es la causal única para ser

El tono del juez inicia como imperativo, para irse deslizando hacia uno amable y tranquilo.

Entonces **dirá** también a los de la **izquierda**:
'**Apártense** de mí, malditos;
vayan al fuego eterno, preparado para **el diablo** y **sus ángeles**;
porque estuve **hambriento** y **no me dieron** de comer,
sediento y **no me dieron** de beber,
era **forastero** y **no me hospedaron**,
estuve **desnudo** y **no me vistieron**,
enfermo y encarcelado y **no me visitaron**'.

Las preguntas de los impíos deben tener el mismo tono y ritmo que las planteadas en el párrafo segundo.

Entonces ellos le responderán:
'Señor, **¿cuándo te vimos** hambriento o sediento,
de **forastero** o desnudo,
enfermo o **encarcelado** y **no te asistimos**?'
Y él les **replicará**:

Extiende con tu voz la línea final para que la asamblea pueda recogerla en la memoria.

'Yo les **aseguro** que,
cuando **no lo hicieron** con uno de aquellos más **insignificantes**,
tampoco lo hicieron **conmigo**'.
Entonces irán **éstos** al **castigo eterno** y los justos a la **vida eterna**".

puesto o entre los bienaventurados o entre los desgraciados. El descubrimiento decisivo es la identificación del Rey con los necesitados. Los oyentes tienen la clave para ser colocados o en un lado o en otro; de lo que hagan o dejen de hacer depende la suerte final.

Los hermanos pequeños provienen de todas las naciones de la tierra. La identificación de los hermanos necesitados no depende ni de la raza, ni de la religión, ni siquiera de la pertenencia al grupo de Jesús. Los hermanos más pequeños son las gentes que no cuentan, los que para sostenerse necesitan de los demás, los que padecen hambre, sed, xenofobia, desnudez, enfermedad y cárcel. En una palabra, las víctimas de diversos tipos de injusticia o violencia social. La necesidad es con lo que se hermana Cristo Rey.

La posesión del Reino es lo que todo fiel anhela y busca. Estamos, pues, ante el sentido final del seguimiento de Jesús. La comunidad discipular tiene que estar celosamente atenta a los hermanos más pequeños y desvalidos, que son la mayoría de la población mundial, para socorrerlos con la necesaria misericordia. En nuestro tiempo, esa misericordia se traduce en el evangelio de los derechos humanos y de la necesaria equidad, que nos debe mover a ser solidarios con los desfavorecidos y las víctimas de los sistemas socioeconómicosmicos que buscan su propio sostén a costa de las personas y de las familias. Este es el imperativo de Cristo Rey, el Juez universal ante el que todos hemos de comparecer.